U0136958

【越南漢學論叢】第一輯

長天一色鮮・絕頂漾清漣：越南漢學新視野

毛文芳、阮俊強　主編

臺灣學生書局 印行

【越南漢學論叢】總序

毛文芳 · 阮俊強

國際漢學研究動向與臺灣中正大學中文系的步履

　　漢學研究於世界學術史具有舉足輕重的悠久傳統，尤在東亞人文學中具有核心地位。隨著中國開放以來營造的全球化市場態勢，各階層人士莫不對中國文化賦予一定程度的關心，促成國際漢學界又一波蓬勃興盛之風。在漢學研究領域始終佔有一席之地的臺灣人文學界，因緣際會地捲入其中，邇來以「國際漢學」或「東亞漢文化」為主題的各項學術計畫、會議及論壇活動日多，逐漸引發臺灣中文學界的矚目。

　　筆者任職的臺灣中正大學中國文學系，師資涵蓋經學、思想、文學、語言、文字等完整領域，學術成果與活動多定焦於「近世」的學術範疇，或兼具「跨領域」性質，或創建「國際化」的對話平臺，客座講席之延聘亦強化這些面向。本系立於師資結構、學術規劃及發展特色的基礎，持續不懈耕耘「近世文化」的學術板塊，由於有美日留學師資的挹注，及本系教授美歐日韓頻繁的交流經驗，恰與當前的國際漢學熱潮相互應合。

　　有鑑於此，筆者 2015 年承擔系主任職務伊始，便有意迎向此股學術新潮，將系務發展主軸聚焦於近世漢學研究，汲汲締建平臺，向國內外學術聲譽斐然的漢學家提出各種活動型態如：講學、講座、工作坊、學術會議等邀訪，積極激盪與對話，力圖藉此拓展並提昇

本系學術視野及研究實力，以兼具繼承與創新的精神，梳理近世知識型態與文化表述的多重複雜脈絡，用以展現漢學研究不斷省察以策勵未來的積極意義。

近世漢學研究非常重要的範疇是文獻典籍的傳播、詮釋及譯改，漢籍文獻如何在中國以外的地域孳衍意義脈絡，甚而返傳原生母國，被賦予新義，由此產生意想不到的環流影響，皆為重大議題。筆者關注漢文獻由中土往周邊國家輻射、流傳、迻譯、詮釋、改造等議題，有機緣延聘國際知名漢學家蒞系演講交流，2015年2月迄今共舉辦20個系列40餘場「國際漢學講座」，講者分別來自於英國、美國、德國、捷克、日本、韓國、越南、馬來西亞、中國等，他們是英國倫敦亞非學院傅熊（Bernhard Fuehrer）、美國亞利桑那大學奚如谷（Stephen H. West）、萊斯大學錢南秀（Nanxiu Qian）、捷克查理大學羅然（Olga Lomová）、日本京都大學金文京（Kim Munkyong）、東京大學大木康（OKI Yasushi）、韓國高麗大學崔溶澈（최영철）、沈慶昊（심경호）、鄭雨峰（정우봉）、漢陽大學吳秀卿（오수경）、東國大學朴永煥（박영환）、越南漢喃研究院丁克順（Đinh Khắc Thuân）、阮俊強（Nguyễn Tuấn Cường）、阮蘇蘭（Nguyễn Tô Lan）、胡志明市社會科學及人文大學胡明光（Hồ Minh Quang）、馬來西亞大學中文系張惠思（Teoh Hooi See）、中國復旦大學陳正宏、南京大學張伯偉等知名教授蒞臨演講，以及德國漢堡大學漢學系博西蒙（Simon Preker）、海德堡大學漢學系申宇浩（Julius Schenkel）、美國哈佛大學東亞系熊本恩（Benjamin James Porteous）等青年學者主講座談。期間，亦陸續舉辦五次東亞漢學國際工作坊，主題包括：「韓國漢學及研究文獻」、第一屆「文獻與進路：越南漢學」、第二屆「文獻與進路：越南漢學」、「東亞經典詮釋新路向」、「性別、圖像、知識：東亞漢學新路向」，均邀集指標性學者蒞臨共創論學平台，相與對話。

在上述蓬勃的學術活動中，「越南漢學」為中正大學中文系近年系務發展重點之一。

中正大學文學院與「越南漢學」締結的三十年學術因緣

在言及中正大學中文系「越南漢學」相關成果前，有必要略述筆者所任職之中正大學文學院與越南漢學的學術因緣如後。[1]曾任中央研究院歷史語言研究所研究員的毛漢光教授，於 1990 年受聘為本校文學院創建歷史學系暨研究所，早年以《中國中古政治史論》、《中國中古社會史論》等著作享譽學林的毛漢光教授，亦為唐代碑誌專家。早在毛教授任職史語所期間，便曾帶領包括時任研究助理的耿慧玲碩士生在內的研究團隊建立與美國柏克萊大學和法國遠東學院的合作計畫，毛教授亦曾與慧玲研究助理相偕前往越南協助法國整理越南碑誌。1990 受聘南來，毛漢光教授亟欲為新成立之中正大學文學院歷史系所大展鴻圖，力闢「越南史」研究新場域，以十年時間耕耘越南漢學有成。受到漢光教授大力提攜，耿慧玲女士在研究生階段即在史語所任研究助理，師從漢光教授開啟越南碑誌的長期研究工作，為毛教授此領域的得意學生。儘管未在中正大學任職，慧玲博士全力襄助漢光教授建置越南碑誌等相關研究工作，聰慧罣勉，卓有貢獻，著述擲地有聲，可謂越南碑誌研究第一人。

1993 年，漢光主任於歷史系成立「越南碑誌研究室」，收藏的文獻包括：蔣經國基金會經費補助所整理、影印與購置者，以及毛、耿二位教授為越南研究工作之個人購置或外界贈送者。4 年後，於 1997 年 7 月，為配合大型跨國合作計畫，在既有基礎上成立「中法越國際漢拓研究室」。並於 1999 年 10 月成立研究室網站。2012 年 6 月，本校文學院為漢喃研究計畫架設的網站，獲邀參加中央研究

---

[1] 以下因緣內容，詳參〈君子不器，獨斷於心──毛漢光教授暨耿慧玲教授訪談錄〉，《中正歷史學刊》，第 20 期（2017.12），頁 257-269；另參〈中正大學越南漢喃研究室大事記〉，收入「國立中正大學與越南研究教學機構學術交流暨招生事務座談會」會議資料，2016 年 11 月 15 日 14:00-16:00。

院第四屆國際漢學會議「臺灣人文的普世視野：臺灣的漢學資源及其數位典藏」特展，獲得矚目。

除了 1993 年建置專屬研究室外，毛教授延續擴大史語所時期的社群人脈，聯合臺灣中正大學文學院、法國遠東學院（École française d'Extrême-Orient）及越南漢喃研究院（Viện Nghiên cứu Hán Nôm）三方正式簽訂學術合約，共同執行計畫，這樣以國立大學層級進行「越南漢學」之跨國合作研究，可謂國內創舉。1993 年 11 月，慧玲博士代表毛教授前往越南漢喃院進行第一次學術合作協談，1994 年 10 月，三方簽訂「學術交流協議書」，展開交流互訪及合作計畫。1996 年 11-12 月間，歷史系向教育部、蔣經國國際學術交流基金會申請補助越南漢喃院阮文原、黃文樓、阮文邊三位研究員蒞校演講交流，並舉辦「越南漢文書籍及碑文概況座談會」。

另一方面，毛漢光主任於 1997 年 6 月向蔣經國國際學術交流基金會申請通過三年期「中法越共同研究漢喃研究院所藏文拓片國際研究計畫」（RG006-D-'96，執行期間：1997.07~2000.06，經費 300 萬）。之後，展開多方互訪，同年 10～11 月間，中文系鄭阿財教授與計畫執行人耿慧玲博士受邀訪問漢喃院進行磋商。1998 年 2 月，毛漢光所長、王德權博士、耿慧玲博士再受邀往訪漢喃院。1998 年 8 月，耿博士開始率領歷史系研究助理陳中龍前往漢喃院進行交流協商等事宜，復於 1999 年 9 月（加入湯佩津助理）、2000 年 4 月等共三度往訪。至於法越二方，1999 年 3 月，歷史系邀請法國遠東學院駐台代表王微女士來院參訪演講。6 月，又邀法國遠東學院戴仁與王微女士相偕來訪。同月，亦邀漢喃院潘文閣研究員來訪。

上述由蔣經國學術交流基金會補助的三年期「中法越共同研究漢喃研究院所藏文拓片國際研究計畫」（1997.07-2000.06），成果為《越南漢喃銘文匯編》，共有三集。1998 年 7 月由河內漢喃院、巴黎遠東科學院共同出版《越南漢喃銘文匯編》第一集（北屬時期至李朝），莎夢爾主編、耿慧玲等編輯。後再獲蔣經國基金會補助「越南漢喃

銘文匯編第二集出版計畫」(編號 SP002-D-'99，執行期間：2000.07~2001.06，經費 45 萬)2002 年 5 月，耿博士主編《越南漢喃銘文匯編》第二集（陳朝）由河內漢喃研究院、嘉義中正大學共同出版，新文豐出版公司發行。早在 1999 年 12 月，研究團隊已完成第三集（黎朝）的初稿。

中正大學中文系與越南漢喃研究院的交流復甦

本校文學院於 1993 年開始由歷史系創系主任毛漢光教授領導團隊建置橫跨臺、越、法三方的越南漢喃碑誌拓片之研究、出版及交流互訪合作計畫，為臺灣學界早期與越南漢喃院締結的善緣，距今已三十年，隨著前項計畫於 2001 年完成，加以人事變動後，發展略顯沈寂。其間，2001 年 2 月由中文系籌辦召集之「中國域外漢文小說國際學術研討會」，曾邀漢喃院鄭克孟院長及黃文樓教授蒞臨參加，當時鄭黃二人就「中越漢喃國際漢拓研究計畫」與院方進行研商，擬簽訂學術交流合約以推動進一步合作，似未如預期。2003 年 11 月，歷史系曾完成中正大學校務基金資助之「越南漢喃銘文國際合作計畫」，畢竟是校內計畫，規模不如以往。

十餘年後，筆者於 2015 年 2 月起擔任中文系主任，因應時代潮流與國家政策，因緣際會，於焉接軌前緣，若再說得益於一位越南青年學者來本系留學的契機，亦不為過。2012 年 4 月，耿慧玲教授受邀前往胡志明市社會科學與人文大學東方學部擔任客座教授，推薦一位稟賦優異的越南青年潘青皇同學於 2013 年申請來本校中文系碩士班留學，慧玲教授邀筆者共同指導青皇的碩論，遂讓筆者有向南疆文化睜開隻眼探勘的機緣。

有感於國際漢學方興未艾，並順應國家新南向政策，筆者一方面樂意接續本院與越南漢喃院長達 30 年的深緣，傾慕台灣幾位權威學者如越南漢文小說及使節詩碑第一把交椅的成功大學中文系

陳益源特聘教授、東南亞史與中國航海貿易史無出其右的成功大學
歷史系鄭永常教授、專力於越南儒學發微的中央研究院中國文哲所
鍾彩鈞研究員等前輩，有意邯鄲學步於他們探索越南漢學，遂不揣
翦陋籌畫召集，於 2016 年 5 月 28 日為本系策辦第一屆「文獻與進
路：越南漢學工作坊」。當時幸運邀得陳正宏教授與丁克順研究員擔
任兩位主題演講嘉賓。陳正宏教授任職於中國復旦大學古籍整理研
究所，兼職為全國古籍保護工作專家委員會委員、法國亞洲學會會
員，為版本目錄文獻專家，合編之《越南漢文燕行文獻集成》、《琉
球王國漢文文獻集成》等書，對東亞研究影響深遠。丁克順高級研
究員任職於越南社會科學翰林院所屬漢喃研究院，該機構在越南漢
文獻庋藏及整理研究最為首要，擔負越南傳統與現代文化接軌的承
繼使命。丁研究員因應當今漢學蓬勃的熱潮，對越南漢學面向亞洲
及全球之學術研究與積極交流，迭有功績。筆者聚焦於文獻與方法，
邀請兩位重量級專家擔任主題演講，並力邀學術聲響卓著之陳益源
特聘教授擔任開場主持人，本會議於台灣中文學門可謂首創，圓滿
成功，其餘受邀佳賓及會議內容，詳參另文。

簽署雙邊學術合作備忘錄與實務推動

2016 年成功興辦第一屆「文獻與進路：越南漢學工作坊」，中
文系誠邀丁克順研究員為主題演講佳賓。會議召開後約半年，10 月
間，透過熱誠的丁研究員引薦，榮邀漢喃研究院新任阮俊強院長、
越南國家大學胡志明市社會科學與人文大學東方學部與臺灣教育
中心胡明光主任、范文俊研究員等一行學者蒞系訪問演講。期間與
阮院長、胡主任、丁、范兩位研究員相談甚歡，達成雙邊學術合作
意向，直接促成次年（2017）4 月 26 日中正大學文學院與越南漢喃研
究院正式簽署學術合作備忘錄（MOU）。這份 MOU 的簽定，接軌並

賦活了本校文學院三十餘年前與越南漢喃研究院締結的因緣，為沈寂二十餘年的雙邊關係展開新局。為具體落實這項學術合作備忘錄，雙方議定 2017 年 10 月中旬，接續第一屆工作坊成果，擴大規模，共同策辦第二屆「文獻與進路：越南漢學工作坊」。

　　由越南漢喃研究院與中正大學中文系合辦、歷史系協辦之「第二屆文獻與進路：越南漢學工作坊」，筆者很榮幸與漢喃院阮俊強院長共同召集，阮院長率領越方一行共 8 位學者蒞臨本校，會議於 2017 年 10 月 19~20 日（周四~五）假本院國際會議廳隆重登場，盛情歡迎各界踴躍參加。本屆工作坊榮邀兩位聲譽斐然的漢學家：阮俊強博士，為越南社科翰林院所屬漢喃研究院院長；張伯偉教授為中國南京大學人文社會科學高級研究院特聘教授兼域外漢籍研究所所長，分別為兩天會議進行開幕演講。此外，本次會議亦力邀越、臺、中於越南漢學研究積累厚實、卓越有成的丁克順、鍾彩鈞、陳益源、耿慧玲、劉玉珺等多位教授，與臺、越雙方後起之俊秀學者發表論文，國內外不同世代的教授與碩博研究生們齊聚一堂，共創國內罕見以「越南漢學」為主題的國際學術工作坊，再度撞擊與激盪學術火花。

　　兩屆「文獻與進路：越南漢學工作坊」，加上多年來本系陸續與越南學者合作研究的學術成果，筆者結合本系主編之臺灣核心期刊──《中正漢學研究》，精心規劃為嚴謹的東亞漢學專輯，收入越南學者的研究成果者包括：「越南漢學」（29 期，2017.06）、「東亞漢籍」（30 期，2017.12）、「性別、知識、圖像：東亞漢學 2」（37 期，2021.06）。筆者亦於 2017 年力邀蒞臨本系的阮俊強院長擔任本系侯汶尚同學碩士論文畢業口試召集人，後獲得阮院長允可與筆者共同指導侯汶尚攻讀博士學位，在培育學生方面，展開更緊密的合作關係。

　　此外，2015 年以降，筆者依傍人脈與善緣，為研究所延聘師資，規劃開設兩門課程：其一、「東亞文化與越南漢學專題」（由耿慧玲教授擔任講席，104-1、107-2、108-2、111-2）；其二、「東亞漢學專題」（106-2，

由金原泰介、許怡齡、耿慧玲三位教授合開，分授日本、韓國、越南漢學)，俾本系碩、博士生打開越南與東亞漢學視野。再者，因效慕宋代民間興學之風，由本系籌劃，中文、歷史二系共同辦理「子衿書院」，於 2017年春季，邀請本系碩士生潘青皇同學利用在歷史系修讀博士學位期間，向全校開設「越南傳統文化與越南語初級」、「越南文學與越南語中級」兩門課程，修課人數和課堂反應均十分熱烈。

　　另一方面，承擔系主任的筆者，獲漢喃研究院盛邀，於 2018 年寒假前往河內進行訪問及移地研究 (02.03-02.09)，感謝丁克順研究員親赴河內機場接機。訪漢喃研究院首日，院方安排阮俊強院長、丁克順研究員，以及國際交流處阮蘇蘭研究員、阮氏鶯資深研究員等學者座談諮詢，磋商與院內研究員共同研究及合編書籍事宜，時值臺灣政府積極推動南向政策之際，此行有助於創造貴我雙方之學術效益。承蒙摯友俊強院長與克順研究員親自陪同進入漢喃院古籍室，蒐閱《御題名勝圖繪詩集》、《御制銘文古器圖》、《航海金針》……等多種越南近代珍貴圖畫書籍文獻，可據以擴充筆者長期關注之圖文研究領域與東亞認知。此次訪問時間極短，承蒙院方盛邀，唯筆者僅能安排一場主題演講：「近世研究的圖文旅行：由明清到朝鮮、越南的畫像文本探索」(2018.02.08 / 9:00~11:00 a.m.)，當天由阮院長主持，院內研究員踴躍參與並發問，達致交流切磋的目的。本系侯汶尚博士生亦間赴河內進行越語學習之旅 (01.11-02.14)。我們師生二人，除在漢喃院蒐集資料外，又蒙院方接待安排參觀河內文廟、故交州寺廟等勝蹟，享用越南傳統美食，賓至如歸，尤其銘感丁克順研究員一路盛意相偕，更陪同參觀河內近郊之東湖——年畫製作坊，此為越南歷久悠久之年畫故鄉，我們有幸參觀彩色年畫的製作過程，代代相傳以手工雕刻拓印成畫之家族作坊，早已晉升為越南國寶級手工藝，目前以越南國家特色工藝繼續經營，吸引國內外旅客絡繹不絕造訪。這次的參訪行程，可謂實質推動著雙方前已簽署之 MOU。

越南漢喃院與本研究中心共同編纂叢書的願想

自 2013 年以降，原是越南漢學門外漢的筆者非常幸運，既與越南留學生教學相長，又全程旁聽「東亞文化與越南漢學專題」、「東亞漢學專題」兩門課程，還直接參與由本系主導開設的越南語課程而受惠，復與國內外多位越南漢學優秀前輩及青年學者頻繁互動，得觀摩學習之利，深覺浸淫明清文化之學者如我，實有必要拓展知識畛域，倘能以環流視角關注東亞漢文化圈，將有不同領悟。筆者勉力伸一隻觸角窺探，翻檢相關文獻，嘗試發表了若干篇越南漢學之淺論，尚祈方家不吝賜正。

拜賜於上述各種善因緣相佐，筆者於 2017 年暮春順利推動中正大學文學院與越南漢喃院簽署 MOU 後展開學術合作，一切彷如水到渠成，願將本系長期耕耘的「越南漢學」相關成果以嚴謹形式呈現與流通，唯有編書始能圓夢。筆者基於上述本院與漢喃院共同簽署 MOU 的精神，覓得合作的不二人選——越南社會科學翰林院所屬漢喃研究院研究員兼院長阮俊強博士，阮院長年輕有為，精通越、漢、英、日等多國語言，鑽研古典語言文字學、古典文獻學、越南儒學、蒙學教育等領域，研究成果十分輝煌。學術與行政經歷十分豐富的阮博士，於 2015 年接掌越南漢喃研究院，是越南學界傾力栽培的俊秀才彥，近來代表漢喃院獲得各國紛紛邀約，於東亞歷史文明及國際漢學領域，進行以越南為視角極富學術意義的對話，聲譽卓著。

基於職責與理想，筆者依傍過往於「越南漢學」的良基，為本系籌劃一系列包括越南在內的東亞漢學學術活動，積極締造新的合作默契與模式，積累豐實的成果，已如上述。依此利基，由筆者引領中文系多位志同道合的教授們踵繼前志，群策群力，籌備謀劃，2022 年暮春，於本校正式創立院級的「東亞漢籍與儒學研究中心」，

為學界賡續締建一個活躍的學術平台，積極與陸續建立默契的國內外大學機構共同致力於推動東亞漢學的研究，亟欲彰顯漢學滋衍傳播於東亞形成環流現象的學術價值與意義，展現台灣學者傾力參與國際學術脈動之活力與成果。

就越南漢學方面而言，因推動與漢喃院簽署 MOU 的緊密盟約，筆者倍感榮幸，前既承阮俊強院長慷慨盛意，樂與筆者合辦會議，並共同指導侯汶尚博士生；今更認同筆者編輯叢書理念，願以長期合作的知友默契，並肩共負「越南漢學論叢」之編纂志業，由侯汶尚博士候選人擔任執行編輯，復得到學術老字號的臺灣學生書局鼎力支持。我們擬將歷來經手及延伸之學術成果，針對 1.優秀富啟發性的論文集、2.學者專著，以及 3.學位論文等三種著作類型，徵集甄選，規劃編輯，陸續出版，以饗海內外中文讀者。這些論著將描摹與再現越南漢籍文獻之個別或集體文本，考其刊印、傳播、環流、接受等書籍史多重樣態，集合眾多專家成果，提供頗具參照價值的越南人文界面，用茲開拓漢文化的廣濶畛域，並增益東亞漢學不斷豐實精深的知識體。

『越南漢學論叢』第一輯：《長天一色鮮・絕頂漾清漣：越南漢學新視野》，以享有「周遊列國的越南名儒」譽稱之著名使節李文馥一首七律詩歌截句命名，飽含東亞人文地景的隱義；又取意於阮院長精選越南延祐寺具有虛實/古今/新舊多重意蘊的圖景，作為讀者視覺入眼的封面與封底圖源，圖文相映成趣。第一輯於 2022 年出版，恰逢中正大學「東亞漢籍與儒學研究中心」創立之始，為『越南漢學論叢』開鑼響聲之作，恰可視為一份為這個國際學術平台紮根奠基的珍貴獻禮，懇盼能為東亞漢文化知識體擴建厚積的永續學術工程，略盡棉薄之力。

附 筆

筆者於 2017 年暮春，力邀蒞臨本系參加「近世意象與文化轉型」國際學術研討會的阮俊強院長擔任本系侯汶尚同學碩士論文《西山朝北使詩文研究：以四部燕行集為考察中心》(105-2) 畢業口試召集人，獲得阮院長再三鼓勵。之後，又榮幸獲得阮院長允可與筆者共同指導汶尚君攻讀博士學位，得其勉勵關懷良多。汶尚君攻讀碩士以迄於博士的研究生階段，擔任筆者研究助理並跟隨治學，獲得本人倚重與信任。汶尚君學行俱佳，擁有一流才智，並有高效能處理繁瑣事務的能力與耐性，人際關係和諧良好。他擔任本系核心期刊《中正漢學研究》的助理編輯，持續獲得本系器重，時時委以重任。筆者前文陳述自 2016 年以降展開各項「越南漢學」相關之會議或講座活動的申請、籌備、操辦等，汶尚君輔弼時掌系主任的筆者，長期承擔籌備執行祕書，參與甚深，勞苦功高。走在不斷精進個人學術道路，又願犧牲時間為公領域效力，汶尚君是一位不可多得的全方位優秀青年人才。

2018 年中，阮院長與筆者便已籌劃底定『越南漢學論叢』的編纂方針及本書 (第一輯) 之內容，委以我們共同指導的侯汶尚博士候選人擔任執行編輯，以其人格特質及各種豐富歷練，實為不二人選。汶尚君果然不孚兩位主編厚望，負責對外一切聯繫事宜，並承攬所有排版、編輯、校訂、清樣等辛苦的執編工作，感謝汶尚君始終保有正向積極心態，願視此繁重的學術庶務作為其增加人生閱歷、有效推進個人越南漢學茁壯成長，可臻學術增益流通的淑世理想。後續編纂計劃，已箭在弦上，任重道遠，有青年若此，實為本論叢之大幸，附筆於此，以誌厥功。

❀主編❀

阮俊強 Nguyễn Tuấn Cường

學經歷

阮俊強 Nguyễn Tuấn Cường，越南太平省人。越南社會科學翰林院所屬社會科學學漢學博士（2012），現為越南社會科學翰林院所屬漢喃研究院院長、越南河內國家大學兼任教授、越南國家文化遺產委員會委員。曾擔任漢喃研究院《漢喃雜誌》編輯委員（2015-）、越南社會科學翰林院所屬漢喃研究院副院長（2014-2015）。專長領域：越南漢學、古典語言文字學、古典文獻學、古代越南小學教育、越南儒學等。曾任美國哈佛大學哈佛燕京學社（Harvard-Yenching Institute）訪問學者（2013-2014）、日本国際交流基金関西国際センター文化学術専門家日本語研修六月コース（2001-2012）。

得獎與著述

研究著作曾榮獲越南國家大學青年學者獎（2014）。越南國內個人與合著學術專書 14 種，如 Author: *Diên cách cấu trúc chữ Nôm Việt* 越南喃字結構沿革研究（河內：河內國家大學出版社，2012）；Co-Author: *Người xưa dạy trẻ: Tam tự kinh và giáo dục ngữ văn ở Việt Nam* 儒家蒙學研究：『三字經』在越南的語文教育（河內：社會科學出版社，2020）。陸續以越、英、法、中、日、韓等語言發表學報和論文集論文近百篇。共同主編：《越南漢喃文獻與東亞漢字整理研究》（與何華珍，北京：中國社會科學出版社，2019）、《東亞漢籍與越南漢喃古辭書研究》（與何華珍，北京：中國社會科學出版社，2017）、《越南漢學論叢》（與毛文芳，臺灣：臺灣學生書局，2022-）等書。譯著：*Hán học Trung Quốc thế kỉ 20: Văn tự, ngôn ngữ, văn hiến, giáo dục, tư tưởng, triết học* 二十世紀中國漢學：文字、語言、文獻、教育、思想、哲學（河內：河內國家大學出版社，2010）。

演講交流及學術服務

近年屢獲邀前往美、加、德、法、韓、日、中、台等國各大學及研究機構演講交流暨參加國際研討會。學術兼職：世界漢字學會越南分會長、國際木板協會副主席、臺灣東吳大學人文社會學院中華文明現代化研究與創意中心兼任研究員（2016-）、中國河南鄭州大學漢字文明研究中心兼職研究員（2016-）、中國上海華東師範大學中國文字研究與應用中心兼職教授（2015-）、中國天津師範大學古籍保護人才培訓基地導師（2018-）、臺灣《漢學研究》、《漢學研究通訊》通訊委員（2017-）、臺灣中正大學東亞漢籍與儒學研究中心海外諮詢委員（2022-）。並獲邀擔任英國 *Journal of Chinese Writing Systems* 副總編輯，以及韓國 *Sungkyun Journal of East Asian Studies*、韓國《漢字研究》*The Journal of Chinese Character Studies*、韓國 *The International Journal of Chinese Character Studies*、泰國 *SPAFA Journal* 等學術期刊編輯委員。

❀主編❀　毛文芳

學經歷及著述

毛文芳，生於臺灣桃園，祖籍中國江蘇。臺灣師範大學中文博士（1997.6）。現為臺灣中正大學中文系教授（2008-）兼東亞漢籍與儒學研究中心副主任（2022-）、《江蘇師範大學學報（哲學社會科學版）》「珍稀文獻研究專欄」特約主編（2021-）。曾任中正大學中文系主任（2015.2-2018.7）、《中正漢學研究》（THCI）總編輯（2009-2015）、「東亞漢學」系列專輯主編（2015-2021）、美國哈佛大學東亞系訪問學者（2018.8-2019.7）、韓國高麗大學民族文化研究院訪問學者（2014.6-2014.9）、臺灣中央研究院歷史語言研究所訪問學者（2013.8-2014.1）。研究範疇為明清文學、圖像文本、女性文化、東亞漢學。著有：《董其昌之逸品觀》（1993 碩論、2011 修訂）、《晚明閒賞美學》（1997 博論，2000 修訂）、《物·性別·觀看：明末清初文化書寫新探》（2001）、《圖成行樂：明清文人畫像題詠析論》（2008；2021 沈慶昊韓譯版）、《卷中小立亦百年：明清女性畫像題詠探論》（2013）、《行樂·讀畫：明清名流的畫像題詠》（2020）、《詩·畫·遊·賞：晚明文化及審美意涵》（2022）、《盛世畫廊：明清文人畫像之多重觀看》（預計2024）、編撰《美國哈佛大學哈佛燕京圖書館藏插圖珍本提要圖錄》（預計 2024）等 9 種學術專書，獲邀參與《歷代女性詩詞鑑賞辭典》撰稿 15 篇（2016）。迄今發表：期刊論文 57 篇、國際學術研討會論文 74 篇、專書論文 27 篇，研究著述頗受國內外學者關注。主編：《中國歷代才媛詩選》（2011）、《越南漢學論叢》（與阮俊強合編，2022-）、《韓國漢學論叢》（與鄭雨峰、林侑毅合編，預計 2023-）等書。

獲獎及演講交流

曾獲洪瑞焜博士論文出版獎助、國科會甲種研究獎、香港大學中文系學術論文獎、中正大學著作獎、國科會人文專書出版獎。屢獲邀前往國內外各大學或研究機構演講，包括：臺灣中研院、臺大、政大、成大、中央、中興；中國復旦大學、南京大學、浙江大學、武漢大學、華東師大、西南交大、福建師大；美國哈佛大學、萊斯大學、亞利桑那大學、韓國梨花女子大學、高麗大學國文系、高麗大學民族文化研究院、高麗大學漢字與漢文研究所、越南漢喃研究院等。亦間赴中國各大公藏博物館，以及俄國聖彼得堡大學、英國倫敦大學亞非學院、德國漢堡大學、海德堡大學、法國艾克斯-馬賽大學、法國國家圖書館等地交流並蒐集漢學文獻。

學術服務

2015 年起承擔中文系主任職務前後，積極創建論學平台，包括：召集三屆「近世意象與文化轉型國際研討會」（第一屆為主系主辦；第二屆與中研院中國文哲所合辦；第三屆與馬來西亞漢學研究會合辦）；密集邀請國際漢學家蒞臨共計 20 個系列 40 場學術講座，並籌辦 5 次東亞漢學國際工作坊，主題：「韓國漢學及研究文

獻」、第一、二屆「文獻與進路：越南漢學」、「東亞經典詮釋新路向」、「性別、圖像、知識：東亞漢學新路向」，與國際社群頻繁交流對話。學術兼職：中國明代文學會海外理事、韓國高麗大學民族文化研究院主編《民族文化研究》編輯委員、新加坡南洋理工大學主編《中國學研究集刊》編輯委員、馬來西亞漢學學會主編《馬來西亞漢學刊》學術顧問、歐洲中國研究協會（EACS）會員，以及美國亞洲研究協會（AAS）、美國大學藝術學會（CAA）、美國現代語言協會（MLA）等會員。

業餘喜好文學創作與圖籍編纂。目前定居於臺灣嘉義。

❀執行編輯❀ 侯汶尚

學術簡歷

侯汶尚，生於臺灣屏東。臺灣中正大學中文系碩士（2016），目前為該系博士候選人。現任屏東科技大學兼任講師（2019-）、《中正漢學研究》（THCI）編輯助理（2018-）、「東亞漢籍與儒學研究中心」執行秘書（2022-）。曾任中正大學中國文學系研究生學會會長（2017-2018）、學術組組長（2015-2016）。研究領域為中國古典文學、越南漢學、東亞近代知識轉型。著有：《西山朝北使詩文研究——以四部燕行集為考察中心》（2017 碩論），以及國內外國際會議論文數篇：〈隱與現——《婦女雜誌》家政議題中的男人身影〉、〈十九世紀氣象學於東亞的流傳——以《航海金針》、《博物新編》、《測候叢談》為考察對象〉、〈跨域與越境——論合信《博物新編》〉……等。

出版書序

毛文芳 · 阮俊強

第一屆「文獻與進路：越南漢學工作坊」及延伸成果

　　2016 年 5 月 28 日（周六），臺灣中正大學中文系獲得科技部經費補助，由時任系主任的筆者召集籌辦第一屆「文獻與進路：越南漢學工作坊」，聚焦於文獻與方法，榮邀越南漢喃研究院擁有越南漢喃博士與法國歷史博士雙學位的漢學家丁克順研究員，以及中國復旦大學古籍研究所以東亞漢文獻聞名的陳正宏教授蒞臨發表「主題演講」。同時邀得臺灣越南漢學研究聲譽卓著之陳益源特聘教授、鄭永常教授、鍾彩鈞研究員、耿慧玲教授創成「專家論壇」，進行精彩對話。工作坊同時展現中文系 2015 學年度開設「東亞文化與越南漢學專題」課程（耿慧玲教授擔任講席）之成果，選修者包括中文、歷史、語言等研究所碩博士生，議題涵蓋思想、史學、文學、語言學、碑誌、科舉、圖像等面向，工作坊透過主題演講、專家論壇、研究習作等不同層次的設計，俾權威學者、初入門者與有興趣的與會學者多方請益、觀摩和對話，為越南漢學研究激發出更多思想火花。這次工作坊於台灣中文學門可謂創舉，圓滿成功，獲得迴響。部份新銳成果修訂後，經過嚴謹審查程序刊布於《中正漢學研究》（THCI Core）第 29 期（2017.06）「越南漢學專輯」，透過學報電子版流傳於海內外，造福學界。

　　藉著科技部經費補助工作坊兩位國外主題演講佳賓的邀訪機緣，筆者延伸設計兩個主題系列十場講座，第一個系列是陳正宏教授講座，總主題：「東亞漢籍的版本及環流現象」，三場講題分別為：

1. 越南燕行文獻：東亞文學研究的寶庫（工作坊開幕演講）
2. 東亞漢籍及其版本鑒定（中正大學中文系）
3. 東亞漢籍形塑的「小交流圈（中正大學中文系）

　　第二個系列講座邀請丁克順教授，受邀訪台時間一周，於本系主邀外，筆者聯繫安排其他機構合計共七場，講座總主題：「近世越南漢學研究的幾重面向」，講題分別為：

1. 15-18 世紀越南的漢文名著（工作坊開幕演講）
2. 近世越南的儒學文獻、儒學教育與科舉制度（中正大學中文系）
3. 近世越南的視覺圖像與文獻刻籍」（中正大學中文系）
4. 越南儒學研究的歷史與現狀（台灣師大東亞系）
5. 越南的城隍信仰與鄉村城隍事跡文版化過程（成功大學中文系）
6. 越南莫朝史料及其歷史文化研究（雲林科技大學漢學應用所）
7. 越南儒學研究的歷史與現狀（中央大學儒學研究中心）

　　兩個系列演講皆環繞著東亞視域及越南文史底蘊，描摹與再現個別文本的傳播、刊印、影響等所觸及的文化樣態及複雜面向，為聽眾開拓越南暨東亞漢文化的廣濶視野。

簽署學術合作備忘錄

　　2016 年成功策辦第一屆「文獻與進路：越南漢學工作坊」，中文系誠邀丁克順研究員為主題演講佳賓。同年 10 月間，透過熱誠的丁研究員引薦，榮邀漢喃研究院新任阮俊強院長、越南國家大學胡志明市社會科學與人文大學東方學部與臺灣教育中心胡明光主任、范文俊研究員等一行學者蒞系訪問演講。期間與阮院長、胡主任、丁、范兩位研究員相談甚歡，達成雙邊學術合作意向，直接促成次年（2017）4 月 26 日中正大學文學院與越南漢喃研究院正式簽署學術合作備忘錄（MOU）。這份 MOU 的

簽定，接軌並賦活了本校文學院三十餘年前與越南漢喃研究院締結的因緣，為沈寂二十餘年的雙邊關係展開新局（詳參【越南漢學論叢】總序）。為具體落實這項學術合作備忘錄，雙方議定 2017 年 10 月中旬接續第一屆工作坊成果，擴大規模，共同策辦第二屆「文獻與進路：越南漢學工作坊」。

第二屆「文獻與進路：越南漢學工作坊」及延伸成果

由越南漢喃研究院與中正大學中文系合辦、歷史系協辦之「第二屆文獻與進路：越南漢學工作坊」，，筆者很榮幸與阮俊強院長共同召集，於 2017 年 10 月 19~20 日（周四~五）假本院國際會議廳隆重登場，阮院長率領越方 8 位學者蒞臨本校。工作坊榮邀兩位聲譽斐然的漢學家：張伯偉教授與阮俊強院長，分別為兩天會議進行開幕演講，簡述如下：

張伯偉特聘教授任職於中國南京大學人文社會科學高級研究院兼域外漢籍研究所所長，2000 年於南京大學創立「域外漢籍研究所」，首開風氣之先，近 20 年著力探勘、著述、編纂與培育，積成纍纍碩果，迄今享譽國際，成為域外漢籍文獻的權威。張教授蒞臨本系，以其卓越的域外漢籍學養，為本屆工作坊注入廣濶的東亞視野。阮俊強博士為越南社會科學翰林院所屬漢喃研究院研究員兼院長，年輕有為，精通越、漢、英、日等多國語言，鑽研古典語言文字學、古典文獻學、越南儒學、蒙學教育等領域，研究成果輝煌。學術與行政經歷十分豐富，2015 年接掌越南漢喃研究院，是該國傾力栽培的才彥，代表漢喃院獲得各國競相邀約，於東亞歷史文明及國際漢學領域，進行各項以越南為視角的學術對話。

本屆會議力邀越、臺、中於越南漢學聲譽斐然的丁克順、鍾彩鈞、陳益源、耿慧玲、劉玉珺等知名教授蒞臨，與多位臺、越雙方俊秀學者發表論文，國內外不同世代的教授與碩博士青年學者齊聚一堂，再創國內罕以「越南漢學」為主題的國際學術工作坊，撞擊與激盪學術火花。

　　「第二屆文獻與進路：越南漢學工作坊」，為筆者推動中正大學文學院與越南漢喃院於 2017 年簽署 MOU 後首度展開之學術合作，藉向科技部申請經費的珍貴機緣，延伸規劃兩個主題系列十場講座。第一個系列邀請張伯偉教授，講座總主題：「東亞漢籍新視野」，三場講題依次為：

1. 日本江戶時代的《世說》熱（嘉義大學中文系）
2. 書籍環流與東亞視野：江戶學問僧注《世說新語》為例（中正大學中文系）
3. 新材料、新問題、新方法：東亞漢籍研究的回顧與前瞻（工作坊開幕演講）

　　第二個系列邀請阮俊強院長，阮院長受邀訪台一周，於本系主邀外，筆者又聯繫安排其他機構合計共七場，講座總主題為：「近世越南漢學研究的取向與前瞻」，各場講題依序臚列如下：

1. 越南書院初探：以十八世紀福江書院為中心（中正大學中文系）
2. 越南漢喃研究新視野：從 21 世紀初葉的角度談起（工作坊開幕演講）
3. 轉變中的漢學教育：越南漢喃院（1959-1965）的歷史（雲林科大漢學應用所）
4. 中國蒙書在越南：以《三字經》為中心」（成功大學中文系）
5. 越南的蒙書世界：《明道家訓》與《幼學五言詩》為例（中正大學中文系）
6. 越南最後的儒家團體：20 世紀中葉越南古學會活動史略（臺師大東亞系）
7. 西學東漸與書籍交流：《新訂國民讀本》的歐亞旅程（中研院文哲所）

　　短短兩年間，本系竭力籌辦兩屆「文獻與進路：越南漢學工作坊」暨延伸講座，四個總主題系列共計二十場校內外講座，將「越南漢學」密集高頻地帶進臺灣中文學界，展現本系傾力參與國際學術脈動之活力與成果，彰顯中國文學滋衍傳播於東亞形成環流現象的價值與意義。兩屆「文獻與進路：越南漢學工作坊」暨系列講座活動得以圓滿舉行，筆者作為總召集，除特向合作的越南漢喃研究院銘謝外，亦對國內各學術機構深致謝忱：臺灣科技部、臺灣中文學會、故宮南院、中正大學文學院、歷史系、國際交流事務處、中央研究院中國文哲研究所、臺灣師範

大學東亞系、成功大學中文系、嘉義大學中文系、雲林科技大學漢學研究所、吳鳳科技大學……等。倘若沒有這些機構之盛情美意並共襄盛舉，系列活動不可能順利成功。筆者在此願與歷來之合作機構、與會學者專家、本校籌備委員會及工作人員共享兩屆工作坊活動之所有豐碩成果。

學報專輯、論叢編纂的願想

兩屆「文獻與進路：越南漢學工作坊」，加上本系陸續與越南學者合作研究的學術成果，筆者結合本系主編之臺灣核心期刊《中正漢學研究》，精心規劃多個東亞漢學專輯，其中收入越南研究成果者包括：「越南漢學」（29 期，2017.06）、「東亞漢籍」（30 期，2017.12）、「性別、知識、圖像：東亞漢學 2」（37 期，2021.06）。這些專輯僅能容納兩屆工作坊的部份論文。有鑑於 1990 年代中正大學文學院擁有與越南漢喃院長達三十餘年的各種善因緣，及至多年後再續前緣，筆者於 2017 年順利推動中正大學文學院與越南漢喃院簽署 MOU 後展開學術合作，願將本系長期耕耘的「越南漢學」相關成果以嚴謹形式呈現與流通，唯有編書始能圓夢。筆者遂與越南漢喃研究院青年才俊的阮俊強院長共同商議，得其認同，願以長期合作的知友默契共同主編「越南漢學論叢」，由阮院長與筆者共同培育指導的本系侯汶尚博士候選人擔任執行編輯，得到臺灣學生書局鼎力支持。

長天一色鮮·絕頂漾清漣：本書之命名、封面圖源與簡介

剛過知命之年的越南著名使節李文馥，於 1836 年赴廣東訪查遭風失蹤的船隻，停泊於澳門時，作了一首七律：〈登鏡海神山觀音閣步鑴石原韻〉，收入《鏡海續吟草》。「鏡海」是澳門古稱，當今澳門名稱源自葡萄牙語 MACAU，相傳是葡萄牙人詢問當地人觀音閣與地方史，陰錯陽差

成為澳門地名的由來。李文馥登上廟閣，有感而作：

海共長天一色鮮，神州絕頂漾清漣。白環沙塢低塵國，碧鎖林梢豁洞天。
浩劫百年看水月，征帆萬里接雲煙。淪胥世界誰超悟？點化靈機欲叩禪。

　　首、頷二聯紀錄所見神州景色，先寫海天一色的遼濶視野，再寫近處沿岸自然與人文交融的地景，後寫身處的茂林景觀。頸、尾二聯寫澳門百餘年的歷史變遷，以悲壯、滄桑的筆法描述西方勢力對東方國度的侵蝕，頹圮趨勢當前，誰能擺脫憂慮而不受影響呢？或許只有往內心深處找尋答案，才能真正在渾濁世道擷取一絲清明吧？深有意味的是，李文馥立於禪閣，所見皆西方基督教文物，形成一種圍城之勢，產生孤立無援之感，如同這一方小小的觀音閣，如何與當時西方勢力抗衡？中西文化的碰撞是東亞各國的當代課題，竟在小小的澳門嶄露無遺，透過李文馥詩作的微觀心證，呈現當時東亞國家面臨西方強侵的焦慮與無奈。[1]

　　李文馥曾奉命出使南亞、東南亞、葡屬澳門及中國清朝等地達十一次之多，見多識廣，後世譽稱其為「周遊列國的越南名儒」。年過半百，身處十九世紀中葉的他因憂世局而不免吐句如：低塵國、浩劫百年、淪胥世界的灰黯，然身在澳門觀音閣，也同時見到：海共長天、豁洞天、征帆萬里的契濶。如此心眼所感，未嘗不是預示著一種文化敞開、東西相互迎納的未來趨向？就地理而言，東亞各國環繞著一個廣漠的海域而布列，如果站在制高點，轉換心境，再度瞻眺，那麼，李文馥首聯「海共長天一色鮮，神州絕頂漾清漣」，或許不再只是個狹隘的中國意象，而是東亞環流海域各國仳鄰相連的壯濶景致，成為一項預示未來的隱喻！

　　作為主編，我們喜以使節李文馥這首意義非凡的七律截句命名：「長天一色鮮‧絕頂漾清漣」，詩句意象導向顯隱二義，顯義：站在越南而面

---

[1] 詩末有小字註曰：「遍地皆尚耶穌不尚佛」。本文關於李文馥〈登鏡海神山觀音閣步鐫石原韻〉的本事考察與詩句詮釋，出自侯汶尚博士侯選人，特此註記。

向東亞海域諸國的壯濶人文地景；隱義：立足於「越南漢學」而伸向東亞漢文化如穹蒼瀚海般學域，為此展示新穎的論述視野。不同於李文馥所在的十九世紀，本書呈現的是二十一世紀的知識景觀，

　　本書封面的圖源亦饒富意蘊，靈感取自於越南延祐寺。越南有許多珍貴的建築遺產，位於昇龍（今河內）聞名遐邇的延祐寺，建於 1049 年，1105 年第一次修復，成為李朝（1009-1225）佛教建築的表徵。歷經千年的歲月淘洗與世事滄桑，及至越南王朝末年，該寺只存留建在一根石柱上的蓮花臺，稱獨柱寺（chùa Một Cột）。1954 年，獨柱寺被砲彈炸毀，次年修復。據研究人員指出，昇龍的延祐寺是佛教世界觀的一個縮影，以曼陀羅圖案模擬設計，其中的蓮花臺宛如一朵巨大綻放的藝術蓮花。

　　最近，越南一些年輕學者依據傳世及出土文獻，以 VR3D 技術在電腦繪製 1105 年延祐寺擬仿圖，真貌如何？有待更細密的重建工作，但這項鮮明的圖景被公認為應用現代科技探勘越南傳統建築和文化遺產的可喜成果，引起越南年輕人廣泛的關注。有鑑於此，漢喃研究院的阮俊強院長精選電腦 VR3D 延祐寺之擬仿圖作為封面主圖，並選擇「獨柱寺」的真蹟照片作為封底剪影，有意以這座越南文化建築地標遺址古今/新舊/虛實的對話，隱喻本書的真義：為越南豐厚的文化基底拓建新視野。

　　作為『越南漢學論叢』第一輯，《長天一色鮮‧絕頂漾清漣：越南漢學新視野》，以東亞人文地景的涵蘊命名，復取延祐寺圖景之多重對話作為視覺隱喻，意味深長地揭開有價值的序幕。本書收錄知名專家嚴謹撰寫的學術論文共十九篇，別成三大範疇：「引論暨文獻」、「碑銘與制度」、「詩學及跨文化」，涵括人文學多重面向。作者悉為越南、臺灣、中國等地指標性學者，各自提出精湛的研究成果，如百川注入迴環廣海，匯聚而成富含啟迪的論述視野，提供極具參照價值的越南人文界面，增益東亞漢學不斷豐實精深的知識體。各篇論文初稿原發表於臺灣中正大學中

文系籌辦之第一、二屆「文獻與進路：越南漢學工作坊」，業經作者細致打磨，仍保有會議之初激盪的對話交鋒與思想火花，精彩可期。

尾聲：獻上一份賀禮

2018 年中，漢喃研究院阮俊強院長與筆者已謀定『越南漢學論叢』的編纂方針及本書（第一輯）內容，並委以我們共同指導的侯汶尚博士候選人擔任執行編輯，以其人格特質及各種豐富歷練而言，實為不二人選。汶尚君果然不孚主編厚望，負責一切對外聯繫事宜，並承攬所有排版、編輯、校訂、清樣等執編工作，汶尚君始終保有正向積極心態，克服諸多難關，完美達成任務，本輯之完成，汶尚君居功厥偉。（詳參【越南漢學論叢】總序）2018 年 8 月至 2019 年 7 月，筆者受邀前往美國哈佛大學東亞系訪問研究一年，返臺後，教研工作非常繁忙。《長天一色鮮、絕頂漾清漣：越南漢學新視野》一書大部份作者的文稿，皆有賴汶尚君陸續排定校妥，唯筆者抽不出餘暇為『越南漢學論叢』撰寫〈總序〉與第一輯〈出版書序〉。日月如梭，四年光陰消逝，即使蝸速也終於來到付梓的時刻！

筆者以過往多年的學術業績為基礎，引領中文系多位志同道合的教授籌備規劃，眾志成城，2022 年暮春，於本校文學院創立「東亞漢籍與儒學研究中心」，成為一個正式的學術平台，與長期建立默契的國內外大學機構共同致力於推動東亞漢學的研究。與我並肩的主編阮俊強院長，以及鵠候多時的作者群，應會微笑認同筆者：漫漫蝸步，拖遲出版，是一個可獲寬諒饒恕的美麗藉口！本書恰可作為一份獻給中心成立的賀禮。

本書以越南使節李文馥七律詩歌截句命名，封面以延祐寺虛實古今的圖景示現，涵蘊深遠。《長天一色鮮‧絕頂漾清漣：越南漢學新視野》千呼萬喚始出來，富含啟迪的內容與精緻編輯為『越南漢學論叢』敲響第一聲鑼！盼為東亞漢文化知識體擴建厚積的永續學術工程，略盡棉力。

【越南漢學論叢】第一輯

長天一色鮮‧絕頂漾清漣：越南漢學新視野

‧目錄‧

第參編‧詩學及跨文化

第壹編・引論暨文獻

從新材料、新問題到新方法：域外漢籍研究的回顧與前瞻

張伯偉*

摘要

　　所謂「漢籍」，就是以漢字撰寫的文獻，而「域外」則指禹域（中國）之外，故「域外漢籍」是指存在於中國之外的二十世紀之前用漢文撰寫的各類典籍文獻。具體包含三方面內容：一是歷史上域外文人用漢字書寫的文獻；二是中國典籍的域外刊本、抄本以及眾多域外人士對中國典籍的選本、注本或評本；三是流失在域外的中國古籍（包括殘卷）。

　　歷史上中國周邊國家和地區的讀書人，用漢字撰寫了大量文獻，其涉及範圍幾乎與「國學」相當，構成了東亞世界的「知識共同體」。域外漢籍研究大致會經歷三個階段：第一階段是作為「新材料」，主要是文獻收集、整理和介紹。第二階段是作為「新問題」，主要是就其內容所蘊含的問題作分析、闡釋。第三階段是作為「新方法」，針對文獻特徵探索獨特的研究方法。此「三階段」，其中必有所交叉，並非取代關係。

關鍵詞　新材料、新問題、新方法、域外漢籍、回顧與前瞻

* 〔中〕南京大學域外漢籍研究所所長。

一、域外漢籍研究前史

中國人過去有一個以自我為中心的天下觀念，從《史記》開始，中國的正史也具有世界史的規模。因此，對於中國以外的周邊漢籍的認識由來已久。統一新羅時代的崔致遠在唐代為賓貢進士，其《桂苑筆耕集》曾著錄於《崇文總目》及《新唐書·藝文志》，《中山覆簣集》則見錄於宋代《秘書省續編到四庫闕書目》，其書在中國亦有不少傳本。高麗時代則有北宋元豐年間崔思齊等使臣的作品，以《高麗詩》為名刊刻於中國，見《郡齋讀書志》。熙寧年間，朴寅亮、金覲出使宋朝，宋人為刊二人詩文，名曰《小華集》，事載《高麗史·朴寅亮傳》。又李齊賢《益齋集》被刻入《粵雅堂叢書》，其詞被刻入《彊村叢書》。朝鮮時代的許蘭雪軒作為女性作家的代表，在中國大受歡迎，《列朝詩集》、《明詩綜》等大量現存明清之際的選本中入選其詩，就是一個證明。又如徐敬德，其《花潭集》入《四庫全書》集部。朝鮮末期的金澤榮，一生大部分著作，都是在江蘇南通翰墨林印書局出版。此外，如日本山井鼎、物觀的《七經孟子考文補遺》入《四庫全書》，市河寬齋懷著「傳之西土，以觀國之華」[1]的願望而編纂《全唐詩逸》，且最終收入鮑廷博《知不足齋叢書》。越南黎澄的《南翁夢錄》被編入多種中國叢書，朝鮮時代許浚的《東醫寶鑒》在中

---

[1] 市河寬齋：〈與川子欽〉，載市河三陽編：《寬齋先生餘稿·寬齋漫稿》（東京：遊德園，1926），頁105。案：關於《全唐詩逸》的編纂，蔡毅：〈市河寬齋與《全唐詩逸》〉一文有詳細考論，收入其《日本漢詩論稿》（北京：中華書局，2007），頁203-223，可參看。

國也有翻刻本。至於中國流失在外的典籍，也曾大量回流，如皇侃《論語集解義疏》從日本舶回，入《四庫全書》。江戶時代林衡編纂《佚存叢書》，大量收集刊印保存在日本的漢籍，其中如太宰純校《古文孝經孔氏傳》和隋朝蕭吉《五行大義》等，後來皆收入《知不足齋叢書》。甚至歷來被視為「小道」的小說類，如張鷟《遊仙窟》在晚清從日本回流中國等。在現存文獻記載中，也還有中國方面以官方的名義向周邊國家索書的情況，最著名者為《高麗史·宣宗世家》八年（1091）六月丙午的記載：

> 李資義等還自宋，奏云：「帝聞我國書籍多好本，命館伴書所求書目錄授之。乃曰：『雖有卷第不足者，亦須傳寫附來。』凡一百二十八種。」[2]

這裡索求的是中國佚書。又《通文館志》卷九記載，肅宗四年（康熙十七年，1678），清使「求觀東國文籍，竇去石洲、挹翠、荷谷、玉峰、蘭雪、圃隱等集，《正氣歌》、《桂苑筆耕》、《史略》、《古文真寶》及近代墨刻法帖，東人科體表賦詩論十二篇」，[3]這裡索求的「東國文籍」，除了東人所撰著者，還包括中國書籍的東國刻本。

域外漢籍進入中國，當然多少也會受到一些評論。但除

2　韓國學文獻研究所編：《高麗史》（首爾：亞細亞文化社，1983），卷10，頁212。案：關於朝鮮文獻中這一記載的研究，參見屈萬里：〈元祐六年宋朝向高麗訪求佚書問題〉，《東方雜誌》復刊第8卷第8期（1975），頁23-26。

3　《通文館志》（首爾：民昌文化社據日本總督府1944年版影印本，1991），卷9「紀年」，頁134。

了漢傳佛教典籍部分，[4]歷史上中國人對於它們的認識，往往是從展現本國「文教之盛」或「禮失而求諸野」的心理出發。如況周頤《蕙風詞話》卷五評論越南阮綿審《鼓枻詞》和朝鮮朴闇《擷秀集》云：「海邦殊俗，亦擅音闋，足徵本朝文教之盛。」[5]就是一例。二十世紀初以來，學術開始由傳統向現代轉型，學者尤其重視新材料的發現。胡適當年強調用科學方法整理國故，而所謂「科學的方法」，其實就是西洋人做學問的方法，重心之一就是找材料。傅斯年 1928 年在〈歷史語言研究所工作之旨趣〉中說：「西洋人作學問不是去讀書，是動手動腳到處尋找新材料，隨時擴大舊範圍，所以這學問才有四方的發展，向上的增高。」[6]這一觀念其實來自於十九世紀中葉以下的德國，他們改變了十八世紀對單純博學多聞的追求和讚賞，使得原創研究成為新時代的「學術意識形態」，所以特別重視古典語文學和歷史學，[7]也因此而特別重視新材料，這就是傅斯年所接受的德國學術影響。陳寅恪在 1934

4　如宋僧遵式〈方等三昧行法序〉云：「山門教卷自唐季多流外國，或尚存目錄，而莫見其文，學者思之，渺隔滄海。〈方等三昧行法〉者，皇宋咸平六祀，日本僧寂照等齎至，雖東國重來，若西乾新譯。」載《大藏經》（臺北：財團法人佛陀教育基金會出版部，1990），第46冊，頁943。案：此類事至今未絕，如上海古籍出版社便有「日藏佛教孤本典籍叢刊」，陸續印行。

5　〔清〕況周頤：《蕙風詞話人間詞話》，合刊本（北京：人民文學出版社，1960），頁124。

6　傅斯年：〈王靜安先生遺書序〉，《傅斯年全集》（臺北：聯經出版事業公司，1980），第4冊，頁258。

7　參見彼得・沃森（Peter Watson）著，王志華譯：《德國天才》（*The German Genius*）（北京：商務印書館，2016），第2卷第3編第10章，頁5-24。

年寫的〈王靜安先生遺書序〉中，總結了以王氏為代表的學術
典範，其中之一就是「取異族之故書與吾國之舊籍互相補
正」，[8]「異族之故書」就不排除域外漢籍。又如胡適在 1938
年 9 月 2 日給傅斯年信中，言及他在同年八月蘇黎士舉辦的
史學大會上宣讀的〈近年來所發現有關中國歷史的新資料〉
（*Recently Discovered Material for Chinese History*）中，提
到「日本朝鮮所存中國史料」，[9]其中絕大部分都是漢文史
料。近幾年出版的《青木正兒家藏中國近代名人尺牘》[10]一
書，收錄了胡適、周作人、王古魯、趙景深、傅芸子等人的
信件，其中就不乏對日本所藏漢籍的調查與求購。域外漢籍
史料雖然已經引起當時一些有識之士的注意，但總體說來，
其價值和意義遠遠未能得到學術界的普遍認識和重視。而在
中國的周邊國家和地區，由於近代西洋學術的大舉進入和民
族意識的覺醒乃至民族主義的高漲，漢籍受到了空前的冷
落。對於國文學研究者來說，雖然本國文學史上存在大量的
漢詩文，但因為是用漢字撰寫，所以難為「國粹」，被視為
不能真正代表本民族的呼聲。小島憲之是日本漢文學專家，
他在 1968 年的一部以《國風暗黑時代的文學》命名的著作
自序中，將書名解釋為「換言之，即研究平安初期漢風謳歌

8　陳寅恪：〈王靜安先生遺書序〉，《金明館叢稿二編》（上海：上海
　　古籍出版社，1980），頁219。

9　王汎森輯：〈史語所藏胡適與傅斯年來往函札〉之（十七），《大陸
　　雜誌》第93卷第3期（1996），頁1-23。

10　張小鋼編注：《青木正兒家藏中國近代名人尺牘》（鄭州：大象出版
　　社，2011）。

時代的文學」。[11]這裡的「國風」即「日本風」，在他的眼中，「漢風」是不能代表「國風」的。同樣，在韓國學者撰寫的本國文學史中，漢文學或缺席，或僅作點綴，漢文學研究風氣之式微也就可想而知了。

中國傳統的研究學術史的方法，無不以「考鏡源流，辨章學術」懸為標準與鵠的，所以，回顧域外漢籍的研究史，我們也會很自然地把目光追溯到久遠的過去，有時還會為今日的工作尋找一個堂皇的祖先。但學術史上稱得起一種新學術的興起，必然要有新材料、新問題、新理論和新方法，而不僅僅是出於一二名公鉅子的偶然關注，或是某個概念的無意觸及，所以，對於域外漢籍的研究，我只能把以上部分看作「前史」。

二、作為新材料的域外漢籍

在國際上，真正對域外漢籍開始重視和研究，始於二十世紀八十年代以來。如旅法學人陳慶浩先生提倡漢文化整體研究，在域外漢文小說的整理方面取得若干成績；臺灣聯合報國學文獻館組織「中國域外漢籍國際學術會議」，從 1986 年到 1995 年舉辦了十次。在日本和韓國，雖然其本國的歷史典籍多為漢籍，但較大規模地影印漢文古籍，紛紛成立漢文學研究會，也是二十世紀八十年代以後的事，這已經成為學術界的共識。原臺灣中研院中國文哲研究所圖書館主任劉春銀指出：

全球各地有關域外漢籍之研究，係自 1980 年代起在各

---

[11] 小島憲之：《國風暗黑時代の文學》（東京：塙書房，1968），上冊，頁1。

國各地紛紛展開，如聯合報國學館自 1986 年起所舉辦
之「中國域外漢籍國際學術研討會」，至 1995 年，共
計舉辦了 10 次。而南京大學則於 2000 年正式成立了
「域外漢籍研究所」，這是全球首設之專門研究機構，
目前已出版《域外漢籍研究集刊》、《域外漢籍研究叢
書》，該所係有系統的針對域外漢籍的傳佈、文獻整
理、文化交流、研究領域及對漢文化之意義等面向進行
研究與學術交流。[12]

日本九州大學大學院人文科學研究院教授靜永健指出：

學術研究本來就沒有「國境線」！然而在現實之中，與
研究日本文學的學者一樣，研究本國文學的中國學者
們，也同樣陷入了一種被種種無形的「國境線」封鎖了
視野的迷茫之中。正是在這種學術背景之下，中國大陸
興起了一種新的中國學研究方法。這就是南京大學域外
漢籍研究所所長張伯偉教授提出的「域外漢籍研究」。
我個人認為，這是建立在批判傳統「只關注本國文學與
文獻資料」的研究方法基礎之上、一個試圖打破學術研
究之「國境線」的嶄新的研究理念。[13]

法國國家科學研究中心研究員陳慶浩也指出：

漢文化整體研究觀念是上世紀八十年代初我在臺灣提出
來的，到現在也快三十年了。自觀念提出到現在，回顧

---

12 劉春銀：〈提要之編制：以《越南漢喃文獻目錄提要》暨《補遺》為
   例〉，《佛教圖書館館刊》第46期（2007），頁72。
13 靜永健：〈新・中國學のヒント域外漢籍研究〉，《東方》第348號
   （東京：日本東方書店，2010），頁12-13。

起來可分成前後兩個階段。第一階段是觀念的傳播和古
文獻的整理與研究，通過舉辦國際會議、編纂目錄和域
外漢文獻的整理和研究開展的。……2000 年，南京大學
建立「域外漢籍研究所」，可以看成是域外漢籍研究一
個新時代的開始。2005 年起創辦《域外漢籍研究集
刊》，主編《域外漢籍資料叢書》和《域外漢籍研究叢
書》，形成了一個完整的域外漢籍研究系統，發展未可
限量。大陸近年已有很多研究機構或個別學者，進行相
關資料整理或研究，又出版了多種書目、叢書及研究論
文，使域外漢文獻之整理與研究成為一個新興的學科，
展望未來將有更好的發展。[14]

這大致概括了自上世紀八十年代以來的研究趨勢，其論述重點
都放在文獻的整理和出版。

　　事實上，在域外漢籍研究的初始階段，人們主要是從「新
材料」的意義上去認識和理解的。我們不妨以 1986 年「第一
屆中國域外漢籍國際學術研討會」為例，在會議論文集的〈編
者弁言〉中，大致歸納了會議論文的若干主題，它們集中在以
下幾方面：1、域外漢籍的流傳、出版與版本；2、域外漢籍的
現存情形與研究概況；3、域外漢籍的史料價值以及中國與東
亞各國的關係。編者特別指出：「這些學術論著多是以往漢學
家們不曾注意，或是根本生疏的。」[15]二十多年前，我在〈域

---

[14] 陳慶浩：〈漢文化整體研究三十年感言〉，《書品》第5期（2011），
　　頁31。
[15] 載聯合報文化基金會國學文獻館編：《第一屆中國域外漢籍國際學術
　　會議論文集》（臺北：臺北聯合報文化基金會國學文獻館，1987），

外漢詩學研究的歷史、現狀及展望〉一文中提出：「當務之急是文獻的整理和出版，……中國學者應該積極地投入於對基本文獻的收集、考辨工作中去。」[16]十多年前，我在《域外漢籍研究集刊》的「發刊詞」中，特別揭櫫了《集刊》的宗旨，即「重視以文獻學為基礎的研究」。[17]不難看出，這裡強調的都是「新材料」。所以，多年前有一位前輩學者聽說我關注域外漢籍，曾經有此一問：「還能找到一本像《文鏡秘府論》那樣的書嗎？」言外之意是，如果能找到類似性質的書，域外漢籍還有點意思，否則恐怕是浪擲精力。《文鏡秘府論》是日本平安時代空海大師自唐歸國後，應學習漢詩的後生輩之請，根據他在唐代收羅的詩學文獻（主要是詩格）編纂成書。由於其中的很多材料在中國已經亡佚，所以在文獻上有特殊的價值。多年前我編撰《全唐五代詩格彙考》，就曾經充分利用了這本書的材料（當然還利用了其它材料，如日本平安時期的抄本等）。在這位前輩學者的心目中，域外漢籍的意義主要屬於「新材料」，這也是直到今天很多人仍然秉持的看法。而在中國，對域外漢籍研究持否定態度的人，也會站在「材料」的立場，認為那些漢文學作品水準不高，因此也談不上有多少研究價值。

學術研究要重視材料，這是毫無疑問的，但新材料的發現

頁1-2。

16　張伯偉：〈域外漢詩學研究的歷史、現狀及展望〉，載蔣寅、張伯偉主編：《中國詩學》（南京：南京大學出版社，1995），第3輯，頁4。

17　載張伯偉編：《域外漢籍研究集刊》（北京：中華書局，2005），第1輯，卷首。

和運用應該得到學術工作者更多的重視，也是天經地義的。正是在這個意義上，陳寅恪說出了學術界耳熟能詳的名言：

> 一時代之學術，必有其新材料與新問題。取用此材料，以研求問題，則為此時代學術之新潮流。治學之士，得預於此潮流者，謂之預流。其未得預者，謂之未入流。此古今學術史之通義，非彼閉門造車之徒，所能同喻者也。[18]

對於這段話，學界的注意力往往集中在「新材料」而忽略了「新問題」，我想要說的是，如果缺乏「新問題」，即便有無窮的「新材料」，也形成不了「時代學術之新潮流」。甚至可以說，如果沒有新問題，新材料照樣會被糟蹋。梅曾亮在〈答朱丹木書〉中說：「文章之事莫大於因時。……使為文於唐貞元、元和時，讀者不知為貞元、元和人，不可也；為文於宋嘉祐、元祐時，讀者不知為嘉祐、元祐人，不可也。」[19]文學創作如此，學術研究也是如此。如果今天的杜詩研究，在問題的提出、資料的採擷、切入的角度以及最終的結論，與二十年前、五十年前沒有多大差別的話，這種研究的價值如何就很有疑問了。由於域外漢籍是以往學者較少注意者，因此，其中就蘊含了大量值得提煉、挖掘的新問題。所以，這一研究若想獲得長足的進步，必然要從「新材料」的階段向「新問題」、「新方法」轉變。

---

[18] 陳寅恪：〈陳垣敦煌劫餘錄序〉，《金明館叢稿二編》，頁236。
[19] 梅曾亮：〈答朱丹木書〉，《柏梘山房詩文集》（上海：上海古籍出版社，2005），卷2，頁38。

三、蘊含新問題的域外漢籍

　　新問題從何而來？當然離不開文獻的閱讀。但問題的提出也有一個契機，可以從不同文獻的比較而來，也可以由西洋學術的刺激而來。

　　熟悉禪宗史的人都知道，唐代雖然有南北分宗，但在南宗內部的五家分燈，卻沒有多少對立和衝突。然而宋代禪林宗派意識較強，禪宗內部的爭鬥（當然也有融合）比較激烈，經過一番較量，到了南宋，基本上就是臨濟宗和曹洞宗並傳，而以臨濟宗的勢力尤為壯大。在中國，其爭鬥一直延續到清代；[20]而在日本，榮西和道元分別從南宋將臨濟宗和曹洞宗傳入，同時也將兩者的爭鬥帶入。由於臨濟宗的影響多在幕府將軍，曹洞宗的影響多在民間層面，故有「臨濟將軍，曹洞土民」之說。當我們閱讀日僧廓門貫徹《注石門文字禪》，並瞭解其生平之後，自然就會產生如下問題：一個曹洞宗的門徒怎麼會去注釋臨濟宗的典籍？這個問題並非強加，廓門貫徹在書中就曾自設一道友質問：「師既新豐末裔，詎不注洞上書錄而鑽他故紙乎？」[21]「新豐末裔」指曹洞宗徒，「洞上書錄」指曹洞宗典籍，「故紙」在禪宗的語彙中，不僅是舊紙，而且是髒紙，

20　參見陳垣：《清初僧諍記》「濟洞之諍」，《勵耘書屋叢刻》，影印本（北京：北京師範大學出版社，1982），下冊，卷1，頁2407-2444。
21　廓門貫徹：〈跋注石門文字禪〉，〔宋〕釋惠洪著，釋廓門貫徹注，張伯偉等點校：《注石門文字禪》（北京：中華書局，2012），下冊，頁1727。

22這裡用來代指臨濟宗著作《石門文字禪》，表達的是同樣意思。如果結合廓門之師獨庵玄光的描述：「今日日域洞濟兩派之徒，各誇耀所長，更相毀辱。」「兩派之不相容，如水火之不同器。」23廓門的學術眼光和宗派觀念就更需深究，其學術淵源如何？其觀念的產生背景如何？其學術意義又如何？便都是值得探討的新問題。24

自宋代開始，《孟子》由子部上升到經部，陳振孫《直齋書錄解題》云：「今國家設科取士，《語》、《孟》並列為經。」25至朱熹為之集注，影響深遠。朱熹的注釋，不僅發揮義理，而且注重文章的章法和語脈，這對於明、清時代用文章學眼光考察《孟子》影響很大。就《孟子》本身來說，在漢代思想界和文學界起了很大作用，26朱熹的注釋在此基礎上更加

---

22 比如，唐代的德山宣鑒禪師把佛教經典比作「鬼神簿，拭瘡疣紙」（《五燈會元》卷7），宋代興化紹銑禪師說：「一大藏教，是拭不淨故紙。」（《五燈會元》卷16）唐代古靈神贊禪師更說：「鑽他故紙，驢年去！」（《五燈會元》卷4）

23 獨庵玄光：〈自警語〉，《獨庵玄光護法集》（日本駒澤大學圖書館藏本），卷2上。

24 參見張伯偉：〈廓門貫徹《注石門文字禪》謅論〉，原載《域外漢籍研究集刊》（北京：中華書局，2008），第4輯，頁193-229，後收入張伯偉《作為方法的漢文化圈》（北京：中華書局，2011），頁251-293。

25 〔宋〕陳振孫：《直齋書錄解題》「語孟類」（上海：上海古籍出版社，1987），卷3，頁72。

26 參見龐俊：〈齊詩為孟子遺學證〉，《四川大學季刊》第1期文學院專刊（1935）；蒙文通：〈漢儒之學出於孟子考〉，《論學》第3期（1937）；王國維：〈玉溪生年譜會箋序〉，《觀堂集林》卷23，《王國維遺書》第4冊，影印本（上海：上海古籍書店，1983），頁23-24；曹虹：〈孟子思想對漢賦的影響〉，《中國辭賦源流綜論》（北京：中華書局，2005），頁85-96。

推波助瀾。朝鮮時代的儒者和文人都十分尊孟，在思想界和文學界的影響較中國更甚。儒者闡釋《孟子》有注重文勢語脈，文人寫作文章常借用《孟子》的思想資源。然而同樣是這一部儒家經典，在日本卻大不受歡迎。謝肇淛《五雜組》曾記載一則荒唐傳說：「倭奴亦重儒書，信佛法，凡中國經書皆以重價購之，獨無《孟子》，云有攜其書往者，舟輒覆溺。此亦一奇事也。」[27] 相似的內容也見載於日本藤原貞幹的《好古日錄》和桂川中良的《桂林漫錄》中。日本漢文學受《孟子》影響極小，像齋藤正謙《拙堂文話》中對《孟子》高調表彰的議論極為罕見。越南之有儒學，始於東漢末年的士燮任交趾太守。漢代的《孟子》注有三家，即趙岐、鄭玄和劉熙，後二者已佚。劉熙曾避地交州，其《孟子注》在當地也有流傳。李朝聖宗神武二年（1070）修建文廟，塑周公、孔子、孟子像。仁宗太寧四年（1075）開科取士，考儒家經典。後黎朝考試第一場內容以《四書》為主，只有《孟子》是必考者。這些不同，無論是中韓越之間的小異，還是日本與中韓越之間的巨差，原因何在？意義如何？都值得作深入探討。

有些問題是受到西洋學術的刺激。自二十世紀七十年代以來，關於「文學典範」或「文學經典」的問題，在歐美理論界成為討論的熱點。從九十年代開始，這一問題也受到中國學術界的廣泛關注。上世紀歐美理論界對於經典問題的熱議，引起了對文學典範的修正（Canon transformation），其背景就是二

27　〔明〕謝肇淛：《五雜組》（上海：上海書店出版社，2001），卷4，頁86。

十世紀後期對多元文化的關注和評價。對西方文學史上的典範
發出挑戰的最強音主要來自兩方面：性別和族群。前者是女性
主義者，後者是非裔少數種族的評論家，他們紛紛發表了眾多
火藥味十足的宣言和挑戰性強勁的論著，並且在一定範圍內和
一定程度上取得了成功，[28]以至於在傳統文學典範的捍衛者哈
羅德‧布魯姆（Harold Bloom）看來，這些女性主義者、非洲中
心論者等都屬於「憎恨學派」（school of resentment）的成員，
[29]因為其目的皆在於對以往文學經典的顛覆。如果回看十六世
紀末、十七世紀初的朝鮮女性文學，在與擁有悠久的文學典範
並佔據主流話語權的中國相對應的場合，要通過何種途徑才能
建立起自身的文學典範？這與二十世紀後期的西方在「拓寬經
典」（the opening-up of the canon）的道路上所發出的尖銳的、
神經質的喊叫，或是犀利的冷嘲熱諷和高傲的「對抗性批評」
（antithetical criticism）有何不同？我們看到，從十七世紀到二
十世紀的三百多年間，許蘭雪軒作為朝鮮女性文學的典範，確
立了她的文學史地位，其聲響也向東西方輻射，特別是在中國
受到了熱情而高度的禮贊。明人潘之恒指出：「許景樊夷女，

---

[28] 比如在《哥倫比亞美國文學史》中，增加了不少女性和少數種族作家
的篇幅，更改了過去美國文學史的版圖。又比如《諾頓女性文學選
集》和《諾頓非裔美國文學選集》等權威選本的編輯出版，建構了新
的文學經典的陣容。而對於女性和非裔作家的研究，也堂而皇之地進
入了大學的課程，拓寬了經典的名單。參見金莉：〈經典修正〉，載
趙一凡、張中載、李德恩主編：《西方文論關鍵詞》（北京：外語教
學與研究出版社，2006），頁294-305。
[29] 哈羅德‧布魯姆（Harold Bloom）著，江寧康譯：《西方正典》（*The
Western Canon*）（南京：譯林出版社，2005），頁14。

尚擅譽朝鮮，誇於華夏。」[30]「夷女」之稱，便涵括了女性和少數族群。如果我們不拘泥於含有偏見意味的「夷女」稱謂，而是具體考察其「擅譽朝鮮，誇於華夏」的過程，就很容易發現，當這樣一個文學典範出現在中國文人的面前時，她得到了真誠而一貫的慷慨讚美。就總體而言，他們既不是挾主流權威之勢的打壓，也不是以居高臨下的方式施恩；既沒有男女之間的性別之戰，也沒有中外之間的種族排斥。[31]而這一點，也許正是漢文化圈中文學典範建立的東方特色。在二十一世紀充滿性別、族群以及不同文明之間的緊張、對立的今天，重溫歷史，我們也許能夠對漢文化的價值和意義擁有更多的認同和肯定，也能夠從域外文學典範的形成中得到一些有益的啟示。這一類問題和視角，就是由西洋學術的刺激引導而來的。

從以上舉例中不難看到，無論是通過閱讀文獻還是由西洋學術的刺激，都能產生新的問題，而只要將問題置於東亞視野之下，也就會別有一番意味。在這裡，最需要的是整體眼光。由於我們處理的新問題，往往也是過去的理論和方法難以圓滿解決的，由此也就勢必導向下一個階段——「新方法」。

四、提煉新方法的域外漢籍

---

[30] 〔明〕潘之恒：〈吳門范趙兩大家集敘〉，〔清〕黃宗羲編：《明文海》（臺北：臺灣商務印書館，1986。《四庫全書》本），卷326。

[31] 孫康宜在〈明清文人的經典論和女性觀〉一文中，曾略微比較了明清文人與十九世紀英國男性作家對女性作家的態度，前者是對才女的維護，後者是對女作家的敵視或嘲諷，可參看。載《江西社會科學》第2期（2004），頁206-211。

　　阮元曾說：「學術盛衰，當於百年前後論升降焉。」[32]以百年升降衡論東亞學術，今日遇到的最大問題，就是如何反省西方學術對於東亞的影響和改造，它集中在方法的問題上。當然，由於認知角度和追求目標的差異，這也只是就我個人所能認識和把握的範圍而言。百年前，東亞學術由傳統向現代轉型期間，在「方法」的問題上，幾乎眾口一詞地要向歐美學習。其中日本走在最前列，東洋史學家桑原隲藏在二十世紀初說：「我國之於中國學研究上，似尚未能十分利用科學的方法，甚有近於藐視科學的方法者，詎知所謂科學的方法，並不僅可應用於西洋學問，中國及日本之學問亦非藉此不可。」不僅如此，整個東方學的研究莫不皆然：「印度、阿拉伯非無學者也，彼輩如解釋印度文獻及回教古典，自較歐洲學者高萬倍，然終不能使其國之學問發達如今日者，豈有他哉，即研究方法之缺陷使然耳。」[33]胡適當年讀到此文，乃高度讚美曰「其言極是」。[34]中國學者看待日本的漢學研究成果，大抵也取同樣眼光。傅斯年在 1935 年說：「二十年來，日本之東方學之進步，大體為師巴黎學派之故。」[35]日本學者看中國學者的成績，也著眼於此，狩野直喜在 1927 寫的〈憶王靜安君〉中

32　〔清〕錢大昕：〈十駕齋養新錄序〉，載陳文和編：《錢大昕全集》（南京：江蘇古籍出版社，1997），第7冊，頁1。

33　桑原隲藏著，J.H.C.生譯：〈中國學研究者之任務〉，原載《新青年》第3卷第3號（1917），此據李孝遷編校：《近代中國域外漢學評論萃編》（上海：上海古籍出版社，2014），頁79-80。

34　曹伯言整理：《胡適日記全編》1917年7月5日（合肥：安徽教育出版社，2001），第2冊，頁614。

35　傅斯年：〈論伯希和教授〉，原載《大公報》1935年2月19、21日，此據李孝遷編校：《近代中國域外漢學評論萃編》，頁307。

說：「王君能夠善於汲取西洋研究法的科學精神，並將其成功地運用在研究中國的學問上了。我以為這正是王君作為學者的偉大和卓越之處。」³⁶這樣的看法和主張，在當時的東亞形成了一股新潮流。真正獨立不遷，在研究方法的探討和實踐上有所貢獻的，只有陳寅恪堪稱典範。他在 1932 年說：「以往研究文化史有二失：舊派失之滯，……新派失之誣。」³⁷1936 年又說：「今日中國，舊人有學無術；新人有術無學，識見很好而論斷錯誤，即因所根據之材料不足。」³⁸「學」指材料，「術」指方法。舊派不免抱殘守闕、閉戶造車，新派則據外國理論解釋中國材料，且標榜「以科學方法整理國故」。在陳寅恪看來，舊派固然難有作為，新派也算不得好漢。他在 1931 年強調「今世治學以世界為範圍，重在知彼，絕非閉戶造車之比」，³⁹體現的是立足中國文化本位而又放眼世界的學術胸懷和氣魄。可惜這一思想和實踐少有接續者。綜觀陳寅恪在研究方法上的探索，他實踐了「一方面吸收輸入外來之學說，一方面不忘本來民族之地位」的歷史經驗，既開掘新史料，又提出新問題；既不固守中國傳統，又不被西洋學說左右。在吸收中

---

36 狩野直喜：〈王靜安君を憶ふ〉，原載《藝文》第18年第8號（1927），後收入其《支那學文藪》（東京：みすず書房，1973）。此據周先民譯：《中國學文藪》（北京：中華書局，2011），頁384-385。

37 蔣天樞：《陳寅恪先生編年事輯》（上海：上海古籍出版社，1997），增訂本，附錄二，頁222。

38 卞僧慧：〈陳寅恪先生歐陽修課筆記初稿〉，載劉東主編：《中國學術》（北京：商務印書館，2011），第28輯，頁2。

39 陳寅恪：〈吾國學術之現狀及清華之職責〉，《金明館叢稿二編》，頁318。

批判，在批判中改造，終於完成其「不古不今之學」。[40]就域
外漢籍的研究而言，我曾經提出「作為方法的漢文化圈」，試
圖在方法論上有所推進。[41]「漢文化圈」可以有不同的表述，
比如「東亞世界」、「東亞文明」、「漢字文化圈」等等，作
為該文化圈的基本載體就是漢字。以漢字為基礎，從漢代開始
逐步形成的漢文化圈，直到十九世紀中葉，積累了大量的漢籍
文獻，表現出大致相似的精神內核，也從根柢上形成了持久的
聚合力。以漢字為媒介和工具，在東亞長期存在著一個知識和
文化的「文本共同體」或曰「文藝共和國」。[42]儘管從表面構
成來說，它似乎是一個鬆散的存在，但實際上是有一條強韌的
精神紐帶將他們聯繫在一起。這樣一個共同體或共和國中的聲
音並不單一，它是「多聲部的」甚至是「眾聲喧嘩的」。如果
說，研究方法是研究對象的「對應物」，那麼，「作為方法的
漢文化圈」的提出，與其研究對象是契合無間的。

　　作為方法的漢文化圈，以我目前思考所及，大致包括以下
要點：其一，把漢文獻當作一個整體，從文字到圖像。即便需
要分出類別，也不以國家、民族、地域劃分，而是以性質劃

---

40 陳寅恪：〈馮友蘭中國哲學史下冊審查報告〉，《金明館叢稿二
　　編》，頁252。參見張伯偉：〈現代學術史中的「教外別傳」--陳寅恪
　　「以文證史」法新探〉，《文學評論》第3期（2017），頁5-16。
41 參見張伯偉：〈作為方法的漢文化圈〉，劉夢溪主編：《中國文化》
　　秋季號（2009），頁107-113；〈再談作為方法的漢文化圈〉，《文學
　　遺產》第2期（2014），頁114-118。作為這一理念的實踐，還可以參見
　　張伯偉：《作為方法的漢文化圈》（北京：中華書局，2011）；《東
　　亞漢文學研究的方法與實踐》（北京：中華書局，2017）。
42 日本學者高橋博已撰有《東アジアの文芸共和国-通信使‧北學派‧蒹葭
　　堂-》（東京：新典社，2009）一書，在某種程度上揭示了上述意義。

分。比如漢傳佛教文獻，就包括了中國、朝鮮半島、日本以及越南等地佛教文獻的整體，而不是以中國佛教、朝鮮佛教、日本佛教、越南佛教為區分。無論研究哪一類文獻，都需要從整體上著眼。其二，在漢文化圈的內部，無論是文化轉移，還是觀念旅行，主要依賴「書籍環流」。人們是通過對於書籍的直接或間接的閱讀或誤讀，促使東亞內部的文化形成了統一性中的多樣性。其三，以人的內心體驗和精神世界為探尋目標，打通中心與邊緣，將各地區的漢籍文獻放在同等的地位上，尋求其間的內在聯繫。其四，注重文化意義的闡釋，注重不同語境下相同文獻的不同意義，注重不同地域、不同階層、不同性別、不同時段上人們思想方式的統一性和多樣性。誠然，一種方法或理論的提出，需要在實踐中不斷進行完善、補充和修正，其學術意義也有待繼續發現、詮釋和闡揚。因此，我期待更多的學者能夠加入到探索的行列中來。

所有的方法背後都有一個理論立場。「作為方法的漢文化圈」的理論立場是：首先，將域外漢籍當做一個整體，不再以國別或地區為單位來思考問題；其次，從東亞內部出發，考察其同中之異和異中之同；第三，特別注重東亞內部和外部的相互建構，而不再是單一的「中華中心」、「西方中心」或「本民族中心」。這樣的理論立場，所針對的是以往的研究慣性，其表現有四：

首先是在中國的一個根深蒂固的觀念，就是把周邊國家的文化僅僅看成是中國文化的延伸。從宋人刊刻朴寅亮、金覲的詩文為《小華集》開始，「小華」就是對應於「大中華」而言的。日本著名漢學家神田喜一郎有一部《日本填詞史話》，但

其書正標題卻是《在日本的中國文學》，[43]他在序言中還明確自陳，此書所論述者是「在日本的中國文學，易言之，即作為中國文學一條支流的日本漢文學」。所以，在這一領域中最熱門的話題也往往是「影響研究」。

「影響研究」是十九世紀比較文學法國學派所強調的方法，雖然在理論闡釋上會強調「兩種或多種文學之間在題材、書籍或感情方面的彼此滲透」，[44]但在研究實踐中，注重的僅僅是接受者如何在自覺或非自覺的狀況下，將自身的精神產品認同於、歸屬於發送者（或曰先驅者）的系統之中。由於十九世紀法國文學的偉大成就和在歐洲的壟斷性地位，這一比較文學研究的結果也就單方面強化了其自身的輝煌。

十九世紀中葉以來，西方列強對東亞造成了極大的侵略和壓迫，此後西方漢學家或東方學家大致搬用了英國歷史學家湯因比（Arnold J. Toynbee）在其《歷史研究》（*A Study of History*）中所歸納的「挑戰—回應」模式，用於他們的東方研究之中。在這裡，「挑戰」的一方是主動的、主導的，「回應」的一方是被迫的、無奈的。有能力應對西方文明的挑戰，這一文明就有繼續生存的機會（當然也要將光榮奉獻給挑戰者）；反之，若無力應戰或應戰乏力，這一文明的宿命就是走向滅亡，這一地區的出路就是「歸化」西洋。

上述三個方面的研究趨向，從本質上來說，都隱含著一種文化帝國主義的理論立場（儘管很多時候是無意識的）。「大

---

[43] 神田喜一郎：《日本における中國文學》（東京：二玄社，1965）。
[44] 馬里奧斯‧法郎索瓦‧基亞（Marius-François Guyard）著，顏保譯：《比較文學》（北京：北京大學出版社，1983），第6版，頁4。

中華」觀念是「中華中心」，「影響研究」是「法蘭西中
心」，「挑戰─回應」模式則是「歐洲中心」。更需要指出的
是，東亞知識份子在這一過程中，也自覺不自覺地「自我東方
化」，他們在研究近代東亞的歷史文化時，往往採用了同樣的
方法和眼光。用「挑戰─回應」的模式從事研究的弊端，主要
在於這是以發送方或曰挑戰方為中心的。在十九世紀中葉以前
的東亞，這樣的研究強化了「中華主義」；在十九世紀中葉以
後的世界，這樣的研究強化了「歐洲中心」。它們都是以較為
強勢的文化輕視、無視甚至蔑視弱勢文化，後者或成為前者的
附庸，而前者總能顯示其權威的地位。

　　於是就有了第四種趨向，從本質上說是屬於民族主義的。
在文學研究中，就是強調所謂的「內在發展論」。從二十世紀
七十年代以來的韓國文學史著作，大多都在強調本國文學自身
的獨立發展，而完全割裂了與外在的、特別是與中國文學的關
係。正如韓國崔元植教授的歎息：「近來越發切實地感受到我
們社會對中國、日本的無知，其程度令人驚訝。」[45]而在中國
學術界，與對西方學術的模仿或抗拒相映成趣的，就是對於東
亞的漠視。韓國學者白永瑞曾提出過這樣的問題：在中國有
「亞洲」嗎？在他看來：「中國的知識份子缺少‘亞洲性的展
望’，尤其缺乏把中國放在東亞的範圍裡來思考問題的視角。中
國要直接面對世界的觀念很強烈，可是對周圍鄰邦的關心卻很
少。」[46]中國學者孫歌指出：「就中國知識份子而言，一個似

45　崔元植：〈「民族文學論」的反省與展望〉，收入崔一譯：《文學的
　　回歸》（延吉：延邊大學出版社，2012），頁94。
46　白永瑞：《思想東亞：朝鮮半島視角的歷史與實踐》（北京：生活・

乎是自明的問題卻一直是一個懸案：我們為什麼必須討論東亞？而對於東亞鄰國的知識份子而言，中國知識份子的這種曖昧態度則被視為『中國中心主義』。」[47]

最近二十年間，在歐美人文研究領域中影響最大的恐怕要數「新文化史」。它拋棄了年鑑派史學宏大敘事的方式，強調研究者用各種不同文化自己的詞語來看待和理解不同時代、不同國族的文化，在一定程度上改變了「歐洲中心論」的固定思路，提倡用「文化移轉」取代「文化傳入」，後者強調的是主流文化單方面的影響，而前者強調的是兩種文化的互惠。[48]在東方，溝口雄三提出了「作為方法的中國」，「想從中國的內部結合中國實際來考察中國，並且想要發現一個和歐洲原理相對應的中國原理」，[49]並且以李卓吾、黃宗羲的研究為個案，為明代中葉到清代中葉的中國思想史勾畫出一條隱然的線索，實際上是提出了另外一種解讀歷史的思路。而直到 2006 年，有些中國學者還認為溝口這樣的思維方式是「在關注內部線索時否定作為主流的外部線索，這樣書寫下來的歷史只能是片面

讀書·新知三聯書店，2011），頁114。

[47] 孫歌：《我們為什麼要談東亞：狀況中的政治與歷史》（北京：生活·讀書·新知三聯書店，2011），頁27。

[48] 這一觀點最初由古巴社會學家費爾南德·奧爾蒂斯（Fernando Ortiz）提出，受到「新文化史」學者的讚賞，如彼得·伯克（Peter Burke）對此闡發道，這一轉變的「理由是作為文化碰撞的結果不只是所謂的『贈與者』（似當為『受贈者』）發生變化，而是兩種文化都發生了變化。……這種反向的文化傳入，也就是征服者被征服的過程」。見豐華琴、劉豔譯：《文化史的風景》（*Varieties of Cultural History*）（北京：北京大學出版社，2013），第12章，頁232。

[49] 溝口雄三：《日本人視野中的中國學》，李甦平、龔穎、徐滔譯（北京：中國人民大學出版社，1996），頁94。

的、丟掉基本事實的歷史」，甚至說「如果沒有鴉片戰爭、甲午戰爭、十月革命的外來刺激，一百個黃宗羲也沒有用」。[50]這可以說是長期陷入「挑戰—回應」模式中的後果。

　　基於以上的思考，我提出「作為方法的漢文化圈」，並將這一理念付諸實踐。它期待一方面破除文化帝國主義的權勢，一方面又能打開民族主義的封閉圈。然而這只是希望對研究現狀有所改善，並不奢望開出包治百病的良方。在這個意義上，我很欣賞法國學者安托萬·孔帕尼翁對於理論的態度：「文學理論是一種分析和詰難的態度，是一個學會懷疑（批判）的過程，是一種對（廣義上的）所有批評實踐的預設進行質疑、發問的『元批評』視角，一個永恆的反省：『我知道什麼？』」[51]茲援以為本文的結束。

---

50 劉再復：〈相關的哲學、歷史、藝術思考--與李澤厚對談選編〉四「對溝口雄三亞洲表述的質疑」（2006），《李澤厚美學概論》（香港：香港天地圖書公司，2010），頁175。

51 安托萬·孔帕尼翁著，吳泓渺、汪捷宇譯：《理論的幽靈：文學與常識》（*Le démon de la théorie: Littérature et sens commun*）（南京：南京大學出版社，2017），頁15。

越南漢喃研究新視野：
從 21 世紀初葉的角度談起

阮俊強（Nguyễn Tuấn Cường）*

摘要

　　漢喃資料庫經過歷代越南學者的整理、完善和保存，今已成為民族的珍貴資本。如何開發與利用這彌珍的文化遺產(heritage)，使之成為民族的資產(property)，是目前漢喃研究者的重要任務。本論文旨在對現今從事漢喃研究的學者，提出一些當代所需要的研究素質與專業涵養。本文強調漢喃學的研究需要肯定、繼承與發展前人的成果，進一步完成現階段的研究工作，讓漢喃學日益專業化、社會化、國際化與資訊化。漢喃學者的使命在於聯結過去、現在與將來，使其在民族資產與國際學術的領域穩定成長與發揚光大。

關鍵詞　漢喃、專業化、社會化、國際化、資訊化

---
* 〔越〕越南社會科學翰林院所屬漢喃研究院院長。

一、漢喃：從遺產到財產

越南前現代語文發展背景比較複雜，John DeFrancis 認為越南存在三種語言（越南語、漢語和法語），四種文字（漢字、喃字、國語字、法文），1945 年之前語言及文字的發展可分為以下四個階段：[1]

階段	時間	語言	文字
北屬中國	111 BC-939	越語、漢語	漢字
君主獨立	939-1651	越語、漢語	漢字、喃字
君主獨立公教分立	1651-1861	越語、漢語	漢字、喃字、國語字
法國殖民	1861-1945[2]	越語、漢語、法語	漢字、喃字、國語字、法文

文字方面，從分期表來看，漢字與喃字在越南具有悠久的歷史傳統。從考古與文獻資料得知，漢字的傳入是經由中國對交趾地區（現今越南的北部）的侵略，時間約在公元前三至二世紀，最遲也不晚於公元元年，[3]從公元前一世紀到二十世紀

---

[1] John DeFrancis, Colonialism and Language Policy in Viet Nam, The Hague:Mouton Publishers, 1977.

[2] 法國殖民的分期，除了John DeFrancis的1861年，越南學者常以1858年分來分。

[3] Phạm Lê Huy, "Quá trình du nhập chữ Hán vào Nhật Bản và Việt Nam: Một cái nhìn so sánh," Phan Hải Linh chủ biên, *Bài giảng chuyên đề nghiên cứu Nhật Bản: Lịch sử văn hoá – xã hội*, Hà Nội: NXB Thế giới, 2010, tr. 31-50.

初，漢字和漢語（文言）在越南本土扮演重要角色。喃字於十一至十二世紀出現，與漢字並存至二十世紀初，這兩種文字的使用目的不全完一樣，漢字常使用在行政、教育、文學，而喃字只使用在文學。[4] 國語字於十七世紀初出現，[5] 最初只在越南公教內部使用，到十九世紀末至二十世紀初開始普遍在南圻的報紙，之後拓展至北圻和中圻。法語在越南十九世紀末至二十世紀上半葉比較普遍，但主要使用於法國的行政和教育體係，以及接受法國教育的越南知識分子。

1945 年之後，正式的語文背景簡單化，只有越文和國語成為越南全境的正式語言。（不包括少數民族的語言和文字）。

漢字（約 2000 年）與喃字（約 1000 年）在越南具有悠久的歷史傳統，亦為越南人主要的書寫工具，是形成當今「漢喃遺產」的重要元素，即越南民族的成文遺產系統（不包括越南其他民族的文字）。現今，漢喃研究院收藏近 35000 冊書籍和 70000 張拓片（2016 年數據），此數據尚未包括國內外其他收藏單位（法國、日本、中國、台灣、英國、美國、泰國等），

（范黎輝：〈漢字傳入日本和越南的過程：一個比較的視角〉，載潘海齡主編，《日本專題研究講義：社會文化歷史》（河內：世界出版社，2010年），頁31-50。）

4　喃字的知識，見: Nguyễn Quang Hồng, *Khái luận văn tự học chữ Nôm*, Hà Nội: NXB Giáo dục, 2008.（阮光紅：《喃字文字學概論》（河內，教育出版社，2008年））

5　國語字的起源，見: (1) Roland Jacques, *Những người Bồ Đào Nha tiên phong trong lĩnh vực Việt ngữ học*, Hà Nội: NXB Khoa học Xã hội, 2007（Roland Jacques，《越南語學的葡萄牙先鋒者》，河內：社會科學出版社，2007年）. (2) Đỗ Quang Chính, *Lịch sử chữ Quốc ngữ 1620-1659*, Sài Gòn: Đuốc sáng, 1972.（杜光正：《國語字歷史》（西貢：火把出版社，1972年））

同時還有部分散落在民間的資料。[6]前人的知識與經驗大部分積累在漢喃遺產系統，因此研究越南過去的文學、哲學、宗教、歷史、地理等領域都離不開該遺產。近年來，漢喃研究院每年約有 1500-2000 名學者於此進行研究，其中約 150 名是外國學者。漢喃遺產不僅是越南民族的珍貴財產，亦得到國際學者的關注。國內外學者對漢喃遺產的關注，讓它不但是過去「遺產」（heritage），而成為「財產」(property)，即串連過去、現在與將來的重要研究材料，體現從古至今的生活價值。

二、研究、培養和保存漢喃資料的單位

（一）漢喃研究院[7]

自從與西方接觸，越南逐漸改用國語為官方文字，不再使用的漢字和喃字成為文化遺產。國語的使用雖對二十世紀初，

6　Nguyễn Tuấn Cường, "Nguồn tư liệu Hán Nôm tại Viện Nghiên cứu Hán Nôm: Lịch sử hình thành và khả năng khai thác", bài viết dự hội thảo quốc tế *Các nguồn tài liệu lưu trữ về Việt Nam giai đoạn cận hiện đại: Giá trị và khả năng tiếp cận* do Đại học Quốc gia Hà Nội và Đại học Aix-Marseille tổ chức, Hà Nội, 27/10/2016.（阮俊強：〈漢喃研究院的漢喃資料：發展歷史和開發行〉，越南近現代的館藏資料：價值與開發性"國際研討會，河內國家大學和Aix-Marseille 大學共同舉辦，河內，2016年10月27日。）

7　有關漢喃研究院的發展史，見：(1) Viện Nghiên cứu Hán Nôm, *Viện Nghiên cứu Hán Nôm: 30 năm xây dựng và phát triển (1970-2000)*, Hà Nội: Viện Nghiên cứu Hán Nôm xuất bản, 2000（漢喃研究院：《漢喃研究院：30年建設與發展（1970-2000）》（河內：漢喃研究院出版，2000年。））(2) Trịnh Khắc Mạnh, "45 năm Viện Nghiên cứu Hán Nôm", *Tạp chí Hán Nôm*, số 6/2015, tr. 3-18（鄭克孟：〈45年的漢喃研究院〉，《漢喃雜誌》第六期，2005年，頁3-18。）

國家總體發展提供了便利性，但對民族歷史卻造成了文化斷層。為何？因為當今越南人無法理解先人傳下來的漢喃書籍，不能參透名勝古跡所寫對聯橫幅的意義，更不懂古人傳達的信息。這種斷層讓後代子孫變成「一個在本土的陌生人」，因此保存和運用漢喃文化遺產是現今迫切的任務，使越南文化發展可以有自己的民族特色並與世界接軌。

漢喃處於 1970 年建立，隸屬越南社會科學委員會（越南社會科學翰林院前身）。初期的組織結構是由末代科舉出身的越南漢學專家組成，如：Phạm Thiều（范韶），Thạch Can（石干），Cao Xuân Huy（高春輝），Hoa Bằng（華鵬），Đào Phương Bình（陶芳萍），Ca Văn Thỉnh（歌文請），Nguyễn Đổng Chi（阮董之）等，其他人員（是指非科舉出身、非漢學專家）如：Trần Duy Vôn（陳維員），Lê Duy Chưởng（黎維掌），Nguyễn Hữu Chế（阮有制），Nguyễn Văn Lãng（阮文朗），Lê Xuân Hoà（黎春和）等。1979 年 9 月 13 日，越南政府頒發 326/CP 號令，將漢喃處更名為漢喃研究院，隸屬國家社會科學中心（亦是翰林院的前身）。1993 年 5 月 22 日，越南政府的 23／CP 號令確定了漢喃研究院為越南搜集、保存、運用、研究漢喃文獻和培養研究人才的重要機構。

漢喃院目前有約 50 位研究員及 30 位工作人員，各部門歷經多次變更，[8]至今有 13 部門：喃字文本研究部、漢喃銘刻研

8　同註7，頁 3-4。1979-1988年，本院有古漢部、近漢部、喃部、版本學部、收藏保存部、圖書館資料部、行政組織部、技術部等八個部門。1988-2000年有漢喃版本部、漢喃文字部、漢喃文籍研究部、地域及民族的漢喃研究部、應用研究部、漢喃科技部、收藏部、古籍保存部、

究部、文學文本研究部、歷史地理文本研究部、宗教與法律文本研究部等五個研究部門；另有搜集部、保存部、圖書館資訊部、電腦科技應用部、複製和修補文本部等五個資料部門；對外合作和科學管理部、行政組織部等二個職能部門；[9]最後是編輯－治事部直屬院，主要出版《漢喃雜誌》。[10]現今，直屬越南社會科學翰林院（VASS）的漢喃研究院，主要職能是研究、培養和政策資詢有關漢喃和文化領域。

（二）其他單位

除漢喃研究院外，越南境內還有其它單位對漢喃文獻進行研究及保存，或培育相關人才的工作，以正規教育專門培養漢喃專家的機構，如：（1）河內國家大學所屬人文與社會科學大學文學系漢喃專業，是培養漢喃專家的重鎮，也是唯一有漢喃本科，並設有碩、博士班，能讓學子接受完整訓練的單位。[11] (2) 河內師範大學語文系漢喃組，設有碩士、博士班。 (3) 越南社會科學院翰林院屬下社會科學學院的漢喃系碩士、博士班，擔任學術培訓的機構是漢喃研究院； (4) 胡志明國家大學

圖書館資料部、複製部、財務管理行政部。

9　研究部、資料部和職能部，以前成為研究部、研究服務部、院長助理部；從2016年起，改成為如上述。

10　部門機構適應於每個具體階段。在15年內（從2000年起），各個部門已經不符合當今條件。各個部門的重構會早點實施。

11　漢喃學的發展史，見: Bộ môn Hán Nôm, *Bốn mươi năm đào tạo và nghiên cứu Hán Nôm (1972-2012)*, Hà Nội: NXB Đại học Quốc gia Hà Nội, 2013.（漢喃教研室：《漢喃學-四十年培養和研究（1972-2012）》（河內：河內國家大學，2013年））

直屬人文與社會科學大學漢喃專業本科、碩士班。 (5) 順化大學文學系本科班。漢喃專業在其他大學的文學、語言、歷史、觀光、博物館等系所亦設有非正規課程或選修課。越南佛教學院也設有漢喃課給僧門。私人教育單位則以漢喃字教學為主，如仁美學堂（河內）、雲齋學苑（河內）、各鄉的學堂、河內、胡志明、順化、北寧書法班等都有相關課程。

有關文獻的保存，值得注意的機構有三，一是國家第四檔案館 （在大叻市）-UNESCO (2009)世界資料遺產，此單位收藏近 35,000 漢喃雕版。其二是國家第一檔案館（河內）所收藏眾多的漢喃資料中，有近 200,000 張阮朝硃本-世界記憶亞太地區資料遺產名錄 (2014)。以上兩家檔案館所藏的漢喃資料，一方面體現資料的價值，一方面展現漢喃文學特色。其三是國家圖書館（河內）收藏 5,000 冊漢喃書籍。

在人員編制方面，漢喃研究院主要有 80 位研究人員，大部分以研究漢喃文獻為主。每個正規的教育單位有 5-10 位漢喃專業講師，從中央到地方還有其他文化和遺產管理單位的研究者，以及專業的自由研究者。越南專業的漢喃研究者總數也許不超過 150 位，並且集中在河內、順化和胡志明市。這樣人數不能稱之為「多」，且研究人員的分散是最令人擔憂的事。

三、21 世紀初漢喃研究領域的若干需要

（一）「漢喃」概念的擴大

「研究對象」和「研究方法」是學科分類最重要的指標，如文學、史學、數學、哲學等。近百年以來新出現的學科都以

研究對象做為區別，而研究方法或理論通常涉及多種學科，例如個案國家學即包含越南學、美國學、中國學等，都以跨學科的研究方法來使用，是一個普遍趨向。

根據這種知識體系可以知曉，漢喃學是以研究對象為本位的學科，以多學科、跨領域作為研究方法，在現今背景之下，需要擴充「漢喃」研究概念，這不僅只單純研究漢字或喃字的文本，更須從各類文本的文字中，深究文獻透漏的訊息，越南曾存在三種文類型，每種又有不同的分支，[12] (1) 漢字型文字(方塊字)類有七種：漢字、京族喃字(chữ Nôm Kinh)、岱喃(chữ Nôm Tày)、儂喃(chữ Nôm Nùng)、山澤喃 (chữ Nôm Cao Lan)[13]、瑤喃 (chữ Nôm Dao)、岸喃(chữ Nôm Ngạn)，[14]以上為表音、義的文字，來源是漢字。[15] (2)來自印度的梵文，有占婆文和泰文，都是注音文字。泰文有四種古文字，即 Lai Pao 文、 Thái Quỳ 文、 Thái Đèng 文和西北地區的泰文。[16](3) 拉

---

[12] 越南文字系統的概況，特別是少數民族的文字，見Nguyễn Văn Lợi, "Chữ viết của các dân tộc thiểu số ở Việt Nam", in trong: Nguyễn Hữu Hoành chủ biên, *Ngôn ngữ, chữ viết các dân tộc thiểu số ở Việt Nam (những vấn đề chung)*, Hà Nội: NXB Từ điển bách khoa, 2013, tr. 274-344. （阮文利：〈越南少數民族的文字〉，阮有橫主編，《越南少數民族的文字、語言》（河內：百科詞典出版社，2013年），頁274-344。）

[13] 岱、儂、山澤語言類似，因此岱、儂、山澤喃字也有很多類似的地方，因此很多人把它們歸類為 「Tày喃字」。本文主張分開討論。

[14] 有關越喃、岱喃、瑤喃、Ngạn喃，見註4。

[15] 越南漢字類型研究狀況，見：阮俊強：〈越南方塊字研究的回顧與展望〉，"表意文字體系與漢字學科建設"國際學術研討會，韓國釜山慶星大學，2016年，頁24-28。

[16] 有關泰文和占婆文，見: Trần Trí Dõi, *Nghiên cứu ngôn ngữ các dân tộc thiểu số Việt Nam*, Hà Nội: NXB Đại học Quốc gia Hà Nội, 2000, tr. 208-244. （陳智唯：〈越南少數民族語言研究〉（河內：河內國家大學出版

丁型文字，目前有二十二個民族，即京族（國語）和二十一個少數民族，分別使用的二十二種文字。在越南的五十四民族中，還有二十八個民族沒有自己的文字。[17]研究越南「多存文字」和「多行文字」的現象可見，越南古文字的類型常是一個文本里存在多種文字，它們不互相排斥矛盾，反而互相存在，體現出越南文字的多樣性和融合性。[18]

　　二十世紀，我們常認為漢喃遺產包括在越南的漢字和喃字文獻，當今需要擴大漢喃的概念，讓它的內涵更大，上述的三種文字類型，以方塊字為主，梵文型次之，最後是拉丁型。當然，那時不應該把漢喃研究院看成「越南古文字的研究院」，這無形中縮小了漢喃的領域，漢喃學應該是越南的特殊學科，[19]以語言學 (*philology*)為出發點，擴大到專門學科，如文學、

社，2000年），頁208-244。）

17 有關在越南用拉丁文字所記載語言，見: (1) Trần Trí Dõi, 上引書, tr. 251-257. (2) Hoàng Thị Châu, *Xây dựng bộ chữ phiên âm cho các dân tộc thiểu số ở Việt Nam*, Hà Nội: NXB Văn hoá Dân tộc, Hà Nội, 2001（黃氏珠：《建立越南少數民族的拼音文字》（河內：民族文化出版社，2001年））(3) 同註12。

18 有關多存、多行文字，參看 (1) グエン・トゥアン・クオン (Nguyễn Tuấn Cường)，「ベトナム古典文献における漢字・チュノム文字双存現象」，『漢字文化圏の100年+』国際シンポジウム，日本富山大学，2016年11月27日; (2) Nguyễn Tuấn Cường, Nguyễn Đình Hưng, "Multi-scripts of Sinograph, Nom Script, and Romanized Script in Vietnam's Classical Texts," paper for *The 3rd International Conference on Vietnamese and Taiwanese Studies & 8th International Conference on Taiwanese Romanization*, National Cheng Kung University, Tainan, November 12-14, 2016.

19 漢喃學除了越南外，就不是其他國家的分門學科(discipline)。與漢喃學雷同，如東亞的 "Hán học" (漢學), 或 "văn hiến học cổ điển" (古典文獻學)或歐美的"古典語文學" (classical philology)　。

史學、哲學等領域，最後走向跨學科和多學科的範疇。

（二）研究、培養、保存漢喃單位的聯結

越南全國研究和保存漢喃資料的單位不多，相關人才的培育亦有限，其原因包含各單位間的關係疏離，反而獨立研究者與單位的關係更為緊密。漢喃學術少有自發性的組織，例如：漢喃研究院很少知道河內國家大學人社院漢喃學的研究成果，學校也不知道本院的研究狀況，外界只知道兩個對漢喃事業的重鎮，其中一個專攻研究，一個人才培訓地是，其它單位狀況也大同小異，多各自為政，不知道其他單位的學術狀況。

當代科學不再以個人為單位，更不是單一機構的研究，而是需要更凝聚領域的知識。如今最迫切的是加強各個研究機構的資訊交流，並結合教育單位，達到「內校外院」的模式，將研究成果融入教學之中。研究與教學應在以下兩方面做聯結：其一是各個單位科研信息的公開，例如公佈各個單位的研究取向，以避免主題的重複；其二是共同研究與人才培育如擁有最多漢喃資料和研究員的的漢喃研究院應當領頭羊，結合越南北、中、南地區的研究成果與學術資源。目前，漢喃研究院的資料來源以北部為主，但仍需中部、南部的文獻，才建構更全面性的漢喃體系，[20]加深越南漢喃遺產的底蘊。

---

[20] 南部漢喃概念，見: Đoàn Lê Giang, "Tư liệu Hán Nôm Nam bộ: Kí ức dân tộc và công việc nghiên cứu hiện nay", *Tạp chí Hán Nôm*, số 6/2016, tr. 49-55.（段黎江：〈南部漢喃資料：民族記憶及當今研究方向〉，《漢喃雜誌》2016年第6期，頁49-55。）

（三）為社會提供咨詢

C.T. Kurien 認為 「所有社會科學學科都要出自社會事實」。[21]為了建設交流、評估的平台，本院於 2016 年 8 月 27 日舉辦「漢喃在當代文化的作用」國家研討會，會議的主題有三，分為三個小組，即：(1)漢喃與文化政策 (2)漢喃與教育(3)漢喃：從傳統到現在。[22]主旨在於區別「以當代為本位來看漢喃資料」與「以古代漢喃為本位」討論的內容走向政策諮詢，以及漢喃學與當代社會的連結，雖然問題意識不同，但它們都體現傳統與當代，過去、現在與未來的聯繫。

會後在互聯網、社交網、報刊上引起熱烈的爭論，包含是否要在學校教授中文。國內外論壇上有上百個帖子、網路文章、報紙發表，吸引百萬人次的評論與分享。[23]參與者有些是漢喃專業或業餘的知識分子，領域包含語言、文學、古史、文化等，有人是與會學者，有些是外行人士，如旅遊、數學、管

---

[21] Phạm Quang Minh, "Một vài suy nghĩ về khoa học xã hội và nhân văn trên thế giới trong bối cảnh toàn cầu hoá", in trong: *100 năm nghiên cứu và đào tạo các ngành khoa học xã hội và nhân văn ở Việt Nam*, Hà Nội: NXB Đại học Quốc gia Hà Nội, 2006, tr. 381-387.（范光明：〈從全球化背景來看世界人文社會科學的一些思考〉，《越南人文社會科學的百年研究與培養》（河內：河內國家大學出版社，2006年），頁381-387。）

[22] 研討會於2016年8月27日在河內巴亭了皆一號，由越南社會科學翰林院主持，漢喃研究院為主辦單位。這次研討會有四十五篇論文，選自四十八位作者，分為3個小組。第一小組有十八篇論文，第二小組有12篇論文，第三小組有15篇論文。在四十八位作者里，有15位是漢喃研究院的研究員，其他三十三位是越南北、中、南各地的學者。間會議致辭和一些論著載在《漢喃雜誌》2016年第六期。

[23] 幾百指有觀點、論點清楚並有分析的意見，不算走馬看花、沒有論點、論據的意見。

理、物理等。近幾年來，很少看到社會輿論對傳統教育與科學如此關注，這可證明社會對漢喃問題的重視程度，若漢喃學能把自己的問題與社會議題結合，通過社會化的過程，將各種意見提供給教育部、越南社會科學翰林院漢喃研究院、河內師範大學以及其它漢喃專業的單位，並從科學、教育、社會、文化角度認真考慮「是否應該在大學、高中開設漢文、喃文（非漢喃專業）課程」，漢喃學的社會化是需要被深度開發的議題。

（四）國際化的需求

這五十年來，人文和社會學科最大的變化之一，是研究人員的國際化，以及公家、私有資助研究的各類政策，形成三個改變研究問題與取向的主要因素。[24] 國際化和全球化已成為世界社會和人文科學中最重要的特徵之一，因此越南人文學科走向國際化是迫切要進行的。

有關國際化問題，越南政治局於 2013 年 4 月 10 日的 22-NQ/TW 議決，和政府於 2014 年 5 月 13 日的 31/NQ-CP 議決，都是政治部的實施國際化的政策。國際化也是越南社會科學翰林院的重要發展項目，第十八屆越南社會科學翰林院黨代表大會，2015-2020 強調「促進社會科學的區域化和國際化，參加各個國際翰林院網絡，同時參加專門學科、多門學科的研究網絡」。最近，十二屆（2016）黨中央文件再次強調「主動積極國際化……。促進文化、社會－科學、教育培訓國際化」[25]主

24　同註21。

25　Đảng Cộng sản Việt Nam, Văn kiện Đại hội đại biểu toàn quốc lần thứ XII, Văn phòng Trung ương Đảng, Hà Nội, 2016.（越南共產黨：《越南共產

張。國際化已成為越南社會文化生活的一種趨勢，其中漢喃學必須有適當、充分的意識，並有責任、認真、積極地進行。

實際上來看，近幾年的漢喃學已經有更多年輕的研究員不斷克服各種障礙，主動走向國際，增強與國外學者的交流，收集境外的各個資料庫，擴充研究範圍，在國外刊登自己的研究成果。[26]此外，全球化的需要為宏觀管理提供很好的條件，讓各個研究單位，包含漢喃學研究的國際化。從管理方面來看，與國際接軌是必然的趨勢。

四、現今漢喃研究院面臨的關鍵問題

從成立至今，漢喃研究院這半個世紀中，面臨的順境和逆境。順境包含：在國際化和全球化的背景之下，促進了各個社會學科的發展，社會的興起讓傳統遺產更加受到重視。公務員的生活水平日益提高，提供了良好的研究環境與條件等；逆境有：研究員數量和質量的不足，加之老一輩的研究人員已逐漸凋零，學術的銜接逐漸出現斷層。此外社會依然充斥著「被歧視」和「自我歧視」的氛圍，且年輕學子認為漢喃學是古老、

黨第十二次全國代表會文件》（河內：黨中央部，2016年））

26 例如，2016年4月的《漢字研究》期刊（韓國核心期刊（KSCI），中文）第十四期，有越南漢字研究專輯，其中有：Nguyễn Quang Hồng, Đinh Khắc Thuân, Nguyễn Thị Oanh, Lã Minh Hằng, Hoàng Phương Mai, Trần Trọng Dương, Nguyễn Tuấn Cường等七位漢喃院研究者。除外還有其他越南學者，如 Nguyễn Tú Mai, Phạm Văn Hưng, Quách Thị Nga。這是第一次外國期刊有越南專輯。這些論文主要是由世界漢字學會和韓國漢字研究所在河內合辦（2015年8月15日）的東亞文字與文化研討會修改而成的。

落後、不符合現在的知識。[27]

　　面對以上的順境－逆境、機遇－挑戰，筆者認為漢喃學，尤其是漢喃研究院要注重以下六個核心問題：（1）肯定、繼承與發展前人的研究成果（2）繼續執行正常和迫切任務（3）專業化（4）社會化（5）國際化（6）資訊化。

（一）肯定與繼承前人的研究成就

　　漢喃處於 1970 年建立，1979 年漢喃研究院逐步成長，並展現高度的研究能力，成為全國漢喃研究的重點單位。本院的成就已被社會肯定，並受到國際注意。本文主要想談本院將來的規劃，故有關本院的成就，此不贅言。[28]為達到這樣的成就，必須肯定歷代領導與研究人員合作的功勞，他們篳路藍縷，只為建立一個「似舊而新」的研究領域。因此，新一代的研究者必須站在巨人的肩膀上，珍重肯定和繼承先人的成果，以他們的成就為基礎，讓漢喃研究事業可以更上一層樓。

　　回過頭來看，前輩們也要提拔、「傳燈」給後學，讓年輕人對研究感興趣，有意見認為「前輩們需要把自己的熱情、視野傳給下一代，這比培養技能和提供知識更重要」。[29]使用科

---

[27] 請注意，在越南現代史 ，社會歧視是順化漢學院於1965年滅亡的主要原因。見Nguyễn Tuấn Cường, "Sinological Education in a Sociocultural Turn: A History of the Sinology Institute (1959-1965) in South Vietnam," in: *Southeast Asian Sinology: The Past and Present*, Sonja Meiting Huang ed., New Taipei City: Fu Jen Catholic University Publishing House, 2014, pps. 91-128; 越南文版，見: "Giáo dục Hán học trong biến động văn hoá xã hội: Viện Hán học Huế 1959-1965," *Nghiên cứu và Phát triển*, số 7-8 (114-115), 2014, tr. 135-164.

[28] 同註7。

[29] Nguyễn Kim Sơn, "Giảng dạy và nghiên cứu Hán Nôm: Sứ mệnh cũ, nhiệm

學精神，主動質疑和接受別人的挑戰，不僅是漢喃學科，各類領域都要排除「太上皇」思維。

（二）常態性任務和迫切性任務

黨和國家分派給漢喃研究院執行的功能和職責如下：保存和鑒定所有漢喃資料，影印使用或分配給其他圖書館和機構。翻譯（包括注釋）和公佈各種漢喃資料，並審核已經公開的漢喃譯本。研究版本學，並編撰翻譯漢字、喃字的工具書。培養研究漢字、喃字的幹部。有關收集和保存漢喃資料，其主要任務為：完成本院漢字、喃字資料的典藏工作。集結收藏在各個圖書館或各地書庫的漢喃資料於本院書庫。[30]

除了進行搜集、保存、複製、翻譯、公佈、研究、培養等有關漢喃領域的工作外，上級還交代要長期且認真地實現相關政策。本院秉持上級指示，維持和促進文獻學、版本學、文字學、碑記學、書目學、校勘學、避諱學、印章學、書法學、善本編目等學術領域。除以上所提的任務外，還有其它科學性的研究，包含提供即時性的政策咨詢，以利國家管理部門清楚有關漢喃論點與論證的問題，以利規劃國家發展政策。考量現今

---

vụ mới," in trong: Bộ môn Hán Nôm, *Bốn mươi năm đào tạo và nghiên cứu Hán Nôm (1972-2012)*, Hà Nội: NXB Đại học Quốc gia Hà Nội, 2013, tr. 47-52.（阮金山，〈漢喃教育與研究：舊使命，新任務〉，載在漢喃學：《漢喃學：40年培養與研究》（1972-2012）（河內：河內國家大學出版社，2013年），頁47-52。）

30 Trịnh Khắc Mạnh, "Vài nét về ngành Hán Nôm học Việt Nam thế kỉ XX," in trong: Viện Nghiên cứu Hán Nôm, *Nhìn lại Hán Nôm học Việt Nam thế kỉ XX*, Hà Nội: NXB Khoa học Xã hội, 2003, tr. 7-21（鄭克孟：〈二十世紀越南漢喃若干特點〉（《二十世紀漢喃學回顧》，河內：社會科學出版社，2003年）頁7-21。）

國內和國際情勢，從漢喃角度出發，集中開發全民族國家迫切需要的論題和任務，包括：（1）島海研究（2）邊界研究（3）宗教研究 （4）少數民族研究。

（三）專業化

是指高度專業、系統性地培養研究員，以及學者本身需自我提升，讓漢喃學研究與發展更臻完善。本院已有碑誌、文字、文學、歷史、地理、宗教、中國研究、日本等研究專家，但還有許多領域有待補充加強，如古地圖、島嶼漢喃、邊界漢喃、少數民族的漢喃資料、東亞國家與越南之比較、韓國研究、歐美研究等。年輕一輩需要特別注意這些問題，才能有專業的發展導向。

除了專業的漢喃知識外，年輕的漢喃學者要不斷發揮專長及提高專業能力，即： (1)資訊處理能力，使用科技尋找資料、建立電子資料庫服務(2)外語能力，為了地域化、國際化，接受全球知識。以地域化（東亞）來說，主要以中文為主，國際化主要需要英文，另外根據研究方向結合其它語言如日文、法文、韓文、俄文、德文等等 (3)外交能力，與國內外學者交流，加強學術合作 (4) 團隊合作技能，促進團體力量。

近十年來，漢喃研究院缺少規模和質量的研究隊伍。因此，選擇及培養幹部，特別是年輕幹部為本院目前和將來最迫切與重要的需求。基於此，本院有兩個培養方向要需同時進行，一方面是正規教育本科、碩士、博士、博士後；另一方面以實際工作、計劃、研究來專門培養研究人才。培養幹部工作要具體、符合研究方向、工作需求、個人需求，確保單位尊重

研究員的自主意識，研究員尊重單位需求，調和集體和個人利益的關係。

（四）社會化

提到社會化，漢喃學是鞏固與加強漢喃領域與社會文化生活的橋樑。具體來看，漢喃學社會化必須面對以下六個問題：(1) 實施具體研究工作，發揚漢喃遺產的價值，並為國家政策作出服務。要做到這點，必須針對國家政策進行相關研究，如島嶼、邊界、宗教、少數民族等漢喃資料。(2) 通過出版、傳播、教育、文化活動、學術研討會、展覽、教授書法等方式，來普及給廣大人民漢喃知識和傳統文化。 (3) 參與維修，重修，保存和建造全國各地的歷史古跡。(4) 吸引學者在與漢喃學科與相鄰的研究領域進行學術合作，以及串連具高水平的獨立學者，建構跨領域的學術網路。 (5) 除了國家的科研經費外，另要申請社會漢喃研究資金，如向地方管理單位、家族、私人以及對漢喃和傳統文化知識有興趣的企業申請。 (6)從漢喃資料尋找古人對社會的知識，與研究單位合作，服務當代社會的需要，如醫藥等。

（五）國際化

漢喃學走向國際肇始於漢喃處時期（1970-1979，漢喃研究院前身）就已被已提出。阮才謹於 1978 年 4 月 28 日，在河內舉辦「漢喃書籍問題」研討會，提出漢喃學需要地區化、國際化等問題：

　　因此提高漢語程度、關注現代漢語學理論，讓自己的視

野沒有落後世界的漢語學理論，是我們需要思考、解決
的迫切問題。……我們的傳統漢喃學很明確是全部地區
的共同問題，需要有全部地區的視野，要了解全部地區
的書籍，要使用對照、比較方法才可以解決問題。[31]

到 2012 年，為了慶祝漢喃專業（河內國家大學）成立 40 年，
阮金山再次指出國際化漢喃研究與教學的重要性：

創新並與世界接軌研究和教學方法。要完成傳承文化使
命，創新研究方法，文本的接觸與分析更為嚴格。要加
入和吸收世界先進的研究方法，為新領域學科準備人力
資源，而跨學科的研究方法- 發揮信息技術更加被注
重。 此外，東亞的新學術領域需要被吸收和傳播，如
簡帛學、比較研究、詮釋學等…[32]

現今的背景下，從漢喃領域來看，筆者認為急需做出以下八個
項目來實施國際化： (1) 促進學習和接受國際研究技能，如外
文能力、電腦能力、留學或短長期進修，培養一批可與外國學
者交流的研究人才，這是躍上國際舞台的關鍵。(2)擴大學術合
作，包括研究院和個人研究成果的展現。 (3) 推廣國際刊物，
以國際專著來肯定研究者的能力，而不只是刻印漢喃書庫的原
始資料，這種工作雖需要，但仍有更積極的作為。 (4) 吸引國
外的科學投資、海外的補助基金，以項目合作的方式來發展雙

---

[31] Nguyễn Tài Cẩn, "Một vài ý kiến về phương hướng đào tạo cán bộ ngành Hán Nôm", in trong: *Thư tịch cổ và nhiệm vụ mới*, Hà Nội: NXB Khoa học xã hội, 1979, tr. 105-110.（阮才謹，〈對培養漢喃學研究員的一些意見〉，《古書籍和新任務》（河內：社會科學出版社，1979年），頁 105-110。）

[32] 同註29，頁 51。

發和多方的學術。(5)本院的研究員要主動積極參加國際研討
會，用外文陳述論文。 (6) 舉辦或與國外單位合辦學術國際研
討會、工作坊等。(7) 邀請國外學者到本院演講，助於年輕研
究員接受新知識，同時派本院研究員去國外演講。(8) 國際化
開發漢喃資料方法：一方面促進數位化資料，與國外單位互相
交流資料，主動提供國內資料（除國家機密資料外）來吸引外
國學者研究越南，另一方面要辨別清楚資料所有權，確保資料
和收藏資料單位的明確性。當今，資料的封閉性—狹窄的民族
主義，已經不再是一個合適的解決方案，其他東亞國家如中
國、日本、韓國、台灣、香港等已努力數位化和免費提供古籍
資料，這體現出他們對學術見解與戰略的眼光，有助於國家學
術的交流與對話。

（六）資訊化

二十年來，漢喃學術界與科技界已合作將漢喃資料數位
化，包含設計喃字字體、相關輸入法，目前已有 10000 個喃字
有字體並 Unicode 輸入，喃字輸入法是喃字遺產保存會(VNPF,
美國)、文字鏡會（日本）、Dynalab 公司（台灣）、Đạo Uyển
組、通訊科技院、漢喃研究院等專家合作的結晶。另外兩種普
遍的輸入法是 Tống Phước Khải 組的 Hanokey 和 Phan Anh Dũng
的 VietHanNom。喃字遺產保存會與越南國家圖書館（河內）
合作數位化館藏的幾百種書籍。[33]漢喃研究院已經積極數位化
漢喃資料（掃描原書），提供保存和運用漢喃遺產。漢喃資料

---

[33] 可上該網址查詢： ：http://lib.nomfoundation.org/collection/1/.

科技化為研究漢喃文獻提供方便。

面對新時機，以上的努力依然不足應付。漢喃研究院的數位化工作已進行約二十年，但礙於經費與技術的限制，目前只完成約 1/6 的文獻。以這樣的速度，要全部數位化，還需要花費 100 年的時間！這樣的技術限制讓工作效能減少，也給研究員帶來不便。

從漢喃文獻數位化從資料開發的角度，集中在五個任務：(1) 根據國際標準（高解析度、有尺度和色標）掃描漢喃資料、數位化資料分類，為讀者提供電子服務，這是現代圖書館和保存單位普遍使用方式，不用以前的抄本服務。(2) 建立漢喃文字輸入法和字體（Unicode 標準），先是漢字（漢越音）和喃字，後擴大到 Tay 喃。(3) 使用光學文字辨識 (OCR - Optical Character Recognition) 來數位化漢喃資料，做成可以搜尋(searchable)的漢喃資料庫(database)，推廣搜尋功能，類似 Word 檔上的「尋找」鍵一樣。 (4) 數位化搜集和建設漢喃文獻地圖。收集方面，本院仍以購買的方式取得資料（書籍）、拓拓片（碑、鐘）、抄錄對聯、橫幅。現今的收集方式，應以拍攝為主，以便數位化當地收集到的資料，並作出目錄以利索引。數位化的資料是漢喃文獻地圖的基礎資料，讓讀者知道哪些地方收藏什麼資料，可以在哪閱讀，什麼資料可以線上閱讀。 (5) 擴展國內外漢喃資料目錄，統一編目方法，進一步匯集資料，透過本院正式網頁線上搜索，使讀者只要查詢就即可知道所需漢喃資料的收藏地，無論是在越南還是在國外，如同 worldcat.org 已經匯集世界的資料一樣。

漢喃研究院的研究員需要肯定、繼承前人的研究成果，進

一步做好常態性和迫切性的工作，同時發展專業化、社會化、國際化、資訊化等「四化」能力。每個方向應根據每個歷史階段而有前後優先。筆者認為專業化是將來五年的主導方向，亦是本院的短期計劃。社會化是將來十年的發展方向，屬中期計劃。國際化是將來十五年的主要方向。資訊化是常態性工作，緊密且具有組織安排，讓每階段都能達成設定的目標。

五、結語

以上的見解，雖以漢喃學的現實狀況、科學發展趨向、社會條件和國內外的文化為觀察點，但也是個人的觀點和理解，因此會有片面和不足之處。但筆者大膽提出這些想法，與大家共同討論、回顧，達成對將來發展（相對性）的共識，讓漢喃學日益走向學科軌道。也許有人認為以上的計劃是「理想」、「夢想」、「脫離現實」，但筆者堅信，這是 21 世紀漢喃工作者要面對的挑戰。 我們可以做到多少，取決於很多因素，包括主觀和客觀，但最根本的問題還是在人，具體是漢喃學研究者的眼界。因此，專業的培養是漢喃學最迫切的問題。

俄國著名詩人 Rasul Gamzatov (1923-2003)名句：「若你用手槍射過去，未來會以大炮還手」。這是詩人用象徵來說明過去─現在和將來的關係。實際上，這三個階段不要大槍大炮，只要選擇性地繼承傳統、接受新思維，即「溫故知新」也，如此，社會才穩定發展，亦可滿足現在的需求並開創將來的可能性，漢喃學的使命是成為過去、現在與將來的橋樑。

法國所藏越南漢文燕行文獻述略

陳正宏*

摘要

　　本文以實地調查所見為據，對法國國家圖書館（BN）東方寫本部、法國遠東學院（EFEO）圖書館和法國亞洲學會（SA）圖書館三館所藏越南漢文燕行文獻作了扼要的介紹，其中重點考述了法國亞洲學會圖書館馬伯樂文庫所藏兩種越南燕行使程地圖孤本《北使圖集》、《使程圖畫》和前此未受關注的法國遠東學院圖書館藏越南燕行日記《范魚堂北槎日記》。

關鍵詞　燕行文獻、法國國家圖書館、遠東學院、法國亞洲學會圖書館

---

* 〔中〕復旦大學古籍整理研究所教授。

一、法藏越南漢文燕行文獻概況

中國大陸學界關注越南漢文燕行文獻，並著手加以系統的整理，始於 2007 年。當時復旦大學文史研究院與越南漢喃研究院合作，花了三年的時間，最終由復旦大學出版社在 2010 年出版了我們編纂的《越南漢文燕行文獻集成（越南所藏編）》。2012 年起，由復旦大學人文基金資助，我開始調查法國所藏越南漢文燕行文獻。目前為止調查的地區僅限於巴黎，調查單位為法國國家圖書館（BN）東方寫本部、法國遠東學院（EFEO）圖書館和法國亞洲學會（SA）圖書館。茲就三館調查所得，作一簡單的報告。

我是以法國國家圖書館訪問學者的身份赴巴黎調查的。但調查所得的初步結果，卻是法國國家圖書館東方寫本部所藏與越南漢文燕行文獻相關的漢籍最少，僅一種，即鈔本《吳家文派選》（BN VIETNAMIEN A63）。但後來翻閱這套卷帙多達 18 冊的鈔本發現，其中收錄的《華程家印》、《梅驛諏餘》兩種，均為燕行詩集；而《邦交好話》一種，則為與燕行有關的專收中越外交檔案的文獻集。

從數量上看，遠東學院圖書館所藏的越南漢文燕行文獻，種數要多於法國國家圖書館，且品種不單一，圖像式的使程地圖和文字性的燕行日記均有。不過所見全部不是漢籍原書，而是縮微膠捲。具體書目如下：

1、《北使程圖》　　　　寫本　　MF I 373(A.3035)

2、《使程圖版》　　　　寫本　　MF I 393(A.1399)

3、《己酉年使華程記》　　　寫本　　MF I 158(A.3034)

4、《北行略記》　　　　　　鈔本　　MF I 444(A.1353)

5、《范魚堂北槎日記》　　　鈔本　　MF I 514(A.848)

　　其中第一、二種是使程地圖,第三種是附在《安南形勝圖附南北使圖》內的文本,第四、第五兩種是燕行日記。至於這五種燕行文獻的原書,如果不出意外,它們應該還在越南河內漢喃研究院圖書館裡。那麼為什麼我不去河內看原書,而要千里迢迢赴巴黎看膠捲呢?說來也有意思,是當時我們合編《越南漢文燕行文獻集成(越南所藏編)》時,越方因為上述文獻內有涉及越南國內地理的部分,屬於國家機密,不願意給我們看,當然更不允許在中國影印出版,所以我一直要到《集成》出版兩年後,才在巴黎一睹這些「禁書」的芳容——其實看了就知道,十九世紀的越南地圖粗略得無以復加,哪有什麼軍事價值可言。

　　相比之下,調查發現的法國亞洲學會圖書館所藏越南漢文燕行文獻,數量最多,品質也較高,計有如下六種並附一種:

1、《北使圖集》　　　寫本　　SA.HM 2182

2、《使程圖畫》　　　寫本　　SA.HM 2196

3、《使華叢詠》　　　鈔本　　SA.Ms.b 22

4、《華程家印》　　　鈔本　　SA.HM 2224(5)

5、《梅驛諏餘》　　　鈔本　　SA.HM 2224(6)

6、《梧巢詩集》　　　鈔本　　SA.HM 2224(6)

附:《邦交錄》　　　鈔本　　SA.HM 2224(6)

以上第四、五、六種及附一種,均收入鈔本《吳家文派

選》內。該書與法國國家圖書館藏同名之書內容上同屬一種而版本不同。值得一提的是，上述諸書在亞洲學會圖書館內均屬馬伯樂文庫的特藏。按馬伯樂（Henri Maspero，1883—1945）是法國現代著名的漢學家和印度支那學家，早年師從著名漢學家沙畹（Emmanuel-èdouard Chavannes），曾任河內法蘭西遠東學院教授，巴黎法蘭西研究院銘文與美文學院院士、院長，二戰後期病死於納粹集中營。馬伯樂文庫所藏越南本漢籍的品質，在全世界範圍內都可以說是首屈一指的。

二、法藏越南使程地圖《北使圖集》與《使程圖畫》

法國上述三家機構所藏越南漢文燕行文獻中，首先值得一提的，是前此未見的幾種使程地圖，尤其是亞洲學會圖書館馬伯樂文庫所藏的兩種孤本彩繪使程圖。茲略加介紹並試作一點的考釋。

第一種《北使圖集》，不分卷，彩繪寫本，開本 30.5×22.2 釐米，正文首葉版匡 30.2×20.1 釐米。其書本無書名，現名當為後人所擬。外封已改為洋裝，天地亦已經裁切。正文所用為較薄的越南微黃紙。版匡及圖像輪廓以墨線勾勒，河流塗朱紅色，山石樹木染淡青色，城池則內外城牆分別用朱青二色填充。每一圖內均注有地名或扼要介紹，天頭多有相應地區的較詳細的解說文字。全書自「呂槐亭驛/天德江下流」起，至第十二葉「鎮南關」始進入中國境內，最後終結至第九十二葉的「燕京」為止。

此種使程地圖的末尾，彩繪著紫禁城及其週邊的北京城牆。天頭注文內，介紹北京國子監時，有如下一段文字：

> 右一區是彝倫堂，為國學教習之所。庭右偏有老槐樹，四旁磚砌，傳是元許衡手植。乾隆辛未，枯幹復孽，煙雲繚繞，隱然仙府。

按乾隆辛未當乾隆十六年（1751），則本圖的繪纂年代，當在乾隆十六年略後。又由於該使程圖的中間出現了南京，而如所周知，越南燕行使者進入中國境內以後的北行線路，以乾隆五十五年(1790)為界，此前均沿長江而下，經過南京，此後則經漢口直接北上。[1] 以此這種《北使圖集》的原繪者，應當是乾隆十六年以後、五十五年以前的某一燕行使團成員。但具體為哪一批，尚待進一步的證據。[2]

又此本第二十九葉天頭注文中有「楊令公是宋辰人，即楊文廣」等語，第四十葉天頭注有「（衡山）宋辰有阮姓者居此」等語，其中的兩個「辰」字，原本當作「時」，因越南書寫人避阮朝嗣德皇帝阮福時的名諱而改字。據此本書亦非乾隆時期該書初纂時的原本，而是越南阮朝嗣德年間（1847-1883）重新摹繪抄寫的。

第二種《使程圖畫》，亦為不分卷之彩繪寫本，與《北使

1　參見鄭幸：《清代越南燕行使臣入京路線述略》，未刊稿。
2　檢現存的越南漢文燕行文獻，似乾隆二十五至二十七年（1760-1762）黎貴惇使團有一定的可能性，因黎氏《桂堂詩匯選》卷二所收《謁國子監恭紀》詩第一首，末二句為「古槐新表昌明瑞，五百年來葉青青」，並有小字注：「元許衡植槐久枯，至是復榮。」與上引《北使圖集》天頭注文合，而不見於現存已知見的乾隆五十五年前諸家燕行文獻。

圖集》同為馬伯樂文庫所藏孤本。其開本為 31.4×20.3 釐米,正文無版匡,首葉圖高約 25 釐米。外封亦已改洋裝,內封用較厚的馬糞紙,于左上側縱題「使程圖畫」四字。正文用紙較《北使圖集》略厚而微黃,紙質亦較新。所繪風格較以往所見越南使程地圖更淡雅些,除仍以墨線勾勒圖像輪廓外,僅以淡朱色塗河流及建築屋頂,以淡墨染山石及城牆。

　　此本使程圖最引人注目的地方,是第三葉前半葉「昭德台」和「幕府堂」之間,有一長方形圍框,內書「甲辰年閏正月十五日午牌始開至五更半」,其左旁又有「二十里駐」、「到幕府止住」字樣。據本書所繪仍有南京圖這一點看,其底本當為乾隆五十五年以前的越南燕行使團所繪;其南京圖上方圖注中又謂南京「大清改為江南首省」,則其為入清之後的作品可無疑問。清代乾隆五十五年以前的甲辰年僅有三個,分別是康熙三年(1664)、雍正二年(1724)和乾隆四十九年(1784),三年均有閏月,但據中國日曆均非是閏正月。而按越南《大南實錄》正編第一紀卷二,乾隆四十九年當越南黎朝景興四十五年,恰為「閏正月」。且此年確有越南使者來華,見《清史稿》列傳三一四屬國二越南:

> (乾隆)四十九年,帝南巡,安南陪臣黃仲政、黎有
> 容、阮堂等迎覲南城外,賜幣帛有差,特賜國王「南交
> 屏翰」扁額。

據此本書從文本上說應當是乾隆四十九年來華的黃仲政使團繪纂的使程地圖。不過本書紫禁城圖中「宗人府」已作「尊人府」,這顯然是避越南阮朝憲祖阮綿宗(1841-1848 在位)的名諱,則從實物版本上說它也已不是乾隆四十九年繪纂當時的

原書，而和《北使圖集》一樣是十九世紀中葉以後的重新繪鈔本了。但由於前此沒有發現過黃仲政使團的任何漢文燕行文獻，此種使程地圖的存世與確證，對於學界研究黎朝末期西山政權已經興起的階段越南燕行的諸多問題，具有特殊的價值。

三、法藏越南燕行日記《范魚堂北槎日記》

如所周知，越南漢文燕行文獻中，文字性燕行日記是保存相關史料最為豐富的，法藏越南漢文燕行文獻也是如此。此次在遠東學院發現的一種《范魚堂北槎日記》，就是《越南漢文燕行文獻集成（越南所藏編）》未收之作，而所記多有其他燕行文獻未及之處。

該書原為舊鈔本，巴黎遠東學院所藏為二十世紀五十年代河內遠東博古院所攝的膠捲。其書內封題「范魚堂北槎日記」，正文每半葉九行，每行二十字，無界欄及匡格。所記起自嗣德二十三年十月二十五日，止於嗣德二十五年八月十三日，末有「嗣德二十五年壬申臘月，後學雙桐阮椿燕株謹識」之跋。據該跋卷端所記年月，可推知其作者即清同治九年（越南嗣德二十三年，1870）以甲副使身份來華的范熙亮。

按范熙亮的燕行詩集《北溟雛羽偶錄》（以下簡稱「詩集」），已收入《越南漢文燕行文獻集成（越南所藏編）》第21 冊。與《北溟雛羽偶錄》相比，《范魚堂北槎日記》所記多可與之對勘，而較之更為詳確，且不乏詩集中完全沒有涉及的重要史料。

首先是卷首所錄的使團一行出發前嗣德皇帝的上諭，即不

見於詩集而十分重要：

> 嗣德二十三年庚午十月二十五日，奉于文明殿拜命辭
> 行。奉宣至上前，諭曰：爾等三人，皆有學問，茲委出
> 疆，凡事當協心商籌，務要得體。途間亦當周諮清國、
> 英、富、俄、衣諸國情頭，回辰具覆。勿如前使部多
> 略，未稱朕懷。馮帥所辦，固多未善，然他為國辦賊
> 事，中國如有問及，亦當善詞以答，不可訾人之短，似
> 非厚道。……邊事雖有預擬，然隨宜問答，勿可太拘，
> 要得體方善。

上諭中提到的「英、富、俄、衣諸國」，「富」即「富浪沙」
也就是法國，「衣」即「衣坡儒」也就是西班牙，法、西兩國
在此前的嗣德十五年（1862），已迫使越南與之秘密簽訂了割
地賠款的第一次西貢條約，而此事是瞞著宗主國清朝做的，後
被中方發覺，[3]故上諭中有所謂「勿如前使部多略，未稱朕懷」
等語；而「馮帥」，即前一年在越南北部清剿流竄入越的反清
武裝的廣西提督馮子材，據「固多未善」四字，可見越方對其
所為評價不高。

《范魚堂北槎日記》中最有價值的部分，自然是范氏隨使
團進入中國後的相關記載。其中特別引人注目的，首先是越南

3　本書（嗣德二十三年十二月）二十二日條記：「抵太平府津次，徐府
　　員就舟相訪，……且問天朝區處津事。府員言：前在天津，民毆他八
　　九十人，洋因此遁。今未複來。如內地有事於該夷，貴國亦當趁此機
　　會，收復南圻。答謂下國日夜籌惟，亦欲得一好機會。但北道未靜，
　　賴諸大人悉心善辦，俾早安帖，乃可致力於南。府員亦以為然。」徐
　　氏所謂「貴國亦當趁此機會，收復南圻」，南圻即越南因西貢條約被
　　迫割讓的土地。可見當時中方已完全掌握西貢條約的內容。

使者們目擊的在華洋人、洋教及清王朝的應對：

◇（嗣德二十四年六月）初四日，再下船，經漢口江次，望見西洋氣機三艘、多索船三艘，泊在街下津次。道堂數□處高廠，八面開門，居屋頗多。江岸多栽松柳，道上□砌，洞直潔白，約數里許。細看只見漢人往來，英、富諸夷人遙見於堂屋內而已。是日漢陽縣先托以水潦未便起陸，其實為西事受屈，若陸行必由洋庯經過，恐外人窺其淺深也。抵館則坐轎（原注：使臣大轎，行人中轎），箱台陸續亦到此，欲蓋彌彰，已可概見。洋庯下為江漢稅關。又城延互數十里，上自漢水左岸，下抵江北，一帶樓堞，旗炮相望，似為洋人設者。

◇（嗣德二十四年六月）初五日，抵雙廟店宿，屬黃坡縣，縣員劉昌緒。自漢口以北，築城屯兵十餘處，皆似新建，蓋亦為洋人歟？

◇（嗣德二十四年七月）十六日，過獲鹿縣界，渡滹沱河，歇正定府。……城東有龍行寺。……寺旁有洋人道堂，□望如樓。門中屋宇，洋人亦眾。問知洋人到此立會講道，是該夷在中國想亦尤盛之。

其次是越南使節來到北京、進入紫禁城後的所見所聞：

◇（嗣德二十四年九月）初三日，就甘舉人寓，且問邊事一款，廣西近有奏疏，可得知否？答謂留軍機內，所見只上諭耳。京報亦不能盡錄，第擇一二緊要事件發出外刊耳。仍恃煩軍機處筆帖章京人員，為之搜尋抄錄。答謂他省人有二人在軍機處，然前輩進士，且每日五更上朝房，他到數寓次，只得見一次，請留心問之，或可得

也。再問：大皇帝已未臨政，二宮視朝何如，多官引見
何如？云：乾清宮內皇居中，二宮垂簾於後，分左右
坐，引見者拜於庭外。正宮是慈安，西宮是慈禎（原
注：誕育皇上）。二宮甚賢慧。去年有西宮太監往山東
北陸（「北陸」二字後點去，旁改「犯法」——引者
注），經奉旨梟首，一事可見。問大婚、臨政期、輔政
諸事，言明年婚期，已送進宮女，立后是何人未詳，臨
政之期不能知也；輔政是恭王，掌軍則七王。⋯⋯

◇（嗣德二十四年十月）初五日寅刻，具朝服，由館使等
經引，由東安門，進天安、端、午諸門，轉西經熙和
門，至右翼門吏房。護貢繼至。⋯⋯昧爽門啟，趨入殿
庭，百官陸續齊到，各東西面侍班。貢士于東西班末侍
立。⋯⋯卯初，聞鳴鐘鼓，大樂作。大皇帝從內出，禦
殿上。香爐薰陛下，庭前三鳴鞭，百官聽贊排班，護貢
與使臣于西班北面而行三跪九叩，禮畢，出原位立。頃
聞贊，諸貢士跪。宣制，唱第一甲第一名至第三名，鴻
臚遞引三名出班跪（原注：東二，西一）。又傳唱二甲
等名，不出班，聽贊，行三跪九叩禮。禮官捧榜降自中
階，由太和中門出，樂作，御駕還宮，百官散，乃從右
奮門回館。（原注：狀元丁錦，福建人；榜眼王可朋、
探花冬在田，均直隸人。）

上引第一條中的甘舉人，似是越方安排的刺探清廷內情的間
諜，其所言兩宮垂簾聽政等項，為當時之新聞，其中慈禧作
「慈禎」，當是誤書。第二條所記為紫禁城內殿試以後唱名的
情形，為前此越南燕行使者未曾遇見，所述細緻周詳，也是感

性生動的晚清科舉史料。

日記還記到越南使臣在北京和朝鮮使節、琉球官生的會面。其中與朝鮮使節會面所談也涉及洋人洋事：

> （嗣德二十四年十月）初六日，就永盛店局，與朝鮮差官李容肅會。云年例來領年憲書，八月起行，十月朔方到。問以洋事，答以今年夏咪唎國船來求通商，相持數月，彼知無法，拂□去。問：咪唎是否英吉利？曰：道光十年，稱英人者船來該國，經奏天朝，飭兩廣總督嚴斥，使英人無得再擾。奈四五年，或稱英，或稱法，迭來，留該國西海，泛稱通商。已屢與申說，亦漠不聞，可怪可恨。雖蒙天朝嚴禁，終難過其狼毒。此實天為之，亦待上蒼回心而已。……

會見琉球官生一事雖見於詩集，但日記所記更為詳細：

> （嗣德二十四年九月）初五日，琉球國二人（原注：一林世忠，一林世功。）就館求見。延坐筆問，言系國學生，于同治陸年蒙入國子監，六人節次病故，只存二人。明年課滿亦回。衣服如中國，惟不剃髮，束於頂上，串以簪而已。因天晚，未及他問，已告退。

其中關鍵的是記錄了未見於詩集的琉球官生的姓名：林世忠、林世功。而如所周知，林氏兄弟中的林世功，就是後來光緒二年（1876）以陳情通事身份秘密來華，請求清政府阻止日本吞併琉球，最終因請願無果而於光緒六年（1880）自刎於北京的那位琉球壯士。

法國所藏的越南漢文燕行文獻，雖然數量不多，而與越南、日本所藏具有同等重要的價值。為便於海內外學者進一步

深入研究相關史實，復旦大學古籍整理研究所已經和法方有關單位簽訂合作協定，將編纂出版《越南漢文燕行文獻集成（法國所藏編）》。

● 後記：本文初稿寫定於 2014 年 6 月 25 日。同年 6 月 28 日，在北京故宮博物院開幕的“燕行使進紫禁城”國際學術研討會上，作為主旨發言之一向與會代表報告。今收入本輯，保留正文原貌，僅作若干錯別字之修訂，特此說明。

越南燕行文集文獻學考論三則

劉玉珺*

摘要

　　《越南漢文燕行文獻集成（越南所藏編）》由於在編輯過程中，未能注意到越南抄本文獻的複雜特性，在文集性質、作者考定等方面，造成了一些錯謬。其中《介軒詩集》被視之為阮忠彥個人專集，實際上摻雜了後黎朝阮宗窐的作品。《旅行吟集》並非是單純的馮克寬詩歌別集，而是一部越南漢喃燕行詩歌總集，它由漢詩和喃詩組成，它的作者至少包括馮克寬、阮宗窐及喃文詩的譯者。《使程詩集》是一部混合了燕行與感懷詩的雜抄本，其作品並非作於一時一地，作者也極可能不止一人。

關鍵詞　越南、《介軒詩集》、《旅行吟集》、《使程詩集》

---

* 〔中〕西南交通大學人文學院中文系教授。

一、《介軒詩集》所收作品真偽

自從 2010 年《越南漢文燕行文獻集成（越南所藏編）》影印出版之後，以越南燕行文獻為中心的研究遂成為了越南漢籍研究的熱點，可以說這批資料的公佈，對於推動越南漢籍的學術發展，功勞甚大。不過較為遺憾的是，《越南漢文燕行文獻集成（越南所藏編）》在編輯出版過程中，未能注意到越南抄本文獻的複雜特性，在文集性質、作者考定、版本選定等方面，或造成了一些錯謬，或留下了重大遺憾，這也勢必影響這一領域相關研究的深入。此前，筆者曾撰文對阮輝瑩《奉使燕臺總歌》、楊恩壽與裴文禩的《雉舟酬唱集》的版本問題作了相關探討，[1]本文將從抄本文獻特點的角度，對《旅行吟集》、《介軒詩集》、《使程詩集》三種燕行文獻的性質和作者進行一番考論，以拋磚引玉，求得方家賜教。

《越南漢文燕行文獻集成（越南所藏編）》所影印的《介軒詩集》A.601 號抄本共收詩 80 題 81 首，與《彙集介軒詩稿全帙序》所說的 81 首一致，但是目錄與正文所列卻有所不同。目錄共列詩題 81 題 82 首，其中《郃板店》、《采石懷青蓮》之後、《熊湘驛》、《遊龜山寺》之前，分別抄有《兩臨關》、《遊龍山》二詩題，然正文闕如。而正文《德江懷古》

---

[1] 參見拙作《阮輝瑩〈奉使燕臺總歌〉考校》，載《域外漢籍研究集刊》第十輯，北京：中華書局2014年；《孫衣言、裴文禩筆談與〈雉舟酬唱集〉的文獻學問題》，2016年6月與學生馬彥峰合作完成，後又重新修訂，於2017年11月18日在浙江大學舉辦的「東亞文明傳承與創新」暨「東亞筆談研究」國際學術研討會上宣讀。

之後、《浮石渡》之前抄有《長安懷古》一詩,卻又未見於目
錄。一些作品在目錄和正文中編抄的位置也不盡相同。例如,
《縷泉》編排在目錄的第四首,即在《登磐陀勝景寺》之後,
《丘溫驛》之前,正文中卻抄在《棟營懷古》之後,《旅次憶
諸兒》之前。又《和仁傑韻》與《邕州》二詩在目錄中依次前
後排列,在正文中前後次序與目錄相反。此外,目錄和正文的
詩題還存在著大量的異文。這些情況表明,《介軒詩集》並非
一本抄錄嚴謹的書籍。但需要引起我們重視的是,其中有部分
作品還重見於其他的燕行文集中。這些重見作品情況如下表:

〔表一〕

阮忠彥《介軒詩集》A.601	阮翹、阮宗窐《乾隆甲子使華叢詠 A.1548	阮宗窐《使華叢詠集》A.1552	《旅行吟集》AB.447
旅次懷諸兒	有	有	無
江州勝景	有	有	無
題岳武穆廟（二首）	有	有	無
江州旅次	有	有	有
馬當勝覽	有	有	有
采石懷青蓮	有	有	有
遊龜山寺	有	有	無
題小孤山	有	有	無
舟次遣懷	無	有三首	無
赤壁懷古	有	有	無
題蘇東坡祠	有	有	無
初夏旅懷	有	有	無
荊南晴望	無	有	無
湖南遇大風	無	有二首	無
桂江曉發	有	有	無
題馬頭山	無	有	無
桂江記見	有	有	無
畫山春泛	有	有	無

春城遊玩	有	有	無
題伏波將軍祠	有	有	無
南寧即景	有	有	無
寧江風景	有二首	有二首	無

《乾隆甲子使華叢詠》乃阮翹與阮宗窐乾隆甲子年
（1744）的唱和詩稿，《使華叢詠集》前集收錄的是阮宗窐從
越南途經廣西、湖廣、江右到達金陵的過程中所創作的詩歌，
後集則收錄阮宗窐從江南出發，抵達北京，後又由北京返途回
國所作。這兩個文集的特點是詩題下多有小字注，記錄創作背
景、寫作緣由等，《使華叢詠集》的一些詩作末還附有點評者
的評點。將《介軒詩集》與阮宗窐二書進行對比不難發現，
《使華叢詠集》詩歌編排的先後順序與阮宗窐的行程往復是相
吻合的，並且阮宗窐二集中的小注描述的內容也可在詩中找到
印證，明顯能判斷這些重見的詩歌應當為阮宗窐所作。以《舟
次遣懷》為例，《使華叢詠集》收錄此詩三首，分別為：

◇蓬簾高捲碧悠揚，萬頃煙波極渺茫。水勢愈多江愈闊，
　舟程彌久日彌長。楚山月慣窺窗白，漢樹風頻繞簟涼。
　地有北南途遠近，惟天到處是中央。

◇迢遞江天逼客程，朝朝暮暮不勝情。斜陽漢沔煙波色，
　靜夜荊襄鼓角聲。月淡風疏天欲曙，水光雲影雨初晴。
　五千餘里無多遠，早趁扶搖遠帝京。

◇江湘縹緲鎖江頭，岸樹陰陰一帶橫。梅雨經旬吟思苦，
　桂煙引日賭囊輕。千金喜信家書報，一枕薰風旅夢清。
　笑倒蛇工管不得，自來自去太多情。

這組詩歌題下有小注云：「舟抵武昌換座船，暫駐漢口，豫整

寒具。時船工耽負客貨，牽掛引日。地方官伻來，催促猶遲。日顧望不肯進程，水潦時降，江勢浩大。每懷靡及，吟詩三章。」聯繫小注來看，這三首詩顯然是一個整體，前後有所勾連和呼應，均能反映出小注中提到的停靠漢口，行程延誤，江勢浩大等情形，當為一時一地所作。另一個更為直接的證據即是，阮倣所編的《越詩續編》亦將表一《江州旅次》、《采石憶青蓮》、《遊龜山寺》諸詩繫於阮宗窐的名下。

潘輝溫《彙集介軒詩稿全帙序》說他本人是從《越音百選》、《摘艷集》等詩歌總集中，輯錄出阮忠彥的作品。我們也可以將《介軒詩集》與幾種主要的越南漢詩總集收錄的作品作一個對照，列表如下：

〔表二〕

《介軒詩集》	《越音詩集》	《摘艷集》	《全越詩錄》	《皇越詩選》
初渡瀘水	無	有	有	有
芙蒄驛	無	有	有	無
登磐陀勝景寺	無	有	有	無
縷泉	無	有	有	無
丘溫驛	無	有	有	無
貴良塞	有	無	無	無
靈川銀江驛	有	無	有	有
邕州	有	無	有	無
邕州知事莫九皋，以本國黎大夫仁傑所賜詩來示因賡韻	有	無	有	無
夜坐	有	無	有	無
郉板店	有	無	有	無
熊湘驛	有	無	無	無
湘中即事	有	有	有	無
萬石亭	無	有	有	無
回雁峰	無	有	有	無

游湘山寺	有	無	有	無
贈僧堯山	有	無	有	無
湘中送別	無	有	有	無
懷賈誼	有	無	無	無
題嶽麓寺	有	無	有	有
洞庭湖	有	無	有	無
黃鶴樓	有	無	有	無
溢浦琵琶亭	有	無	有	無
采石渡	有	無	有	無
夜泊金陵城	有	有	有	無
登揚州城	無	有	有	有
即事	有	有	無	無
宿花陰寺	無	無	無	無
歌風臺	有	無	有	無
大香江中	有	無	有	無
思歸	有	無	有	無
歸興	無	有	有	有
湘中秋懷	有	無	無	有
次橫州祐	無	無	無	無
即事	有	有	有	無
春晝	有	有	有	無
春夜野寺	有	有	有	無
海潮懷古	有	無	有	無
安子江中	有	有	無	無
安子山龍洞寺	有	無	有	無
德江懷古	無	無	無	無
長安懷古	有	有	有	無
重遊浮石渡	有	無	有	無
傑特山	有	無	有	無
神符港口晚泊	有	無	有	有
留別北城列臺	無	無	無	無
珠橋遇雨二首	無	無	無	無
維先道中	無	無	無	無
登浴翠山	無	無	無	無
青蕨渡	無	無	無	無
三疊山	無	無	無	無

觀巨慶有感	無	無	無	無
賦得千里驛亭逢苦雨	無	無	無	無
客中重九	無	無	無	無
永營有懷	無	無	無	無
永江月泛	無	無	無	無
棣營懷古	無	無	無	無
旅次憶諸兒	無	無	無	無
江州勝景	無	無	無	無
題岳武穆廟	無	無	無	無
江州旅次	無	無	無	無
馬當勝景覽	無	無	無	無
采石懷青蓮	無	無	無	無
游龜山寺	無	無	無	無
題小孤山	無	無	無	無
舟次遣懷	無	無	無	無
赤壁懷古	無	無	無	無
題蘇東坡祠	無	無	無	無
登程紀聞	無	無	無	無
初夏旅懷	無	無	無	無
荊南晴望	無	無	無	無
湖南遇大風	無	無	無	無
桂江臨發	無	無	無	無
題馬頭山	無	無	無	無
古城懷景	無	無	無	無
桂江紀見	無	無	無	無
畫山春泛	無	無	無	無
題伏波將軍祠	無	無	無	無
南寧即景	無	無	無	無
寧江風景	無	無	無	無

　　表中的《越音詩集》、《摘艷集》為《彙集介軒詩稿全帙序》所明確指出的文獻來源，《全越詩錄》是越南現存規模最大的漢詩總集，《皇越詩選》是越南阮朝流傳最為廣泛的詩歌選本之一。此表顯示，不僅重見於阮宗窐北使詩文集的 23 首

詩歌亦未見於這四種越南漢詩總集，還另有 15 首詩歌亦歸屬存疑。由於受到文獻資料的限制，筆者未能翻閱《介軒詩集》的另一個重要來源——《精選諸家詩律》，也沒有條件遍覽越南所有的漢詩文集，以查證是否還有重見的作品。並且《摘艷集》只餘殘本，《全越詩錄》也以多種抄本的形式流傳，未見有編輯嚴謹、校勘精審的刻本，所以我們不能貿然推斷，《介軒詩集》中凡是未見於上述四種漢詩總集的詩歌都並非出自阮忠彥之手。但綜合前文所述，我們至少可以斷定表一所列《旅次憶諸兒》及以下的 23 首詩歌不是阮忠彥所作。

部分詩作我們還可從歷史事實的角度證明其作者並非阮忠彥。如《題蘇東坡祠》一詩云：

> 四顧江山霽景開，煙霞弄影繪亭臺。詞林高韻留春草，
> 藝苑清標印畫梅。石逗餘光紅晻暎，波凝古色綠緋紬。
> 朗吟赤壁三千字，江上清風拂拂來。

《乾隆甲子使華叢詠》此詩小注云：「在黃州府黃岡縣青峰山，山之土石皆赤。四經江川，晴光可愛，宋東坡先生遊於此，認為赤壁，今有三賦亭，及畫梅舊譜，詩草真詮刻石尚存。」無論是從詩歌的內容還是小注的敘述，都可以得知是詩描繪的是黃州東坡祠。在此地正式修建東坡祠是在明正統六年（1441）[2]，由黃州通判黃客主持修建，而阮忠彥已於 1370 年去世，所以此詩不可能為他的作品。

2　〔明〕盧希哲：〈宮室〉，《黃州府志》（明弘治間刻本），卷4。

二、《旅行吟集》的作者與文集性質

《越南漢文燕行文獻集成（越南所藏編）》第一冊據越南漢喃研究院所藏的 AB.447 號抄本，收錄越南燕行文獻《旅行吟集》。《越南漢喃文獻目錄提要》敘述此書曰：

> 錄詩八十首，內容為出使中國途中的名勝，所詠有瀟湘、洞庭湖、黃鶴樓、望夫石、彭祖廟等，作者不詳。

此抄本未署作者姓名，因此《越南漢喃文獻目錄提要》將其視作無名氏之作。《越南漢文燕行文獻集成（越南所藏編）》則判定此書為越南後黎朝使臣馮克寬之作。其理由如下：

> 本書無作者署名，據其中《與滕尹趙侯相見趙尹名邦清乙未科進士》詩題，及其尾注：「趙見詩曰：安南國使馮敬齊，學問深遠，字畫神妙」云云，可知作者姓馮，曾與滕縣縣令趙邦清相識。按趙氏令滕縣在明萬曆二十一年至二十六（1593-1598），時當越南後黎朝黎世宗光興十六年至二十一年，其間出使中國且姓馮者，為馮克寬，號敬齋。據此上引詩注中的「馮敬齊」之「齊」，當為「齋」字之訛，本書作者為馮克寬。

這段提要對於《與滕尹趙侯相見》一詩的作者考訂是無誤的，此詩又見於馮克寬的《使華手澤詩集》。但最大的失誤在於，未顧及此集作為抄本文獻的特殊性質，根據印本正式書籍的觀念，僅憑考訂出一首詩的作者，進而判定整部作品乃馮克寬的燕行別集。

根據我們的細緻梳理，發現《旅行吟集》的作品有部分可

見於目前發現的馮克寬的別集中，亦有部分作品見於阮宗窫的
燕行文集中，茲列表如下：[3]

〔表三〕

〔編按〕表格各書編號資訊如下：AB.447（《旅行吟集》）、VHv.188
（馮克寬《梅嶺使華手澤詩集》）、A.2805（馮克寬《使華手澤詩
集》）、A.241（馮克寬《梅嶺使華手澤詩集》）、A.1552（阮宗窫《使
華叢詠集》）、A.1548（阮翹、阮宗窫《乾隆甲子使華叢詠》）

AB.447	VHv.188	A.2805	A.241	A.1552	A.1548
瀟湘春晚	無	無	無	無	無
洞庭閒詠	無	無	無	同題多兩首及小注	無
黃鶴樓遊興	無	無	無	無	無
舟次遣懷	無	無	無	詩題相同，內容不同	無
江州旅次	無	無	無	有，多小注	多小注
采石憶青蓮	無	無	無	有	有
烏江懷古	無	無	無	有	無
青溪泛舸	無	無	無	無	有
揚州即景	無	無	無	同題多一首，小注不同	同題多一首，小注不同
桃源旅次	無	無	無	有	有
客程秋夜	無	無	無	詩題、內容有差異	詩題、內容有差異
題三義廟	無	無	無	詩題相同，內容不同	無
雪天閒望	無	無	無	詩題相同，內容不同	詩題相同，內容不同
題望夫石	無	無	無	有	無
過關自述	無	無	無	無	無

3　本表因形式限制不一一列出各本之間相同作品的異文。

舟程冬夜	無	無	無	無	無
客程春旦	無	無	無	同題多一首	同題多一首
吊劉三烈	無	無	無	詩題相同，內容不同	詩題相同，內容不同
題獨秀山	無	無	無	詩題相同，內容不同	詩題相同，內容不同
桂江曉發	無	無	無	有	有
題湘山寺	無	無	無	詩題相同，內容有較大差異	詩題相同，內容有較大差異
詠畫山	無	無	有	無	無
時到梧桐城，……命以越裳獻白雉詩韻，余揮筆立就，張大稱賀	無	無		無	無
蒼梧對景	無	詩題不同，內容相同	有	無	無
題王旗牌扇	無	有	有	無	無
上謁天朝欽差總督兩廣軍務,……謹述拙詩以獻,伏希侍覽	無	無	有	無	無
肇慶府董陳二將貴請筆偶成	無	有	有	無	無
同伴送官白指揮上京	無	無	有	無	無
題舉子扇	無	有	有	無	無
題飛來寺	無	無題	有	無	無

		註，內容相同			
到曹溪，在韶州府共德縣篆裡驛	無	無	有	無	無
過張丞相祠堂	無	無詩題注	有	無	無
答南雄軍府貴請筆	無	無	無	無	無
庾嶺梅嶺	無	無	有	無	無
到安南偶成	無	無	無	無	無
過鄱陽湖	無	有	有	無	無
過大孤山小孤山	無	有	有	無	無
望江曉發》	無	有	有	無	無
客攜酒乞詩	無	無	無	無	無
遇張老叟喜作	無	有	有	無	無
過采石磯	無	有	有	無	無
登楊相公祠堂	無	無	有	無	無
到南京城	無	有	有	無	無
壽沈都督初度詩曰	無	有	有	無	無
到彭城	無	有	有	無	無
黃河東岸驛	無	無	有	無	無
彭祖廟	無	無詩題註，內容相同	有	無	無
與滕尹趙侯相見	無	有	有	無	無
題趙侯畫像圖	無	無	有	無	無
戲題白指揮扇	無	有	有	無	無
時到廣東、西人各持一	無	無	有	無	無

扇乞詩，公隨次下筆，詩成衆人大笑					
題玄天觀	無	無	有	無	無
題梓橦帝君廟	無	有	無	無	無
題昭烈廟	無	無	有	無	無
題漢高廟	無	無	有	無	無
過細柳營	無	無	有	無	無

我們根據上表逐一分析《旅行吟集》與馮克寬和阮宗窐文集的作品關係：（一）《旅行吟集》所收錄的 56 首作品沒有一首見於《梅嶺使華手澤詩集》VHv.188 抄本，但有 19 首見於《使華手澤詩集》號抄本 A.2805，有 31 首見於《梅嶺使華詩集》A.241 號抄本。除去重複的作品，共有 31 首可見於其他的馮克寬文集，即意味著還有 24 首作品未能從馮克寬的這三種別集中找到印證（二）《旅行吟集》中有 11 首作品見於阮宗窐的文集中，通過對阮宗窐文集中作品的連貫性、與小注的相互呼應來看，這些詩歌應當是阮宗窐的作品無疑，不存在著馮克寬作品摻入阮宗窐文集的可能。例如，在《洞庭閒詠》題下，《旅行吟集》收錄了一首漢詩及其喃作，其漢詩云：

> 涵虛凝一渺茫間，四望玲瓏海藏寬。楚日東西垂巨浪，
> 君山南北鎮狂瀾。錦帆萬葉人千里，碧水三秋月一團。
> 浩蕩最堪娛目處，岳陽樓上倚欄杆。[4]

阮宗窐的《洞庭閒吟》除了同樣收錄了上文這一首詩外，還有

---

4 詩中「楚」、「垂」二字《旅行吟集》闕如，現據阮宗窐《使華叢詠集》補。

同題的兩首分別云：

◇似共滄溟一氣通，堯湯不管自鴻濛。有風浪欲浮山上，
　無雨天疑在水中。樓老煙波垂釣客，興窮海岳浪吟翁。
　騷人謾目自比雲，雲夢涵容量不同。

◇胸吞川廣浸荊吳，今古萍浮兔與烏。地闢人間銀海國，
　天開世界水晶園。帆風帆月知多少，山雨山晴若有無。
　歌棹睡煙誰復管，人生此樂幾陶朱。

這三首詩有小注曰「湖楚望侵也，周回八百餘里，四望無際，
日月出沒其中，凡川廣黔溟諸水悉匯焉。使舟泛時，舟人指一
山云是鹿角山，乃陶朱故宅也」。這三首詩歌不僅風格相同，
所描寫的內容也與其小注所敘相吻合，都寫到洞庭湖一望無垠
的廣渺，顯然是一時一地以組詩的形式而作，第三首的「人生
此樂幾陶朱」，顯然也是由泛舟湖上，眼見陶朱故宅而引發出
來的感慨。與前後詩作的關聯來看，在《使華叢詠》中，此詩
之前的詩作依次是從北到南描寫湖南境內的風景名勝，與其緊
密相接的前詩即是描寫洞庭小島君山的《君山晴望》。這與阮
宗窐出使的路線也是相吻合的。

　　除了這 11 首見於阮宗窐文集中的作品外，《旅行吟集》
所收錄的喃文詩《舟次遣懷》《題三義廟》《雪天閒望》《弔
劉三烈》《題獨秀山》，也可以從阮宗窐的文集中找到同題的
漢文詩作。從內容來看，《旅行吟集》所錄與阮宗窐文集中的
同題之作明顯存在著內容上的關聯，甚至可以將前者視作後者
的喃文演歌。即便是一些詩作在《旅行吟集》和阮集中文本差
異較大，但是二者之間也存在著密切關係。例如《客程秋夜》
一詩，《旅行吟集》收錄的文本為：

火影西流度客艎，深霜秋夜為心忙。疏站隔岸拋聲重，
警析和風引漏長。冷意欺燈秋太半，寒風窺戶月中央，
塵吟誰是歐陽子，曉起星星鬢欲霜。

阮宗窐此詩的首句為「瑟瑟金風送客艎」。《旅行吟集》本中
的「火影西流」四字實際上源自阮宗窐同題的另一首七律首聯
的第二句「火影西流兩曜惜」。

綜上所述，顯然《旅行吟集》並非是單純的馮克寬詩歌別
集，而是一部越南漢喃燕行詩歌總集。從文字的角度而言，它
由漢詩和喃詩組成，其中的喃詩也多演自阮宗窐的同題詩作；
從作者而言，它至少包括馮克寬、阮宗窐及喃文詩的譯者。

三、《使程詩集》作者與性質補論

《旅行吟集》和《介軒詩集》的複雜文獻學狀況，並非越
南抄本文獻的個例。《越南漢文燕行文獻集成（越南所藏
編）》第八冊，收錄了作者題為潘清簡的《使程詩集》，是集
提要云：

> 此書內封題潘清簡著，《越南漢喃文獻目錄提要》即據
> 以著錄。潘清簡（1796-1867），字淡如，號梁溪，又號
> 梅川，祖籍平定省蓬山縣。阮聖祖明命七年（1826）登
> 進士第，後任翰林院編修、刑部郎中等職，並於明命十
> 三年（1832）出使中國。……細考本書使者途中所遇清
> 朝之生平經歷，多有與潘氏出使之年分不合者。如集內
> 現存贈予沿途地方長官之詩作《贈廣西巡撫陳大人》、
> 《贈定州知州郭守樸》二首，經考，道光十二年

（1832）在任之廣西巡撫為祁姓，同年在任之定州知州
則為王仲槐。郭守樸（民國二十三年《定縣志》卷九作
‘郭守璞’）任定州知州的時間為乾隆五十六年至六十年
（1791-1795），則詩中所涉陳姓廣西巡撫應為乾隆五十
五年至五十九年（1790-1794）間在任的陳用敷。綜合推
考，此次出使的時間應該在乾隆五十六年（1791-1794）
之間，其時正當越南西山朝，而《使程詩集》之作者並
非潘清簡無疑，其他則待考。

這段提要指出了越南燕行文獻的另一種文獻類型，即文獻的作
者並非抄本所明確題署的作者。對《使程詩集》提要的觀點，
我們大體贊同，並可以作更為充分的補充論述。

2014 年春季學期，筆者在西南交通大學中文系中國古代文
學、中國古典文獻學專業講授研究生課程「域外漢籍研究」，
其間指導了 2012 級研究生后玉潔對此書作了較為細緻的考
證，[5]為了更充分地說明越南抄本文獻的複雜狀況，現將研究結
果擇要依次陳述如下：

（一）《使程詩集》部分作品的創作時間

除了《越南漢文燕行文獻集成（越南所藏編）》的《使程
詩集》提要通過對《贈廣西巡撫陳大人》、《贈定州知州郭守
樸》二詩所贈對象的考證，指出二詩當作於 1791-1795 年間。
此外，還有一些詩作也可推斷出年代。《使程詩集》第十七首
為《和李憲喬》一詩云：

5　見后玉潔《〈使程詩集〉考述》，發表於《語文學刊》2015年第12
　　期。此文尚有部分論述邏輯性不夠嚴密，這裡僅擇要修正補充述之。

> 黼黻才猷卓出英，尋常側玉寶知榮。已將錦繡跳桃浪，
> 還把弦歌化柳城。標赤素孚髦士望，垂青多慰遠人情。
> 鳳鸞豈是棲荊久，高振雲霄萬里程。

詩中明確寫到一地點「柳城」，詩題亦有小注曰：「在柳城。」可見，此詩作於柳州，即當時作者與李憲喬在柳城酬唱。按，李憲喬（1746-1797），字子喬，號少鶴，乃清乾嘉年間高密詩派的代表人物。《清史列傳》有云：

> 憲喬，字子喬，懷民弟。乾隆三十年，拔貢生。四十一年，召試舉人，官廣西歸順州知州。少受詩於懷民，而規模較闊，文亦簡勁有法度。袁枚見其詩文，歎曰：「今之蘇子瞻也。」性狷介，不能隨俗俯仰，與臨川李秉禮以風節相砥礪，秉禮從受詩法。憲喬卒於官，秉禮以千金送其喪。著有《少鶴詩文集》。[6]

又據嘉慶《廣西通志》卷五十四職官表，乾隆五十八年（1793）任柳城知縣。[7]這與另外一位使臣吳時任的北使文集記錄一致。吳氏於阮主景盛元年（1793）出使中國，其《皇華圖譜》有詩《書示伴送李憲喬》，詩題小注記錄李憲喬云：「舉人，授柳州知縣。」[8]《國朝畿輔詩傳》王希曾條云：「乾隆甲寅，余牧象州，柳城李少鶴明府惠寄訂交詩一章，並手錄舊作

6　王鍾翰點校：《清史列傳》（北京：中華書局，1987），卷72，頁5933-5934。

7　〔清〕林富修、黃佐：《廣西通志》（上海：上海古籍出版社，2002），卷54，頁700。

8　葛兆光、鄭克孟等編：《越南漢文燕行文獻集成》（上海：復旦大學出版社，2010），第七冊，頁117。

一冊，見示次韻奉答。」[9]乾隆甲寅為 1794 年，此時李憲喬仍然在柳城任職。綜合各類文獻記載還可知李憲喬在任柳城知縣之前，於乾隆五十五年（1790）署歸順州（今靖西縣）知州，後又於乾隆六十年（1795）年重任歸順州知州。[10]可見，《和李憲喬》一詩應當作于李憲喬任柳城知縣的 1793-1795 年間。

（二）《使程詩集》的作者

　　《越南漢文燕行文獻集成（越南所藏編）》第八冊還同時收錄了西山朝阮偍的《華程消遣集》。該詩集分為前集與後集，前集收錄阮偍於乾隆五十四年（1789）首次出使所作詩作，後集收錄阮偍於乾隆六十年（1795）二度出使時的詩作，其提要曰：

> 阮偍（1761-1805），原名偁，字進甫，號省軒，別號文村居士。著名文人阮攸之兄。後黎朝景興四十四年（1783）舉人，旋補侍內，官翰林院供奉使、簽書樞密院事等職。及阮文惠滅黎，復仕西山朝，歷官翰林院侍書、東閣大學士、樞密院行文書、兵部左奉護、中書省左同議等職。入阮朝後，屢被召留京城，不數年，受迫而卒。曾于西山阮氏光中二年（1789）、景盛三年（1795）兩度擔任乙副使一職，出使清朝。

由於阮偍亦曾在乾隆六十年（1795）出使中國，與《使程詩

9　〔清〕陶樑：《國朝畿輔詩傳》（清道光十九年（1839）紅豆樹館刻本），卷44。

10　〔清〕李憲喬著，梁揚、趙黎明、梁穎峰校注：《少鶴先生詩鈔校注》（上海：上海古籍出版社，2017），前言，頁2。

集》部分詩作的寫作時間相同，或是相近，因此我們將《使程詩集》與《華程消遣集》進行了比較，發現二者有如下關聯：

1.吟詠相同地點的詩作

《使程詩集》第八首《過鬼門關》、第七十四首《過瀘沱河懷古》、第九十三首《巴陵道中記見》分別與《華程消遣集》前集中《過鬼門關》、《瀘沱河懷古》《巴陵道中》所詠地點一致，並且《巴陵道中記見》「蜀道如何出道崎」與《巴陵道中》的「蜀道如何出道難」僅有一字之差。

2.有共同涉及的人物

《使程詩集》第十一首《贈工部侍郎》，根據武輝瑨《華程後集》第七首《橫州舟次，即席餞仙佃阮副使回程》，中有「兩番涉歷誠無愧」之句，所謂的「工部侍郎」當為武輝瑨，《贈工部侍郎》本詩作者與阮偍皆與武氏相識。此外，《使程詩集》第一百零三首為《贈武長送朱老爺》，《華程消遣集》後集有《賀文護送朱大老爺預千叟宴御賜壽杖蟒袍》與《贈別舊護送原泗城府正堂朱大爺》兩首詩，《華程消遣集》稱「朱老爺」為「文長送」，而《使程詩集》稱之為「武長送」。儘管二集關於「朱老爺」是「文長送」還是「武長送」有不同的說法，但是可以表明這首詩的作者和阮偍，都與長送朱老爺相識。其時護送官有「長送」、「短送」之分，短送送一程，長送則一路陪伴上京，因此朱老爺應當為阮偍此次出使的護送官，並在將阮偍等送達京城之後才完成護送之職，並得以參加了為慶賀乾隆皇帝六十大壽而舉辦的千叟宴，所以阮偍才有

《賀文護送朱大老爺預千叟宴御賜壽杖蟒袍》一詩。

3.《使臣詩集》的詩作者與阮偍有相同的出使經歷

　　《使程詩集》第七十七首《圓明殿夜直謁見》有詩云「萬壽樓前迎鳳輦」，《華程消遣集》後集有《應制太上皇帝紀元週甲授受禮成，恭紀二首》其一有「六旬御宇週花甲」，其二有「位正乾元六十春」。顯然《圓明殿夜直謁見》一詩的作者與阮偍一樣，出使到北京時，恰逢乾隆六十大壽。《使程詩集》第七首《過衡山即事》還「往返頻繁歷七年」之句，《華程消遣集》後集《過關偶述》則有「七年兩度玉門關」之句。顯然，二詩的作者都曾兩度出使中國，而阮偍於 1789 年和 1795 年前後兩次使清，恰好相差七年。

　　綜上所述，《使程詩集》上述作品的作者，應當是阮偍如清使團中的成員。陳益源先生曾對潘清簡《梁溪詩草》與《使程詩集》進行全面比對，發現《使程詩集》的詩作并無一首見于《梁溪詩草》。[11]因此，這部詩集已可斷定與潘清簡毫無關係。並且這部詩集一些作品表明，其作者或許不止一人。

　　首先，《使程詩集》第六十四首詩為《未登黃鶴樓，過漢江有感》：

　　　　未曾散步賞樓前，舟泛長江浪接天。一葉輕飄鸚鵡上，
　　　　雙眸遙望鳳凰邊。江山形勢無今古，王霸基圖幾海田。
　　　　景趣詩情應不負，閒遊已訂使軺還。

---

[11] 本文在2017年10月19日由中正大學中文系舉辦的第二屆「文獻與進路：東亞漢學工作坊」發表時，由成功大學中文系陳益源教授負責點評，此比對結果乃其點評時告知。

其後的第八十首和第九十首都為《登黃鶴樓》，二詩分別為：

　　◇仙翁蹤跡峙江干，鶴去樓空白日閒。流水浮沉鸚鵡渚，

　　　低雲出沒鳳凰山。煙輊萬井鴻高下，波渺千帆客往還。

　　　勝賞頓疑翰羽化，風光多在指揮間。

　　◇層樓縱步思飄然，無恨風光入座邊。足躡漢霄親日月，

　　　眼窮楚壤小山川。仙翁蹤跡千秋在，雄霸基圖風度邊。

　　　倚檻乘涼挑逸興，此身疑在朗蓬天。

這三首與黃鶴樓相關的詩歌，存在著可議之處。前詩既云未登黃鶴樓，那麼為何其後的兩首詩歌又寫到登了黃鶴樓呢？當然，我們可以作如下解釋：詩人去程途經黃鶴樓未能登臨，回程後又再次路過黃鶴樓時，得以親自登樓遠眺。但是疑點在於，第八十首《登黃鶴樓》之後緊接著抄錄的第八十一首詩歌為《回程自述》，題下有注云：「自燕京返回以下」，言下之意，從《回程自述》之後，才是詩人回程途中所作的詩歌。換而言之，第八十首《登黃鶴樓》與《未登黃鶴樓，過漢江有感》均作於去程途中，那麼這相互矛盾的敘述表明，很有可能這兩首詩並非出自同一人之手。

　　其次，《使程詩集》從集名來看，當是燕行文集無疑，然而全集共收錄一百四十九首（組）詩歌，從第一百零五首《謁二青洞》詩歌基調驟然轉變，詩風大不相同，內容亦多與出使無關，為感慨人生苦短，世事無常，嗟歎懷才不遇的失意悲愁之作。如第一百一十七首《中秋有感》云：

　　春去秋來年又暮，飄零嗟我更堪悲。傷時惜景雙舒膝，

　　感舊愁新半攢眉。日暮已無人看燭，更籌還有客吟詩。

　　丁甯莫灑功名淚，未雨蛟龍亦在池。

詩中抒發的是時運不濟、功名未就的失落苦悶之情，而不僅越南使臣是由科舉制度選拔出來的優秀越南知識分子，甚至是隨團入華的行人亦需由進士中格者擔當，即便這類詩作出自使團成員未中第之前，也可證明此集並非單純的燕行文集。再看以下諸詩：

◇煩惱憂思枉自徒，贏輸得喪自修修。春殘轉覺花無用，
　人老方知歲不留。（《感懷》）

◇秋漏愁予故此長，幾番搋枕又槌床。蠅穿夜帳深中吠，
　風向冬衣敞處藏。但覺有愁消歲月，只因多病怯風霜。
　詩成莫怨無知己，還有霜蛾下女牆。（《秋夜有感》）

◇北風如欲剪人寒，對向茶爐借火溫。病怯讀書顏枕臥，
　貧羞借債人向言。不妨有酒能留客，爭奈無衣惡出門。
　晚看輕煙在村腳，半青半白兩層分。（《冬令有感》）

這三首詩歌描寫的是詩人因年老體弱、疾病纏身又貧困潦倒的窘迫生活景象，抒發的是知音難遇、未成事業的苦悶，這與越南使團沿途感受宗主國風土人情、與中國文人詩文交往、彰顯自我的人生體驗完全不同。

　　總之，《使程詩集》是一部混合了燕行與感懷詩的雜抄本，其作品並非作於一時一地，作者也極可能不止一人。

四、結語

　　以上述三種越南漢文燕行文獻為主要研究對象，我們討論了三種越南抄本文獻的不同類型。第一種以《介軒詩集》為代表，在詩人別集的名義下，抄錄了不止一位詩人的作品，即名

義上看是別集，事實上卻是總集；第二種以《旅行吟集》為代表，雜抄了不同詩人的漢喃詩作，卻未署作者；第三種以《使程詩集》為代表，雖署有作者姓名，卻不是作品的真實作者。無論是哪一種情形，都表明了越南目前所存的抄本存在著較為複雜的文獻狀況。

值得指出的是，這些複雜的文獻學狀況並非是越南文獻獨有的現象，在中國的抄本文獻中也大量存在。《越南漢文燕行文獻集成（越南所藏編）》以定本書籍的觀念，用互著例來判定《旅行吟集》作者的情況，在以往的敦煌文獻整理實踐中，也經常出現。如敦煌伯 2567、伯 2552 拼合殘卷所抄詩作均未題作者姓名。殘卷卷首所抄，經羅振玉考為李昂的《戚夫人楚舞歌》，其後所接的《題雍正崔明府丹竈》、《睢陽送韋參軍還汾上此公元昆任睢陽參軍》二詩，也被羅振玉定為李昂之作；《題淨眼師房》一詩抄於王昌齡的《長信怨》之後，王重民《補全唐詩》據而收作王昌齡詩；《詠青》一詩因緊接於孟浩然的《寒食臥疾喜李少府見尋》之後，《補全唐詩》收入孟浩然的名下，《吊王將軍》一詩抄於陶翰的《古意》之後，《補全唐詩》定為陶翰之作。據《敦煌詩集殘卷輯考》一書考證，《詠青》實為荊冬青所作，《吊王將軍》應為常建的作品。諸如此類，不勝枚舉。

基於曾流傳於民間的漢文寫本都具有類似的文獻屬性，[12] 早在 2005 年，筆者在撰寫博士論文《越南漢喃古籍的文獻學

---

[12] 越南漢喃研究院收藏的諸多抄本文獻，曾為法國遠東學院的藏本，這些藏本也大多從民間收集起來。

研究》時，就在將越南抄本文獻與敦煌寫卷進行比較研究的基礎上提出了「俗文本文獻學」的概念和理論體系，[13]並對越南抄本文獻的特徵作了細緻的論述。不過，由於越南古籍的整理仍處於起步階段，在實踐中出現各類問題也不足為奇。2017 年 6 月，筆者曾在《域外漢籍研究集刊》第十四輯上讀到何仟年《〈越南漢文燕行文獻集成〉解題補正》一文，文中批評編者在推斷《旅行吟集》中《與滕尹趙侯相見》一詩作者時，舍近求遠，用力過勤，因馮克寬《使華手澤詩集》中亦收錄此詩，可直接定為馮氏之作。[14]對此，我覺得可以提出一些不同看法，雖然以《與滕尹趙侯相見》一詩而言，的確可以由此定為馮克寬之作，但是放眼至整個越南漢籍研究領域來說，只憑一詩見於某個人別集，就認定其作者的做法，也會產生重大失誤。在此文中，何仟年接下來說：「然《旅行吟集》雖收馮氏詩作，亦闌入阮忠彥詩，《江州旅次》、《採石青蓮》等既見於潘輝汪（應為潘輝注，原文錯）編《介軒詩集》，而不見於《使華手澤詩集》，即其明證。」通過筆者上文所述，《江州旅次》、《採石青蓮》也並非阮忠彥的作品，而是阮朝使臣阮宗窐所作。[15]顯然，對於越南文獻的整理來說，其情況很多時候會超出學者們的預計，需要我們以更謹慎的態度來面對。

---

[13] 劉玉珺：〈越南、敦煌民間文本的比較研究〉，《越南漢喃古籍的文獻學研究》（北京：中華書局，2007），頁368-426。

[14] 文見《域外漢籍研究集刊》（北京：中華書局，2017），第十四輯，頁168。

[15] 更詳細的論證參見拙作〈阮忠彥《介軒詩集》考論〉，提交2017年「東亞漢籍與越南漢喃古辭書國際學術研討會」大會發言，杭州，2017年5月21日。

第貳編・碑銘與制度

十世紀前越南漢文碑銘：
新發現、文本意義和價值

丁克順（Đinh Khắc Thuân）*

摘要

　　中國很早就有立碑之慣例，後傳播到使用漢字的國家如越南、日本、朝鮮等。在越南，碑文是以手工的方式，將銘文刻於石碑或銅器之上，稱為銘刻。越南的立碑傳統起於何時已難以考證，目前最早的碑文可追溯至十世紀前。這時期的資料已經被收錄於《越南漢喃銘文匯編》第一集。近年越南又新發現了該時期的漢字碑文，這是了解當時歷史的珍貴資料。本論文主要介紹越南北屬時期到十世紀的漢字碑文，特別注重新發現文本的問題和意義，以及資料的價值。

關鍵詞　碑文、北屬時期、丁－前黎時期、越南

---

* 〔越〕越南社會科學翰林院所屬漢喃研究院高級研究員。

一、北屬時期的碑銘、銅鐘

　　越南北屬時期的碑文原先只有一通隋代碑（618）和兩個銅鐘。近年來發現一通比隋代更早的石碑，前後面分別刻有不同時代的的碑文，目前統計，在越南的北屬時期，即有三通碑文和二個銅鐘。[1]

（一）碑銘、銅鐘的形式和內容

1.青懷村碑

　　青懷村碑於 2013 年底，在北寧省順城縣清姜社青懷村發現。[2]碑有碑身和碑座兩部分，碑身為大石板，圭首；碑座為略呈橢圓的梯形體石

〔圖1〕青懷碑額題

材。碑身高 198cm，最寬處為 98cm，厚 15cm；碑座長 136cm，寬 100cm，高 30cm。石碑灰白色，風化嚴重，碑身部分有沙眼，文字已殘泐磨損。

〔圖2〕青懷碑正面

1　三通碑文為青懷村碑、禪眾舍利塔銘文、長春古碑，兩個銅鐘為青梅銅鐘、日早古鐘。其中長春古碑、青梅銅鐘、日早古鐘銘已收錄於1998年法國遠東學院與漢喃研究院共同出版之《越南漢喃銘文匯編》第一集。

2　范黎輝：〈青懷村廟發現劉宋碑文認識〉，收入《2014漢喃學通報》（河內：世界出版社，2014），頁347-356。

　　碑兩面都有刻字，碑陽刻額題用隸書刻：「晉故使持節冠軍將軍交州牧陶烈侯碑」，為建興二年（314）交州刺史陶璜功德碑，碑文殘泐較多。背面碑文為元嘉二十七年（450）交州地方重修祠廟紀念陶璜，從右往左刻內容如下：

教故冠軍交州牧烈侯陶璜□感□□粹禀德淵□□□□□□

愛在民每覽其銘記，意實嘉焉□□廟堂彫毀，示有基陛既祭

祀所建豈可頓□敕宜加修繕務存褒□使準先舊式，時就營緝

元嘉廿七年十月十一日省事王法齡宣

惟宋元嘉廿七年太歲、庚寅十二月丙辰、朔廿五日庚辰，建威

將軍兰陵蕭、使君遠存高范崇勵裡德明

教如上西曹書佐陶琛之監、履修復庶神□，乃有憑琛之本枝末

叶彰户遠构誠感、聿修斯□遠矣[3]

2.禪衆舍利塔銘文

　　2012 年，北寧省順城縣知果鄉春官村，發現了隋代的〈舍利塔銘〉碑銘，目前由北寧博物館收藏。這是佛塔銘文，是由兩塊緊扣的碑石構成，接近正方形，尺寸為 45＊46cm，底碑面更厚，碑腳剖面的厚度為 9 厘米，四周比較平滑，底面表面周

3　參看〔越〕丁克順、〔中國〕葉少飛：〈越南新發現「晉故使持節冠軍將軍交州牧陶列侯碑」初考〉，收入《元史及民族與邊疆研究集刊》第30期，上海：上海古籍出版社，2015，頁1-11；魯浩：〈吳晉宋時期陶氏家族與交州地方─── 以越南新出「陶烈侯碑」為線索〉，《海洋史研究》，第十三輯，北京：社會科學文獻出版社，2019年，頁241-257；宋燕鵬：〈論兩晉劉宋時期交州的權力格局───以新發現西晉陶璜碑為考察中心〉，《社會科學戰線》2019 年第 1期，頁140-146。筆者最初釋讀為「陶列侯」，魯浩博士釋讀為「陶烈侯」，筆者讚同其觀點，今據改。

圍有弧形淺浮雕。上面碑石的厚度為 4 厘米，有圓柱形角，與底面連在一起。底面有刻銘文，標題為「舍利塔銘」，內容有13 行，共 133 字，年代為隋仁壽元年（601）歲次辛酉十月。與這個石碑連在一起的還有一個石制舍利盒，呈圓柱形，尺寸為 45＊46 厘米，深度為 20 厘米，底蓋尺寸為 45＊46＊8 厘米。另外，還有一塊厚 25 厘米，寬 65 厘米，長 100 厘米的矩形石塊，石塊的一面平坦，沒有任何加工。石塊是方舍利塔和塔碑，內容記載隋文帝在各州建塔和刻銘文。內容如下：[4]

> 舍利塔銘
>
> 維大隋仁壽元年，歲次辛酉十月辛亥朔十五日乙丑。
>
> 皇帝普為一切法界，幽顯生靈。謹於交州、龍編縣，禪眾寺奉安舍利，敬造靈塔。願太祖武元皇帝，元明皇后，皇帝、皇后、皇太子諸王子孫等並內外群官，爰及民庶，六道三塗，人非人等，生生世世，值佛聞法，永離苦空，同昇妙果。
>
> 敕使大德慧雅法師，吏部羽騎尉姜徽送舍利於此起塔。

3.長春古碑

額題為「大隋九真郡寶安道場之碑文」，立於清化省東山縣東明社長春村黎玉廟，故名「長春古碑」，現藏在河內歷史博物館。碑高 152cm、寬 78cm，由碑額與碑身兩部分組成，碑有

4　Đinh Khắc Thuân, "*Về minh văn tháp xá lị chùa Thiền Chúng (Thuận Thành, Bắc Ninh) mới phát hiện*", Tạp chí Hán Nôm, số 4,2013, tr. 14-22.丁克順：〈關於北寧順城禪眾寺舍利塔銘文的新發現〉，《漢喃雜誌》第4期（2013），頁14-22；王承文：〈越南新出隋朝《舍利塔銘》及相關問題考釋〉，《學術研究》第6期（2014），頁95-102。

碑銘、內容和落款。撰者
為檢校交趾郡贊治、日南
郡丞、前兼內史舍人河南
元仁器。年代為大業十四
年（618）戊寅四月八日。

碑文殘駁嚴重，額題
清晰，碑的內容尚未完全
辨認和翻譯。近日，陳仲洋

〔圖3〕：九真郡碑

博士研究和辨認碑中文字，裡面有一段與佛教相關內容如下：

　　**夫法理靈符，非世智之可求；法性幽深，豈石言之所
　　測。故梵魔之境，猶為化城；三界之間，方稱火宅。**[5]

4.青梅銅鐘

　　青梅社鐘在 1983 年於越南河內青威縣青梅社底江處被發
現。目前收藏在河內博物館。此鐘鑄於唐貞元十四年三月三十
日，即西元 798 年 4 月 20 日。鐘總高 58cm，鐘鈕高 8cm，下
口徑 37cm，頂徑 27cm，重量 36kg。鐘只有兩個對應的乳釘，
每個乳釘都有花邊。鐘銘無題名，重南稱九十斤，共 1542
字，羅列 53 位隨喜社社員及參與鑄造洪鐘施主的姓名、職
爵，共 243 人。[6]最後部分是佛教偈語，全部內容如下：

5　Trần Trọng Dương, "Văn bia Đại Tùy, Thứ sử Lê hầu và lịch sử Việt Nam
　thế kỷ VI-VII", Suoi Nguon, NXB Hồng Đức, 2014, tr18.陳仲洋：〈隋代
　銘文，黎侯刺史與6-7世紀越南歷史〉，《泉源》，洪德出版社，
　2014，頁18。另參考，王承文：〈越南現存〈大隋九真郡寶安道場之
　碑文〉考釋〉，《文史》第4期（2009），頁59-86。

6　Đinh Khắc Thuần (1987), "Văn bản chuông Thanh Mai thế kỷ VIII", Tạp chí

維貞元十四年歲次戊寅三月辛巳朔卅庚戌。隨喜社伍十
三人共造鴻鍾壹口。用銅九斤流通供養。

社主、將仕郎前守思陵州安樂縣尉杜仙夒。副、散將守
左金吾衛儀州青谷府別將 黃太極。副、守沁州安樂府
折衝都尉郭子罡。社眾尊侍老王管真。前攝長州文陽縣
令杜仙寧。

判官守文州陰平府別將、賞緋魚袋杜備。社錄事杜遊
秦。沁州安樂府折衝郭遊理。將仕郎、前守為州漢會縣
尉黃漢忽。上柱國李天幸。守左驍衛綏州萬吉府別將吾
進仕。社評政黃智待。鹽州鹽川府折衝高操。貴州龍山
府別將社杜朝良。綏州萬吉府別 將李天陽。守左驍衛
綏州萬吉府將太備。

沁州安樂府果毅陳朝。社錄事、左果毅、上護軍呂祠。
左可陪戎校尉、守左威文州陰平府折衝楊質。同經略衝
前十將阮齊穆。容山府別將、上護軍社軍。貴州龍山府
別將郭仙竭。社支遣杜太明。守左文州陰平府別將阮
容。守左朔州尚德府折衝阮寧。綏州萬吉府別將杜賢。
四品子上柱杜幹俊。守涇州四門府折衝、賞緋魚袋郭
立。上柱國杜如泰。守左衝朔州尚德府別將郭暘。守左
衛朔州尚德府果毅郭昭。守左驍衝綏州大斌府別將楊鳳
鵲。社孔目高暘。將仕郎、試柳州司戶參軍蒿英文。上
護軍郭哥。石州離石府別將黃泳。綏州萬吉府別將黃

Hán Nôm, só 1, tr. 13-22. 丁克順：〈八世紀青梅鐘版本〉，收入《漢喃
雜誌》第1期（1987），頁14-22。另參考耿慧玲：《越南青梅社鐘與貞
元時期的安南研究》，（香港：香港大學饒宗頤學術館，2010）。

藉。上柱國阮廷裕。石州離石府別將杜綦。別將高□。兵曹參軍□位□。守左威衛文州陰平府別將□□。慈州吉昌府別將黃龍□。石州離石府別將□□。上護軍阮□柯。守左衛朔州尚德府果毅杜□。守左金吾衛沁州安樂府果毅王茂徒。□□寺住持僧法賢。上護軍王益。文州陰平府果毅武□□。守左衛沁州安樂府果毅杜承位。□□□藩□□。故郭庭秋。故杜仙堂。衛前子將、守夏州夏集府別將、賞緋魚袋太平，母矯氏□，妻杜氏川。上柱國、侍老郭遊廣。守岸州別駕、上住國、賞紫金魚袋黃如刀。陪戎副尉、守左金吾衛鹽州鹽川府折衝都尉、員外置同正員周太質，妻萬氏在、息英烈、英達。故同經略十將、守義王府左親車副西軍、兼貴州別駕、賞紫金魚袋、柱國呂懷忠。前攝長州文陽縣尉黃楚。七司阮長李真，並妻杜氏制。守左衛朔州尚德府左果毅郭胡。攝愛州日南縣尉、將仕郎、試冀州參軍郭芳。貴州龍山府別將郭仙位，郭倚。

經略先鋒兵馬使、義軍都知兵馬使、前攝愛州刺史、朝義郎、使持節長州諸軍事、守長州刺史，又守本州遊弈使、上柱國、賜紫金魚袋杜英□。

管內大義首、銀青光祿大夫、試太常卿、左相馬使楊延。副都護使、持節郡州諸軍事、守郡州刺史、充本州遊使、上柱國、賞紫金魚袋杜懷碧。

故前本府士曹參軍、上柱國魏務□，並妻裴氏英郭氏□。昭武校尉、洪州介休折衝、上柱國杜少疑並妻郭氏甚。朝議郎、使持節、西平州諸軍事，守西平州刺史、

上柱國、賞紫金魚袋杜廣遊，妻魏氏主，杜氏芝。

南稱九十斤

施主蘇三娘，李氏平，高氏壽，杜娘溢，杜娘難，鄭氏制，杜氏英，潘氏澤，杜氏巧，郭娘魯，郭娘鄭，郭娘薀，郭娘胡，蘇氏緣，杜娘軟，阮氏審，郭越娘，陶法蠻，牢氏貝，郭娘丹，郭氏□，黃承訓，黃娘眇，王娘鎮，杜氏壹，郭氏義。

張氏吟，郭氏錐，杜氏□，郭娘□，郭氏喬，阮氏白，馮氏沙，郭氏局，杜氏陛，李氏昭，高玉特，高玉兔，杜廷潔，黃今布，杜氏陀，高玉仙，杜法爭，佚氏□，高玉□、男帣、女娘丹，王氏旺，阮氏比。陳氏飲，周標，周氏免，杜氏解，高妙姿，柱國王楚光并妻黃氏孿，阮法連，高氏穎，上柱國黃令希、並妻馮氏白，杜娘春，呂娘陷，呂娘晝，杜氏雷，郭氏隅、男邊、女娘織。鄭氏跂，矯氏代，石長納、妻□條。羅阿烈，閭氏眼，杜氏含，高氏述，杜氏謁。信材施主杜氏移，杜氏嫣，謝氏貴，郭氏鬱，鄭氏也。資材施主杜玉娘，洞玄弟子鄭齊幹，妻杜金娘，女妖娘，杜娘素，杜氏材，杜氏□，杜氏奕，蘇氏陳娘。朱娘子，郭娘降，杜氏稔。侍老黃仙祿，郭遊動，王娘作，高貞松，故阮寄長，杜仙挺。上柱國杜忠良，都十二鄉團頭陳藉，黃氏莊，江氏袁，高氏群，阮氏禾，高氏侍，黃氏央，郭氏孿，高氏香，故陳氏思，黃娘稔，故郭氏貴，李辨悌，郭陷。故陳氏聲，郭氏朝，黃氏利，郭氏娘，杜英強，妻王氏礼，阮真藝，黃氏選，阮氏那，黃如逞，黎氏小，郭氏

代，郭春瞿，郭氏昉，王娘次，杜逐日，陳氏幸，高氏眼，杜氏欲，杜氏□，王氏喜，杜氏瑜，杜氏制，杜氏□。回心建福，共造鴻鳴。諸天遠應，地獄聞聲。三塗息苦，八難消傾。今身假有，歷劫傳名。召臨佛法，響出空廷。茲功一寄，不滅無生。吳氏繼，黃迪日，楊万橋，江氏恭，高氏奕，□氏穎，郭氏貳，張先，杜世寔，李氏適，陳氏娘，阮氏臨。沁州安樂府果毅杜如□，王氏□。故侍老杜敬止，杜敢立。高氏吻。別將杜全純並妻郭氏擢，杜氏謁，杜氏含，杜氏謁，陳遊健，妻杜氏日，帛磨令，黎氏妙[7]

5.日早古鐘銘[8]

此銅鐘是由漢喃研究院搜尋組於1987年在河內慈廉縣東鄂社日早村發現。鐘全高 32cm，鐘鈕部分高 7cm，鐘頂有兩個螭首，使鐘鈕更加結實堅固。下口徑 17cm，重 5.4 公斤。銅鐘的樣式與青梅銅鐘類似，不同之處在於兩條裝飾變成四條，月亮陽刻、有

〔圖4〕東鄂鍾

---

7 「青梅社鐘銘」，收錄潘文閣、蘇爾夢主編：《越南漢喃銘文匯編第一集：北屬時期至李朝》（巴黎、河內：法國遠東學院、越南漢喃研究院共同出版，1998），頁19-22。

8 參考耿慧玲：〈越南南漢時代古鐘試析〉，收入《中國社會科學論壇：第三屆中國古文獻與傳統文化國際學術研討會》（中國社會科學院歷史研究所、香港理工大學中國文化學系、北京師範大學古籍與傳統文化研究院合辦。2012），頁441-455。

12 蓮花瓣，鐘鈕粗大，結構優雅，鐘銘陰刻整齊漂亮。鑄造年
代為乾和六年（948年）戊申歲四月二十九日。

鐘銘記載道教的宗教組織的祭祀儀式，有 20 個會員。內
容如下：

> 交阯縣下慈廉村。時乾和六年戊申歲四月二十九日。弟
> 子元法門都社主大德　杜法瑤，社副金玄記，社判官李
> 道榮，社務李玄操，都監陳玄談，錄事陳法互，陳仙
> 皞，高功杜法性，李可道，押衙李齊古，李守初，大德
> 杜仙寮，虞仙祐，李仙壽，陳可雷，虞仙侶，馮承思，
> 陳彥雍，李紹位，費匡仁等玄儒二門，伏咱甲辰歲內共
> □青㲜，繪造太上三尊一登。未至基載，更造庶關寶幢
> 六首具已。齋慶圓畢。今再瀆□寶鍾一口，重一十五
> 斤，永承供養。但法瑤等敬修洪範，上報四恩，三友普
> 蒙利益。然乞一會人眾六根三葉，万等憻尤，沐此善
> 緣，咸希弥釋。齋慶畢，記之。[9]

如上所述，在五個銘文的文本當中，青姜古碑和長春古碑兩通
跟人神有關，禪眾舍利塔碑與青梅社鐘兩個跟佛教有關，日早
鐘銘跟道觀有關，年代從四世紀（314 年）到十世紀（948
年）。這些資料主要集中在越南北部（本是交州中心）、清化
（北屬時期九真的中心）。資料都用漢文撰刻，主要是記載北
方人在該地方的生活。

9　潘文閣、蘇爾夢主編：《越南漢喃銘文匯編第一集北屬時期—李朝》，
　　（巴黎、河內：法國遠東學院、越南漢喃研究院共同出版，1998），
　　頁47。

（二）文本特點

1.文本格式

在三通碑文中，有兩通寺廟碑，兩面都有刻字，碑座正方形，後來的越南碑文的碑都是鰲座。314年清姜社青懷碑額比較特殊，呈圭形，其他碑沒出現過這種現象。該碑的額題分為兩行，每行 8 字分別是「晉故使持節冠軍將」、「軍交州牧陶烈侯碑」。

〔圖5〕舍利塔碑

長春古碑碑額是圓形，有兩個螭首圍繞著碑銘，共 12 字分成 4 行：「大隋九真郡寶安道場之碑文」此碑額形式常見於中國隋唐碑文，符合隋唐時立墓誌「凡五品以上为碑,龜趺螭首;降五品为碣,方趺圓首。」[10]的規定。按此規格，長春碑的主人應當是五品以上，與九真刺史黎玉完全相合。

碑銘一般規格包含碑名、內容（記文和銘文）、落款，但從細節來看，還是有一定的區別。從碑名來看，青懷碑從碑額到碑身分為兩行豎寫，長春碑則在碑額分為多行撰寫。青懷碑的內容主要提到人物功績，長春碑則有提到該人物推崇佛教的事蹟。長春碑有刻撰者的姓名、職爵、籍貫，但青懷碑則無。

---

10 朱劍心：《金石學》(台北，台灣商務印書館，1995)，頁171。

禪衆舍利塔碑的內容與規格都依照隋文帝規定來刻。因此越南的舍利塔碑與中國的舍利塔碑一樣，碑文刻在方塊石上，有碑名、內容和年代。因碑埋在地下，所以通常是兩塊合起來，就如同書籍合起來一般，因此碑的內容得到良好的保存。

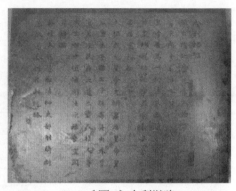

〔圖6〕舍利塔碑

　　青梅社鐘有自己的特點，鐘鈕用螭首裝飾，螭首身無片甲，鐘頂有很多花紋，外面有一條凸線圍繞著。接下來是一行十五片聯合起來的蓮花瓣，鐘外面用雲紋和十二塊錢幣圖文裝飾。青梅社鐘外形挺直，鐘口無擴大，在橫豎花紋焦點有花紋和二個月亮是用來打鐘的標點，每個月亮有十片蓮花瓣。

　　日早銅鐘的鐘鈕也是用螭首裝飾，但鐘頂沒有紋飾，而以乳釘裝飾，每個乳釘都有十二朵花瓣裝飾。青梅銅鐘只有兩個乳釘來打鐘，日早銅鐘則有四個乳釘，從李朝以後的銅鐘都有四個乳釘，相應四方四季，有時還會再增加二個。

　　若八世紀青梅社鐘與中國廣東鐘類似，那到了十世紀，日早銅鐘已經有些改變，不注重鐘頂而是鐘身，尤其是四個乳釘和鐘口。鐘鈕的螭首類似龍。這種風格對越南之後的銅鐘有很大的影響，鐘鈕以兩龍裝飾，黎朝六個乳釘和阮朝四個乳釘，鐘口擴大，以蓮花裝飾。

2.年代記載方式

各種文本都有年代，記載方式統一如青懷碑、禪衆舍利碑、青梅社鐘。

青懷社碑陰記載：「惟(維)宋元嘉廿七年太歲庚寅十二月丙辰朔廿五日庚辰 」即宋文帝元嘉二十七年（450）庚寅十二月，有「丙辰朔」和「廿五日庚辰」兩個時間，現在尚未得到解釋。但這種比較長的記錄時間常在該時代的碑銘、鐘銘出現。如禪衆寺舍利塔銘文年代記載：「維大隋仁壽元年歲次辛酉十月辛亥朔十五日乙丑」，即大隋仁壽元年（601）歲次辛酉，十月十五日，初一是辛亥。

〔圖7〕青梅鍾

青梅銅鐘的年代記載格式一樣：「維貞元十四年歲次戊寅三月辛巳朔廿日庚戌」，即唐貞元十四年，歲次戊寅，三月二十日（庚戌），初一是辛巳。（即西元 798 年 4 月 20 日）。這是中國普遍的格式通常為「……年……月，干支朔，干支日干支」。此種寫法確定月中的干支。這是北屬時期常見的特徵，日後碑文比較少見此現象。

日早銅鐘所刻的年號是乾和六年（948），是南漢中宗劉晟的年号。當時吳權此時已稱王，定都古螺（越南河內東英），但未定年號。從 944 年吳權去世到 965 年吳朝結束，其

間的楊三哥、吳文場、吳昌岌都沒有年號。銅鐘在南方鑄造，
具體地點是大羅城，即後世的京城昇龍，鐘銘明確記載：「交
趾縣，慈廉下村」。因為吳代沒有年號，鑄造者大多數是北方
人，所以使用乾和年號，被認為是越南走向自主時期的事實。

（三）北屬時期漢字碑銘、鐘銘的價值、意義

1.文字

　　北屬時期的碑銘、鐘銘保留了早期的文字，對研究漢字在
越南的傳播和使用有很大的意義，尤其是青懷社的碑文，還保
留研究漢字初期發展的情形。碑陽於建興二年（314 年）刻，
文字是漢字，是字體從隸書開始轉往楷書的階段（不完全像隸
書，又不是楷書）。碑陰於元嘉二十七年（450 年）刻，內容
共 8 行，200 字，正楷。惟長春古碑額題用大篆刻，其餘正文
都是正楷。

2.歷史事件與人物

　　青懷碑提到兩位人物，即晉代交州刺史陶烈侯和隋代建威
將軍蘭陵蕭景憲。碑的記載與《大越史記全書》、《越史
略》、《安南志略》等記載類似。這些資料讓我們瞭解陶璜的
身世，簡介如下：

> 晉武帝泰始三年，孫皓遣陶璜等攻楊稷，不克，遂襲董
> 元營，獲其寶物，船載而歸。以璜領州督。璜又擊元，
> 殺之。稷以其將王素代元，璜又陷其州。因以璜為刺
> 史。後璜見徵為武昌督時，吳王已降於晉。晉詔璜復其

本職，封宛陵侯，卒。璜在州三十年，恩威交著，及
卒，舉州號哭如喪父母。[11]

又《晉書·王諒傳》記載：

初，新昌太守梁碩專威交土，迎立陶咸為刺史。咸卒，
王敦以王機為刺史，碩發兵距機，自領交址太守，乃迎
前刺史修則子湛行州事。[12]

《晉書·陶璜傳》記載梁碩迎蒼梧太守陶威為交州刺史，陶咸
可能為陶威之誤。若如《晉書》所言，陶威在任三年，任期應
當是建興元年（313）至建興三年（315）。

陶璜是青懷碑文所提到的人物，陶氏在交州生活很長時
間，也在此去世，後於建興二年（314）被建廟供奉。該廟於
元嘉二十七年（450）被建威將軍蘭陵蕭使君重修，這位使君
是蕭景憲，江蘇蘭陵人，是唐宋朝的官宦家族。陶刺史去世
後，青懷村是有供奉陶氏的寺廟，且持續至今，本地人尊奉陶
璜為城隍，正月十日祭祀。在祭文裡可看老百姓對陶氏的情
感，如：

持節度使，冠軍將軍，交州牧陶烈侯，威德顯慶，明聖
靈應，闊達大度，寬仁肇謀，佐跡雄才偉略，加封贊
化，崇征延大，集慶神況。加贈延熙翼運，加贈俊良亮
直端肅，加贈翼保中興，加贈光意尊神……。[13]

有關九真刺史黎姓，618 年的長春古碑記載劉氏在九真（今屬
越南北部）的事業。從碑文得知，黎氏崇尚佛教，又會儒教

---

11 《越史略》，漢喃研究院圖書館，號碼 VHv.1521，頁10。
12 《晉書·王諒傳》卷89，（北京：中華書局，1974），頁2319。
13 青懷社祭文原本已經不存，由本村長老口誦，筆者錄為漢語。

「慈悲正印，學道大通」，曾是潮州刺史，後陞愛州、歡州都
督，穆風侯。因為他本身崇尚佛法，建廟有功，所以碑的標題
為「……寶安道場之碑文」。如此，青懷村碑和長春碑是祭祀
人神的兩座廟碑，一位是晉代侯爵交州刺史陶璜，另一位是隋
代穆風侯九真刺史黎姓。這是越南人神祭祀的最早資料。

從禪衆寺舍利塔碑銘得知，本寺建於仁壽元年（601）六
月十三日，隋文帝頒布詔令讓各州分建靈塔，詔文曰：

> 朕歸依三寶重興聖教。思與四海之內一切人民。俱發菩
> 提。共修福業。使當今見在爰及來世。永作善因。同登
> 妙果。宜請沙門三十人諳解法相兼堪宣導者。各將侍者
> 二人。並散官各給一人。熏陸香一百二十斤馬五匹。分
> 道送舍利。往前件諸州起塔。如川陸寺就有山水寺所起
> 塔依前。山舊無寺者。於當州內清靜寺處建立其
> 塔……。限十月十五日午時。同下入石函。[14]

現今，中國隋代舍利塔都無存，但在越南確有發現有一些關於
隋代舍利塔的碑文，如在：青州、蘄州、雍州、鄧州、宣州和
一些地方的舍利塔。基本上，禪衆碑文的內容與中國碑文類
似，換句話說是隋代舍利塔銘文都有範本，只有地名與建舍利
塔的人名不一樣。

這些珍貴的金石資料，幫助我們理解當時社會，特別是佛
教歷史，銘文讓我們知道舍利塔建設知識，同時更瞭解越南自
主前期的信仰活動。

---

[14] 引自 Phạm Lê Huy, "Nhân Thọ xá lợi tháp và văn bia tháp xá lợi" (交州仁
壽舍利塔銘)『考古学』雜誌〈越南〉、第1号、2013年。

3.兩個古物：古銅鐘

青梅社鐘和十世紀的日早古鐘是越南國寶，青梅社鐘於 2014 年被政府公認是國家國寶（第三期），在這期有 12 種被公認是國家國寶。

日早古鐘雖未列為國寶，但該鐘有它獨特的意義與價值。鐘銘記載道教信徒繪造太上三遵、造六首寶幡、買一口寶鐘、齋慶、齋功，為表報答恩惠與希望長久之意。

從銅鐘和銘文可見吳權時期道教的發展，並解釋為什麼雖然丁、黎、李、陳的國教是佛教，但在古都華閭和各地方有很多道教的宮、觀，可見道教對越南人民精神生活的深遠影響。

越南北屬時期的碑銘與鐘銘是研究文化歷史的重要史料，是北方人遷移和漢字、漢文化傳播到越南的具體證據，同時是越南本土接受漢字、北方文化的態度。

二、十世紀丁、前黎朝的石幢

寧平省華閭城是丁、前黎的古都，保留一些漢文石經，是丁朝的石幢和前黎一柱寺的石經。

（一）丁朝的石幢

1.出處及內容

目前可辨認的佛經有五幢，據《越南漢喃銘文匯編》從北屬時期至李朝介紹如下：

第一幢(973 年)：八面石幢，於 1963 年在華閭縣長安社發掘，現已失傳，於華閭博物館藏有其複製品。銘文刻面高

65cm、闊 5cm，有 16 行陰刻楷書，共 470 字左右。題跋言明南越王丁璉於癸酉年（973 年）決定造立一百石幢事，敘文下部分已模糊。拓片編號 VB1。

第二幢(979 年)：八面石幢，於 1986 年在華閭縣長安社出土，現保存於寧平省博物館。銘文刻面高 65cm、闊 6,5cm，有 19 行陰刻楷書，共 560 字左右。拓片編號 VB2。

題跋上雖不見造作年代，但據《大越史記全書》（外紀 1：5a-b）記載，丁璉於 979 年春殺其弟，同年十月其父及他自身亦被殺害，故我們可斷定此石幢應立於 979 年，在他殺弟之後和他自身被害以前。

第三幢（979 年）：八面石幢，原在華閭縣長春社，現保存於北寧省博物館。銘文刻面高 66cm、闊 16cm，有 20 行陰刻楷書，共 560 字左右。拓片編號 VB3。

第四幢（979 年）：八面石幢，於 1986 年發掘出，現保存於北寧省博物館。銘文刻面高 60cm、闊 7cm，有 18 行陰刻楷書，共 460 字左右。拓片編號 VB8。

第五幢（X 世紀）：八面石幢，於 1964 發掘，現已失傳。銘文刻面高 80cm、闊 10.5cm，只剩下六面可讀。各面有三行，共 470 字左右。題跋上雖已不見造作年代，但我們可斷定此石幢應立於十世紀。按敦煌寫本的文題，在陀羅尼之前所加寫二十八句七言詩。詩文開頭稽首讚揚佛德及總持薩波若，最後邀請諸佛菩薩和一切天龍八部、閻羅王及善惡簿官二童子等，所有佛教中一切聖賢降臨道場來擁護佛法，由此希望所有

眾生一聞佛頂尊勝陀羅尼咒文皆得成佛。[15]

因此，每柱經都有經、偈和落款。具體如下：

佛頂尊勝加句靈驗陀羅尼

曩謨婆誐嚩帝怛囕路枳也鉢囉底尾始瑟吒野沒馱野婆
誐嚩帝怛恒你也他唵尾戌馱也尾戌馱也娑摩娑摩三滿多
嚩婆娑娑頗囉拏誐底誐賀曩娑誐娑嚩尾秋弟鼻詵佐賭
輪素誐多嚩囉嚩佐曩阿蜜嘌哆鼻曬劉阿賀囉阿賀阿窊
散馱囉扼戌馱野戌馱野誐誐曩尾秋第鄔瑟　扼灑尾惹
野尾秋第娑賀娑囉囉濕茗散祖你帝薩嚩怛他蘖多嚩嚧
扼娑吒波囉蜜多波唎布囉扼薩嚩怛他蘖多纈哩馱野地
瑟吒曩地瑟恥摩賀母捺隸嚩日嚩迦耶僧賀多曩尾秋第
薩嚩嚩囉拏波耶突嘌揭帝跛唎秋第波囉底扼幟哩馱野
阿欲秋第三摩耶地瑟恥帝年寧年寧尾年寧尾年寧摩寧
摩賀寧怛闇多部多俱胝跛唎秋第尾娑普吒沒地秋第惹
野惹野尾惹野尾惹野娑摩囉娑摩囉薩嚩沒馱地瑟恥多
秋地嚩日隸日囉蘖陛嚩日嚂娑嚩賭摩摩弟子寫造舍唎
曧薩嚩薩南者迦耶跛唎秋第薩嚩誐底跛唎秋第薩嚩怛
他蘖室者銘三摩濕嚩娑賭薩嚩怛他蘖多摩濕嚩娑地瑟
恥帝沒馱野尾沒馱野冒馱野尾冒馱野三滿多跛唎秋第
薩嚩怛他蘖多纈哩馱野地瑟黎曩地瑟恥多麻賀母捺隸
娑嚩賀[16]

---

15 參考潘文閣、蘇爾夢主編：《越南漢喃銘文匯編第一集北屬時期—李
　朝》，（巴黎、河內：法國遠東學院、越南漢喃研究院共同出版，
　1998），頁55-58。
16 參考潘文閣、蘇爾夢主編：《越南漢喃銘文匯編第一集北屬時期—李

近來於寧平省嘉遠縣嘉祥社黃隆江畔發現新的石幢，內容記載建立石幢的理由與主人，詳細如下：

> 佛頂尊勝加句靈驗陀羅尼曰
>
> 弟子推誠順化靜海軍節度使特進檢校太師食邑一萬戶南越王丁匡璉所為亡弟大德頂帑僧帑不為忠孝伏事上父及長兄卻行惡心違背若愛寬容兄虛著造次所以捐害大德頂帑僧帑性命要成家國永霸門風古言爭官不讓位先下手為良致以如斯今願造寶幢一百座薦拔亡弟及先靈後歿一時解脫免更執訟先祝大勝明皇帝永鎮天南恒堅祿位。

2.文本資訊

石幢內容提供有關建立佛經的年代與人物資訊。有關年代，有一些石柱立於癸酉年（973），有些石柱雖然沒有記錄年代，但根據文本內容來看，可確認立石柱的時間約己卯年（979）春天到 10 月冬天，即丁璉殺項郎到杜釋殺丁先皇和丁璉，在此之前都沒有提到項郎被殺的事。

因此，從 973 年到 979 年已立了一百座石經。在丁璉被殺之前，約已立了一半數量的石經。可知石經立於丁朝 973 年（或更早）和 973 年到 979 年兩段不同時間、不同政治背景。正史記載華閭石經的立者為丁璉，從石經的落款亦可得到相同的資訊，立者的名字是丁匡璉，是丁先皇的長子。

朝》，（巴黎、河內：法國遠東學院、越南漢喃研究院共同出版，1998），頁61-72。

據《大越史記全書》記載，967 年丁匡璉被封為節度使；969 年封為南越王；973 年被宋朝皇帝冊封為檢校太師靜海軍節度使、安南都護；975 年被冊封為交趾郡王。石幢所刻丁璉的職爵：「推誠順化靜海軍節度使特進檢校太師食邑一萬戶南越王。」

丁璉立石經的原因是什麼？從落款可以找到答案。從 1963 年發現的第一幢可以知道立經的理由是為了懺悔。事實上，丁璉的一生經歷很多動盪。年輕時，曾是昌文、昌岌的人質，甚至差點被父親殺死。長大後，原以為皇位屬於自己，卻被弟弟阻礙，導致要殺弟奪權，最終自己也死於謀殺，丁朝國祚僅維持十二年，之後被黎朝繼承。

丁璉之所以立石經，是因為在殺弟之前，丁璉已經想行不正當之行

〔圖8〕新發現的陀羅尼經

為。殺弟後，丁璉更害怕和內疚，這就是為什麼他繼續立陀羅尼經的理由。以下落款可以更清楚的瞭解這件事：

其一，「所為亡弟大德頂帑僧帑不為忠孝伏事上父及長兄卻行惡心違背。」二，「今願造寶幢一百座薦拔亡弟及先靈後歿一時解脫免更執訟。」其三，「先祝大勝明皇帝永鎮天南恒堅祿位，次為匡璉恒堅祿位。」

另一面，各石經的內容都是陀羅尼經，該咒提倡清靜兩

字，因為清靜會帶來甘露、壽命，清靜可讓人覺悟，消滅業
障，眾生會戰勝一切。咒語歌頌佛的功德，鼓吹大家依據佛的
話來做人，可免除輪迴成佛。因此，丁璉建立的很多陀羅尼石
經注重清靜兩字，證明丁璉本身在物質和心靈生活缺少清白和
安靜，被權力慾望阻礙，產生了要殺弟的舉動。[17]

（二）一柱寺的石幢

　　一柱寺座落於寧平省長安社安城村，是十世紀丁、前黎時
期的佛教象徵，同時也是越南人的文化遺產。

1.石經格式與內容

　　石幢八面，用青石造立，銘文內容、落款都用漢字雕刻。
頂部已經遺失，用蓮花代替。石柱高 4m。與丁匡璉石經相
比，一柱寺石經用蓮花葉裝飾，丁氏石經沒有相關裝飾。八面
幢刻漢文，但因風化或其他理由以致下半部分沒有文字，只有
上半部有文字，但也不完整，且難以辨認。但其中有幾段可
讀，如：「般若前越海之波攜香火大聖明皇帝黎祖自承天命大
定山河十六年來……」另一段，有「弟子昇平皇帝」六字。近
日，我們已經拓製該柱碑文，辨認內容如下：

　　　稽首放光大佛頂

　　　如來萬行首楞嚴　　開無相門樹□□

　　　不持齋者是持齋

---

[17] 耿慧玲：〈越南丁朝的雙軌政治研究〉，收入《饒宗頤與華學國際學
術研討會論文集》（泉州：泉州華僑大學、香港大學饒宗頤學術館共
同主辦，2011），頁457-480。

　　不持戒者是持戒　　八萬四千金剛眾

　　縱使罵詈不為過

　　諸天皆聞沱語聲　　神通變化不思量

　　聞念佛頂陀羅　　尼　　目得弗足聲聞少　　我念能知遍法天

　　勝崩沙那揭羅虎斜都　　雍　　都羅屍底南利　　訶沙河

　　婆利多　　迦摩訶跋羅　　陀羅　　帝利阿波那　　羅

　　揭羅婆夜　　瑟　　婆夜呵　　彌婆夜阿迦羅

　　密利　　杜婆夜陀

　　揭羅　　部多揭羅

　　弟子昇平皇帝

　　般若前越海之波攜香火大聖明皇帝黎祖自承天命大定山

　　河十六年來。

從落款來看，有「弟子昇平皇帝……」之文，可知立柱者是某
位皇帝。另外一段「……黎祖自承天命大定山河十六年
來……」來看，可確定這位皇帝就是黎大行。因此，經柱的年
代為 995 年。因此，與 973-979 年丁匡璉立石幢相比，黎大行
所立的石幢晚 16-22 年。

　　通過石幢記載可知，各石幢的落款、內容和偈語與匡璉石
經不同。丁朝石經主要歌頌如來佛功德、持陀羅尼法，一柱寺
則歌頌陀羅尼的妙法，亦有提到楞嚴經，頭兩句記載：「稽首
放光大佛頂如來萬行首楞嚴」，全名為：「大佛頂如來密因修
證了義諸菩薩萬行首楞嚴經」[18]

---

[18] 參考 Đặng Công Nga "*Những cột kinh Hoa Lư thế kỷ X*", Hội thảo khoa học
về Phật giáo thời Đinh-Tiền Lê, Ninh Bình năm 2010.（鄧公娥：〈十世紀
華閣石經〉，丁一前黎佛教學術研討會，寧平，2010。）

其實，《楞嚴經》被歷朝印度皇帝視為國寶，該書指明修行的教、理、行、果。提到《楞嚴經》，佛門弟子無不覺得它是一本有價值並珍貴的佛經。修行者能理解《楞嚴經》，可謂步行者得到版圖、水手者得到指南針、鞋匠者得到尺寸、戰士者得到武器似的。

該經由般刺密帝譯，10 卷，意思是明心見性，文義精妙，屬大乘的秘密。無不足執法，無不受之緣，這是佛學重要法門。「首楞嚴」是中國人的譯語，來自梵語的 Suramgama，又譯做「首楞伽摩」，即「健相」、「健行」、一切事敬。

2.丁、前黎朝柱經的意義與價值

十世紀是越南的自主時期之時，丁先皇、黎大行曾請吳真留、杜順參論朝廷政事、外交、接待宋使，並派人到中國帶回大藏經。朝廷也是第一次有僧人當官，匡越吳真留是第一位當僧統。華閭古都地區建立很多寺廟到今都還存在，如一柱寺、塔寺、天尊洞寺，其中一柱寺可稱為國寺。這可證明丁、前黎的佛教已經得到發展。碑文資料可以補充研究該的資訊。寺廟通常有佛像與菩薩像、閻王、天將、夜叉、善惡神像等被供奉佛殿。佛像通常由木料或土料製作有些則以畫像呈現。

此外，寺廟中、外還有很多高達 3、5、7 層樓的土塔，更進一步肯定丁、前黎時期的廟塔不會很小，甚至是高大的。僧人不僅得到朝廷重視，還能參與政事。另外，還有朝廷中的主要人物包含皇帝，如南越王丁璉、黎大行，都自稱佛門「弟子」，都有建立經幢的紀錄。雖未能確定該時期每個寺廟都有石經，但至少在京城的重要寺廟，如一柱寺，都是有立石經的。

在中國有很多儒、佛、道的經典被刻在石頭或洞穴上，大多數是石經。石經始於北魏，盛於北朝，一般經幢為八面，由幢座、幢慎和幢頂三部分組成，上面刻陀羅尼經或佛像，有時刻有《摩訶般若波羅蜜多心經》、《楞嚴經》等。

丁、前黎時期，一柱寺《楞嚴經》是受中國影響。石經由當時越南朝廷官員和禪師（如匡越禪師吳真留）實施。可見，一柱寺和前黎的石經是越南佛教文化遺產，從寺廟的雕刻藝術、漢喃資料和石經來看，中國佛教的密宗、密教於十世紀在越南已經相當普遍。

三、結語

北屬時期的碑文和銘文是研究越南北屬時期珍貴的物質文獻，是漢字在越南流傳最具體的證據。特別是青懷碑，是越南最早的漢字碑文，立於晉代建興二年（314），宋元嘉二十七年（450）又在碑的背面刻寫碑文，該碑的發現對於研究該地的歷史提出新的方向，贏婁從屬漢到吳是交趾的隸所。從資料可知越南除了有祭祀自然神靈，如山、江（三江、傘園）外，人神祭祀也早已於越南出現，佛教與道教在越南北屬時期更是已經相當普遍。

碑文、鐘文所提到的姓名，都是有具體的姓名籍貫北方人（青懷碑，長春古碑，禪眾舍利塔銘文、八世紀青梅銅鐘），之後逐漸出現越南人姓名（九世紀的日早銅鐘）。十世紀的碑文所紀錄的地名，如交州（今屬越南北部）、九真（今屬乂安）、日南（今屬清化）都屬於後來的大越國。禪眾舍利塔碑的龍編、日早銅鐘的慈廉地名，都幫我們確定交州中心是贏婁

（今屬青薑社和北寧省順城縣附近，即發現禪衆寺舍利塔碑和青懷碑之地，附近是龍編（包括河內東北地區））慈廉村，今是龍編郡和慈廉郡。

　　從丁、前黎的石經可見越南佛教有密宗的色彩，因為密宗的教理和儀式與越南現行的佛教比較接近，如同之後的淨土宗有禪的因素。佛教各宗派與其它宗教或本地民間信仰的融合，是為了佛教於越南的存在和發展。另外，統治者要依靠宗教或佛教來提升神權的正統性，因此丁、前黎朝的佛教能夠得到發展是可以被理解的，丁璉、黎大行崇尚佛教，立石經也是必然之事。因此，華閭古都一柱寺的石經不僅對研究越南佛教、考古學有價值，更是越南人的心靈文化的重要烙印。

◉本文首發於臺灣中正大學編刊《中正漢學研究》（THCI）總第 29 期（2017.6），「越南漢學專輯」，頁 77-96。

綜論越南銘刻

耿慧玲*

摘要

　　歷史的研究取決於理論，方法和資料。書面和物質的記錄構成了歷史的基礎，而載體性質的差異也使記載本身在類型和內容上有著不同功能。中國銘刻文化影響周邊國家和人民，無論是韓國，日本和越南都存有大量的漢型銘刻，可作為歷史研究的基礎。但由於持續不斷的戰爭，越南尚未對其所有的漢文銘刻進行系統的研究。本文描述越南銘刻的歷史發展和研究現狀，並討論越南銘刻所體現的漢越型文化特徵。最後，嘗試說明如何使用具有漢越文化特徵的銘文來研究越南歷史。值得注意的是，越南南部的漢文銘刻雖然僅佔漢文銘刻總數的 5%，但它們所處的時代，可以對於大發現時代和後來的殖民時期進行歷史的研究。這些銘文不僅可以用來討論華僑、華人的移民現象，以及華人移民的生活方式，更可以透過這些銘刻對處於交通與文化的十字路口的越南，如何面對一個巨變的時代，如何融會不同的族群進行開發有所說明。換句話說，越南銘刻的價值不僅限於越南本地或東南亞區域的意義，它反映越南與世界歷史間的發展關係。

關鍵詞　越南、銘刻、漢型銘刻、漢越型文化

* 〔臺〕朝陽科技大學通識中心教授。

一、序言

　　亞瑟‧丹托(Arthur Coleman Danto 1924 –2013)，在《敘事與知識》(*Narration and Knowledge--including the integral text of Analytical Philosophy of History* (1985)中說：「歷史不是對過去的再現，而是對過去的組織和理解。」[1]既然是組織與理解，對於書寫歷史就應該是多元的運用資料與方法，並且有一個全面性的、邏輯性的理解角度。因此，我們會發現歷史的撰寫，需要多型態的資料與研究方法，不然組織與理解就會空泛、缺乏內容，無法得到讀者的共鳴。資料的使用與組織的方法成為書寫歷史最重要的基礎。其中，資料更是基礎中的基礎，沒有資料，基本上就沒有歷史研究的可能。

　　西方將記載在紙、陶片、竹簡、木牘、泥版、皮、骨等的文書稱作古文書(palaeography)，而將鏤刻在石碑和金屬上的銘文稱作金石學(epigraphy)。中國，則將以上除紙外的所有質材都稱作金石學。[2]中國是個好記載的民族，喜歡將許多的事蹟記載在各種不同的載體上，依據社會發展的不同質性，中國的記

---

[1] （美）亞瑟‧丹托(Arthur Coleman Danto)：《敘事與知識》(*Narration and Knowledge--including the integral text of Analytical Philosophy of History* （New York:Columbia University Press，1985），頁111，請參考（美）羅傑‧巴格諾爾著，宋立宏、鄭陽譯：《閱讀紙草，書寫歷史》（上海：上海三聯書局，2007／據1995年版本），註14，頁5。

[2] 在容媛的《金石書錄目及補編》（臺北：大通書局，1974）中，收錄了金類、石類、玉類、甲骨類、匋類、竹木類、地劵類，又由金類析出錢幣與璽印；這樣的分類顯然不如西方來的規範明確，但卻有其歷史上的源由。

載曾展現在陶器、甲骨、青銅器、石刻、簡牘、帛、紙等不同
的載體之上，這些不同的載體也反映出不一樣的歷史風貌：殷
商時期的甲骨多與卜祀相關，三代的青銅器多與貴族階級的事
蹟相關，石刻、簡牘、帛、紙則由皇室、貴族階層逐漸普及至
一般的士與知識份子。因而不同的載體代表的是在中國不同的
階層、不同的時代被記載的歷史。這些載體，除了文字的記載
本身所記錄的訊息，也反映出社會發展的歷史軌跡。

　　西方又將文獻的記載依據物質的質材分成易損毀的與不易
損毀的兩種，其因在於兩者不僅在質材上不同，更因為質材的
不同，其記載內容與性質也就有所差別，[3]古文書的材質易損
毀，基本上與金石的傳諸後世、永久保存的目的不同；這些易
毀壞的材質「不想紀念，只想記錄；無意於公開，而重在庋
藏」。[4]這種見解則與中國基本相同。以中國的石刻為例，中國
的石刻在歷史發展過程中最為悠久，因此記載的性質也最為複
雜，是研究歷史非常重要的一種載體。與其他的載體不同，石
刻一出現在歷史的舞臺，不論是岩畫、摩崖、碑碣、墓誌、刻
石、造像、經幢等等，均明確的展現它昭示性、公證性及長久
流傳的特性。[5]若與西方的銘刻資料相比，中國型的石刻其記載

---

[3]　載體通常與地理環境與物產分佈有一定的關連，希臘、羅馬的羊皮，
　　西亞地區的泥板，中國的竹簡都是因地制宜，質材的使用也與記載內
　　容正相關。
[4]　（美）羅傑·巴格諾爾著，宋立宏、鄭陽譯：《閱讀紙草，書寫歷
　　史》，同註1，《關於紙草（譯後附言）》，頁161。
[5]　請參見耿慧玲：《從金石學探索史學方法中的座標觀念》，《止善》
　　第9期（2010），頁59-62，65-66及相關註釋。

的範圍更周延,[6]歷史更綿延,與其他文獻的結合性更緊密,[7]作為專類研究的時代也甚早。[8]因而以金石作為展現歷史與研究歷史的基本資料,已經成為中國廣義文獻學中非常重要的範疇,且也獨立於文獻學之外,形成金石學、甚至金學與石學。

6　自北宋朱長文《墨池編》即開始將所收唐碑分為十類:墓銘、贊述、佛家、道家、祠廟、宮宇、山水、題名、藝文、傳模十類;南宋洪适《隸釋》分為賢聖岳瀆祠廟、石經、旌孝講德、河渠橋道、阡表壙銘、雜刻、磚文器物款率七類;清末葉昌熾《語石》分為碑、石經、字書小學、封禪、詔敕、符牒、書札、格論、典章、譜系、界至、詩文、墓志、塔銘、浮圖、經幢、刻經、造像、畫像、地圖、橋柱、井欄、柱礎、石闕、題名、摩崖、買地劵、投龍紀、神位題字、食堂題字、醫方、書目、吉語、詛盟、符籙、壓押、題榜、石人題字、石獅子題字、石香爐題字、石魚題字、石刻雜題計四十二類;以後朱劍心《金石學》與馬衡《中國金石學概要》大都依據《語石》的分類稍加以變化。朱劍心將之依據形制分為十類:刻石、碑碣、墓志、塔銘、浮圖、經幢、造像、石闕、摩崖、地劵、雜類;又覺如此分類有所未愜,復依內容分為二十六類:六經、佛經、道經、封禪、詛盟、詔敕、符牒、投龍、典章、譜系、界至、醫方、書目、題名、詩文、書札、字書、格言、吉語、題榜、詩聯、符籙、壓押、畫像、地圖、禮圖。馬衡分為二十四類:碣、摩崖、碑、畫像、造像、太學石經、釋道石經、醫方、格言、書目、文書、墓志、墓劵、譜系、地圖界至、題詠題名、橋、井欄、闕、柱、浮圖、食堂神位、墓門黃腸、石人石獸、器物。由此可見石刻在中國品項之多樣。

7　石刻一直是中國證經補史的重要依據,龔自珍述說石刻的功能有九大類:「帝王有巡狩則紀,因頌功德一也;有畋獵游幸則紀,因頌功德二也;有大討伐則紀,主於言勞三也;有大憲令則紀,主於言禁四也;有大約劑大詛盟則紀,主於言信五也;所戰、所守、所輸糧、所瞭敵則紀,主於言要害六也;決大川、濬大澤、築大防則紀,主於形方七也;大治城郭宮室則紀,主於考工八也;遭經籍潰喪、學術歧出則刻石,主於考文九也。九者國之大政也,史之大支也。」(龔自珍:《說刻石》,《龔定庵全集類編》卷十《雜記類上》,頁257)。

8　根據容媛《金石書錄目》的分類,中國自漢以後有關金石的著錄計有800種,其中又可以分為目錄、圖像、文字、題跋、字書、通考、義例、傳記、雜著九大類,可見在中國研究金石也已經有了明確的類門。

　　以金石作為載體的記載方式，也同時影響到中國文化傳布的地方，尤其是漢字文化圈所屬的朝鮮、日本與越南。同治年間，劉喜海即編著了《海東金石苑》，收錄自陳光大二年（568）以來至明洪武二十八年（1395）之朝鮮地區碑刻計八十通。[9]此後，又有劉承幹校錄之《海東金石苑補遺》；[10]近年考古亦屢有發現，如 1971 年在忠清南道公州郡宋山里發掘出 6 世紀初朝鮮三國時代百濟王陵。其中出土之《百濟斯麻王墓誌》及《百濟國王大妃墓誌》等，這些碑刻均為漢文、漢式銘刻。而日本三大古碑：689 年栃木縣的那須国造碑（なすくにのみやつこひ）、711 年群馬縣多胡碑（たごひ）、762 年宮城縣多賀城碑（たがじょうひ）亦均為漢文銘刻。越南的漢文金石銘刻數量很龐大，[11]迄今約有一萬多通，年代的跨度也非常大，從大隋大業十四年(618)開始至十九世紀。這些金石銘刻資料，對於當地歷史的研究來說，是相當重要的資料庫。

　　不過任何一種資料都不可能是封閉的，也不可以單獨的使用。金石學是多元的資料所建立出的學門，點或線的理解無法真確的整體說明金石資料的價值與功能，多元資料需要有多元的研究，王國維雙重證據（地下與傳世文獻）或近年強調的三

9　見劉喜海：《海東金石苑》，新文豐出版公司編輯部：《石刻史料新編》（臺北：新文豐出版社。1922年劉氏嘉業堂校刻本），第二三冊地方類，目錄，頁17530-17531。

10　劉承幹校錄：《海東金石苑補遺》，新文豐出版公司編輯部：《石刻史料新編》，同前註，第二三冊地方類，頁17675-17677，六卷收錄一百五十通。又附錄，頁17778。

11　這裡用「銘刻」是因為這批資料包含了金、石、木牌不同質材的鑴刻資料，然由於蒐集整理時並未清楚的分類，故而這批資料的總數非僅石刻，不過石刻的數量最大。

重證據（加上田野資料）的被重視，[12]都說明歷史研究有多重證據的相互映證，其得出的結果更易全面性，為人所信服。金石作為一種多元性的資料結構，自然可以作為史學研究重要的支柱。然金石資料若僅以單點或線的呈現，無法讓多元的史學研究者能夠知道金石資料對於研究課題的真正幫助。為了要讓每一種特殊形制與內容的資料可以被妥善的運用，每種資料特殊的技術性要求是被需要的，正如同費頓(Phaethon)駕馭的太陽神馬車一樣，如果不能妥善的控制馬匹，那麼造成的錯誤後果可能較之徒步更加嚴重。我們若要善用資料就必須對於資料本身的狀況有所瞭解。

二、越南銘刻資料的概況

有關越南銘刻，在二十世紀二、三十年代，越南尚處於法國殖民時期，法國遠東學院（École française d'Extrême-Orient，簡稱EFEO）在越南全境對石刻與鐘銘進行一次大規模的搨拓工作(1910-1945)，結果共採集了石碑、銅鐘、木刻 11,651 通，搨拓20,980 張拓片。[13]此次拓片的採集搨拓的品質還算不錯，然主要

---

[12] 事實上，所謂多重證據的意涵，若以多種不同性質的證據來說明或許更容易理解。因為同類型的表達體式相同，而不同類型的資料所表現的多樣性，更能反映記載內容的異同。

[13] 此項資料據（越南）阮文原：〈越南銘文與鄉村碑文簡介〉，《成大中文學報》17期（2007），頁199；另據黃文樓先生1995年在中正大學之演講資料，應有石碑、銅鐘10,360件，搨拓25,000張拓片；而1998年《越南漢喃銘文匯編第一集北屬時期——李朝》出版時，據潘文閣先生《前言》，漢喃院已有三萬多件拓本，其中20,979件為法國遠東學院所移交，其他則為漢喃院1958年所增拓者。

以市鎮或大路附近為主，未能大規模的蒐集偏遠地區的金石銘刻，這些資料也都陸續在《通報》發佈。1958-1990 年間，越南曾經對 20-30 年代之金石進行再次搨拓。其中 1983-1986 年間，各文化機構和研究機構進行各單位之銘文蒐集，以河內文化所對河內以及河內郊外四郡、四縣之蒐集最全面。1990 年漢喃研究院開始進行第二次大規模拓片蒐集，至 2005 年拓片已累積為 50,000 張。[14]

　　1970 年代越南社會科學委員會所屬漢喃委員會開始進行整理相關的銘刻資料，1970-1975 年由裴清波領導的小組陸續整理出《（漢喃）碑文》29 冊（未刊本），共計《碑文》21 冊，地區索引 2 冊、碑文索引 4 冊、年代索引 1 冊，主要為法國遠東學院 1958 年轉交給越南中央書院（國家圖書館）的 11,651 通碑，共 20,980 張拓片。該書有碑題、編號、作者、書者、刻者、年代、處所、形制特點、內容題要，附年代索引、地名索引，並有《碑文簡略書目》，補充人物索引和石碑處所索引。其後，1984-1986 年間，越南社會科學院所屬越南漢喃研究院根據 EFEO 留存在漢喃研究院的拓片庫編撰了《碑文簡目 *Thư mục bia Việt Nam*》，（黃黎主編，列印材料），收錄包括第二次世界大戰前後所蒐集的拓片。1991 年又編輯了《越南漢喃銘文拓片書目》（內部材料，1991 年）這一本目錄乃以越文著錄，完全沒有漢字，對於不懂越文的國外學者比較不方便使用。1992 年漢喃研究院組織了整理越南漢喃銘文小組，由阮光紅

---

[14] 50,000張拓片的說法根據漢喃研究院與法國遠東學院：《漢喃銘文拓片總集》（越南漢喃研究院、法國遠東學院主編，2005），序文，頁 XI；阮文原2007年資料僅為30,000張。

先生主持，該小組搜集了 12,000 拓片，將其中 1919 種拓片編輯為《越南漢喃銘文》，並對其所出版的 1919 種碑文作了摘要。[15]

越南在整理、譯文與出版方面也有一些成果，如越南國家科學中心、文學研究院編輯的《李陳詩文》以漢文、拼音、越譯文、考異、註釋的方式整理了十七篇李陳朝的銘文資料。此外還有《河內碑文選集》二集計 63 篇，該書除漢文、越文之著錄翻譯之外，並製作人名索及年代索引，方便檢索；又有《諒山碑文》43 篇翻譯成越文，《河西碑文》82 篇，《莫朝碑文》計錄 148 篇（越文），30 篇（漢文）並附有前言、碑銘索引、地名索引。

越南並與法國遠東學院、臺灣中正大學合作，進行系統性的銘刻資料整理，該計畫始自 1994 年，原本為法國遠東學院與越南漢喃研究院之合作計畫，自 1997 年 7 月申請蔣經國國際學術基金會之補助，至 2002 年 6 月，具體成果出版了《越南漢喃銘文匯編》二集（三冊），第一集為北屬時期至李朝，第二集則為陳朝部分。《越南漢喃銘文匯編》第二集編輯體例較為完整，每篇統一標題，依中國新式標點符號進行標點及注釋。有中英越文小引，內容包括：銘文載體的形制、立處與存處、書者、刻者、撰者、內容及內容之考證、拓本來源、存處與編號、前人研究結果及小引中所參考之相關書目。每篇並針對該銘文獨特之價值予以學術性的考證。書末並製作名詞索

---

[15] 資料請參考潘文閣、蘇爾夢主編：《越南漢喃銘文匯編第一集北屬時期——李朝‧前言》（法國遠東學院、越南漢喃研究院共同出版，1998），頁XXVI。

引，凡人名、地名、官爵、年號、專名等，依其筆畫順序排列編目，同筆畫則以永字八法為前後依據，不分類別，以便於學者翻查。

2005 年開始，漢喃研究院與 EFEO 進行銘文拓片數位化，並出版了 22 冊《漢喃銘文拓片總集》（後簡稱《總集》），一共匯集了 22,000 張拓片。[16]根據鄭克孟《越南漢喃碑銘拓片目錄提要·前言》，此批拓片資料「包括先前由 EFEO 搜集的拓片[17]和近年來越南漢喃研究院搜集的拓片兩大部分，總共包括 5 萬件拓片」，[18]然而，由於這些拓片雖是兩個來源，但攝拓的地點卻大致相同，雖然補收「有價值而先前未曾收入的新材料」，如「補充了 30 多份李陳時期的銘文，80 多份庸憲（興安）銘文」，但「其中重複者，也不在少數」。由於一碑可能不僅刻一面，有多至四面、六面或八面者，故拓片數與銘刻實體數有一定的差異。黃文樓先生 1996 年統計銘刻數為 11,651，拓片數為 25,000，則大約為 1：2.1，如果以這樣的比例，則 50,000 張拓片應該不超過 20,000 通銘刻。值得注意的是，迄今似乎沒有任何一個機構或者學者，真正的把越南的銘刻實體與銘刻拓片的總數作一明確的統計，即便是同一個單位同一位學者對於數量的統計仍然會有許多

---

[16] 原本預計出版40冊，依據其體例一冊為1000片，則此次出版之拓片圖版，預計有40000之數，但是迄今僅出版22冊，亦即22000張拓片。

[17] 據黃文樓先生1996年11月15日-12月13日應中正大學文學院邀請演講內容之書面資料，法國遠東學院從1910年開始蒐集越南拓片，1920～1930年法國遠東學院在越南全國做大規模的攝印，摩搨石碑及鐘銘計10,360件，共20,980張拓片，主要以市鎮或大路附近為主。至1945年已收集11,651件金石，有25,000張拓片。

[18] 鄭克孟：〈前言〉，《越南漢喃碑銘拓片目錄提要》，頁4。

的衝突，這當然與不斷發現新資料與重複搨拓有密切的關係。從前面公布的一些數據來看，越南銘刻實體的總數應該不少於11,651，不多於20,000。這個數目也代表了越南銘刻至少記載了1萬餘件不同的歷史事件，這對於研究越南歷史與文化，是一個非常重要的資料寶庫。

除了銘刻的搨拓之外，越南歷代文獻中也有對於銘刻資料的記載，如《大越史記全書》、黎貴惇《黎朝通史》、《見聞小錄》、裴輝碧《黃閣遺文》《翰閣叢談》《皇越文選》、胡德預的《愛州碑記》、黃叔會的《柴山詩錄》均收集了清化與國威等地的銘刻資料，另如《今文類聚》、《洪鐘銘文》、《金甌寺碑記》、《碑記表文集》、《碑記詔表冊文祭文抄錄》、《藍山碑記影集》之類也有許多銘刻資料的彙編。

根據越南銘刻蒐集的狀況，大致可以將越南的銘刻分成三個大的時期：

一、銘刻初期：從七世紀到十四世紀（北屬時期至陳朝）。

二、銘刻發展時期：從十五世紀到十八世紀（後黎朝至西山朝）。

三、銘刻廣泛深入發展時期：十九世紀以後（阮朝）。[19]

銘刻初期，又可以分為（1）北屬時期(111 B.C.-967A.D.)，（2）丁、黎朝，（3）李、陳朝三個時段。北屬時期目前原有四通金石，分別為《大隋九真郡寶安道場碑文》（大業 14 年，618）、《青梅社鐘》（唐貞元 14 年，798）、《天威徑新鑿海派碑》（咸通 11 年，870）及《日早古鐘》

---

[19] 以上依據黃文樓先生1995年在中正大學的演講內容稍作修改。

（南漢中宗乾和 6 年，948），其中《天威徑新鑿海派碑》碑石已佚，這四通金石，對於瞭解北屬時期越南北部地區的社會及歷史發展有非常重要的價值。近年（2012 年 8 月）在北寧省發現了一通隋文帝仁壽元年（601）舍利塔銘，[20]而這正是隋文帝仁壽年間三次建塔活動的第一次，此次共於三十州建立舍利塔，交州禪眾寺亦為起塔建寺的一員。按，文帝三次共建塔一百餘座，中國現僅存十二通舍利塔銘，越南北寧省發現的這一通，正可以補充史志中的不足。[21]

　　丁黎朝(968-1009)約四十年的時間，僅留下丁朝太子丁璉所建陀羅尼經幢 16 座，其經幢中所刊刻的造幢記對於短暫的丁朝政治有廓清的作用。李、陳朝(1010-1400)近百年的歷史，一共留下不到 60 通的金石銘刻，多與佛寺碑銘有關，但隨著時代的發展，這個時期的最後的朝代陳朝，其銘文的內容逐漸呈現多樣化，除了宗教性的銘文之外，尚有紀功、記事等其他形式記載，並出現了詩文類的銘刻資料，喃字的使用也是這個時期銘刻非常重要的內容。

　　銘刻發展時期約近四百年的時間，包含了後黎朝、莫朝、黎鄭、西山幾個時期，相較於之前北屬至李陳朝，可以說是政

---

20 丁克順：《關於北寧順城禪眾寺舍利塔銘文的新發現VỀ MINH VĂN THÁP XÁ LỊ CHÙA THIÊN CHÚNG(THUẬN THÀNH, BẮC NINH) MỚI PHÁT HIỆN》，《漢喃雜誌》第4期（2013），頁14-22。

21 有關隋文帝仁壽見舍利塔之研究，可參考游自勇：《隋文帝仁壽頒天下舍利考》，《世界宗教研究》第1期（2003），頁24-30；盛會蓮：《隋仁壽年間幽州藏舍利史事再檢討》，《文物春秋》第5期（2011），頁12-16；李志鴻：《隋代的王權與佛教—以仁壽社塔活動為核心》，《中華佛學研究》16期（2015），頁105-126。

治勢力最複雜的一段時期。這一個時期的銘刻數量較之前期有大量的增加，約有 6,000 多通的銘刻資料。除了延續宗教性寺觀的銘刻之外，一般性建築如橋、亭、文址等地方建築銘刻也大量出現，展現出銘刻的普及化。另外最重要的就是進士題名碑與後神、後佛這種的「後碑」的出現，展現出獨立自主之後融合式的文化特色：既有中國儒家文化的確立，也有屬於越南民間文化的特色。

銘刻興盛於阮朝(1802～1945)，有一百多年的時間，這時期的銘文格式趨向一致，有規範化、簡單化的特色，大量的祠堂碑是其重要的內容，此時期約存有 4,020 篇銘刻資料。

三、越南銘刻的性質與分類

當銘刻達到上萬條的記載量，其記載內容的累積已經足夠讓研究者針對其量的改變而進行質的研究。這些銘刻究竟反應怎樣的內容？根據阮文原 2007 年發表在《成大中文學報》第十七期《越南銘文及鄉村碑文簡介》一文[22]中的歸納，可以分成下列十種：

1.表揚善人，善事，對鄉村義舉。

2.朝廷令旨與官方文件

3.家譜、宗族世世系。皇家、官吏、名人、僧侶、平民各階層家族譜系，祖先來源、家庭傳統，資產流傳，前人遺訓遺囑。

---

[22] （越南）阮文原：〈越南銘文及鄉村碑文簡介〉，《成大中文學報》，同註13，頁200-201。

4.人物行狀、功績。

5.鄉村各種生活活動。

6.古跡寺廟歷史。各地神祠、佛寺、亭宇、文廟、文址、祠堂、寶塔等古跡的創始,存在及流傳過程。

7.神譜事跡。

8.詩文類。

9.寺廟建設、重修。

10.雜類。

根據這個分類的架構,大致上可以再簡單的分為三類:記事、記人與雜類。記事類包含:公文書、民間契約(含鄉約、鄉規)、記事(功)、詩文、宗教信仰。宗教信仰(含祠廟碑、神跡、後神、後佛碑)。記人類則可包含:功 德碑、家譜、世系、行狀。雜類則為內容簡略,如楹聯、匾額等缺乏完整記載、無法有效分類之銘刻。然而這樣的分類是依據銘刻本身的內容進行分類。

作者於 2015 年 4 月開始協助北京社會科學院與西南師範大學出版社,擬對前述《總集》進行《選編》出版工作。由於《總集》出版的方式,是依照拓片編號,這個編號既不是按照年代順序,也不是完全以區域分類,純粹只是攝拓入帳的流水號。這樣的編排方式並無法發揮大批量的銘刻資料所能夠產生的研究能量。本人因此擬構在註釋單篇銘刻時,應該先將總體銘刻的內容做系統性的整理。同時為了讓讀者能夠結構性的瞭解整體資料的可運用性,應編纂一個有性質分類的目錄,目錄的編纂依據編號、標題、性質分類、立碑時間、銘刻立處、編號/碑面與備註分成七個欄位。其中「性質分類」乃作者根據大

量閱讀銘刻的內容之後，將研究者比較有興趣、並能有系統的進行研究的銘刻性質分為祭祀、宗教、儒學、記人、記事及其他六類。

1.祭祀指的是祠堂、寄忌等屬於家族性祭祀的內容。如後神碑、祠堂碑。

2.宗教則為佛、道、民間信仰等資料。如重修龍慶寺碑、高山大王祠碑。

3.儒學乃有關儒家之崇祀、制度等。如進士題名碑、文址之類。

4.記人為個人事蹟之記載。如釋闍闍大師碑記、奉聖公主碑記之類。

5.記事纂言則包含記載事件與詩文記載，如崇師報本碑記，修橋記，詩文之類。

6.其他則為無法歸於上列諸類，或者記載不完整者。

其範式大致如下：

標題	性質分類	立碑時間	碑誌立處	編號/碑面	備註
珠林寺集福碑	宗教	黎熙宗正和二十年（己卯，1699年）	瑞珪坊福珠寺前右邊	60/前 63/後	歲次己卯，當清康熙三十八年。碑為雙面，碑額為「珠林寺集福碑」、「新造功德立記」，碑題原為「珠林寺號婆釘碑記」，長120釐米、寬84釐米，有花紋，包括60行漢文和喃文，全文約2500字。碑誌立處舊名：中都奉天府廣德縣瑞璋坊。

仙侶社內村鄉規碑	記事纂言	黎神宗盛德四年（丙申，1656）	山西省國威府仙侶總仙侶社亭左邊第四碑	1971/後 1972/前	歲次丙申，當清順治十三年。碑為兩面，碑額為「本村新造石碑」（1972/前）、「立券約事」（1971/後），碑均長 61cm、寬 42cm,31 行漢文與喃文，約 450 字，有花紋。碑誌立處舊名：國威府安山縣仙侶社內村。
清烈社朱文貞先賢碑記	記人	阮翼宗嗣德十八年（乙丑，1865 年）	河東省青池縣清烈總清烈社中村文祠內	856/前 857/右	碑為兩面，額題為「先賢碑誌」（856），「皇朝乙丑」（857）。尺寸均為長 75 釐米、寬 34 釐米，全文共 24 行，約 700 字。乙酉科（1849）進士宣光省按察使黃廷專撰文。碑誌立處舊名：常信府青池縣清烈總清烈社。碑誌署年原作「皇朝乙丑」推斷應為阮翼宗嗣德十八年（1865 年）。

由銘刻內容中的性質與年代的分佈現象可以探究越南社會與歷史的發展趨向，以編號 1-1003 為例，可分析如下表[23]：

分類＼年代	祭祀	宗教	儒學	記人	記事	總計[24]
莫朝	0	1	0	0	0	1
黎中興	125	50	4	9	13	201
西山朝	8	1	0	2	0	11
阮朝	325	53	20	18	39	455
不明	54	13	0	9	7	83
總計	512	118	24	38	62	754

---

[23] 越南銘刻《總集》的編號基本上就是拓片入藏的流水號，具有一定程度的自然採樣功能，故本文在作分析時，擬以1000個單位為示例，但由於銘刻本身有刻兩面、三面、四面，故而無法準確的以整數編號，本表以編號1-1003為示例。

[24] 總計之數額乃以銘刻單元為數，亦即一通銘刻可能有1-4面之刻文，但依據主體單元為計算基準，故並非1000號有1000個單元。

　　表中可以看出祭祀類所佔數量與比例最大，此類記載的是
祠堂、寄忌等屬於家族性祭祀的資料，尤其寄忌碑所佔之比例
幾乎超過一半，在後續的資料中所呈現的現象也大致如此，如
編號1004-4000統計如下：

1004-4000 片性質分布表							
編號	祭祀	宗教	儒學	記人	記事	其他	總計
1004-2002	333	110	87	10	38	3	581
2003-3002	302	80	28	27	73	19	529
3003-4000	311	89	15	18	63	5	501
總計	946	279	130	55	174	27	1611

　　這種統計結果，突顯出寄忌、立後在越南社會生活中所佔
有的地位；而儒學與宗教銘刻的數量，也值得進一步比較，思
考傳統概念所認為的越南儒學與宗教，在歷史發展過程中所佔
有的真實地位。另，記事的數量與比例均較記人為高，若推究
整體銘刻的內容，祭祀、宗教與儒學這三類的記載內容也偏向
記事，因而記事的數量較之記人會更多，這與中國墓誌與功德
碑的大量出現的現象略有不同。這種銘刻的現象究竟存在著怎
樣的社會現象，也是值得比較研究的。

　　越南銘刻大致分佈在各名山勝景、佛寺、宮廟、機關、陵
墓、祠廟、亭宇、社村、住舍、橋樑、渡口、交通要道等地，
與中國的銘刻相同，充分反映出銘刻宣示性、公告性、久遠
性、標誌性的特色。[25]

　　依據阮文原先生的統計，越南銘刻主要分佈在順化以北的

25　（越南）阮文原：〈越南銘文及鄉村碑文簡介〉，《成大中文學
　　報》，同註13，頁200-201。

地區；紅河流域佔 95%，中南部地區僅佔 5%，這些銘刻主要以漢喃銘文為主。[26]在越南中南部原占城地區亦存有占文[27]、梵文[28]與吉蔑文的銘刻，這些銘刻資料則與歷史上的占城（占婆、環王、林邑）、扶南等先民歷史有關，與漢文化間有著相當大的差異。然而當大航海時代來臨，中國有大量以自願或非自願的方式，來到越南中南部的移民，越南當時的統治者阮主，也是後來阮朝建立者的祖先，也依托著這些漢人移民開拓南方的勢力，這些移民也帶來了許多明清時期的漢人文化，這些文化也反映在南方會館、祠宇、廟寺與其他的銘刻之中。

四、越南銘刻的定位——漢越型的文化

欲以越南銘刻進行歷史研究，必須先瞭解越南銘刻的特色，並給予越南銘刻一個定位。因為資料的書寫與呈現，必然與其書寫的時代有密切的關連，時間縱度的變化當然會影響到身處在當時的書寫者；反過來說，書寫者所書寫完成的資料，也可以反應當時間的歷史現象。地理環境是人類生活的舞臺，

---

26 （越南）阮文原〈越南銘文及鄉村碑文簡介〉，《成大中文學報》，同註13，頁199。

27 艾提奈·艾莫烈(Étienne Aymonier)1885年在安南南圻蒐集占文石刻，拓本藏法國國立圖書館及亞洲協會。

28 艾貝爾·貝爾甘(Abel Bergaigne)蒐集大量梵文碑銘，死後由弗朗西斯·巴斯(Francis Barth)、列維(Sylvain Lévi, 1863-1935)出版為《占婆之梵文碑誌》(Inscriptions Sanscrites de Champa)，成為碑銘翻譯和研究的先驅著作。喬治·戈岱斯(Georges Coedés, 1886-1969)在《占婆與柬埔寨之碑文目錄》(Inventaire des Inscriptions du Champa et du Cambodge)一書中匯編了東南亞大陸著名的梵文碑銘。每一塊碑銘都附有原文和法文翻譯以及歷史和文化背景的資料。

地理環境的不同也會造成書寫人生活、思想上的不同，因此，銘刻內容也必然會反應地理環境所造成的因素。面對一整批的資料，必須尋找時代的座標，尋找性質的座標，尋找地理的座標，系統化的整理整批資料。

越南的地理位置處於中國與印度兩大文明之間，在地理上，中越的邊界相當廣袤，越南北部地區與中國大西南地區緊緊相連，與廣西、雲南交界，在自然地理上山水相連，其生活環境相似，迄今為止居住著許多的跨境民族，如壯族、傣族、布依族、苗族、瑤族、漢族、彝族、哈尼族、拉祜族、仡佬族、京族、回族、布朗族等，跨境民族在邊界居住往來。地理環境的相似，使得文化也自然有著相似的基因，如都為農耕文明，同屬那文化圈，[29]亦也同樣有著祖先崇拜的習俗。[30]這些都反映在基層的社會人民之中。而中越歷史的互動關係，更始自上古時期，[31]至秦始皇帝開通靈渠，南征百越，移五十萬刑徒墾戍，陸續配發的刑徒，開發了嶺南地區，設南海、象郡、閩中、桂林，將嶺南納入中國領土；其後，趙佗建立南越國，穩定發展嶺南地區的開發；漢武帝滅南越，設立交趾、九真、日南，將越南北部及中北

---

[29] 「那」是華南及東南亞地區廣泛分佈著冠以「那」字的地名，在當地多民族的語言中，「那」表示「水田」的意思，分佈在這個地區的民族共同文化的特徵，就是以稻作生活為傳統的生活模式。見覃乃昌：《「那」文化圈論》，《廣西民族研究》第4期（1999），頁40。

[30] 請參考（新西蘭）尼古拉斯‧塔林主編：《劍橋東南亞史》（昆明：雲南人民出版社，2003），第一卷，頁216。

[31] 由現代考古所發現的牙璋，雲南、廣西與越南地區所流傳的銅鼓，都可以看到中國與越南自上古時期即已有密切的來往。見耿慧玲：〈牙璋、銅鼓與絲綢貿易——中國與越南的三條交通路線〉，「域外漢籍整理與研究國際學術研討會」發表（重慶，2013）。

部地區納入版圖，設官置守，漢文化大量擴散至越南地區，越南北部地區即在漢文化的滋潤下成長。

除了陸疆的接壤，廣東、交趾與海南島之間形成一個如同西方的地中海的內海——北部灣，北部灣灣邊的地區藉由內海便捷而有效的交通，形成非常重要的文化交流區，這也使得中國西南地區與越南交趾、九真地區維持頻繁的互動。在在很長一段時間中，「交廣」地區在行政區劃的共同發展下，經濟與文化也形成一整個區塊。

南方的越南是東南亞地區重要的交通要道，南部越南位居南海與印度海之間，而原與北部並非同一個文化區。然而自古以來，中國與越南中南部（即林邑、環王、占城、占婆）有著密切的海上交通，隨著越南京族的逐漸向南發展，至大航海時代的來臨，中國與越南中南部地區又產生了一種新的聯繫。

值得注意的是，越南在唐末五代趁著中國中央政權力量衰弱之時，政治上實踐獨立自主，而這個形成獨立自主政權的核心力量，則來自於對於中國權力結構的模仿[32]。也正是 O. W. 沃爾特斯《東南亞視野下的歷史、文化區域：文化模式的特徵》一文中提出，除越南外，在早期東南亞歷史中都沒有如同中國所認為的「國家」這樣的政權存在。[33]中國與越南所形成的宗藩關係，對於越南國家的摶成也有著非常密切的關係，在整個東南亞地區，只有越南形成一種有「王朝繼承體制，且具

---

[32] 請參考本人：〈擬血緣關係與古代越南的權力結構研究〉，《朝陽學報》第12期，頁173-184。

[33] （英）O. W. 沃爾特斯著、程鵬譯：〈東南亞視野下的歷史、文化與區域：文化模式的特徵〉，《南洋資料譯叢》第1期（2011），頁50。

有固定的國家界限」的「國家」體制。這種影響可以從越南的官制組織所形成的國家架構看得出來。然而即便是越南在政治上選擇獨立自主，但是在文化上卻與政治脫鉤，選擇追隨漢文化發展的腳步。這種政治與文化分離的現象，也正是值得多加探討的現象。[34]

依據越南銘刻的內容記載，銘刻刊刻的主要目的，是「恐日久朽爛，難以永存，爰茲托之於石，以記其事、壽其詞，垂之久遠」（《寄忌碑記》，漢喃院拓片編號 1413 號，下同）；或「第年紀經久，紙札難以流傳，仍設立石碑，列明睿號，俾後者追思而祀之，以傳不朽」（《後神碑記》3869號）。這與中國金石銘刻的功能是一致的。而根據阮文原等漢喃研究院碑文工作小組的分析，銘刻的刊立者大部分是由越南最低行政單位「官員」，如「色目」或鄉村的「鄉老會」、「斯文會」、「善會」、「信施會」、「鄉飲」等會社團體；而撰書者則多為退休朝官，地方下級官員，社村頭目，僧侶或鄉民。由立碑者與撰寫者的階層與身份來看，這些人大部分是文人、儒生、社官，至少也是稍通漢字者。[35]以漢文作為書寫的主要文體，甚難不受到文字所傳達訊息中各種思想的潛移默化。如，銘刻大部分豎立於宗教寺廟之中，由通漢字的僧侶、

---

[34] 可參考耿慧玲《越南丁朝的雙軌政治研究》《饒宗頤與華學國際學術研討會論文集》，（泉州，2011,12），頁457-480；與《越南碑銘中漢文典故研究》《域外漢籍研究集刊》第五輯（北京：中華書局），頁325-370。

[35]（越南）阮文原：〈越南銘文及鄉村碑文簡介〉，《成大中文學報》，同註13，頁202。

官員及地方鄉紳所撰、寫、刻、立，受到漢文化的影響，所接受的宗教思想亦來自於漢傳的大乘佛教，而非東南亞大部分地區所崇奉的小乘佛教。由此，即便是在地方的基層，也融合了中國儒家思想、漢傳佛教與官僚體制的獨特文化型態。

越南的銘刻與東南亞其他國家不同，東南亞地區所出現的漢文銘刻大都出於華人之手；在越南，銘刻者卻不一定是華人。這使得越南的銘刻內容呈現更複雜的樣貌；不只是華人在越南的歷史與文化的展述，更是越南地區特殊文化型態的展述。這種融合了漢型與越型的文化，成為越南文化主要核心。

五、越南銘刻與中越歷史的研究

越南現存銘刻在時間的分佈上並不平均，以量而言，漢喃銘刻發展時期（後黎朝至西山朝）是銘刻最多的時期；之前（北屬時期至陳朝）的銘刻數量不超過 200 篇。然而這個銘刻初期的資料雖然少，但不管是就越南或世界文明來說，都是可貴的史料。因為越南銘刻所展現的是一種符合漢式文化卻具有特殊環境特質的歷史。如《大隋九真郡寶安道場碑》是大業十四年（618）四月八日的碑刻，這一年的三月十一日，隋煬帝在江都被宇文化及縊殺，五月十四日李淵受禪登基，在中國正是朝代變換的時期，當年已有隋恭帝義寧二年的年號，但越南仍然使用、並保存了大業十四年的年號。同時，大業九年(613)隋煬帝下詔改寺為道場，而《大隋九真郡寶安道場碑》正是以「道場」為名，這種保留且延續中原傳統的方式，成為研究中國歷史與越南歷史、及中越關係史非常重要的參考資料。

他如青梅社鐘及日南古鐘，分別記載了唐貞元十四年(798)
與南漢乾和六年（948）越南地方「社」的歷史資料。社邑在
中國魏晉南北朝大量出現，它是結合了中國古代的祭祀與佛教
信仰群體所形成的一種民間生活共同體。青梅社鐘與日南古鐘
的鐘體都是具有中國特色的「梵」鐘，由青梅社鐘和日南古鐘
的出現，可以證明大乘佛教在越南地區傳播的基本狀態。而由
銅鐘銘文中又可以發現，地屬「邊陲」的交趾地區，村民融合
了「玄儒二門」共造「太上三尊」並「鑄（梵）鐘記之」，所
形成的宗教信仰共同體，基本上接受了中國的思想與信仰，卻
在早已未受中國政權之直接統治時，融合出我們前面所說「漢
越型文化」的基本特色。[36]換句話說，從越南現存銘刻資料
中，我們可以研究的不是單純的中國對於越南政治統治，或者
文化的「傾壓」，而是在歷史發展中自行選擇了一種生活文化
的越南；它受到中國的影響，但這是主動的一種選擇。這種選
擇可能是基於長期歷史的傳習，也可能是民族文化、環境特徵
上的共融結果，但是確實形成了一種與中國緊而不黏，鬆又相
繫的特殊狀態。

在越南銘刻初期，學者可以運用越南銘刻資料重新檢視越
南歷史發展的態勢，如李朝大比例數量的佛寺碑銘，固然展現
的是宗教信仰的普及與興盛，但透過建造佛寺、刊立碑石、鑄
造銅鐘的宗室世族，也可以對李朝的政治結構與權力的分佈有

---

[36] 耿慧玲：〈越南南漢時代古鐘試析〉，「中國社會科學論壇：第三屆
中國古文獻與傳統文化國際學術研討會」，中國社會科學院歷史研究
所、香港理工大學中國文化學系、北京師範大學古籍與傳統文化研究
院合辦（2012）。

清楚的了解。[37]又如陳朝出現多體裁的銘刻內容,也出現喃字
與越南語法的句型,這些對於研究越南如何自主的發展,其文
化的內涵與之前的李朝與北屬時期有何異同,也可以透過銘刻
這種無意的記載方式,以另一種角度予以觀察。[38]

　　值得關注的是,在陳朝已經處心積慮嘗試以本土的方式進
行越南政治與文化上的自主,但是到了後黎朝卻又在銘刻中顯
示出大幅度傾向漢文化的企圖,後黎朝一共舉行了七十三屆的
科舉,刊勒了自黎太宗大寶三年(1442)以來的進士題名碑,
目前現存越南進士題名碑系統分成國家級與地方級兩個類別。
河內 82 通與順化所保留的 33 通進士題名碑是屬於國家級的類
別。[39]興安文廟現存 9 通進士題名碑,北寧文廟現存保留的 12
通進士題名碑屬於地方級類別。其餘分佈在省級、府級至村級
的進士題名碑有 60 通。[40]越南進士碑作為中央對於儒學的重視
而立,都是儒風所生的產物。而後黎朝是擊退了曾重新將越南

---

[37] 耿慧玲:〈越南文獻與碑誌中的李常傑〉,張伯偉編:《風起雲揚—首
屆南京大學域外漢籍研究國際學術研討會論文集》(北京:中華書
局,2009),頁469-484。

[38] 耿慧玲,〈佛耶?儒耶?儒學家在越南陳朝的困境〉,鍾彩鈞主編:
《東亞視域中的越南》(臺北,中央研究院中國文哲研究所,
2015),頁43-75。

[39] 鄭克孟教授認為順化有34通進士碑,據潘青皇考證,順化只有33通。
見潘青皇:《傳承與新變—黎朝進士題名碑研究》(嘉義:國立中正
大學中國文學系碩士論文,2015),頁66-73,《越南其他地區進士題
名碑概況·順化》表4-1:「順化進士題名碑總表」;又,鄭克孟:〈進
士題名碑及越南中代儒學科舉制度之教育政策〉,陳文新、余來明
編:《科舉文獻整理與研究:第八屆科舉制度與科舉學國際學術研討
會論文集》(湖北:武漢大學出版社,2013),頁451。

[40] 地方性的進士題名碑數量,請參考鄭克孟:《進士題名碑及越南中代
儒學科舉制度之教育政策》,第451頁。

納入國土的明朝之後所建立的國家，既已擺脫中國中央的直接統治，為何又開始實施中國的科舉制度？並將之規範化？並藉由皇家刊立「進士題名碑」，將「進士群」形成社會一種特定的階級並有特殊的代表性象徵？[41]

科舉制度既然為歷朝君王視作擢拔人才的重要管道，想當然，進士與越南官僚體制應該有一定程度的連結，進士題名碑提供了最高一層科舉選拔的菁英份子名單，然而這些人是否真的因為科舉而取得政治結構中的關鍵的地位，成為左右政局的人物？為何後黎朝或其他朝代都出現官職遷轉相對淹滯，[42]且與特定家族或人物有一定關連的現象？反而由科舉的記載資料中看，進士與擔任北使之間似乎有著非常密切的關係，則越南科舉制度與中國科舉制度究竟有著怎樣的異同？這使得我們欲探討越南與中國之間的離合涵融，有了更有趣味的深思空間。[43]或許也是說明漢越型文化的可切入點。

若說越南在執行科舉制度的目的上可能與中國有所異同，在撰寫與刊刻進士題名碑的方式上，似乎也有一定程度的差異。越南後黎朝進士題名碑的刊刻雖源自於中國的進士題名碑，但與中國進士題名碑的組成方式略有不同，在進士的科第、名諱等個人訊息之外，每碑皆有一篇記文，記述該科開科的狀況及皇帝的功業。這批資料建構了數百年越南皇朝重視科

---

[41] 參考耿慧玲、潘青皇：〈從不規範到規範--黎朝科舉制度之特色〉，《廈門大學學報》（哲學社會科學版）第4期（2016），頁16-26。

[42] 見潘輝注：〈官職誌‧考課〉，《歷朝憲章類誌》，卷19。

[43] 耿慧玲：《越南碑銘中漢文典故的應用》，張伯偉主編：《域外漢籍研究集刊》（北京：中華書局，2009），第5輯，頁325-370。

舉制度的思想，是研究越南科舉非常重要的資料。除了確切記載大科的進士題名碑之外，在儒學類中，尚可以看到許多地方文址所記載的中科、小科的資料，亦即會試、鄉試的中式人員及其鄉里、籍貫等資料，加上各地文廟的建設與崇祀碑誌，可以完整的構成儒學在越南發展的狀況。也可以幫助學者們對後黎朝規範科舉制度的目的究竟是在官僚制度的人才架構，還是儒家思想的教育，還是策略性的外交需求等問題上進行探索。

後黎朝以後大量出現的後神與後佛碑所展現的「立後」行為，對於探討越南本土的社會結構與思想信仰，有非常寬廣的空間，這與另一類位於村社中的鄉約券例所展現社區生活的實體規範，正可以相互應證，對於架構性的研究越南的社會有著非常重要的價值。[44]

越南中南部地區的漢喃銘刻雖然僅佔 5%，但是與紅河流域地區的銘刻卻有著不一樣的性質，因此在學術研究上仍然具有相當重要的地位。

北部地區的越南與中國地域相連，在歷史發展的過程中也緊密互動，漢越型文化的特色明顯，是研究越南歷史發展即中越關係非常重要的資料，甚至可以將之視作同一個可以互為激發的文化區來研究。但是中南部地區則古非京族所有之地，是歷代越南國力擴張所產生的結果，在擴張的過程中，越南政府與中國漢民互為援引，當中國處於朝代更迭之際，常有漢民舉族遷徙，或因為經濟因素而播遷南方，如莫玖之開發河仙，華

---

44 有關越南鄉約村規可參考朱鴻林：〈20世紀初越南北寧省的村社俗例〉，《廣西民族大學學報》（哲學社會科學版）第3期（2007），頁47-53。

僑之建設會安之類，這些移民所刊勒銘刻資料與東南亞其他地區華僑所居地區相若，都是華人撰寫華人的碑銘，如會安、堤岸等地大量的會館銘刻以及義塚碑誌，對於研究華人的遷徙、華僑的生活，越南地區的開發等，也是非常重要的資料。甚至於因為這些銘刻的時代較晚，華僑的遷徙已經牽涉到整個世界殖民開發的歷程，對於當時廢除黑奴制度之後的苦力貿易，會館之銘刻內容可以提供相當豐富的資料，這也使得越南的銘刻資料可以突破僅為越南本地區或僅能延展至與中國相互關係的界限，將越南銘刻的價值向上提昇。

六、結論

資料是歷史研究重要的核心，金石資料無論是在西方還是在中國都有著與一般易損毀資料不一樣的功能，中國的金石學發展的時間久遠，綿延至今在歷史研究上具有非常重要的價值，這種金石的記載習慣同樣影響到周邊的民族與國家，在我們習稱的儒家文化圈或漢字文化圈中的朝鮮、日本與越南，也同樣有著漢文漢式的金石記載，本文以越南銘刻資料對於越南歷史的研究做一簡單的介紹。透過對於越南銘刻資料的現況，及對越南銘刻資料的定位，說明越南銘刻在時空間的特殊性質，在不同的時代，銘刻的內容也有著不一樣的面貌，而這些始自於當是時的銘刻記載，也同樣反應著時代對於銘刻所產生的制約，進而透露出一個時代的特殊面貌。如以喃文發展狀況為例，喃文的出現迄今仍無確切的說法，有人認為在北屬時期，即有如今日粵文之標音字的使用；若從碑誌上看，李陳朝

已有部分個別的喃字出現，然而全部以喃字刊刻的碑誌，則根據阮氏香《喃文銘文資料初考》一文中的研究，如下表：

喃文碑誌數量表

朝代	年代	數量	總計	比例%
黎初（1428 年-1527）	洪德	1	1	0.96
黎中興（1531-1789）	慶德	1	23	22.12
	盛德	2		
	正和	5		
	永盛	3		
	永慶	3		
	景興	9		
阮朝（1802-1945）	成泰	2	68	65.38
	維新	7		
	啟定	14		
	保大	33		
未確定年代		12	12	11.54
總計			104	100

（資料來源：阮氏香《喃文銘文資料初考》，喃文國際研討會，順化 2006 年。）

從表格資料中可知全喃文碑誌出現在黎聖宗洪德年間（1470-1497），近 100 年的時間，僅有一通全喃文碑；黎中興258 年間有 23 通，約平均 11 年有 1 通碑；阮朝 143 年有 68 通碑誌，約 2 年有 1 通碑誌。就越南碑誌 11,651-20,000 的總數來看，全喃文碑誌僅有不到 1/1000 的比例；如此，又可見漢文與漢喃文仍是越南碑誌重要的記載方式。這對於自李聖宗天贶寶象二年（神武元年，1069）即「自帝其國」，黎利又於明宣宗宣德三年（1428）擊退明軍，迫使明朝退出在越南的統治，再次確立脫離中國直接統治的越南政權來說，自 9 世紀開始，即有極大的空間可以發展出與日本相似的文字系統，但是似乎即

便是社會上的一般民眾，仍然使用漢文，僅間雜一些喃字的使用。這種文化的發展情態，使得越南在歷史發展過程中，與中國產生了更多的聯繫。

根據阮氏香的資料，又可繪圖如下：

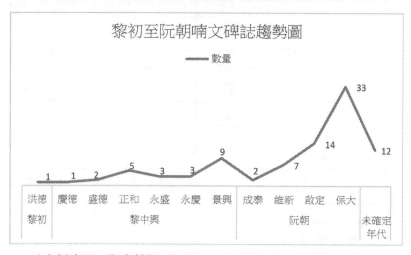

（資料來源：作者據阮氏香《喃文銘文資料初考》繪成）

由此表可以看出一種有趣的趨勢，每一個朝代喃文碑誌都從「少」逐漸增加，至朝代末年達到高峰。由於喃文的使用基本上比較接近本土性，這樣反覆的發展趨勢，應該有一合宜的解釋，以說明此一歷史現象，這合宜的解釋或許就是我們重新認識越南歷史文化的新切入點。如果將其平均數算出，比例大致如下：

年號	洪德	慶德	盛德	正和	永盛	永慶
年數	28	4	5	26	15	4
碑數	1	1	2	5	3	3
平均	0.04	0.25	0.4	0.19	0.2	0.75

年號	景興	成泰	維新	啟定	保大
年數	38	19	10	10	20
碑數	9	2	7	14	33
平均	0.24	0.10	0.7	1.4	1.65

很明顯，喃文碑誌從後黎朝至阮朝都呈現出不顯著，即便如此，在放大比例之後，仍可以看出喃文碑誌的趨勢圖如下：

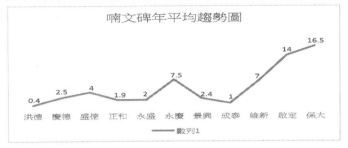

若比較兩者，可如下圖：

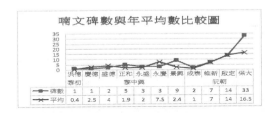

基本上，整體的趨勢線由低而高，走向相同；然而黎中興有兩個高峰，以碑數論，峰點在正和與景興年間；然以年平均來看，分別在盛德與永慶年間，這些峰點與歷史的發展是否有所關連？也是可以持續進行研究的方向。

就越南銘刻的內容來看，在北部地區是漢喃銘刻最大量出現的地方。這個區域因為與中國大陸大西南地區的相連，無論

在民族、政治、經濟、文化上都有共通性，使得這批資料也同樣反映著越南北方明顯的漢越型文化特色，對於研究越南本身歷史的發展，地區文化的內涵以及與中國之間的相互涵融關係，都具有非常重要的價值。

　　越南的南部地區漢喃銘刻資料僅佔漢喃銘刻的 5%，但是由於時代趨近於近現代，正可以與地理大發現之後世界進入資本主義社會的時代連結，華僑或華人在苦力貿易的峰頭上扮演著非常吃重的角色，來到異地的華僑們，常以會館、祠廟、義塚作為聯繫、流傳文化的重要手段，這些也都呈現在 5%的漢喃銘刻之中，由這些銘刻資料，不僅可以探討華僑、華人的移民過程，生活型態，更可以與世界歷史結合起來，使越南銘刻可以突破僅為越南本地區或僅能延展至與中國相互關係的界限，將越南銘刻的價值向上提昇。

●後記：本文由兩篇文章整合而成，〈越南銘刻與越南歷史研究〉原發表於韓國交通大學主辦之「2014 年國際交流學術大會」(2014)，後收入《止善》第十六期（臺中霧峰），頁 3-18；《越南碑誌研究舉隅》一文則發表於 2016 年臺灣中正大學中國文學系主辦之「文獻與進路：越南漢學工作坊」。

越南會安華人會館碑文

阮黃申（Nguyễn Hoàng Thân）*

摘要

　　今日的會安，華人會館為會安文化遺產其中的一部分，並且實施建築多功能性，對於以前的華人社群有特別重要的意義。各會館都以漢字刻為紀念碑。此碑文助於現代的讀者對會安華人的歷史更多的瞭解，以及對研究者僅有文獻參考的價值。此文章對於會安華人各會館的碑文分成兩個研究方向為，一、碑文版本，二、資料價值。其中，關於會安各會館的遺跡、神蹟及華人社群的史料之價值分析，並且筆者將以上所研究的議題與胡志明市華會館人碑文的史料做比較。本文章研究目的為呈現目前在越南會安與胡志明市的漢字碑文的史料價值。讓更多研究者對越南華人在不同地區瞭解的深意及特色。

關鍵詞 文碑、會館、華人、會安、遺跡

* 〔越〕峴港師範大學人文與社會科學研究中心主任。

一、前言

在 17 世紀中期有很多原因引起使華人生活為社群性，其中有關政治方面僅有「反清復明」之活動，「明祚既遷，心不肯二，遂隱其官銜名字，避地而南至，則會唐人，在南者冠，以明字存國號」（按會安明鄉社萃先堂的 1908 年碑文）。華人從中國陸續來會安定區，成為社群之生活。在越南無論是會安或其他的地方，華人社群建起多功能的會館為行政、信仰、教育文化、相濟等性能。在初次動土蓋會館或是再次維修，他們都會將事件刻於石碑上作爲紀念。

越南會安華人會館的碑文資料為多元、服務的目的居多，且得到重視及開拓等價值，不過主要從個別做為單一「工具」研究之語料，而缺少統一、完整及廣泛的研究。

二、會安華人會館碑文版本學特點略述

會安市共有 5 間會館為福建、廣肇、瓊府、潮州及中華等會館。各會館都有碑文，其中主要是整修會館的碑文。每一家會館的碑文數量也不一樣、多多少少亦有不同的差異。在田野調查的過程中，我們統計會安華人會館共有 28 個文碑並散布為：

館名	碑文名	年代	尺寸[1]（cm）	行數
福建（3 個）	福建會館乾龍丁丑碑[2]	1757	79 x 47	8
	接修拜亭	1900	70 x 52	4
	本會館重修及增建前門碑記	1974	152 x187	50

1　縱 x 橫。

2　標題由筆者補充、起名。

廣肇 (8個)	會安廣肇會館重修簡誌	1953	102 x 91	33	
	本會館重修簡誌	1971	110 x 90	35	
	美國會安同僑贊助重修會安廣肇會館萬善堂經費[3]	1999	108 x 67	24*	
	倡建廣肇會館碑石（1）[4]	/	132 x 88	31	
	倡建廣肇會館碑石（2）[5]	/	129 x 86	31	
	倡建廣肇會館碑石（3）[6]	/	126 x 85	29	
	茲將海內外各界鄉親捐助重修會館[7]（1）[8]	1992	106 x 62	36*	
	茲將海內外各界鄉親捐助重修會館（2）[9]	1992	104 x 62	38*	
瓊府 (4個)	瓊府會館碑記	1902	160 x 3040	90	
	旅越會安瓊府會館碑記	1974	140x1802	60	
	一九七五年後旅外同鄉捐助修葺會館善長芳名錄[10]	/	68 x 48	15	
	昭應公事簡略界	/	?	18	
潮州 (5個)	福緣善慶	1852	143 x 107	32	
	潮州會館重建碑記	1887	114 x 111	35	
	會安潮州會館重修碑記	1970	105 x 207	61	
	會安潮州會館重修落成碑記	1995	126 x 170		
	潮州會館陳亮合[11]	1887	74 x 43		
中華 (8個)	天厚聖母史略簡介	/			
	正新建天厚聖母龕座簡誌	/			
	洋商會館公議條例	1741	137 x 71	20	
	重修頭門埠頭碑記	1855	130 x 84	33	
	孫公中山遺囑	1927	?	26	
	重修會安中華會館碑記 （A）（B）	1928	149 x 85		
	旅美會安同僑重修中華會館[12]	1995	125 x 77	26	
	會安中華會館重修簡誌	1995	125 x 77	17	

---

3 從此以下，簡稱 為《廣肇美國會安同僑重修萬善堂》。
4 （1）號由筆者加註。
5 （2）號由筆者加註。
6 （3）號由筆者加註。
7 從此以下，簡稱 為 《廣肇海內外重修會館》。
8 （1）號由筆者加註。
9 （2）號由筆者加註。
10 從此以下，簡稱為《瓊府旅外修葺會館》。
11 標題由筆者補充、起名。
12 標題由筆者補充、起名。

　　會安華人會館遺跡的碑文幾乎以墙上掛式為主，沒有各別立碑文祠堂。五間會館中僅有 28 個碑文，卻只有廣肇會館的 2 個碑文位於遺跡庭院前的水泥陛上。這些碑文常被統一集中處於同一個地區，無論是參觀還是研究都很方便的。

　　除了 2 個《照應公事簡略介》與《孫公中山遺囑》的碑文用水泥做的，其遺跡的墙上掛式的面積都很大，每個字的尺寸平均要 10cm x 10 cm， 及兩張牌位用木板刻的以外，會安華人會館碑文就刻在石頭上。早期的碑文常被刻在灰黑色的泥石（沙石?）上，使碑文擁有一種古董的風格，有一些隨著時間已經被風化、剝落、看不清楚了〔圖 1〕。古碑文刻在錦石（玉石）上，在越南和廣南峴港著名的一種石類，使碑文擁有新鮮的風貌、碑字深厚、清楚〔圖 2〕。

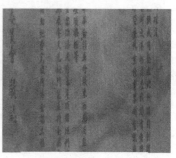

〔圖 1〕　　　　　　　　　　〔圖 2〕

　　每個碑文的結構、尺寸大小不同與會安其他碑文如關聖廟、萃先堂等的文碑這麼寬大。有一些會安華人會館文碑要用從 2 至 5 片石頭拼湊起構成一片完整的文碑，如：《會安潮州會館重修碑記》碑文為 2 片石頭〔圖 3〕，《旅越會安瓊府會館碑記》碑

文為 3 片石頭〔圖 4〕，《瓊府會館碑記》碑文為 5 片石頭拼起來〔圖 5〕。因為，幾乎所有碑文都以牆上掛式為主，所以不清楚每個碑文的厚度是多少，可猜是大約 15cm（那是依牆上掛式標準的厚度最少為 15 公分）。

〔圖3〕

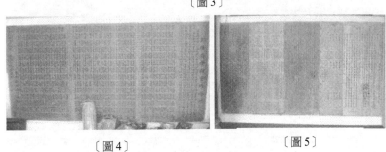

〔圖4〕　　　　　　　　〔圖5〕

會安華人會館碑文大部分以牆上掛式為主，因此碑文只有直立長方形碑板（碑身）而無碑頂、碑帽、碑耳及碑腳，亦無裝飾。但部分碑文有碑頂、碑帽、碑柱、欄板及圍板等，如《福建會館乾隆丁丑碑》碑、3 個《倡建廣肇會館碑石（1）（2）（3）》等，此碑文無雕塑。最普遍式就將碑文掛在牆上之後，碑文的周圍用水泥畫邊界為三線〔圖 6〕，就成為碑文的外圍，在邊

〔圖6〕

線框框內為刻碑文的內容，如：《本會館重修簡誌》（廣肇會館）、《會安廣肇會館重修簡誌》、《瓊府會館碑記》等碑文。除外，也有一些文碑會有雕塑，常見為兩龍朝月、菊花「攀緣莖」、「T」字道路邊緣〔圖7〕、「S」字道路邊緣等似《重修會安中華會館碑記》碑文〔圖 8〕。甚至，有《本會館重修及增建前門碑記》（福建會館）在畫碑文外圍的邊線時，他們已經爭取做裝置以上剛提到的「S」字道路邊線。

〔圖7〕

〔圖8〕

會安華人會館碑文的文本標題也不統一。有些碑文有標題，有的碑文無標題。對有文本標題的碑文種類，也出現 2 類：一樣是由右至左橫式的文本標題；一樣是在碑文的右邊由上至下縱式的文本標題。橫式的文本標題與碑文內容全文異同，易認得出來，比如：《福緣善慶》、《重修頭門阜頭碑記》、《倡建廣肇會館碑石》等碑文。不過，縱式之類的文本標題形式上又有一些差異：一為獨立一行，文字尺寸較大，如《本會館重修簡誌》、《旅越會安瓊府會館碑記》、《重修會安中華會館碑記》；二為

全文字體尺寸與其他排列是一樣的，如《瓊府會館碑記》碑文。

　　會安華人會館碑文皆用楷體字來雕刻，所以很容易地看讀。只有獨一《洋商會館公議條例》碑的標題被用篆體字來雕刻〔圖9〕。碑文文字的雕刻都遵守漢喃版本學的規定，什麼間隔的書寫、擡高的書寫、尊稱、謙稱等都有。對於有 1945 年之前的年代的碑文，諱忌的規定遵守很嚴密；而對於 1945 年之後的年代的文碑的諱忌又掠過。在會安華人會館碑文中的諱忌文字是：時（指嗣德皇帝的名字）、花（指紹治皇帝的母親的胡氏花名字）等。

〔圖9〕

　　在這地方的碑文年代最早是永祐年代（1741）。一些在現代時候中豎立的文碑常以中華國慶（10 月 10 日）為豎立文碑的時間以及表示民族（華僑）精神的神聖意義。這兒也跟越南觀念一樣，越南人常對於國家重點的各個工程以國慶日（9 月 2 日）為動工起建或者落成的時刻。

三、會安華人會館碑文的價值資料

（一）關於各個會館遺跡本身的史料

1.會館歷史略述

　　一些碑文，在前頭部分中，已經描述關於其會館歷史的內容，如《重修會安中華會館碑記》碑，記載：

原文：中華會館，古洋商會館也。今只顏之日中華，示不忘祖耳！夷攷會安一埠為廣南重鎮，前屬占城，後歸越南。日趨繁盛，竟成通商口岸南渡。華僑首推江浙而閩粵次之。風帆往來及館斯土。當朱明失守，抱首陽采薇之慨者，亦接武而來，衣冠聚會，競門繁華館之，所以著名也。

《本會館重修及增建前門碑記》碑（福建會館）、《會館重修碑記》碑（瓊府會館）也有前頭文段對會館的歷史敍述出來。

> 溯，吾會館創立於康熙年間，距今已垂二百七十餘載。最初，丕基祇編茅為廟，供奉天后聖母，顏曰金山寺。歷經六十餘年因茅廟難以久持，遂於乾隆丁丑年公元一七五七年，同人釀資興建瓦廟，再名為閩蒼會館。

2.重修會館的理由與目的陳述

第一理由，普遍的常是氣候、風氣的理由使得對建築工程有影響。例如1：

> 因建築年代久遠，迭經風雨侵蝕，難保器材之不朽。故歷代均有重修，雖有碑誌記惜其史，寔未能集中一處致有東覽、西閱之勞。[13]

例如2：

> 第因閱世既久，風雨侵蝕，棟梁壁墙則多頹壞。于民國五十二年秋，館之西廊竟因之而傾倒，乃集幫僑會議並即成立重修委員會，進行籌備工作。[14]

有一些碑文卻提到狹小、窄鰲鰲的舊會館要除舊更新的內容，如

---

[13] 《會安中華會館重修簡誌》碑文。
[14] 《會安廣肇會館重修簡誌》碑文。

《潮州會館重建碑記》碑記載：「因廟宇卑陋狹隘，革舊鼎新，增其舊制堂環，山水機動，魚躍鳶飛」。[15]

在風雨、時間等方面之外，《會安潮州會館重修碑記》碑在前頭段落中還有提出對文碑有影響的戰爭煙火的理由：「惜，因建築年遠，迭經風雨侵蝕，後遭炮火擊傷，以致全座頹殘破壞，幾有傾塌之虞」。[16]

《本會館重修簡誌》碑（廣肇會館）除了指出風雨對建築工程弄壞的通例的理由之外，還要強調有切實性與意義的另一個目的：「更為堪虞，倘不及時，設想恐將難善其後」。[17]

相似，《本會館重修及增建前門碑記》碑（福建會館）也表示：「嘗聞：守望相助，貴乎合作無間；聯絡鄉情務宜時相團，敘此會館之設所由來也」。[18]

《旅越會安瓊府會館重修碑記》碑也有與以上所說的相同的內容：「竊以，鄉會館之於海外，既可聚首叭話鄉情，又可集思叭策鄉益意之深旨之宏，誠無可復加焉」。[19]

除了提出重修會館的理由、目的的碑文之外，也有立碑的理由及目的：「噫！文明時代，克[20]碑義務君不已繼前矩而有光歟？昔賢所云：美彰盛傳，殆斯之謂矣。猥，濫竽瓊館董事者不以樗材見葉屬書其事於石，爰略舉其梗概云耳安得後視」。[21]

---

15 《潮州會館重建碑記》碑文。
16 《會安潮州會館重修碑記》碑文。
17 《本會館重修簡誌》碑文。
18 《本會館重修及增建前門碑記》碑文。
19 《旅越會安瓊府會館重修碑記》碑文。
20 要是「刻」。
21 《重修會安中華會館碑記》碑文。

會安華人會館碑文還有特色的特點，與越南一般碑文的特點有些不同。這是，其碑文還有給大眾了解這遺跡歷史，因爲會安是一個在越南為世界上人們最喜愛的旅遊城市：「歷代重修事略刪繁就簡，彙誌於后，俾易於一目了然聊供遊覽者之資料」。[22]

3.重修過程、結果描述

《會安中華會館重修簡誌》碑文，如它的標題名字，已「略記各次重修，在左邊記下來」，[23]經過 8 個不同的時間。第一次，1855 年，重修大門、船渡。第二次重修，1891 年，對各個匾額再一次雕刻下去。第三次重修，1928 年，把〈洋商會館〉名字改爲〈中華會館〉名字，並修築東邊西邊廊，以及樹立鉄柱。第四次重修，1958 年，對天后宮全部重新塗漆與修改門、窗、屋頂、牆垣等等。第五次重修，1970 年，更換天后宮部分主樑大柱，全面換新的石磚，刷新的油漆及修葺屋頂、墙垣、門窗等。第六次重修，1993 年，重建天后宮正殿神龕，及修葺東西廊，並將全部重新油漆。第七次重修，1994 年，會館後園圍牆全部重修。第八次重修，1995 年，由五幫會館及禮義學校董事會補助經費完成内外全部工程。

或者，《會館重修碑記》碑文（瓊府會館）使用 2 篇段文章來陳述重修過程及得到的結果。第一篇敘述準備的過程：「因是乃于辛亥年春，成立本委會籌資籌劃籌工作，幸承遐邇同鄉慨解義囊熱烈支助」，另一篇提到重修的結果：「經三載，工程舘宇

---

22 《會安中華會館重修簡誌》碑文。
23 《會安中華會館重修簡誌》碑文。

始告重光，而得以綿續千秋。」[24]

相似，一個別的碑文也使用 3 個文段來體現如以上所陳述的內容。一段是：「丁卯春，公推工商十人董其事捐貲增修大廠、前基」。[25]接一段是：「適乎今尤不謬乎古，議事有廳，書報有室，而有舉莫發之禮數無不具且也。」[26]第三段描述重修過程及其得到結果：「舘後闢公園、栽花樹木，以備選勝行樂所集思廣益浸淫人心目間斯舘蓋有取焉。」。[27]

（二）關於神跡史料

在 5 座會安華人會館中，就有 2 座會館有 2 個關於會館中各神位神跡簡介的碑文。這是中華會館敬謹地記述天后聖母的神跡和瓊府會館敬謹地記述 108 位照應義烈英靈的神跡。即使，這些神跡已被在書籍、《大青會典事例》書中記載並眾人所知，但是，此小論文也再把這些內容摘引下來使得大家對在會館中被祭祀、想念的各位神位進一步地了解，與對遺跡更全面地認識。試舉天后聖母神跡的內容：

> 天后聖母，莆田人，氏林。曾祖保吉公，五代周時為繞軍兵馬使來隱於海湄賢良港。祖福建，譚州總管孚。父惟愨公，母王氏。后誕於宋建隆元年三月二十三日而神異。年十三遇道士受元微密法，十六親井得符遂靈通變化，驅邪救世，眾號曰通賢靈女。越十三歲重九日登嵋

24 瓊府會館《會館重修碑記》碑文。
25 《重修會安中華會館記》碑文。
26 《重修會安中華會館記》碑文。
27 《重修會安中華會館記》碑文。

州嶼白日飛昇，厥後護國庇民丕顯靈跡俱祥顯聖。宋加封靈惠夫人。歷元明累封天妃，康熙敕封天后，雍正題準各省春秋置祭，乾隆迄嘉慶加封號者授例追封后父積慶公夫人。[28]

關於 108 位照應英靈神跡的內容：

昭應公者，瓊僑百八罹難義士也。清咸豐元年一八五一年六月中旬，商舶猛頭號于順京啟航作歸行間為風故，避廣義孟早港，廿一日晨得晴再程，旋遇巡者，因延其豐載，尋釁勒索，船人義憤力拒，乃縱而蹤之於遠海，逞勢盡細生沉，罹難者百有八人，誠暴行者。事後分贓燉舟，誣捏報功。越廷叭暗昧疑，密偵根由，卒獲贓證，拘兇鞠訊，真供謀財害命不諱，案白，乃誅禍撫難，足慰冤魂矣。[29]

或者，《福緣善慶》碑也有一段關於伏波將軍介述：

伏波老爺，矍爍其容，安恬其宇，名顯南洲，昭英風於日月；忠全漢室，炳勳業於丹青，功冠雲臺著，標名之銅柱。奠定海邦嶺嶠之流芳，儀型寬裕乃制節之秉政，執掌動劬而把持之衡，波恬浪靜，感鴻恩於靡既民安物阜，叨錫福以無疆，超然功德播於海內，潭恩深於嶺表矣。[30]

（三）關於在會安的華人共同的史料

---

28 《天后聖母史略簡介》碑文。
29 《昭應公事簡略界》碑文。
30 《福緣善慶》碑文。

第一，是關於在會安的華人遷移與聚集的過程的史料：「當朱明失守，抱首陽采薇慨者，亦接武而來[此地]」，「前朝曷勝於邑，僑 胞有感乎此」。[31]

第二，此碑文已讓我們了解華人善於在各個地方做生意、交商等似《瓊府會館碑記》碑文有記載：瓊人之通商歐亞往來」，生意不但興隆、財源廣進曰：「眾商來往越南国貿易得逢盛世之秋隙爾，昇平之候」（《福緣善慶》），而且「我潮商賈梯山航海被化蒙庥」。[32]

如以上所述，華人幾乎靠海運生意，由此他們在各地都會設立華人會館以互相幫助、相濟為主。如此的商會組織會統一管理，無論對人事務方面較好管理及處置。從此原因會安華人已經「設立」交約之文本。這是《洋商會館公議條例》碑文的內容。其文本包括十個公議條款。主要條文為：一、規定奉供廟的銀錢數量，二、規定成立會館的公積金，三、規定船渡的船費，四、規定在會館留住的客人（華人），五和四內容類似、另補充規定死恤，六、規定對棍徒處置，七、規定婚姻戶籍，八、規定會館公積金守存，九、規定對在會館中使用的贈物與購物編記，十、規定會舘理事職責及任務。以上的條款被認為：「以上數款尚慎斿哉」以便「存公道明是非, 息爭訟」。[33]

第三，在會安的華人共同重視以上所說的國慶日（10 月 10 日）並常取用中華民國年號。同時，他們也對孫公中山領袖很尊崇。所以，在中華會館中，華人共同于中華民國十六年（1927

---

31 《重修會安中華會館碑記》碑文。

32 《潮州會館重建碑記》碑文。

33 《洋商會館公議條例》碑文。

年），用水泥來造成一個在其會館後園的大牆壁上「敬鑴」孫中山遺囑的「文碑」。其碑文的內容是：「余致力國民革命，凡四十年，其目的在求中國之自由平等。積四十年之經驗，深知欲達到此目的，必須喚起民眾，及聯合世界上以平等待我之民族，共同奮鬥。現在革命尚未成功。凡我同志，務須依照余所著《建國方略》、《建國大綱》、《三民主義》及《第一次全國代表大會宣言》，繼續努力，以求貫徹。最近主張開國民會議及廢除不平等條約，尤須於最短期間，促其實現。是所至囑」。[34]

第四，通過此碑文我們可以進一步暸解會安會館與其他會館社群有密切的關係似堤岸、峴港、順化、新洲、廣義等華人社群。這些內容，《會安廣肇會館重修簡誌》碑有了記載。

第五，會安華人社群在不同原因及時間之下，他們漸漸移民到美國及其他國家。目前會安的華僑移民到美國的數量居多。如《旅美會安同僑重修中華會館》碑文記述了 77 位華人在美國定居功德金為 13850 美元；《美國會安同僑贊助重修廣肇會館萬善堂經費》碑文共 45 位；《廣肇海內外重修會館》碑文另有 47 位（其中此碑文另有記載瑞士、澳大利亞、加拿大、臺灣、香港等各一位在各地定居的會安華人）；《瓊府旅外修葺會館》碑文記述了 23 位在美國定區的功德（此碑文另記載 5 位在德國定居，1位在西德，1 位在香港，2 位在馬六甲的會安華人的功德。）。

除了以上所陳述的史料之外，會安華人會館的碑文未提到會安華人社群相關之資料。研究者想進一步更完整地了解會安華人社群，就要從明鄉社萃先堂或者其他遺跡的碑文著手，亦是會安

---

[34] 《孫公中山遺囑》碑文。

華人所創的碑文作為參考。

四、會安華人會館碑文與胡志明市華人會館碑文的同異

（一）會安與胡志明市華人會館碑文的相同處

關於碑文的形式，二個地方會館的碑文主要是牆上掛式的碑文，尺寸為中小型的（也有面積大的碑文，採用幾片小的石頭湊拼而成），花紋、裝置也很簡單，紋理少，碑文的邊邊主要是用水泥修邊，這樣「三級」幾綫。

關於碑文的年代，兩地的會館碑文與同區或全國的其他碑文年代相比是很後期的，主要是十九世紀末到二十世紀。

關於碑文作者，兩地的會館碑文常沒重視作者、程度、官銜、身份、事業等方面。有一些碑文只由本會館中的人編撰而不是大中科的人，反而北方碑文作者是大中科的人。

關於碑文內容，兩地的會館碑文的內容出現一樣的問題似用詞簡短，缺少修辭、潤筆、典故不多，還有詞彙及文法比較偏於近現代及口語的漢文。此外，碑文陳述會館建立、維修的過程很簡略。若從碑文內容進行研究那麼資料極少，不容易搜集到更詳細的資料來證明華人社群經歷及發展的整個過程。

（二）會安與胡志明市華人會館碑文的相異

胡志明市共有 11 間會館，所以在胡志明市的各會館的文碑數量比在會安會館文碑數量多得很。胡志明市的會館共有 49 文本單

位，會安會館只有 28 文本單位。

胡志明會館的碑文數量比會安來得多，可視無論是碑文的內容還是立碑工作都比會安來得豐富多彩。

會安華人會館文碑的石片的種類或者質料比胡志明市華人會館文碑的石片的更好。會安華人會館碑文主要採用錦石（玉石）來刻制，其中石類及品質比起胡志明會館來得好。胡志明會館結合水泥及碎石來做的碑文。

會安華人會館碑文比胡志明市華人會館碑文早期。會安華人會館碑文的最早年代是 1741 年（《洋商會館公議條例》），胡志明市華人會館碑文最早為 1830 年（《重修慧誠會館碑記》）。

五、結語

綜合上述，是會安華人會館碑文研究的結果。這些研究結果可以給大家有了關於在會安華人會館碑文及其在會安華人社群全面的視野，同時可以看到會安華人會館碑文與胡志明市華人會館碑文的相同及差異。

越南胡志明市漢文碑刻中的華越佛教

范玉紅（Phạm Ngọc Hường）*

摘要

　　西元初年，佛教已傳入越南。藉由許多不同的方式，佛教已滲入越南南方西貢－嘉定（今胡志明市）地區人們的生活，在社會文化中佔有重要地位。越人、華人與其他不同民族之間的佛教信仰相互交流，使這裡的佛教獨樹一格。由此可知，胡志明市是越南國內有最多寺院、庵廟的城市。許多寺院、庵廟裡仍存著不少的漢字碑刻，記載著關於寺廟內住持祖師的言行小傳、讚美弘揚佛法的詩偈、寺廟發展的過程、善男信女的功德捐贈或信仰活動等。在這篇文章中，筆者藉由胡志明市碑刻中的漢文資料，了解關於胡志明市越人、華人的佛教信仰的相互影響及其發展過程。藉由這樣的方式，可更了解胡志明市居民的生活、社會文化中佛教信仰的地位與影響。

關鍵詞　佛教、信仰、碑刻、漢字、越人、華人

---

*　〔越〕越南社會科學翰林院所屬南部社會科學所研究員。

一、前言

　　佛教起源於遠古印度迦毘羅衛國（今尼泊爾境內）的太子悉達多・喬達摩（古譯：瞿曇，佛號釋迦牟尼佛）。在大約西元前六世紀，悉達多・喬達摩對弟子開示及教導，後來才發展成宗教。佛教後來廣泛地影響東亞、中亞、東南亞和南亞地區。大約在公元一世紀，佛教傳入越南。當時，印度僧侶到中國宣揚佛教，先到了越南，然後才進入中國。中國僧侶去印度取經，經常走從廣西到越南的這條路，再沿著越南海路到柬埔寨和緬甸，然後才到印度，但有時候他們從廣西到越南，會穿過老撾境內再來東印。因此，越南成為中國和印度之間佛教交流史上重要的中轉站。因為如此，佛教在越南社會文化中已佔有一席之地：「（佛教）對越南知識界至十五世紀的宗教與知識進程具有重大影響，當孔教被統治者承認作為其權利的知識基礎」。[1]這兩千多年來，佛教影響、接受、繼承甚至融入越南文化，並與其緊密相連，影響民族的形成與發展。換而言之，佛教已融入並成為越南民族文化中不可缺少的精神糧食。

　　可以說，胡志明市是越南國內最大的佛教勝地，且其信仰具多樣性，是一個豐富多彩的城市。在這地方包容了來自不同地方的民族，如越族、華族、高棉族等。他們之間的宗教思

---

[1] AdrianodiSt.Thecla, *Luận về các phái của người Trung Hoa và đàng ngoài*, （越南：世界出版社，2017）頁82。（原文："Đó là dòng chảy tri thức và tôn giáo có ảnh hưởng lớn đối với giới có học ở Việt Nam cho đến thế kỷ XV, khi Khổng giáo được các nhà cai trị thừa nhận như cơ sở tri thức cho quyền lực của họ"）。

想，信仰的相互交融，使得胡志明市佛教信仰有著特殊的色彩。奉佛是越人和華人最大信仰，所以在胡志明市奉佛的寺廟非常多。寺廟裡保存著許多關於祖師、住持的事跡言行、寺院的起源、蓋佛寺及其修建紀錄、各宗教信仰的活動、善男信女的捐助、讚美弘揚佛法的詩偈等漢文碑刻。這些均有助於了解佛寺歷史、信仰過程以及越人華人之間佛教互相交流影響的價值資料。在這發展過程當中，越人與華人相互影響，他們之間的交流已促進雙方文化信仰中的知識合一。佛教本身帶有深刻的人文價值，成為部分人民的精神支柱，佛教的道德規範會影響人們部分的行為與人格。

二、胡志明市漢文碑刻中的越華佛教探討

（一）反映祖師、住持言行小傳的漢文碑刻

　　越人華人移居到南方開墾荒地時，也一併帶來了自己的信仰。在越華居民的信仰生活中，有著豐富多樣的信奉形式，但在這裡佛教仍是越人華人的主要信仰。從十七世紀開始，明香華人漸漸移居到越南南部，經歷長久生活習慣磨合，已逐漸被同化。在西貢許多的佛教寺廟，因明香華人的移入，所以很早就被建立了。然而這些寺廟，經歷過長久時間以及其越人的影響，開始融入越南的社會文化，漸漸就成了越人的寺廟。後來的清河華人來到越南南部所建立了不同的寺廟，主要成立於十九世紀末二十世紀初。這階段華人所成立的寺廟代表有：華嚴講寺，南普陀寺，萬佛寺，義安會館，穗城會館等寺。華人寺

廟具有佛教老教祭祀形式的文化融合。十九世紀末二十世紀初，華人在越南西貢所建立的獨特祀奉形式的寺廟。

　　越南人所建立的古剎時間較早，這些古剎至今仍是西貢地區的名勝古蹟，代表有覺林、覺圓、凱祥、隆盛等。這些古剎尚留著漢文碑刻，而祖師住持墓塔碑，更是記載了禪師的小傳記以及弘揚佛法的詩偈，均是有價值的資料，有助於吾等更深入地了解越南南方佛教的形成與發展。覺林寺被視為越南南部古剎的經典，是臨濟宗派的祖庭。臨濟宗派由中國唐臨濟義玄（？-866）禪師所創立。據鄭懷德在《嘉定城通志》對於覺林寺的稱讚，其云：

> 覺林寺在錦山岡，距半壁壘之西三里。其岡於百里平原，金堆突起，倚屏戴笠開帳鋪氈，廣三里，喬木成林，山花織錦，晨晨煙霞薰騰繚繞，雖小而趣。世宗甲子七年春，明香社人李瑞隆捐資開建，寺宇莊嚴，禪宮幽寂。詩人，遊客於清明，重九閒之日，三五為群，開瓊筵以坐花，飛羽觴而聯句。[2]

覺林寺的祖師為圓光禪師，於 1774 年擔任住持。禪師是在胡志明市南部傳播弘法的第一人。圓光和尚的塔墓刻著：「臨濟宗第三十六世祖宗圓光和尚之塔」。臨濟宗禪宗南宗是五個主要流派之一，與曹洞宗是禪宗的兩個主要流派。在胡志明市歷史悠久的塔墓幾乎都刻著臨濟宗三個字，而南部地區的禪師大多是修學此派。圓光禪師塔碑是西貢佛教至今仍保留著最古老最優美的塔碑。關於圓光禪師的小傳，據《大南列傳前編》卷

2　鄭懷德：《嘉定城通志》卷六城池篇。

之六所記錄：

> 圓光老和尚臨濟正派三十六世也，密行堅持，歷童年至
> 犁老，日加精進。性愛煙霞，城市誼鬧，足迹罕至，飛
> 錫覺林寺。山中息煩惱，林下出伽藍。嘉隆十五年，大
> 開戒壇，善男信女，皈依益眾。寺在嘉定錦山崗，距半
> 壁壘西三里。[3]

小時候，圓光禪師曾與鄭懷德於同奈省大覺寺見過面。後來，
當鄭懷德擔任嘉定總鎮的時候，兩人在覺林寺又再次見面。鄭
懷德作一首《五言古調詩云》詩贈圓光和尚。詩曰：

> 「憶昔太平辰，鹿洞方盛美。釋迦教興崇，林外祖富
> 貴。我為燒香童，師作持戒士。雖外分青黃，若默契心
> 志。」。[4]

如果說，圓光禪師是越南南部弘揚佛法的第一人；那麼海靜禪
師又對南部佛教傳播弘揚事宜居功至偉。海靜禪師是一個博學
多才的僧人。於 1822 年，明命帝邀請海靜禪師到順化擔任天
姥寺住持，並封贈僧剛一職。之後，禪師搬到覺圓寺並擔任其
住持。覺圓寺是西貢－嘉定地區非常有名的寺廟，約莫建於
1798 年。剛創立時只是一個小庵子，位於蒼蒼蓮沼的旁邊，也
是鄭懷德常來觀光的地方。鄭懷德作《蓮沼眠鷗》這首詩讚詠
此地的美景，而此詩收錄於《艮齊詩集》當中。

　　覺圓寺是這裡民居奉佛信仰地方之外，還是十九世紀末西
貢－嘉定地區文人應賦詩詞的地方，第三十六世臨濟宗派的海

---

[3] 阮朝國使館：《大南列傳前編》卷6，頁26。

[4] Nguyễn Liên Phong, *Nam Kỳ phong tục nhân vật diễn ca* (1909) (印在這本書上)

靜禪師正是創造該中心的僧人。海靜禪師曾舉辦過許多應賦
課，吸引各個地方的僧侶來修習。因此，覺圓寺成為越南南圻
六省應賦課中心，南方的佛教徒和人民均知道覺圓寺的應賦諸
僧，為此而有了應賦課，更導致覺圓寺的興盛，四方都皈依受
戒。海靜禪師對於培訓諸僧與傳法居功甚偉，至今許多寺院仍
然祭祀海靜禪師的牌位。海靜禪師圓寂於 1875 年，寺內的塔
墓碑記錄著：「臨濟宗第三十七世先覺海淨和尚之塔」。

　　至第三十八世，覺圓寺就由宏恩明謙和尚擔任住持。這個
時候，覺圓寺除了是拜佛信仰教法的地方，亦是重刻印刷寶貴
佛經的地方。《長行》佛經已被譯成喃字，並在這裡刻印印
刷，至今覺圓寺尚存著此部的木刻佛經。覺圓寺亦是《六和佛
學》學校，所屬越南六和僧教會，培訓僧侶，之後服務於全南
部的寺院。這裡尚存幾十位歷代祖師的塔墓碑，該塔墓碑主要
建築於十九世紀末二十世紀初，在每個塔墓碑上，都記載著關
於佛教哲理與讚美弘揚佛法的漢字詩偈，弘義如防和尚的塔墓
碑可以作為代表，刻曰：「奉爲嗣濟家譜三十九世上弘下義諱
如防和尚覺靈之塔」。塔墓碑上，除了刻載詩偈以外，還雕刻著
法越風格交織的花紋。弘義如防和尚的塔墓可以說是南部地區最
美的塔墓。弘義如防和尚七歲時已在覺圓寺出家，如防是一位努
力修習道義並戒律甚嚴的禪師，在覺圓寺的修學時間，他著重於
傳播佛法和擴建重修禪寺。1929 年時禪師圓寂，眾僧與信徒們
感到非常痛惜，並撰寫悼詞刻在石碑上：「憶昔慈父兮 大悲願
力降質娑婆 現童真而入道 秉正信而出家 梵行高超 時輩慈心迫
出禪和 常將法雨潤□□ 恆扇慈風涼四眾」。禪師對於越南南部
佛教傳播與培訓有著不世之功，眾僧對於禪師既敬佩又憐惜。

關於南普陀寺是華人於二十世紀初所建立的，寺裡的禪師都是從中國來此地修業曹洞宗派。曹洞宗是中國佛教禪宗五家七宗之一，由兩位禪師：洞山良价和弟子曹山本寂所創立。清禪禪師塔墓碑尚記載，曰：「本寺開山住持上宏下志 諱清禪號願西 今公大和尚靈骨之塔……傳曹洞正宗第五十世今公和尚。」清禪禪師是創立南普陀寺的人，在二十世紀初的時候，吸引了不少來自福建的僧人來修學與弘揚佛法。在禪師的塔墓碑誌所刻載，其云：

> 恩師清禪上人。祖貫福建古閩，世居連江曉澳邱民子家道，垂髫之年，怙恃先後見背，世有二兄……幼性聰穎，朝朝熏陶，日就月將，微悟三空之理。年甫弱冠，即進怡山長慶寺，禮印參和尚鬝髮出家，其[妹]亦然。駐錫念佛堂十載，清修淨土。民國二十年辱戒于怡山西禪寺，授戒得戒于[固]空和尚。曾任怡山悅眾知客首座等職 後由住持永心和尚沐來越南，弘揚佛法料理二府廟，觀音廟……興建南普陀寺。在越宏法利生二十八載……

在碑誌中所提到的觀音廟，又稱溫陵會館，主要奉祀觀世音菩薩，故稱之為觀音廟。南普陀寺內尚存 13 塊石碑，其文記載祖師小傳、讚美祖師的功德、善男信女捐資、寺廟重修活動等內容。可以說，南普陀寺已體現在胡志明市華人社會中佛教文化的色彩。

（二）反映哲學思想、弘揚佛法的漢文碑刻

　　經過幾千年的時間，仍然有越來越多人認知到佛教思想和哲理，並運用在日常生活當中。佛教哲理是慈悲善良、寬容大度，如果缺乏這些理念的人，則無法過上美好的生活。信仰信念會讓人們對於社會中更具有凝聚力，互相幫助，一起渡過艱苦時刻。從此可見，佛教在人們社會生活中的重要貢獻。在胡志明市刻記的有關這些內容並不多，主要是弘揚佛法的禪詩偈語。現在覺林寺尚存二十餘塊歷代祖師的塔墓碑，每個塔墓都刻記宗門下的悟道、解脫以及自在的禪詩偈語。覺林寺普同塔上的一首偈，其曰：

　　　　法本法無法，無法法亦法。今付無法時，法法何曾法。
這首偈語乃是釋迦牟尼佛傳法於迦葉尊者時所說，蘊含了佛法最根本的中道實相之理。「法」字具有深刻意義，佛道中所謂「法」是具有規範的，也就是佛法的基本意義。不論是任何事物都具有獨特性，所有萬物，心靈都有「法」，萬法集合起來叫一切法，又稱法戒。該「法」誰都存有，真正能覺悟到的人則與諸佛一樣，未能覺悟是眾生。換句話說佛是已覺悟的眾生，眾生是未覺悟的佛。寺院裡祖師塔墓上常刻記這首偈。

　　覺圓寺如防宏義和尚塔墓碑上還有其它代表禪詩，其曰：

　　　　德生有德兩和融，同幻同生意莫窮。同住同修成解脫，
　　　　同悲同智顯靈功。同緣 同想心寔契，同見同和道轉
　　　　通。若要一生成佛果，毗盧樓閣在南中。

　　覺圓寺宏恩明謙和尚塔墓的偈首，曰：

　　　　善富高彷僧，古傳潤南中。如來使者行，度眾共脫塵。
總而言之，禪詩、偈語的內容都論於禪宗哲理、觀念或禪學課題。有時談到佛法的高超智慧，教化救渡眾生脫離苦厄，有時

又讚美家鄉，人類生活融入自然風景帶著塵世意味的詩歌。根據佛教哲學來看，世界萬物是相互影響、相互作用、相互聯繫的網，更是一個息息相通的整體，並認為它們只是不同的樣式而已，正是從這個哲理而來的。而許多禪詩、偈語所體現出來的人與自然之間的相容以及和諧。

寺內的漢字碑刻或塔墓碑銘，不僅是建築的一部分，且對於了解寺院歷史、重修寺院、思想哲理、文化信仰、捐助功德等，這些史料十分具有價值。印光寺漢字碑銘記載著名唐永嘉玄覺禪師（665-713）的《證道歌》禪詩。該禪詩是解是「法」語，是開悟禪道的心得，且被廣為傳頌。印光寺釋善和和尚認為該禪詩說明了大乘的高度教義，故把《證道歌》之部分內容刻印在碑銘上以流傳後世。其中有一段禪詩，曰：

> 絕學無為閒道人，不除妄想不求真。無明實性即佛性，
> 幻化空身即法身。法身覺了無一物，本來自性天真佛。
> 五蘊浮雲空去來，三毒水泡虛出沒。

《證道哥》體現了禪宗的獨特特徵。越出辯論並否認斷見常見之範圍，生死還是涅槃都是由我們所辯論而出，是人們對於每個事物現象的知識論。

若干禪詩偈語又簡單地描寫了悟道禪師，他的苦練修習是為了帶來美好的將來。南普陀寺清禪禪師的碑誌刻載：

> 今聲振虛空，志道悟無為。清淨了解說，禪燈最上乘。

這些詩句都由弟子紀錄下來，在禪師圓寂之後所描寫出痛惜之心，亦是稱頌禪師一生一世的堅持密行，修煉成道，了悟佛法的高妙之處。

佛是福德和智慧修行的圓滿者，以智慧利益眾生，救渡眾

生同離生死之苦。對於佛的偉大功勞，在西貢的一郡的鳳山寺內，有一塊刻於民國三十七年（1948）的碑記載，其云：

> 渡人迷津者爲佛。使人崇拜者爲神。廣澤尊王之屢膺封號，賜爲真人，封爲聖王，由來尚矣。出自中土，其大而化之之謂聖。聖而不可知之之謂神。自非來自西方之佛，可比其威靈顯赫。由中土傳入越南。將書所謂朔南，暨聲教訖于四海者非耶假令其身至今尚在。將敬而拜之 安有屢現靈異濟世救人，而不知恩其德報。

佛教是哲學思想，給人們帶來公平正義和社會平等，幫助人們看淡一切，脫離世俗的痛苦。佛教本身帶著深刻的人文價值，且其信仰成為這裡人們生活當中的精神支柱。佛教不僅屬於心靈層面，它也會對於人們的人格行為有所影響，所以生活觀念、風俗習慣、道德規範以及傳統習俗等要素都會有所轉變。

（三）漢文碑刻反映寺院興建的過程

寺內的漢文碑刻資料有助於吾等研究關於寺院的形成歷史以及興建重修過程。胡志明市平盛郡文聖寺——成立於維新八年（1914）——的漢文碑刻讓吾等更了解關於此寺的起源和發展。文聖寺原本建蓋在西貢嘉定文聖廟的舊地基之上，文聖廟因戰爭損壞之後，有人已在此建立三間小寺，用來奉祀三寶，還奉請孔子的牌位來奉祀。寺內的漢文碑刻刻記，其云：

> 佛法相因適有廣南省勅賜福林寺號永嘉和尚，弟子號普傳大師。遺錫南來於本寺。苾蒭香味，利益人天，道本人弘，福由心造，延暨本道。鄉耆鄧文夫，潘文防，黃文賢，同心發願開池塘，植碧蓮花。在寺前儲功德水，

　　伏願增輝，永陰蓮池之色□□□　普照添光祇樹之花□云。
西貢嘉定文聖廟建立於阮朝明命六年（1825），後因戰爭損
壞，至今文聖廟原址並無重建，寺內的碑文亦只告知這裡之前
是文聖廟。碑文資料十分重要，有助於吾等可以更了解西貢嘉
定文聖廟的事跡、來源、形成與歷史，有助於研究胡志明市的
傳統文化與宗教信仰。

　　華人移居越南後，一併移入的是他們自己的文化信仰。他
們來到新的地區，立即建立寺院廟庵祠，以利奉祀從中華帶來
的神佛。換而言之，胡志明市是全國擁有最多華人寺廟的地
方。經歷過幾百年的發展與演變，華人已創造出許多帶有中華
佛教特殊信仰與特別建築的寺廟，他們自然地融入到越南民族
的生活當中。華人的佛教信仰近似越人的佛教信仰，都奉祀釋
迦牟尼、觀音菩薩、羅漢等諸佛。一開始來到越南的時候，華
人奉佛信仰儀式也跟著融入越南奉佛信仰儀式習慣。從此，華
人與越人之間的奉佛信仰模式相互影響交流。南普陀寺內的漢
文碑刻《建立福建怡山西禪寺越南屬寺南普陀碑記》記載著：
「華僑旅居越南西堤崇奉佛教者日夥　僉以越俗儀式　多異中土
禮拜」。各地方的奉祀儀式雖然有所差異，但是又奉祀相同的
諸佛。華人越人對神佛均有崇信，均到寺廟裡求平安、雨順風
調。而關於傳播佛法與寺院興建一事，公元 1953 年南普陀寺
內的「建立福建怡山西禪寺越南屬寺南普陀碑記」刻載：

　　　　南普陀以為怡山留越僧侶駐錫之所。前座殿宇經於庚寅
　　　　春正落成。尤使教義闡揚信仰益眾。癸巳秋獲悉錫蘭祖
　　　　剎將貽以我佛舍利子。

藏經樓和三寶奉祀處被記載在碑文上。歷經 2515 年，南普陀

寺內的佛被記載在〈興建法堂暨藏經樓碑記〉碑文上，其云：

> 南普陀寺，經歷年來修建已稍具規模。惟供奉法寶藏經樓尚付闕如，同人等遂於庚戌秋，募像興建，幸賴諸護法善信鼎力贊助，方底於成。

善男信女的協助捐資活動和寺廟興建、重修有密切的關聯性，因為有他們的幫助，寺廟的修繕工作才得已完成，這對信徒來說既是慈善工作，又是他們對於宗教信仰的崇信。他們相信，來廟宇參禪拜佛會給他們帶來平安幸福，這才是真正的信譽，並使人心向善，且帶來更多美好的人文生活。

觀世音菩薩在民間信仰中被尊稱為觀音佛祖，為大乘佛教西方極樂世界教主阿彌陀佛座下的上首婆娑。觀音具有神力，以大慈悲心，為度眾生顯現其菩薩形象，重入世間教化救苦，也許正是因為如此，任何一間寺院庵廟都會奉請觀音佛像。奉祀觀世音菩薩是十分重要的。富潤郡華嚴講寺內的碑文刻記：

> 本寺開山護法黃德慧居士，曾倡議興建觀音蓮池。爲因須先後修建大叻天王古剎及本寺而未果。今則重建本寺及觀音蓮池均已竣工。謹以此功德敬祝樂助興建觀音蓮池及樂助重建本寺。眾施主永結佛緣，福壽綿長。

觀音佛是華人越人奉佛信仰的共同象徵，是民間普遍敬仰的菩薩，更是市井小民所崇信的首神。在各種大乘佛教圖像或佛像中，觀世音菩薩像也是最常見的。關於重修觀音殿閣，南普陀寺的「重建南普陀寺觀音殿碑記」碑文刻載著：

> 前座觀音殿建自庚寅，曾由民屋簡陋改造殿宇 缺乏莊嚴。丁未春本寺護等有鑒及此，發起興資重建暨各善信樂助完成。聊綴數語立碑以誌功垂不朽云爾。

整修寺廟、照顧佛像一事是人們對於神佛帶給他們平安的生活表示謝恩之心。信仰崇信使人民具有美好的精神、包容之心，更容易融入到生活。這種生活的積極性是信仰帶來給人們的。

宗教信仰正是對人們教育人格的方法。人與人之間的關係會愈來愈更加美好，互相幫助度過生活中的一切困難，奉佛習慣讓人家相信生活會有美好未來。富潤郡華嚴講寺內，不只是奉祀釋迦牟尼，觀世音菩薩等諸佛，還祭祀 18 位羅漢佛。這18 位羅漢佛都是釋迦牟尼的弟子，留在人間以護法。寺內尚存了一大塔墓碑，共 18 面，刻載 18 羅漢佛的形象以及 18 首禪詩。關於此 18 羅漢畫像來源，碑文記載：

> 羅漢塔鑴刻於壬寅，建塔在乙巳，前後四載完成聖塔。而十八位羅漢畫是一位四川高僧，別名竹禪所劃。清慈禧太后聞其畫已至化境天下無匹，即下詔天下名畫者比之。果如其言，無人過者。提名為天下第一大畫家。此十八羅漢即此人劃也。

在佛教信仰中，這 18 羅漢佛已修煉到極致，能學之物已盡，再無可學之處，永遠脫離生死輪迴，又稱為「無極果」或者「無學果」。他們是釋迦牟尼佛的得道弟子，是佛教中得到最高修行之一的神佛。按照佛教的觀念，如果祭祀 18 羅漢佛，能夠幫助眾生化解煩悶、脫離迷惑和妄想。奉祀 18 羅漢佛源自中國，但是透過交流接觸後，已成為越南人民的信仰之一。

對於在各寺廟裡立碑一事，不僅美化建築，而且藝術審美方面亦具有極高的價值，立碑確保文獻保存的永久性及穩固性，對於史料方面更有研究價值。碑刻漢文資料有助於體現僧侶的思想、教理與行道。透過碑文上所記錄的內容，將有助研

究胡志明市人民的信仰與文化工作。

三、結語

　　總體而言，西貢－嘉定地區是個具有多方民族文化交流、影響和融合的地方。不同民族之間並沒有因宗教信仰而產生距離，也並沒有的任何歧視或區隔。他們對於信仰，都心想求取平安發財。透過這些寺廟內的漢文碑刻，吾等可以研究社會共同團體中不同民族文化、宗教信仰、心思情感以及其佛教的歷史形成與發展。

　　經歷長時間的演變及發展，胡志明市的華人社團已經成為越南南部地區密不可分的一部分。他們移居到越南，並視越南為自己的第二個故鄉。因為如此，華人的宗教信仰生活與民族文化已充分地融入越南社會的生活當中，他們相處融洽，捐資活動他們均有積極協助。越人可以到華人寺廟拜佛，而華人也可以到越人寺廟參拜。他們之間的佛教信仰已彼此融合，並無任何區別。華人越人都奉祀同樣的佛像，諸佛都是帶給人們生活美好，讓人類走向真善美的世界。華人佛教在逐漸穩定，融入胡志明市越人的佛教當中，華人的文化信仰已真正地成為越南第 54 個民族文化社會的重要組成之一。

　　漢字碑刻的文獻資料反映了胡志明市的佛教要素，有助於研究在胡志明市佛教的發展、豐富多彩的藝術與文化價值。關於寺內的獨特雕刻，其藝術價值以及漢喃資料價值將有助於研究文化、歷史、考古、建築、宗教、民族等，均可深入研究不同面向的文獻資料。寺院庵廟是重要文化古跡，也能吸引遊客

來參觀賞玩，是旅遊的景點。幾百年的存在，佛教已經深刻地影響到人們的精神生活、思想和道德行為。佛教已和西貢緊密相連，並廣泛地影響到社會生活中的一切。在發展過程當中，佛教雖然又分成許多流派，每個流派有不同的特點，不過是要求人們向善，努力往更美好的生活邁進。透過漢文碑刻資料，吾等可以更了解佛教思想、文化信仰、生活等各方面，以及在胡志明市佛教對於越人華人的心靈影響。

越南慈廉縣科榜人物考

潘青皇（Phan Thanh Hoàng）*

摘要

　　越南黎朝慈廉縣屬山西處國威府，而全部山西處登科 277
名，國威府登科 149 名，慈廉縣登科 87 名，一縣已經佔了全
部地區的三分之一。筆者以慈廉縣為研究對象，其目的有：其
一，明確考察該縣的科榜人物，並進一步編撰該縣的科榜人物
誌，其二初步劃定該縣的科舉家族地圖，以研究該縣科舉家族
在越南的關係。

關鍵詞　科榜、黎朝、慈廉縣、越南

---

*　〔越〕越南河內國家大學屬下陳仁宗學院研究員。

一、慈廉縣的歷史沿革及科榜人物統計

慈廉縣此名何時有？據《大南一統誌》慈廉縣條：

> 慈廉縣東西距十二里，南北距十四里。東至永順縣，界
> 一里。西至山西、丹鳳縣，界十里。南至常信，青池
> 縣，界五里。北至珥河對岸、北寧東岸縣，與山西安朗
> 縣界九里。漢瀛{阝婁}縣地，隋改交趾縣。唐武德四年
> 析置慈廉縣，又置慈州（以縣有慈水廉水因名之）。六
> 年改南慈州。貞觀初，州廢，合三縣仍省入交趾縣，屬
> 都護府，後復原縣名（何代未詳）。屬明隸交州府。黎
> 光順屬山西國威統轄。本朝嘉隆初因之。明命十三年改
> 隸為府兼理，領總十三，社村所八十七。[1]

黎貴惇《見聞小錄・封域》記載：

> 唐史武德四年置慈廉縣，以州有慈廉水，故名。此水意
> 即銳江也。[2]

慈廉縣黎朝時屬山西國威府，[3]到阮朝屬河內懷德府。[4]《歷朝
憲章類誌》「山西」條：

---

[1] 嗣德本《大南一統誌》河內省慈廉縣條，頁17。（越南阮朝）國史館
編，嗣德版《大南一統誌》（西南師範大學出版社，2015）。

[2] 黎貴惇：《見聞小錄》，越南漢喃研究院藏本，編號VCH02664。

[3] 潘輝注：《歷朝憲章類誌・輿地誌》「國威府：五縣，慈廉縣，福祿
縣，安山縣，石室縣，丹鳳縣，美良縣。」，越南漢喃研究院藏本，編
號A.2061/1。

[4] 吳德壽、阮文原、Philippe Papin主編，《同慶地輿誌》（河內：世界出
版社，2003），《同慶地輿誌・河內省・懷德府》又有記載：「府轄在省
城之西南，兼理慈廉縣，統轄壽昌、永壽順貳縣。」

山西，古文郎國，秦屬象郡，漢屬交趾郡。吳時置新興
郡，晉改新昌，唐置峰州福祿州，後別為峰州三帶州。
丁、黎、李三朝為路。陳朝為三江、三帶、廣威、國威
等路。黎朝因之。光順中置國威承宣統諸府縣，及定版
圖始稱山西，復仍稱三江，洪順後專稱山西，隸府六
（永盛時省一府）縣二十四。[5]

山西處的登科人數如表下：

府名	黎初	莫朝	黎中興	合計	百分比
山西處國威府	52	28	69	149	53.79%
山西處三帶府	49	22	25	96	34.66%
山西處臨洮府	13	0	2	15	5.42%
山西處沱陽府	5	3	0	8	2.89%
山西處廣威府	7	0	0	7	2.53%
山西處端雄府	2	0	0	2	0.72%
合計	128	53	96	277	100%
百分比	46.21%	19.13%	34.66%	100%	

根據《天南歷朝登科備考記載》：「慈廉縣，凡八十七
員，榜眼三，探花一，黃甲十五，同進士六十四，太學生一，
明經一，制科一。內陳朝一，中興前二十四，中興後四十四，
潤莫十八。」[6]山西屬核心區，而慈廉一縣已經佔了全部地區的
三分之一。這是本文所選慈廉縣科榜人物為研究對象的理由。

慈廉縣轄東鄂、西就、香粳、雲耕、羅溪、羅內、富演等
社多儒科，稍有文雅。[7]由此可見，慈廉可稱為儒科之地也。

《天南歷朝登科備考》記載慈廉縣登科 87 名。《慈廉縣

---

5 潘輝注：《歷朝憲章類誌·輿地誌》，越南漢喃研究院藏本，編號
　A2061/1。
6 潘輝溫：《天南歷朝登科備考》，Paris SA.HM.2219。
7 《同慶地輿志·河內省·懷德府》。

登科誌》[8]記載，自李朝至黎朝末年，慈廉縣 28 社有 86 名登科。筆者以《鼎鍥大越歷朝登科錄》所記載的籍貫為主。並以《大南一統誌》、《山西誌》[9]、《天南歷朝列縣登科備考》[10]、《歷朝憲章類誌‧科目誌》[11]、《慈廉縣登科誌》與《本府前進士題名碑》[12]及黎朝進士題名碑為輔。再次整理統計慈廉縣從李朝至阮朝的進士人物，其內容如下：

〔表一〕：李朝至黎朝慈廉科榜人物統計

社名	人數	姓名	內容
下安決社	9	黃貫之	下安決人，登陳順宗光泰癸酉六年（1393）太學生。仕至審刑院尚書致仕。黃培之遠祖。
		阮如淵	下安決社人。年三十三登黎聖宗光順十年己丑科（1469）第一甲進士及第。洪德己亥征盤蠻命公為行軍諸營記錄。仕至吏部尚書掌六部事兼國子監祭酒，入侍經筵致仕。春巖之叔。謙光之祖。日壯之曾祖。義都阮榮盛之六代祖。（累世登科）
		阮春巖	下安決社人。登黎憲宗景統二年己未科（1499）第三甲同進士出身。仕至承政使。阮如淵之姪。
		鄧公瓚	上安決社人。年三十七中黎光紹五年庚辰科（1520）第三甲同進士出身。仕至刑部左侍郎。仙遊扶董公瓚之曾祖，公演之高高祖。
		阮暉	下安決社人。年四十二中莫景曆六年癸丑科（1553）第三甲同進士出身。仕至尚書，義江伯。致仕。
		黃培	下安決社人。登莫淳福四年戊辰科（1568）第三甲同進士出身。仕至承政使，效順隆，侍郎。致仕。

---

8 《慈廉縣登科錄》，越南漢喃研究院藏本，編號A.507。
9 《山西誌》，法國遠東學院藏本，編號A1528。該書前面部分與《天南歷朝列縣登科備考》記載相同。
10 潘輝溫：《天南歷朝登科備考》，Paris SA.HM.2219。
11 潘輝注：《歷朝憲章類誌‧科目誌》，漢喃研究院藏本，圖書編號A.1358/7。
12 《府前進士題名碑》，拓片編號00789。

		阮曰壯	下安決社人。年三十八登黎世宗光興十八年乙未科（1595）第二甲進士出身。仕至佐理功臣，吏科給事中。公即阮謙光之孫，榮盛之曾祖。
		阮用霑	下安決社人。年四十二登黎敬宗弘定三年壬寅科（1602）第三甲同進士出。仕至戶科都給事中。
		阮謙光	下安決社人。登黎恭皇統元二年癸未科（1523）第三甲同進士出身。仕至參政。如淵之孫，曰壯之祖。
富家社	2	翁義達	富家社人。登洪德六年乙未科（1475）第一甲進士及第二名。明年冬奉正使如明謝賜幣帛。仕至都御使。
		阮光惠	富家社人，屋日杲社。年五十二中莫大正六年乙未科（1535）第三甲同進士出身。仕至侍郎。
東鄂社	11	潘孚先	《鼎鍥大越歷朝登科錄》興隆十二年甲辰科記載：「潘孚先，慈廉東鄂人。我黎太祖朝。仕至知史院，著國史編集。」，又在黎太祖順天二年己酉科（1429）記載：潘孚先，慈廉東鄂人。仕至知史院著國史編集。
		范麟定	廉東鄂社人。登黎襄翼弘順六年甲戌科（1514）第三甲同進士出。仕至承政使。顯名之祖。
		范壽祉	東鄂社人。年三十九登莫英祖莫茂洽崇康十年丁丑科（1577）第二甲進士出身。仕至監察御史。麟定之姪，顯名之祖。光宅之曾祖，光容、光寧之高祖。
		范顯名	東鄂社人。年三十一中黎真宗福泰四年丙戌科（1646）第三甲同進士出身。仕至監察御史，男爵。麟定之曾孫，壽祉之孫，光宅、光完、光容之遠祖。
		范光宅	東鄂社人。三十一中黎熙宗正和四年癸亥科（1683）第一甲進士及第二名。仕至禮部右侍郎，男爵。贈左侍郎子爵。麟定之遠孫，壽祉之曾孫，顯名之姪， 光完、光容之叔，光寧之父。
		潘榮福	東鄂社人。三十四中黎熙宗正和六年乙丑科（1685）第三甲同進士出身。仕至憲使，改名公福。
		范光完	東鄂社人。三十中黎熙宗正和十五年甲戌科（1694）第三甲同進士出身，改名公完。仕至承使，贈工部右侍郎。麟定之遠孫，壽祉之玄孫，顯名之從孫，光宅之姪，光容之兄，光寧之從兄。
		范光容	東鄂社人。年三十二中黎裕宗永盛二年丙戌科（1706）第三甲同進士出身，改名公容。仕至刑部左侍郎，贈戶部尚書。光宅之姪，完之弟，光寧之堂兄，麟定、壽祉之遠孫。

		范光寧	東鄂社人，三十二中黎永慶三年辛亥科（1731）第三甲同進士出身。仕至東閣校書，陣亡贈右侍郎，侯爵。麟定之遠孫，壽趾之玄孫，光宅之子，光完、光容之堂弟。
		潘黎藩	更鄂社人，選舉二十三歲中黎顯宗景興十八年丁丑科（1757）第三甲同進士出身，出鎮平南有功，仕至參從。
		阮廷碩	東鄂社人。二十六中黎顯宗景興四十年己亥科（1779）第三甲同進士出身。
雲耕社	10	謝子巋	綺羅社人，原貫雲耕。登黎仁宗太和六年戊辰科（1448）第三甲同進士出身。光順壬午充貢部副使。仕至參政。移居於羅浮。今羅浮姓謝其後也。
		阮珩	雲耕社人。登莫太宗大正三年壬辰科（1532）第三甲同進士出身。仕至吏部左侍郎，宏良侯。琅之父。
		黎矩方	雲耕社人。登廣和元年辛丑科（1541）第二甲進士出身。仕至憲察使。德望之祖。
		吳靖	雲耕社人。登莫憲宗廣和四年甲辰科（1544）三甲同進士出身。仕至參政，儒林男。
		阮琅	雲耕社人。登莫景歷三年庚戌科（1550）第三甲同進士出身。珩之子。
		黎德望	雲耕人社。年三十三登黎神宗陽和三年丁丑科（1637）第三甲同進士出身。仕至承政使。矩方之曾孫。阮公基之外祖。
		陳賢	雲耕社人。年五十中黎純宗龍德二年癸丑科（1733）第三甲同進士出身。仕至待制，贈侍講。
		李陳瓌	雲耕社人。三十二中黎顯宗景興二十七年丙戌科（1766）第三甲同進士出身，原姓鄧。陳瑾之後，陳楢之兄，兄弟同朝。
		李陳楢	雲耕社人，省元，四仲二十四中黎顯宗景興三十年己丑科（1769）第三甲同進士出身。仕至都給事中，原姓鄧。陳瓌之弟，兄弟同朝。
		陳伯覽	雲耕社人。登黎紹統元年丁未（1787）制科出身，文職中式，陳賢之孫。
西姥社	5	黃邵	西姥社人，屋安隴社。年三十三登黎聖宗洪德六年乙未科（1475）第三甲同進士出身。乙巳冬官吏部都給事中，奉行稅使驛函等職。除銓例加刑部尚書。致仕。
		嚴弘達	西姥社人。三十九歲中莫茂合延成六年癸未科（1583）第二甲進士出身。仕至吏科都給事。中。
		阮富褒	西姥社人。年二十七中黎嘉宗陽德二年癸丑科

			（1673）第三甲同進士出身。正和壬午奉副使致貢於清。仕至禮部尚書，郡公爵。壽八十贈少保。嚴弘達之外孫。
		嚴伯挺	西姥社人。年五十一中黎純宗龍德二年癸丑科（1733）第三甲同進士出身。仕至東閣大學士，伯爵致仕，贈寺卿。
		阮庵	西姥社人。年十九登黎仁宗太和十一年癸酉科（1453）第三甲同進士出身。仕至轉運使。
下姥社	1	杜致中	下姥社人。年三十七登黎聖宗洪德六年乙未科（1475）第二甲進士出身。仕至寺卿。《歷縣》記錄為二十七。
永畿社	4	阮觀賢	永畿社人。登黎聖宗洪德六年乙未科(1475)第三甲同進士出身。景統戊午充貢部正使。壬戌陞刑部右侍郎。《登科錄》記載為左侍郎。
		杜伯略	永畿社人。年二十八登光順四年癸未科(1463)第三甲同進士出身。歷士轉運使，翰林承旨。（登科錄記載為二十六歲）
		阮仲僙	永畿社人，屋香粳社。登黎恭皇統元二年癸未科（1523）第二甲進士出身。仕至奉天府尹，伯爵。仁安之父。
		阮仁安	永畿社人。登莫光寶二年丙辰科（1556）第三甲同進士出身。奉使。仕至侍郎，福衍侯，贈尚書。仲瑩之子。
義都社	4	阮蘭	義都社人。年三十三登黎聖宗洪德三年壬辰科(1472)第三甲同進士出身。仕至刑科都給事中。
		段仁淑	義都社人。登黎憲宗景統五年壬戌科（1502）第三甲同進士出身。仕至監察使。
		阮榮盛	義都社人，原貫下安決。年三十四中黎神宗永壽二年己亥科(1659)第三甲同進士出身。仕至提刑、監察御史。日壯之曾孫，謙光之遠孫。
		陳璿	義都社人。三十八中黎熙宗正和二十一年庚辰科（1700）第三甲同進士出身。仕至參政，原父北國人。
米池社	1	杜文沆	米池社人，屋寡悔社。登黎襄翼弘順六年甲戌科（1514）第三甲同進士出身。仕至侍郎。
上安決社	8	阮用乂	上安決社人，屋福演社。四十四歲中黎中宗順平六年（莫茂合崇康七年甲戌科（1574））第三甲同進士出身。仕至都給事中，公爍之曾祖。
		阮侊	上安決社人，屋驛望社。登莫景曆七年甲寅科（1554）第二甲同制科出身。始侊慕義向明時試期已到第三場，請入行文兼四場為一預在中項。時人稱五日進士。仕至參政，榮封竭節功臣。
		杜文總	上安決社人。年三十四登黎神宗陽和六年庚辰科

			（1640）第三甲同進士出身。仕至兼都御史，贈刑部左侍郎。文綸、公纘之父。
		杜文綸	上安決社人。解元。年二十六中黎神宗永壽二年己亥科（1659）第三甲同進士出身。仕至翰林校討。文總之子，公纘之兄。
		杜公纘	上安決社人，解元。四十三中黎熙宗正和四年癸亥科（1683）第三甲同進士出身。仕至憲使，壽七十餘。文總之子，文綸之弟。
		阮公爍	上安決社人。年二十三中黎熙宗永治五年庚申科（1680）第二甲進士出身。仕至刑科給事中，奉差使命率。贈刑科都給事中。阮用義之遠孫。
		阮名賢	上安決社人。二十五中黎裕宗永盛十四年戊戌科(1718)第三甲同進士出身，仕至校討。
		黃曰愛	上安決社人。登統元五年丙戌科（1526）第三甲同進士出身。仕至翰林。
上葛社	3	阮維禎	上葛社人。年三十九登黎聖宗洪德十二年辛丑科（1481）第二甲進士出身。景統庚申官刑部左侍郎。奉正使如明謝致純宗祭。
		阮璟	上葛人社，緣事入清化歸順。登莫廣和元年辛丑科（1541）第三甲同進士出身。仕至左侍郎，贈尚書，文興伯。
		陳良能	上葛社人，貫玉山葛池。三十中黎熙宗永治元年丙辰科（1676）第三甲同進士出身。仕至參政。
羅內社	3	阮子美	羅內社人。年二十二登黎威穆端慶元年乙丑科(1505)第三甲同進士出身。仕至掌翰林院事，義山伯。
		裴興運	羅內社人，三十九歲中莫永定元年丁未科（1547）第二甲進士出身。仕至監察御史。
		鄧公茂	羅內社人。三十四中黎裕宗保泰二年辛丑科（1721）第三甲同進士出身。奉使。仕至戶部右侍郎致仕，贈尚書，壽七十八。」
天姥社	3	阮瑀	天姥社人。年五十八登黎襄翼洪順六年甲戌科（1514）第二甲進士出身。仕至尚書兼東閣大學士，入侍經筵。
		阮貴德	天姥社人，年二十九中黎熙宗永治元年丙辰科（1676）第一甲進士及第三名。正和庚午奉使如清歲貢。仕至吏部尚書兼郡公兼大學士。國老榮封佐理功臣。參預朝政致仕贈太宰，追封大王。貴恩之父，貴慎之祖。
		阮貴恩	天姥社人，士望，四十三中黎熙宗永盛十一年乙未科（1715）第二甲進士出身。仕至提刑左司講加贈工部尚書封中等大王。貴德之子，父子同朝，長子貴慎進朝，仕至尚書並封福神。
西	2	阮明鈿	西儓社人。登黎聖宗洪德二十一年庚戌科

儋社			（1490）第三甲同進士出身。仕至寺卿。
		阮兼	西儋社人。年二十九中黎顯宗景興四十年己亥科（1779）第三甲同進士出身。
仁美社	2	劉文源	仁美社人。登黎威穆端慶元年乙丑科（1505）第二甲進士出身。劉橄之父。
		劉橄	仁美社人。登黎恭皇統元五年丙戌科（1526）第二甲進士出身。仕至翰林。源之子。
黃舍社	1	阮珽	黃舍社人。登莫廣和元年辛丑科（1541）第三甲同進士出身。詣清化歸順。仕至尚書，慈郡公，贈太保。黎朝中興皆其謀也。
明杲社	3	阮光被	明杲社人，屋古汭社。登莫登瀛大正九年戊戌科（1538）第三甲同進士出身。仕至參政，文會伯。
		阮公基	明杲社人，二十二中黎熙宗正和十八年丁丑科（1697）第三甲同進士出，奉使。歷陞兵部尚書兼東閣大學士，入侍經筵。改除武職，少保署府事郡公爵，贈人傳，輝旺之祖。
		阮輝旺	明杲社人，四十五中黎顯宗景興三十六年乙未科（1775）第三甲同進士出身。阮公基之孫。
梅驛社	1	阮文濯	梅驛社人，年三十四登黎神宗德隆三年辛未科(1631)第三甲同進士出身。仕至禮部左侍郎侯爵，陞工部尚書兼郡公致仕，贈少保。壽七十五。
福演社	2	黎藻	福演社人，屋古汭社，二十九歲中莫明德三年己丑科（1529）第三甲同進士出身。仕至吏部左侍郎。
		黃協心	福演社人。年二十四中黎神宗永壽四年辛丑科（1661）第三甲同進士出身。仕至副都御史，贈左侍郎，男爵。」
上池社	1	陶黃實	上池社人，解元，二十八中黎熙宗正和十八年丁丑科（1697）第三甲同進士出身。仕至刑部尚書，鳳郡公，再致仕起復參從，奉侍五老。
安壽社	1	裴允篤	安壽社人，二十六歲中莫大正六年己未科（1535）第一甲進士及第二名。仕至翰林。
安隴社	1	阮世歷	安隴社人，二十六中黎顯宗景興三十六年乙未科（1775）第三甲同進士出身。
香粳社	1	裴文貞	香粳社人。年四十五中黎神宗永壽二年己亥科（1659）第三甲同進士出身。改廷貞。再中東閣。仕至兵部左侍郎，子爵，贈禮部左侍郎，伯爵。允篤五代孫。
羅溪	4	阮惟宜	羅溪社人，省元選舉，三十六中黎顯宗景興二十七年丙戌科（1766）第三甲同進士出身，應制合

社			格，改名惟忠。仕至侍讀。
		吳惟垣	羅溪人，四仲二十六中黎顯宗景興三十年己丑科（1769）第三甲同進士出身，會元。惟澂之弟，兄弟同朝，改名仲珪。
		吳惟澂	羅溪人，三十五中黎顯宗景興三十六年乙未科（1775）第三甲同進士出身，惟垣之兄，兄弟同朝。
		黎登舉	羅溪人，四十中黎顯宗景興四十年己亥科（1779）第三甲同進士出身。
富舍社	1	阮魁	富舍人，二十一中黎裕宗永盛十一年乙未科（1715）第三甲同進士出身，奉使。仕至左侍郎。
古沴社	1	華貴欽	古沴人，三十七歲中黎顯宗景興二十四年癸未科（1763）第三甲同進士出身。仕至給事中。
驛望社	1	黎世祿	驛望社人。年三十中莫端泰二年丙戌科(1586)第三甲同進士出身。仕至監察。莫亡復事于黎，仕至工科都給事中之爵。
倚羅社	1	楊阮晛	倚羅社人。二十五中黎顯宗景興三十三年壬辰科（1772）第三甲同進士出身。

（資料來源：阮侃校正，武綿、潘仲藩、汪士朗編輯：《鼎鍥大越歷朝登科錄》，法國遠東學院圖書館，微捲編號 MF II.9（A.2752）。）

〔表二〕阮朝慈廉科榜人物統計

社名	人數	姓名	內容
東鄂社	9	黃濟美	《國朝科榜錄》明命七年丙戌科（1826）：「黃濟美，山西慈廉東鄂，原貫京北。故黎三甲春曙之子。三甲相協之父。」
		范嘉㙔	《國朝科榜錄》明命十三年壬辰科（1832）：「范嘉㙔，河內慈廉東鄂。慈廉原屬山西。至是改隸河內。辛亥四十二。辛卯舉人。國子監司業。」
		阮文松	《國朝科榜錄》明命十九年戊戌科（1838）：「阮文松，河內慈廉東鄂。壬申二十七。丁酉解元。知府。」
		阮有造	《國朝科榜錄》紹治四年甲辰科（1844）：「阮有造，河內慈廉東鄂。己巳三十六。辛丑舉人。」
		范光滿	《國朝科榜錄》嗣德二年己酉科（1849）：「范光滿，河內慈廉東鄂。丁丑三十三。癸卯舉人。知府。」

		黃相協	《國朝科榜錄》嗣德十八年乙丑科（1865）：「黃相協，河內慈廉東鄂。丙申三十。戊午舉人。二甲濟美之子。故黎三甲春曙之孫。」
		阮豫	《國朝科榜錄》嗣德三十二年己卯科（1879）：「阮豫，河內慈廉東鄂。中二科秀才。甲辰三十六。戊寅舉人。知府陞侍讀。」
		阮文會	《國朝科榜錄》嗣德二年己酉科（1849）：「阮文會，河內慈廉東鄂。戊申舉人。知府。」
		黃增賁	《國朝科榜錄》維新四年庚戌科（1910）：「黃增賁，河東慈廉東鄂。辛巳三十。丙午舉人。三甲相協之孫。濟美之曾孫。故黎三甲春曙之玄孫。」
明早社	1	范文合	《國朝科榜錄》明命十年己丑科（1829）：「范文合，山西慈廉明早。乙卯三十五。戊子舉人。」
羅內社	1	楊功平	《國朝科榜錄》明命十九年戊戌科（1838）：「楊功平，河內慈廉羅內。甲戌二十五，甲午舉人。同府咨。」
上葛社	1	陳瑋	《國朝科榜錄》紹治元年辛丑科（1841）：「陳瑋，河內慈廉上葛。甲戌二十八，庚子舉人。侍講領督學。舉人杆之弟。」
西姥社	2	杜輝典	《國朝科榜錄》嗣德二十八年乙亥科（1875）：「杜輝典，河內慈廉西姥。丙申四十。庚午舉人。」
		嚴春廣	《國朝科榜錄》成泰七年乙未科（1895）：「嚴春廣，河內慈廉西姥。己巳二十七，甲午舉人。官按察告。舉人韻之子，春量、仲發之侄，春芳之從侄。」
雲耕社	1	阮伯惇	嗣德四年制科（1851）：「阮伯惇，河內慈廉雲耕。壬申三十，丙午舉人。知府免。」

（資料來源：高春育編：《國朝科榜錄》，龍崗藏板，成泰甲午年（1894），法國遠東學院圖書館，編號 Paris EFEO VIET/A/Hist.37。）

二、慈廉科榜人物之分析

從表上可見，慈廉科榜人物有 103 位。其中從李到黎朝慈廉 28 社中，共有 87 名進士。阮朝有 5 社有進士，共 15 人。

〔表三〕慈廉縣歷朝登科人數表

序號	朝代	及第之年	人名	籍貫
1	陳朝（1）	陳順宗光泰六年（1393）	黃貫之	下安決社
2	黎初（24）	黎太祖順天二年己酉科（1429）	潘孚先	東鄂社
3		黎仁宗太和六年戊辰科(1448)	謝子巔	雲耕社
4		黎仁宗太和十一年（1453）	阮庵	西姥社
5		光順四年癸未科（1463）	杜伯略	永畿社
6		黎聖宗光順十年己丑科（1469）	阮如淵	下安決社
7		黎聖宗洪德三年壬辰科(1472)	阮蘭	義都社
8		黎聖宗洪德六年乙未科（1475）	翁義達	富家社
9		黎聖宗洪德六年乙未科（1475）	黃邵	西姥社
10		黎聖宗洪德六年乙未科（1475）	杜致中	下姥社
11		黎聖宗洪德六年乙未科（1475）	阮觀賢	永畿社
12		黎聖宗洪德十二年辛丑科（1481）	阮維禎	上葛社
13		黎聖宗洪德二十一年庚戌科（1490）	阮明鈿	西儋社
14		黎憲宗景統二年己未科（1499）	阮春岩	下安決社
15		黎憲宗景統五年壬戌科（1502）	段仁淑	義都社
16		黎威穆端慶元年乙丑科(1505)	阮子美	羅內社
17		黎威穆端慶元年乙丑科（1505）	劉文源	仁美社
18		黎襄翼弘順六年甲戌科（1514）	范麟定	東鄂社
29		黎襄翼弘順六年甲戌科（1514）	杜文沆	米池社
20		黎襄翼洪順六年甲	阮　瑪	天姥社

		戌科（1514）		
21		黎光紹五年庚辰科（1520）	鄧公瓚	下安決社
22		黎恭皇統元二年癸未科（1523）	阮仲瑩	永畿社
23		黎恭皇統元二年癸未科（1523）	阮謙光	下安決社
24		統元五年丙戌科（1526）	黃曰愛	上決社
25		黎恭皇統元五年丙戌科（1526）	劉樾	仁美社
26		莫明德三年己丑科（1529）	黎藻	福溪社
27		莫太宗大正三年壬辰科（1532）	阮珩	雲耕社
28		莫大正六年乙未科（1535）	阮光惠	富家社
29		莫大正六年乙未科（1535）	裴允篤	安壽社
30		莫登瀛大正九年戊戌科（1538）	阮光被	明杲社
31		莫廣和元年辛丑科（1541）	阮珽	廣舍社
32		莫廣和元年辛丑科（1541）	黎矩方	雲耕社
33		莫廣和元年辛丑科（1541）	阮璟	上葛社
34	莫朝（19）	莫憲宗廣和四年甲辰科（1544）	吳靖	雲耕社
35		莫永定元年丁未科（1547）	裴興運	羅內社
36		莫景歷三年庚戌科（1550）	阮琅	雲耕社
37		莫景歷六年癸丑科（1553）	阮暉	下安決社
38		莫景歷七年甲寅科（1554）	阮侁	上安決社
39		莫光寶二年丙辰科（1556）	阮仁安	永畿社
40		莫淳福四年戊辰科（1568）	黃培	下安決社
41		莫茂合崇康七年甲戌科（1574）	阮用義	上安決社

42		莫英祖莫茂洽崇康十二年丁丑（1577）	范麟趾	東鄂社
43		莫茂合延成六年癸未科（1583）	嚴弘達	西姥社
44		莫端泰二年丙戌科（1586）	黎世祿	驛望社
45		黎世宗光興十八年乙未科（1595）	阮曰壯	下安決社
46		黎敬宗弘定三年壬寅科（1602）	阮用霑	下安決社
47		黎神宗德隆三年辛未科(1631)	阮文濯	梅驛社
48		黎神宗陽和三年丁丑科（1637）	黎德望	雲耕社
49		黎神宗陽和六年庚辰科（1640）	杜文總	上安決社
50		黎真宗福泰四年丙戌科(1646)	范顯名	東鄂社
51		黎神宗永壽二年己亥科(1659)	阮榮盛	義都社
52		黎神宗永壽二年己亥科（1659）	裴文貞	香粳社
53		黎神宗永壽二年己亥科（1659）	杜文綸	上安決社
54	黎中興（43）	黎神宗永壽四年辛丑科（1661）	黃協心	福溪社
55		黎嘉宗陽德二年癸丑科（1673）	阮富襃	西姥社
56		黎熙宗永治元年丙辰科（1676）	陳良能	上葛社
57		黎熙宗永治元年丙辰科（1676）	阮貴德	天姥社
58		黎熙宗永治五年庚申科（1680）	阮公爍	上安決社
59		黎熙宗正和四年癸亥科（1683）	范光宅	東鄂社
60		黎熙宗正和四年癸亥科（1683）	杜公纘	上安決社
61		黎熙宗正和六年乙丑科（1685）	潘榮福	東鄂社
62		黎熙宗正和十五年甲戌科（1694）	范光完	東鄂社

63		黎熙宗正和十八年丁丑科（1697）	阮公基	明果社
64		黎熙宗正和十八年丁丑科（1697）	陶黃實	上池社
65		黎熙宗正和二十一年庚辰科（1700）	陳璿	義都社
66		黎裕宗永盛二年丙戌科（1706）	范光容	東鄂社
67		黎熙宗永盛十一年乙未科（1715）	阮貴恩	天姥社
68		黎裕宗永盛十一年乙未科（1715）	阮魁	富舍社
69		黎裕宗永盛十四年戊戌科（1718）	阮名賢	上安決社
70		黎裕宗保泰二年辛丑科（1721）	鄧公茂	羅內社
71		黎永慶三年辛亥科（1731）	范光寧	東鄂社
72		黎純宗龍德二年癸丑科（1733）	陳賢	雲耕社
73		黎純宗龍德二年癸丑科（1733）	嚴伯挺	西姥社
74		黎顯宗景興十八年丁丑科（1757）	潘黎藩	東鄂社
75		黎顯宗景興二十四年癸未科（1763）	華貴欽	古汭社
76		黎顯宗景興二十七年丙戌科（1766）	李陳瓛	雲耕社
77		黎顯宗景興二十七年丙戌科（1766）	阮惟宜	羅溪社
78		黎顯宗景興三十年己丑科（1769）	李陳楣	雲耕社
79		黎顯宗景興三十年己丑科（1769）	吳惟垣	羅溪社
80		黎顯宗景興三十三年壬辰科（1772）	楊阮晛	倚羅社
81		黎顯宗景興三十六年乙未科（1775）	阮輝旺	明果社
82		黎顯宗景興三十六年乙未科（1775）	阮世歷	安壽社
83		黎顯宗景興三十六年乙未科（1775）	吳惟瀓	羅溪社
84		黎顯宗景興四十年	阮廷碩	東鄂社

		己亥科（1779）		
85		黎顯宗景興四十年己亥科（1779）	阮 兼	西儋社
86		黎顯宗景興四十年己亥科（1779）	黎登舉	羅溪社
87		黎紹統元年丁未科（1787）	陳伯覽	雲耕社
88		明命七年丙戌科（1826）	黃濟美	東鄂社
89		明命十年己丑科（1829）	范文合	明早社
90		明命十三年壬辰科（1832）	范嘉塼	東鄂社
91		明命十九年戊戌科（1838）	楊功平	羅內社
92		明命十九年戊戌科（1838）	阮文松	東鄂社
93		紹治元年辛丑科（1841）	陳 瑋	上葛社
94		紹治四年甲辰科（1844）	阮有造	東鄂社
95	阮朝（15）	嗣德二年己酉科（1849）	范光滿	東鄂社
96		嗣德二年己酉科（1849）	阮文會	東鄂社
97		嗣德四年制科（1851）	阮伯惇	雲耕社
98		嗣德十八年乙丑科（1865）	黃相協	東鄂社
99		嗣德二十八年乙亥（1875）	杜輝典	西姥社
100		嗣德三十二年己卯（1879）	阮 豫	東鄂社
101		成泰七年乙未科（1895）	嚴春廣	西姥社
102		維新四年庚戌科（1910）	黃增貫	東鄂社

慈廉縣，從李朝到黎朝，凡登科八十七員，榜眼三，探花一，黃甲十五，同進士六十四，太學生一，明經一，制科一。內陳朝一，中興前二十四，中興後四十四，閏莫十八。阮朝登

科 15 名。可以看出黎朝開科取士有上升的趨向，黎中興取士占全黎朝一半弱。

朝代	陳朝	黎初	莫朝	黎中興	阮朝	總計
登科人數	1	24	18	44	15	102
比例	0.98%	23.53%	17.65%	43.14%	14.71%	100%

筆者進一步對各社的進士比例統計如下：

〔表四〕慈廉各社進士比例表

社名	進士人數	比例
東鄂社	20	19.3%
雲耕社	11	10.5%
下安決社	9	8.8%
西姥社	8	7.8%
上安決社	8	6.7%
永畿社	4	3.9%
義都社	4	3.9%
上葛社	4	3.9%
羅內社	4	3.9%
天姥社	4	3.9%
明杲社	4	3.9%
羅溪社	4	3.9%
福溪社	2	2.1%
富家社	2	1.9%
西儋社	2	1.9%
仁美社	2	1.9%
安壽社	2	1.9%
下姥社	1	0.9%
米池社	1	0.9%
黃舍社	1	0.9%
梅驛社	1	0.9%
上池社	1	0.9%
香粳社	1	0.9%
富舍社	1	0.9%

188 長天一色鮮·絕頂漾清漣：越南漢學新視野·

古汭社	1	0.9%
驛望社	1	0.9%
倚羅社	1	0.9%
總計	102	100%

　　下安決社、東鄂社與雲耕社慈廉縣中進士的人最多。三社中試總人數為 40 人，佔比例 38.5%。這三社占 1/3 強名額，其他社占 2/3 弱，各社平均每社有 4.1 人中舉。筆者再次統計各社進士是否有家族關係，結果如下：

社名	進士人數	科舉家族
下安決社	9	黃氏（2）黃貫之、黃培 阮氏（4）阮如淵、阮春岩、阮謙光、阮曰壯、阮榮盛
東鄂社	20	范氏（7）范麟定、范麟趾、范顯名、范光宅、范光完、范光容、范光寧 黃氏（3）黃濟美、黃相協、黃增賁
雲耕社	11	阮氏（2）阮珩、阮琅 陳氏（2）陳賢、陳伯覽 李氏（2）李陳瑝、李陳槶 黎氏（2）黎矩方、黎德望
永畿社	4	阮氏（2）阮仲瑩、阮仁安
上安決社	7	阮氏（2）阮用乂、阮公燦 杜氏（3）杜文總、杜文綸、杜公纘
天姥社	4	阮氏（2）阮貴德、阮貴恩
仁美社	2	劉氏（2）劉文源、劉橓
明杲社	4	阮氏（2）阮公基、阮輝旺
羅溪社	4	吳氏（2）吳惟垣、吳惟澂

　　在 28 社裡面就有 9 社是科舉家族（包括 15 家族）。15 家族總人數為 41 人，占總縣比例 39.4%。由此可見慈廉的科舉世家已經佔了全縣一半弱。其中累世登科有：范氏（7）范麟定、范麟趾、范顯名、范光宅、范光完、范光容、范光寧；阮氏（4）阮如淵、阮春岩、阮謙光、阮曰壯，阮榮盛。西姥社

嚴弘達是阮富褒的外祖，可見嚴氏和阮氏有通婚關係。黎德望
是阮公基的外租，由此看見阮氏（2）阮公基、阮輝旺和黎氏
（2）黎矩方、黎德望會有婚姻關係。

慈廉科榜人物有 102 位。其中從李到黎朝慈廉 28 社，共
有 87 名進士。阮朝五社有進士，共 15 人。在 28 社裡面就有 9
社是科舉家族（包括 15 家族）。15 家族總人數為 41 人，占總
縣比例 39.4%。

慈廉縣的科榜人物分佈有不平均現象。陳文在《越南科舉
制度研究》一書認為越南不僅存在北多南少的不平衡性，而且
在同一鎮所轄各府、縣、社也存在取士多寡的不平衡性，而科
舉村和科舉世家則是取士失衡的具體表現。[13]

以上統計慈廉縣科榜人數，不僅為該縣的人物誌提供有關
的基本資料，同時進一步釐清該縣進士家族的狀況。

---

13 陳文：《越南科舉制度研究》（北京：商務印書館，2015），頁396。

越南鄉約的重新分期：
以漢喃鄉約文本為中心

陶芳枝（Đào Phương Chi）*

摘要

　　鄉約為記錄鄉村內部規定之書。越南中代時期，每村別有鄉約。越南學者一般把越南鄉約分成三個階段：古（1921 年以前）、改良（1921 年至 1945 年）、新（第 20 世紀九十年代初至今），以上三種鄉約各有歷史背景、特點、性質。

　　通過考察漢喃鄉約文本，筆者認為以上傳統的鄉約分期法是不太合理：古鄉約和改良鄉約之間還有一個階段：試點改良（試點階段是從 1905-1906 年到 1921 年 8 月 12 日以前）。試點改良鄉約沒有比古鄉約鄙俗條例較多，沒有比改良鄉約文明條例較多，其真有特徵：為古的與改良的之「合頁」。由此，在越南鄉約文本中帶有特定的位置。考察結果，本論文認定：越南鄉約要分為「古」、「試點改良」、「改良」和「新」四各階段。

關鍵詞　越南鄉村、民俗、鄉約、鄉約分期、試點鄉俗改良

---

*　〔越〕越南社會科學翰林院所屬漢喃研究院書籍學室室長。

一、前言

　　越南鄉約（或稱俗例、款例、鄉例等等）[1]是「記載有關于鄉村的社會組織、社會生活條例的文本。每到需要時條例又被鄉民補充、更改」。[2]在越南，鄉約出現的最晚時間是十五世紀，直到現在還被鄉人編寫。鄉約由於每個歷史階段而有不同的特點，專家們也根據鄉約的歷史階段與特點對鄉約作出分期。本文將通過研究漢喃鄉約文本，提出一種新的分期。

二、前輩研究者之越南鄉約分期法

　　據筆者的統計，至今鄉約分期至少有 5 種，分別見於 5 個研究項目：

1. Bùi Xuân Đính, *Hương ước và quản lý làng xã* 《鄉約與其對鄉村之管理方式》（Hanoi: Nhà xuất bản Khoa học xã hội, 1998）。

2. Nguyễn Thế Long, *Hà Nội xưa qua hương ước* 《如鄉約中所載的河內》（Hanoi: Nhà xuất bản Khoa học xã hội, 2000）。

3. Ngô Đức Thịnh, 「Luật tục với việc phát triển nông thôn hiện

---

[1] 在越南鄉約約有50多叫法，參見：Vũ Duy Mền, *Hương ước làng xã Bắc bộ Việt Nam với luật làng KanTo Nhật Bản* （*Thế ki XVII-XIX*）《越南北部鄉村鄉約與日本鄉約之比較研究（以十七到十八世紀為例）》（Hanoi: Viện Sử học, 2001, pp.23）。

[2] Đinh Gia Khánh, *Văn hóa dân gian Việt Nam với sự phát triển của xã hội Việt Nam* 《越南民間文化與越南社會的發展》（Hanoi: Nhà xuất bản Chính trị quốc gia, 1995, pp.62）。

nay ở Việt Nam」, *Luật tục với việc phát triển nông thôn hiện nay ở Việt Nam* 《律俗和目前越南鄉村之發展》(Hanoi: Nhà xuất bản Chính trị quốc gia, 2000)。

4. Phan Đại Doãn, Bùi Xuân Đính, 「*Ba thời kỳ phát triển của hương ước*」, *Luật tục và phát triển nông thôn hiện nay ở Việt Nam* 《鄉約之三個發展階段.律俗和目前越南鄉村之發展》（Hanoi: Nhà xuất bản Chính trị quốc gia, 2000）。

5. Đào Trí Úc （主編），*Hương ước trong quá trình thực hiện dân chủ ở nông thôn Việt Nam hiện nay* 《現在越南鄉村之民主實現過程中的鄉約》（Hanoi: Nhà xuất bản Chính trị quốc gia, 2003）。

　　作者們的鄉約分期觀念如下：「法國殖民政府在越南北圻進行鄉政改良以前，鄉約文本都是漢文[3]」[4]；「按照 1921 年鄉政改良主張來編寫的鄉約補充于 1927 與 1941 等年）[5]大部份是國語字，另一些是漢文的」。[6]「現有鄉約包括一些 19 世紀末 20 世紀初的漢字、喃字的（漢喃研究所所藏）和 1921 年以後的殖民制度下的改良鄉約（社會科學通訊所所藏[7]）」。[8]「鄉

---

[3] Bùi Xuân Đính, *Hương ước và quản lý làng xã* 《鄉約與其對鄉村之管理方式》（Hanoi: Nhà xuất bản Khoa học xã hội, 1998, pp. 203）。

[4] 實際上有較多喃字文本，國語文本雖有但不多。

[5] 實際上從1921年8月12日到1945年8月革命以前的20多年裏，改良鄉約一直陸續被編寫修訂，而不是僅在1927和1941兩年得到補充。

[6] Bùi Xuân Đính, *Hương ước và quản lý làng xã* 《鄉約與其對鄉村之管理方式》，同註3，頁203。

[7] 實際上漢喃研究所和社會科學通訊所都貯存古和改良兩類鄉約而不是兩類分別貯存在兩所。

[8] Nguyễn Thế Long, *Hà Nội xưa qua hương ước* 《如鄉約中所載的河內》

約有兩種：喃字或漢字的古鄉約和 20 世紀初的改良鄉約，越南鄉約加上當代新鄉約共有三種：古代、改良的和新式的」[9]。「鄉約共有三階段：從 15 世紀中期到 1921 年---鄉村自己編纂鄉約，叫做古鄉約；從 1921 年到 1945 年 8 月革命---鄉約被按照改良鄉政意圖來編纂，叫做改良鄉約；從 20 世紀 90 年代以來的叫做新鄉約」[10]。「所謂古鄉約是自從 15 世紀到 20 世紀初的漢字、喃字鄉約」[11]。「目前在北部洲土較多村社開始編撰符合於法律、生活習俗的鄉約」[12]。

　　總體來說，越南鄉約被專家們依據不同名稱、階段、文字分為以下三種：

〔表一〕專門家所分類的三種鄉約

	鄉約種類	時間	文字	分期者
1	古鄉約	19 世紀到 20 世紀初	漢、喃	Nguyễn Thế Long
		15 世紀到 1945 年 8	漢、喃	Đào Trí Úc 引用 Kiều Thu Hoạch

（Hanoi: Nhà xuất bản Hà Nội, 2000, pp. 30）。

[9] Ngô Đức Thịnh, 「Luật tục với việc phát triển nông thôn hiện nay ở Việt Nam」,*Luật tục và phát triển nông thôn hiện nay ở Việt Nam* 《律俗和目前越南鄉村之發展》 （Hanoi: Nhà xuất bản Chính trị quốc gia, 2000），pp.29）。

[10] Phan Đại Doãn, Bùi Xuân Đính, 「Ba thời kỳ phát triển của hương ước」, *Luật tục và phát triển nông thôn hiện nay ở Việt Nam* 《鄉約之三個發展階段.律俗和目前越南鄉村之發展》（Hanoi: Nhà xuất bản Chính trị quốc gia, 2000），pp.125。

[11] Đào Trí Úc 主編, *Hương ước trong quá trình thực hiện dân chủ ở nông thôn Việt Nam hiện nay* 《現在越南鄉村之民主實現過程中的鄉約》（Hanoi: Nhà xuất bản Chính trị quốc gia, 2003, pp.27），引用自 Kiều Thu Hoạch, *Hương ước cổ ở Việt Nam – Những giá trị văn hóa và pháp lý* 《越南古代鄉約：文化和法理價值》。

[12] Bùi Xuân Đính, *Hương ước và quản lý làng xã* 《鄉約與其對鄉村之管理方式》，同註3，頁7。

		月以前		
			漢、喃	Ngô Đức Thịnh
		從 15 世紀中期到 1921 年		Phan Đại Doãn – Bùi Xuân Đính
	改良前鄉約	在北圻鄉政改良以前	漢	Bùi Xuân Đính
2	改良鄉約	1921 年以後		Nguyễn Thế Long
		20 世紀初		Ngô Đức Thịnh
		從 1921 年到 8 月革命		Phan Đại Doãn – Bùi Xuân Đính
	按照 1921 年鄉政改良主張來編纂鄉約		漢、國語	Bùi Xuân Đính
3	新鄉約			Phan Đại Doãn
		20 世紀 90 紀以來		Phan Đại Doãn – Bùi Xuân Đính
	新農村規約			Ngô Đức Thịnh

（本論文表格中的斜線表示作者或者文本沒提到此內容）

專家們對鄉約的名字、存在時間、文字雖然還有不同的看法，但都把鄉約分成三種：①古鄉約（鄉政改良以前）；②改良鄉約（按照北圻統使的指導來編纂）[13]；③新鄉約（從 20 世紀 90 年代以來）。

三、三種鄉約的面貌

（一）古鄉約

據《洪德善政·禁民俗設立私約》，[14]可知越南在 15 世紀已有鄉約，從此到 1921 年 8 月 12 日（北圻統使頒行議定時點）以前的鄉約可稱古鄉約。古鄉約的內容包括鄉村生活的各

---

13 請參看〔阮〕《改良鄉會議定》（簡稱為《議定》），漢喃研究所所藏、編號 AB.475。
14 漢喃研究所所藏，編號 A.330。

方面的規定，其中包含較多惡俗，內容集中於祭祀、婚禮、喪禮、犒望等方面，[15]程序繁冗、浪費錢財；對違反者的處罰（特別是荒淫罪）是很嚴厲甚至是殘忍的。

（二）改良鄉約

自從 1921 年 8 月 12 日起各村社都要按照北圻統使頒行的《議定》來編纂鄉約，[16]一般包括兩個部份：第一、總局條例，包括政治、收支簿、稅錢、訴訟、巡防、救急、衛生等等；第二、俗例，包括田土、婚禮、喪禮、祭祀、犒望等等。此期各種鄉約一般都是在上面所提的第一部分內容（尤其是政治內容）大同小異，甚至是一模一樣的。第二部分中，雖然本村的風俗還被保留著，但是一些舊俗（主要是在婚禮、喪禮、祭祀、犒望等方面的「口債」[17]形式和繁冗祭祀）已被禁止，殘忍處罰形式也被拋棄。

（三）新鄉約

自從 8 月革命以後，鄉約因為被認為是舊制度的殘餘而被擱置于生活之外。胡志明主席早已認出此錯誤，在 1958 年訪問太平省時他曾說：「鄉約是鄉村的條約，人們規定不許讓家畜家禽破壞五穀；勸告不應偷竊等等。那是以前我們農村的良

---

[15] 某人有可喜之事如考試中式、蒙受品銜等等要做宴席或向村社繳納錢財叫做犒望。

[16] 參看規定鄉約模式，如: Trần Văn Minh，*Cải lương thực lục* 《改良實錄》（Hanoi: Nhà in Kim Đức Giang, 1924）。

[17] 彼此做宴請人叫做「口債」。

俗。革命以後你們全部刪除，那是不對的。革命只刪除不好
的，好的要保留」。[18]雖然一直到改革開放以後，「鄉村的風
俗習慣、信仰各方面逐漸被肯定，再立鄉約的現象在河北省萌
芽出現」。[19]接著，編纂和實施新鄉約也被政府關心，政府頒
行較多指導公文，新鄉約文本之內容越來越符合於當代生活環
境，到現在越南一般村社都有新鄉約。[20]

四、還有別一種鄉約

　　二十世紀初，法國政府在越南北圻指導鄉村改良試點（包
括鄉政和鄉俗兩個方面），目的分別為刪除腐俗和加強政府對
鄉村的管理能力。爲了促使村民實現改良，不等到北圻統使
《議定》被頒行時，在 1921 年 8 月 12 日以前十多年中，在地
方官（一般的是省官或縣官）的曉諭下若干鄉村早已陸續修改
舊鄉俗文本。從實際的考察，筆者認為鄉約文本不僅包括上面
所提三個階段：在古鄉約和改良鄉約之間，還有一些形成在試
點鄉政改良（簡稱為試點改良）時期的文本。[21]近年來有關試

---

[18] Ban nghiên cứu lịch sử Đảng Thái Bình, *Thái Bình năm lần đón Bác* 《五次迎接胡伯伯的太平省》（Thai binh: 1970，pp.43）.

[19] Phan Đại Doãn, Bùi Xuân Đính, 「Ba thời kỳ phát triển của hương ước」, *Luật tục và phát triển nông thôn hiện nay ở Việt Nam* 《鄉約之三個發展階段.律俗和目前越南鄉村之發展》，同註10，頁134.

[20] 1996年在河北省（今北寧省）已有1580個村編纂好新鄉約；在太平省興河懸1994年已有50%村編纂好新鄉約（Đinh Gia Khánh, 「Về một số hiện tượng văn hóa dân gian đang sống động trong xã hội」〈關於在社會中存在著的若干文化現象〉, *Tạp chí Văn hóa dân gian* 53,1（Jan,1996）: pp.5）.

[21] 實際上，不僅鄉政而鄉俗也被」改良。

點改良鄉約的論文越來越多。[22]

　　這些論文從不同方面提到試點改良：或是對 1921 年前試點改良鄉約文本進行研究（Đinh Thị Thùy Hiên），或是研究一個省的試點改良(Nguyễn Thị Lệ Hà, Lê Thị Hằng)，或是研究北圻地區的試點改良（Đào Phương Chi）等等。儘管對於試點地區、試點時間的研究還不一致，但是作者們都有一個結論：在正式鄉政改良階段以前，越南北圻曾有試點鄉政改良的情況。

---

[22] 請參看: Lê Thị Hằng, *Chính sách cải lương hương chính do chính quyền Pháp tiến hành ở Bắc kỳ - qua thực tiễn tỉnh Hà Đông*《法國政府在北圻進行的鄉政改良政策：以河東省為例》，碩士歷史論文（Hanoi, 2008）；Nguyễn Thị Lệ Hà,「Tỉnh Hà Đông – nơi thí điểm chính sách cải lương hương chính thời Pháp thuộc」〈在法屬時期中進行鄉政改良政策的河東省〉, *Khoa học xã hội Việt Nam*（Dec,2012）；Nguyễn Thị Lệ Hà,「Cuộc thử nghiệm chính sách cải lương hương chính của chính quyền Pháp ở tỉnh Hà Đông（1913-1920）」〈法國政府在河東省進行的鄉政改良政策之試點（1913-1920）〉, *Nghiên cứu lịch sử* 443, 3（Mar,2013）: pp.46-56; Đào Phương Chi,「Bước đầu tìm hiểu về việc thí điểm cải lương hương tục ở Bắc kỳ qua một số văn bản tục lệ bằng chữ Nôm」〈在北圻的鄉俗改良試點之初步理解：從喃字鄉約文本看起〉, *Tạp chí Hán Nôm* 116, 1（Feb,2013）: pp.58-71; Đào Phương Chi,「Cải lương về tế tự qua cải lương hương tục thí điểm: Nhìn từ văn bản tục lệ」〈試點鄉俗改良階段中的祭祀改良：以鄉約文本為例〉, *Tạp chí Hán Nôm* 119, 4（Aug,2013）: pp.65-78; Đào Phương Chi,「Những khác biệt về cưới hỏi, tang ma, khao vọng tại Bắc Kỳ trước và sau cải lương hương tục thí điểm」〈試點鄉俗改良前與後的差別：婚例、喪例、犒例〉, *Nghiên cứu lịch sử* 458, 6（Jun,2014）: pp.23-33; Đinh Thị Thùy Hiên.「Bước đầu tìm hiểu 'hương ước cải lương' ở Bắc Kỳ trước năm 1921」〈對 1921 年以前在北圻的改良鄉約之初步瞭解〉, *Khoa học Xã hội và Nhân văn* 28（Dec,2012）: pp.104-116; Đinh Thị Thùy Hiên,「Văn bản hương ước cải lương（1906 - 1907）: nhìn từ lịch sử hương ước và cải lương hương chính ở Bắc Kỳ năm 1921」〈1906–1907年的改良鄉約文本：從鄉約歷史和1921年的北圻鄉政改良看起〉, *Nghiên cứu lịch sử* 455, 3（Mar,2014）: pp.31-41. 等等。

考察那階段鄉約文本可看出「試點改良」是在政府或「上官」指導下進行，例如：

◇承政府之旨諭，茲本社民齊會願意刪除無法奢侈舊俗建立有益新俗。[23]

◇今年初我們承本省巡撫官之飭進行改良鄉例。[24]

◇本省官使我們改良、減省麻煩，編寫成本，遞呈縣官以便縣官遞呈省官。[25]

◇蒙受本省大官為我們曉諭公益諸事，我們新編款例，例舉如左。[26]

◇承飭改正俗例各款，承照條目各款，改定奉列如左。[27]

◇茲民承照條目各款改定，永後遵行，奉列如左。[28]

對「試點鄉俗改良」研究的絕大部分論文都以為試點階段只在河東一省進行，但從以上引的內容看，河東以外很多省的省官都對改良一事有「曉諭勸告」，這說明試點改良的官方和普及性質。此官方性質說明試點改良不是自發的行動而是在「上官」的指導下實施（據文本所載是「省官」（AFa.3/58,

---

23 〔阮〕超詣村村民：〈河南省金榜縣日就總超詣村俗例〉，《河南省金榜縣日就總各村社俗例》（漢喃研究所，編號AF.a10/4），頁7a。

24 〔阮〕土穀社社民：《興安省安美縣安富總土穀社俗例》（漢喃研究所，編號AF.a3/59，頁23a）。

25 〔阮〕豪川社上村村民：《興安省安美縣安富總豪川社上村俗例》（漢喃研究所，編號AF.a3/58,頁1b）。

26 〔阮〕清恬社社民：《河東省丹鳳縣清恬社政治風俗》（漢喃研究所，編號AF.a2/23，頁 1a）。

27 〔阮〕桂楊社社民：《河東省丹鳳縣楊柳總桂楊社風俗》（漢喃研究所，編號AF.a2/14, 頁1a）。

28 〔阮〕楊柳社社民：《河東省丹鳳縣楊柳總楊柳社風俗》（漢喃研究所，編號AF.a2/11，頁1a）。

AFa.2/23, AF.a2/17）、「省巡撫官」（AFa.3/59）。試點改良不管是某些研究者所言的只在河東一省實現，還是筆者認為的在較多省（北寧、河南、興安、福安等等）實施，[29]都可以看出它延續了較長時間（自 1905 或 1906 年到北圻統使頒行《議定》時的 12 日 8 月 1921 年之間）。[30]此階段留下了不少的鄉約文本，呈現了當時村社在多方面的改良觀點、改良程度，為 20 世紀初越南北圻鄉村的文化、社會、經濟、歷史等方面提供許多價值的資料。

　　從形式和內容來看，試點改良鄉約與古鄉約和改良鄉約有如下不同：

〔表二〕古、試點改良、改良三種鄉約之不同

	古鄉約	試點改良鄉約	改良鄉約
內容	許多惡俗 無鄉政改良問題	惡俗減少，鄉政改良問題可有可無	無惡俗 有鄉政改良問題
改良程度	無	不太徹底	徹底
文本結構	不固定	固定性不高	有固定性

　　此處所說的「鄉政」包括兩個方面：設立「族表會同」[31]和「收支簿籍」。按北圻統使頒行的《議定》的規定這兩個內容是不可缺少的。法殖民政府對試點改良和改良鄉約內容之影響除了以上所說的方面以外，還表現于以下三個方面：第一是衛生；第二是犯禁（個人釀酒、個人賣毒、賭博）；第三是規定兒童入學年齡。那些問題在古鄉約從未出現；在試點改良

---

29 請參看：Đào Phương Chi, "Bước đầu tìm hiểu về việc thí điểm cải lương hương tục ở Bắc kỳ qua một số văn bản tục lệ bằng chữ Nôm"〈在北圻的鄉俗改良試點之初步理解：從喃字鄉約文本看起〉, *Tạp chí Hán Nôm* 116,1 （Feb,2013）:pp.58-71.

30 同前註。

31 族表會同：本村各族代表人之組織。

鄉約可有可無；在改良鄉約比較常見。

改良工作除了「鄉政改良」內容外，還有一個比較重要的內容是鄉俗改良。通過漢喃研究所所藏若干試點改良鄉約文本的設立會同、收支簿籍、祭祀、婚禮、喪禮、犒望等內容，可看出當時鄉村改革的方面、程度和鄉約文本的結構。[32]

〔表三〕試點改良鄉約中若干主要條目的變化表〕

條目	設立會同	犒望	婚禮	喪禮	收支簿籍	祭祀
文本改良（%）	33.3	61.1	60.4	72.25	47.9	50

上表的結果雖然只依據漢喃研究所所藏的 18 種文本，但也可看出當時試點改良的概況和此時鄉約文本面貌。

鄉約文本提供的信息雖然比表二、表三的更複雜，但仍可以上述表格作為分別三種鄉約的主要參照，即試點改良鄉約是古鄉約和改良鄉約的過渡。也可見出試點改良鄉約與古鄉約和改良鄉約具有明顯的不同，此不同之處足以讓我們不能把試點改良鄉約放置在古鄉約或改良鄉約之中，而應獨立成為一期。需要指出的是：不是所有自 1905 年到《議定》頒行以前階段的文本都屬於試點改良的。在很多村社，此階段還屬於古的鄉約文本。例如：〈河南省維先縣木丸總衙舍社俗例〉[33]（定本于啓定三年，1918 年）；〈興安省安美縣跨欄總青舍社俗例〉[34]

---

[32] 此結果是根據于漢喃研究所所藏的18試點改良鄉約文本，請參看：Đào Phương Chi, 「Thử giải mã các khái niệm được sử dụng trong giai đoạn cải lương thí điểm qua một số văn bản tục lệ chữ Nôm」〈對在試點改良階段中使用的若干概理解〉, Nghiên cứu lịch sử 473,9（Sep,2015）:pp.68-74.

[33] 〔阮〕《河南省維先縣木丸總各社俗例》（漢喃研究所，編號 AF.a10/23）。

[34] 〔阮〕《興安省安美縣跨欄總各社俗例》（漢喃研究所，編號

（定本于維新八年，1914）；〈福安省東英縣古螺總嘉禄社俗例〉[35]（定本于啓定六月，1921 年二月到三月左右）等等。此現象的原因是「試點鄉俗改良」只是一個運動，在此時期還未有嚴謹的規制，改良一事還被村社自己決定，所以對許多地方來說，這是一個古鄉約和試點改良鄉約的「和平共生」的階段，換句話說這是「改良鄉約過度」階段。

試點改良鄉約和改良鄉約的最大差別是：試點改良鄉約雖然帶有「改良」風味但其中的內容、改良程度全由本社決定，而不是和《議定》頒行以後的改良鄉約一樣遵照一個固定格式。試點改良鄉約因此就是寶貴資料，提供許多越南鄉村文化、社會、經濟、政治的信息，同時也反映了當時村民的觀念的改變；保留舊俗還是進入新俗的酌量。

規程的實施帶有官方性，涉及地域廣泛；文本的數量和內容非常豐富，這些試點改良鄉約應當被研究者們給予更多關心、理解。尤其是，它們與古鄉約和改良鄉約有不同的特點，所以在越南鄉約系統也應有一個特別的位置。如果跟以前一樣把越南鄉約分成三種是不太準確的，相當於從越南鄉約體係中割下一個內生部分。筆者認為，如果要想對越南鄉約有了更準確、更全面的概括要有新的分期法。依據有關資料和歷史實際，此分期應包括古、試點改良、改良和新四個階段，如下：

古鄉約：15 世紀到 1921 年 8 月 12 日前；

試點改良鄉約：1905-1906 年到 1921 年 8 月 12 日前；

AF.a3/27）。

[35]〔阮〕《福安省東英縣古螺總各社俗例》（漢喃研究所，AF.a7/1）。

改良鄉約：1921 年 8 月 12 日後到 8 月革命（1945）前；

新鄉約：自從 20 世紀 90 十紀以來

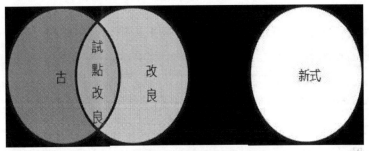

〔越南鄉約分期圖表〕

　　從時間方面上看，可見出古鄉約和試點改良鄉約之間帶有一個交叉，但從內容、目的、精神、性質等方面上看，顯然試點改良鄉約不能和其前後兩種鄉約混同。另外，到正式鄉政改良時期，改良鄉約已經定型，我們仍然可看到上述的重合：定本于正式改良時期的古鄉約。[36]從此實際可認定：傳統上以時間、事件作為為鄉約分期的基礎並不是完全準確的做法。[37]

---

[36] Phan Đại Doãn, Bùi Xuân Đính, 「Ba thời kỳ phát triển của hương ước」, *Luật tục và phát triển nông thôn hiện nay ở Việt Nam* 《鄉約之三個發展階段：律俗和目前越南鄉村之發展》，同註10, pp.127.

[37] *Ba thời kỳ phát triển của hương ước*（《鄉約的三個發展時期》）的作者也許因為以時間、事件為分期依據，所以把安所、安路兩村（今屬越南河內市）置於古鄉約一種，實際上在本質上看它們不是古的，正如作者所認定：「那些鄉約已經受到法殖民政府的影響」。Phan Đại Doãn, Bùi Xuân Đính, 「Ba thời kỳ phát triển của hương ước」, *Luật tục và phát triển nông thôn hiện nay ở Việt Nam* 《鄉約之三個發展階段.律俗和目前越南鄉村之發展》，同註10，pp.127.

五、古、試點改良和改良三種鄉約的具體
　　面貌：以瑞芳社鄉約為例

　　古鄉約和改良鄉約之最大差別是前者帶有許多惡俗，沒有鄉政改良問題；而改良鄉約沒有惡俗但有鄉政問題。試點改良鄉約處於二者之間:雖然改良但一般不太徹底；鄉政改良內容可有可無。本文只以瑞芳社鄉約文本進行具體研究，原因是瑞芳社還留存有古、試點、改良三個階段的鄉約文本，這是在鄉約文本中不常見的，另外，在試點階段此社有兩次更改了鄉約（一般試點階段各村社只有一次鄉約更改），本文也只關注於減少惡俗的問題，因為這才是各村社在試點改良階段的特別問題，而鄉政問題一般各村社是相同的。

　　自瑞芳社現存最早鄉約撰定時間同慶一年（1886）到保大十二年（1937）該社至少共修訂鄉約四次。如同其它村社，瑞芳社也以補充鄉政內容和改變鄉俗為改良之目的，改變注重於祭祀、婚禮、喪禮和犒望四個方面，[38]所以本論文將對上述四個方面進行研究，在此四個方面也只介紹代表性的條例。下表是瑞芳社三次修訂鄉約的代表性改良內容：

---

[38] 瑞芳社的改變和當時各村社的是大同小異，一般的是減少手續、節省錢（請參看： Đào Phương Chi，「Cải lương về tế tự qua cải lương hương tục thí điểm: Nhìn từ văn bản tục lệ」〈試點鄉俗改良以後的祭祀改良：從鄉約文本看起〉，*Tạp chí Hán Nôm* 119,4 （Aug,2013）:pp.65-78； Đào Phương Chi，「Những khác biệt về cưới hỏi, tang ma, khao vọng tại Bắc Kỳ trước và sau cải lương hương tục thí điểm」〈試點鄉俗改良前與後的差別：婚例、喪例、犒例〉，*Nghiên cứu lịch sử* 458,6 （Jun,2014）:pp. 23-33.

（表四：芳社三次更改鄉約的代表改良內容）

	舊俗[39]	同慶一年(1886)	成泰十八年(1906)	維新九年(1915)	保大十二年(1937)
動土節		每甲[40]辦雞兩頭、糯米飯一盤、芙蕾、酒敬神（頁6b）	當該甲[41]辦雞一頭、糯米飯十五斗、芙蕾二十口、酒一瓶敬神（頁21a）		芙蕾160口、酒敬神（頁14b）
上田節		牲、糯米飯敬神	上田、新飯、新糯米飯三節合一：每甲各辦豬、糯米飯一禮敬神（頁60b）		奇該甲[42]辦豬、糯米飯、芙蕾、酒一禮；別的甲公辦雞、糯米飯、芙蕾、酒一禮
新飯節		各甲各辦豬、糯米飯、芙蕾、酒敬神	同上（頁60b）		
新糯米飯節		各甲各辦牲、糯米飯、芙蕾、酒敬神（頁6a）	同上（頁60b）		
六七八十歲鄉老官員色目	在本甲、本巷要辦很奢侈的禮品		芙蕾、酒敬神（頁27a）		
	牲禮敬神		酒一瓶、芙蕾100口敬神		

---

39 舊俗各內容是筆者按照瑞芳上面4個文本綜合起來，不是除了4個文本以外還有別的古文本。

40 甲：村社中的組織，包括男人（一般是以血統關係來分成不同甲）。

41 當該甲：負擔敬神禮品的甲。

42 奇該甲：相當於當該甲。

子孫					
納彩	很奢侈的宴席女裝		第一等：豬一禮、錢100貫 第二等：豬一禮、錢60貫 第三等：雞一禮、錢30貫 （頁38a）		
攔街錢43	甲攔街錢巷44攔街錢攔街			芙蒥123封、錢一元（頁22b]）	
喪禮	第一等：向本社各組織納牛錢、餅、大小祥兩期宴席 第二等：宴席、助葬宴席 第三等：請全社吃宴 第四等：向社、向巷納錢、奢侈宴席		第一等：290貫、大小祥兩期宴席 第二等：90貫、大祥宴席 第三等：29貫 第四等：3貫 第五等：1貫2陌、芙蒥100口、酒一瓶	第一等：豬、糯米飯一禮；287貫 第二等：168貫5陌 第三等：11,5元 第四等：3貫 第五等：1貫2陌、芙蒥100口	

　　可見鄉約之改良都有節省的目的，其中最被注目的是祭祀和喪禮。動土、上田兩節有兩次改良。動土節舊俗每甲都要有雞、糯米飯、酒、芙蒥，到試點改良時期的成泰十八年改成禮品只有當該甲要辦，到正式改良時期的保大十二年祭品只有芙蒥和酒；舊俗上田、新飯、新糯米飯三節要分別進行祭祀，到

43　在婚禮以前，男人家要鄉村政權（或是還有別的村裡組織）繳納錢，叫做攔街錢。

44　巷：村裡的社會組織，包括共同使用一條巷的各家庭。

試點改良時期不僅三節合一，祭品也節省，到正式改良的保大十二年再一次改良：不是各甲各辦祭品而且只要有兩套祭品：一個是奇該甲的、一個是各甲公辦的。

喪禮也有兩次改良。成泰十八年和維新九年（都屬於試點改良階段），舊俗喪主需繳納四等例之一（各例都要做宴席請全村，非常奢侈），到成泰十八年除了四等都被刪除做宴請全村，爲了使喪主減省費用，瑞芳社人還把四等例改爲五等的，然後到維新九年五等例的花費一般都再一次減少。

六、結語

以上是筆者依據越南鄉約文本的實況對越南鄉約文本之重新分期。本分期法與傳統的是不同。越南鄉約研究中有很多有趣且複雜的問題，對它的分期即是其中較爲複雜的問題之一。本文提出的問題有關怎樣認識政治與文獻之間的關係，如有不妥，期待得到專家的指正。

勸學對越南科舉的影響：
以乂安省為中心

黎氏秋香（Lê Thị Thu Hương）*

摘要

　　越南中北部的乂安省在越南科舉歷史(1075-1919)上有輝煌
的成就。阮朝乂安大科錄取人數是全國第一。除了天然的地理
因素，社會環境，從中央到地方各級的各種勸學的方式對這裡
的考試產生巨大的影響。本文認為，乂安在考試歷史上收到了
幾種勸學的形式，如下所示：從陳朝的「寨狀元」開始，黎朝
開設一所省級考試場，阮朝在乂安省府縣內開設 8 所學校。乂
安省各村社都特別注重各種形式的勸學：精神上（求科，謝
科，榮歸等禮節，鄉中地位，刻名在石碑上等），物質上（免
雜役、免搜稅、給紙、給筆、給獎學金、拜師、給學田等）的
待遇。雖然乂安勸學仍然有一定的局限性，這是無法避免的，
如婦女教育和科舉不在其，以仕宦為教育目的的觀念等。

關鍵詞　勸學，乂安省，科舉製度，越南

---

* 〔越〕越南漢喃研究院銘文學房副房長。

一，越南科舉與儒學教育概述

儒學教育在中國出現的時間很早，孔子被視為儒學教育的祖師。從上古，科舉雖未設立，但已開辦學校，求真人才。[1]記錄孔子及其弟子言行的《論語》成為儒家經典之一。《禮記‧學記》雲：「古之教者，家有塾，黨有庠，術有序，國有學」。漢武帝獨尊儒術之後，儒學教育迎來了大發展，並在隋唐至清代一直保持獨尊地位。

因歷史和地理原因，越南很早就受到中國儒學教育和科舉的影響。在南越國時期，漢字即傳入越南。[2]北屬時期越南士人參加中央政府組織的儒學考試，如唐代的馮帶智，薑公輔，薑公復，廖有方等。[3]到 10 世紀越南自主建國之時，越南士人已經系統的學習漢字經典並接受儒家教育。《大越史記全書》記載李聖宗神武二年（宋熙寧三年，1070）：

> 秋，八月，修文廟，塑孔子，周公及四配像，畫七十二賢像，四時享祀，皇太子臨學焉。[4]

《大越史記全書》記載李朝自 1075 年首次考試之後，總共考試 7 次，李仁宗 2 次（1075，1086），李英宗 2 次（1162，

---

[1] 丁克順：《漢喃資料中的越南黎朝科舉與儒學》（河內：社會科學出版社，2009），頁11。

[2] 葉少飛、丁克順：《越南新發現東山銅鼓自銘「金甌」釋》，《漢字研究》第14輯（2015），頁179-187。鄭生：《古螺銅鼓漢字銘文研究》，河內：《考古雜誌》第6期（2006），頁16-26。

[3] 陳義：《十世紀以前的越南人漢字作品》（河內：世界出版社，2000），頁35。

[4] 校合本《大越史記全書》，本紀卷之三，頁245。

1182），李高宗 3 次（1185，1193，1195）[5]。之後的陳，黎，莫，阮諸代皆以科舉為掄才大典，定為國策，發展儒學教育。

　　1227 年，陳朝試三教選拔儒佛道人才。陳朝第一次儒學考試則 1232 年舉行，最後一次在 1393 年。為了鼓勵遠離京師的地區積極學習，1256 年規定考試選取京狀元和寨狀元，《大越史記全書》記載：

> 丙辰六年〈宋寶祐四年〉春二月，大比取士。賜京狀元陳國扐，寨狀元張燦，榜眼朱馨，探花郎陳淵，太學生四十三名〈京人四十二名，寨人一名〉出身有差。國初，舉人未分京寨，中魁者賜狀元。至是分清化，乂安為寨，故有京寨之別殿。[6]

陳朝開始確定鄉試和會試，會試前三名即狀元，榜眼，探花，稱「皇甲」，通過鄉試的則是舉人。陳朝的科舉製度和政策逐步完善，教育和考試得到大力推廣。

　　胡朝的創建者胡季犛曾為陳順宗的輔政，非常重視科舉和教育。胡季犛曾將《詩經》中的《Vô dật》譯為國音（即喃字越南語）。陳順宗曾下詔保障學校的運行，詔曰：

> 古者國有學，黨有序，遂有庠，所以明教化敦風俗也。朕意甚慕焉。今國都之制已備，而州縣尚缺，其何以廣化民之道哉。應令山南，京北，海東諸路府各置一學官，賜官田有差，大府州十五畝，中府州十一畝，小府州十畝，以供本學之用（注：告朔一分，學一分，書燈

5　陳文：《越南科舉制度研究》（上海：商務印書館，2015），頁34。
6　〈本紀〉，《大越史記全書》（河內：社會科學出版社，1998。內閣官板），第4集，卷5，頁21b。

　　一分）。路官督學官教訓生徒，使成才藝，每歲季則選秀者於朝。朕將親試而擢之焉。[7]
詔書頒行全國，地方立碑執行，即見於《楊柳鄉會科碑記》。[8]

　　繼起的黎朝更加注重教育和培養人才。順天元年（1428），太祖黎利巡視國子監，並下詔國中各府均要建立學校，培養人才。1442 年開始在文廟建進士題名碑。光順四年（1463），「初定三年大比」，「會試天下舉人，時應舉者四千四百餘名，取四十四人。十六日，殿試進士。」之後「命禮官捧黃榜，揭於東華門外，以示多士」，成為常例。[9]

　　1527 年莫登庸弒黎恭皇篡位，建立莫朝，隨後與黎朝殘餘力量開始內戰。莫朝初期佔據優勢，重視科舉，培養人才。明德三年（1529），「莫開會試科，賜杜綜，文江縣賴屋社。阮沆，阮文徽三名進士及第，阮雲光等八名進士出身，阮有煥等十六名同進士出身。」[10]洪寧二年（1592），「莫開會試科，賜範有能等四人進士出身，阮有德等十三人同進士出身」。[11]莫朝總共開科 22 次，取進士 460 人。

　　1788 年光中皇帝即位，頒布《立學詔》以選材育人，要求全國實施，這道詔書具有很強的進步性，極大改善了西山朝的教育制度。[12]其中北城鎮的獎諭，督學等措施體現了對教育的

7　〈本紀〉，《大越史記全書》，同前註，卷8，頁30a。
8　楊柳鄉會科碑記，Nº36522
9　〈本紀〉，《大越史記全書》，同註6，卷12，頁12a。
10　〈本紀〉，《大越史記全書》，同註6，卷15，頁73b。
11　〈本紀〉，《大越史記全書》，同註6，卷17，頁30b。
12　丁克順：《西山朝的立學詔與教育政策》，《漢喃雜誌》第 3 期（2003），頁75-77。

促進。西山朝政局不穩，只組織了一場鄉試。

阮朝嘉隆皇帝登基之後，社會政治，經濟已經有了很大的變化，科舉制度也逐漸恢復正常。嘉隆六年（1807），阮朝舉辦第一次鄉試，先確定六年一科，後改為三年。明命三年（1822），阮朝首次舉行會試。嗣德帝在鄉試和會試之外，又開恩科。在國子監中的舉人，監生稱為「制科起士」，府縣則為教授，訓導。啟定四年（1919），阮朝舉辦了最後一次科舉考試，科舉退出歷史舞臺。

二，乂安省科舉和學校

（一）乂安省社會經濟自然環境與教育建設

1.自然地理

「乂安」之名始於李朝，李太宗通瑞三年（1036）以驩州為「乂安」；陳朝稱寨；黎聖宗光順十年（1469），設乂安承宣，轄八府十二縣二州；阮世祖嘉隆元年（1802）稱乂安鎮。明命十二年（1832）分德壽，苛華 二州為河靜省，仍設乂安；嗣德六年（1853）德壽府又劃歸乂安省。[13]1976 年，河靜省併入乂安省；1991 年，河靜省與乂安省再次分開，直至今日。今乂安省包括一城三市社十七縣。

乂安省位於長山山脈東北，地形多樣，河流自西北向東南流過，生態良好，多山濱海，山地占全省面積的 83%。乂安的

---

13 吳德壽、阮文原、Phillippe Papin：《同慶地輿志》（河內：世界出版社，2003），頁1229。

科舉教育就是在這樣的自然地理基礎上發展起來的。乂安屬於東南亞季風區，一月寒冷，東風猛烈……五月六月悶熱，九月開始刮東北風，多雲雨。秋冬無霜雪，多洪水。通常一個月有一到數次雨汛。[14]乂安省近海多雨，氣候惡劣。農業難以收穫兩季，秈米較好，糯米則質量較差。此地亦有豆，瓜果菜蔬，但須到時令方有。[15]

　　乂安省自然條件差，未得天地造化鍾愛，旱澇連綿，常有饑荒。教育正是乂安人民改善自身處境和生活的方式。乂安人努力奮鬥，勤儉節約，在學習方面吃得苦中苦，常在考試中拔得頭籌。可以說，乂安艱苦的自然條件造就了乂安人學習精神和教育傳統，因此在科舉中取得了巨大的成就。

2.社會環境

　　乂安長期被稱為「學地」，亦稱「鄒魯之鄉」。古代的乂安家庭儘管貧困，食薯芋亦要供子孫讀書。乂安人常論：「登閣入貢，雙雙折桂；習課業儒，常懷祿榮」，因此乂安人登榜很多。　農人有改變「面朝黃土背朝天」的堅強意志，只能學習變為士人。人們認為「一人當官，全家與榮」，人們對此有強烈的意識，因而子弟努力向學。

　　越南的科舉造就了一批具有良好教育傳統的文化世家，家族中舉著極多，在乂安亦有多家，如瓊流胡氏，李齋吳氏，忠勤阮仲氏，[16]金溪丁氏等等。[17]登科的士人對家族子弟多有照

---

[14] 同前註，頁1231。
[15] 陶三省：《乂安科榜》（乂安：乂安文化通信處，2000），頁30。
[16] 阮仲，阮為姓，仲為墊字，以此在同姓之間進行區分。

拂，在學習和科考過程中予以幫助。

在地方上，廊社村鄉都非常關心教育，督促學習。在具體化的鄉約文本中，特別有注重科舉傳統的內容，為教育和學習創造物質和精神條件，保障士子的權力，為其學習和考試提供便利，為儒家教育的成功提供了巨大的助力。

另外，乂安又以儒學名師知名，如胡士棟，阮德達，潘佩珠，楊叔合等有節操情義，培養了眾多名人。乂安的很多村社都自行設立學堂教育子侄，這也是乂安科舉成功的重要因素。

（二）乂安科舉傳統

乂安是越南中部的大省，以善於學習著稱，有眾多歷史名人，在越南歷史進程中發揮了重大作用。自 1075 年首開「明經博學」以來，之 1919 年最後一次科舉，越南共組織了 183 場會試和庭試，取士 2898 名，副榜 75 名，乂安人皆有中榜，190 位中大科，數百位二場和三場。 黎阮時期，會試，鄉貢，舉人極多，生徒，校生，秀才更是不計其數。[18]阮朝科舉中，乂安省取士 90 名，位列第一，第二是承天省 60 名，第三是河靜省 44 名。[19]白遼是乂安第一位狀元，陳朝紹隆九年（1266）為寨狀元。庚戌科 1910 科舉考試乂安人取中 7 人歷史上最多的；1895 和 1907 年兩科取中 5 人，有六科取中 4 人。[20]

乂安科舉必須提及文化家族的情況，這些世家子弟中榜幾

---

17 陶三省：《乂安科榜》，同註15，頁146。
18 陶三省：《乂安科榜》，同註15，頁157。
19 陶三省：《乂安科榜》，同註15，頁385。
20 陶三省：《乂安科榜》，同註15，頁126-127。

率很高。乂安共有 55 個姓氏曾中榜，其中阮氏 154 位，其中大科 55 位；胡氏 58 位，大科 12 位；黎氏 53 位，大科 15 位；潘氏 45 位，大科 14 位。[21]乂安省中榜人數只少於興安（205 人），北寧（394 人）以及海洋（491 人），位列第四，之後的是太平（118 人），永福（84 人）和河南（55 人）。[22]乂安省以窮困之地有如此多的中榜者，正是教育傳統的體現。

三，「勸學」在乂安科舉中的作用

（一）中央「勸學」政策

在越南科舉歷史中，乂安人士並非隨時都能捷報頻傳。在李朝和陳朝的很長時間中，乂安都沒有人中榜。一種意見認為清乂地區遠離京都，因此沒有好的教育條件。[23]但實際上，朝廷已經頒旨鼓勵遠離京都的地區開展教育：

> 陳朝取士有京寨之別，猶今中國清朝滿漢之分。然立賢無方，豈可為區別，示以不廣也。蓋李朝之時以驩愛為遠州，聲教未甚浹洽，其人才不知京鎮之多。故每科必攝其寨士之尤者賜之狀元，與京並列，寓獎勸意也。[24]

《乂安記》記載，[25]東城縣袁舍社人白遼（1238-?）是乂安科榜第一人。《大越史記全書》記載：

---

[21] 陶三省：《乂安科榜》，同註15，頁150。

[22] 阮有味，《永福省文廟與傳統學校》（永福：永福省文化通訊與旅遊處，2010），頁132。

[23] 《乂安總志》（河內：社會科學出版社，2013），第8集，頁602。

[24] 潘輝注：〈科目誌〉，《歷朝憲章類志》，卷21，頁5b。

[25] 裴揚歷：《乂安記》，第2集，頁14b。

三月，大比取士。賜京狀元陳固，寨狀元白遼，榜眼
〈缺姓名〉探花郎夏儀，太學生四十七名出身有差。遼
乂安人，性明敏強記，讀書千行俱下。時上相光啓管乂
安，遼為門客，竟不仕。[26]

紹平元年（1434）黎太宗下詔定試法：

詔曰：得人之效取士為先，取士之方科目為首。我國家
自經兵燹，英才秋葉，俊士晨星。太祖立國之初，首興
學校，而草昧雲初科目未置。朕慕承先志，思得賢才之
士以側席之求。今定為試場科目，期以紹平五年各道鄉
試，六年會試都膏堂。[27]

之後三年一試，成為定例。包括乂安在內的全國士子皆有充分
的機會和條件參見科舉，金榜題名。

紹平五年（1438）規定各道鄉試，因此乂安也得以開辦考
場，黎朝盛世亦即將到來。乂安鄉考場位於藍城山（又名雄
山，義烈山）南，屬於興原縣義烈社，這正是黎朝時期乂安的
鎮。三年一試的規定提供了充足的條件，給予乂安士子充分的
時間備考，用功。1438 年，朝廷給予乂安考場 60 個鄉貢名
額，有時也會增加。

從黎朝到西山朝，朝庭特別注意人才的培養，鼓勵學習，
促進科舉發展，取得顯著成績。24/82 昇龍文廟碑和 22/34 順化
文廟碑記名字乂安中榜，證明瞭黎朝的學習鼓勵。從嘉隆帝開
始，阮朝即頒令要求個府縣立學校。《大南一統志》記載，乂

---

26 〈本紀〉，《大越史記全書》，同註6，卷5，頁30a,b
27 潘輝注：〈科目誌〉，《歷朝憲章類志》，卷21，頁8a,b。

安有省學一所，在省城東南，在文廟旁；府學三所，在英山，演州，德壽三府；縣學四所，在清漳，瓊蔔，乾祿和宜春。

（二）地方「勸學」

因為中央的「勸學」政策，因此地方在教育，考試等方面積極作為，對乂安省士人也產生了很大的影響。隨後各地在鄉約中將「勸學」具體化，條例化，產生了更加直接的作用。

漢喃研究院和越南社會科學圖書館現在保存有 355 種鄉約文本，涉及乂安省的十個縣之下的社，村，廊，甲等行政單位，其中 266 文本便有勸學條例，佔到乂安鄉約總數的 75%。其中鄉約中勸學條最少的只有一條，最多的興元府海都總長朗村鄉約有 29 條，[28]興元府海都總科陀村鄉約則有 22 條。[29]漢喃院和社會科學圖書館藏鄉約中勸學條例情況統計如下：

條款數	0	1	2	3	4	5	6	7	8	9	10	11
文本數	89	55	38	33	29	21	13	19	8	12	2	11

接續上表

條款數	12	13	14	15	16	17	18	19	20	21	22	23
文本數	2	2	3	4	1	1	1	1	2	1	1	1

接續上表

條款數	25	27	28	29	總數
文本數	1	1	1	1	355

總而言之，乂安省鄉約中的勸學內容非常豐富，在精神和物質上鼓勵學子努力刻苦，金榜題名。

1.物質方面

---

[28] 興元府海都總長朗村, VHv.2678
[29] 興元府海都總科陀村, AF.b1/7

乂安省是窮困之地，因此物質獎勵和刺激直接有效，對士子的學習有很大的促進作用。勸學的物質獎勵十分具體：設學田，減雜役，設錢，建設學校等等。

（1）設學田

學田是地方或家族從專門提供一些田地用於辦學，田產收入用以供養教師，建設修繕學堂等事務。學田是本地區對教育最直接和最重要的支持措施，學田產出只作此功用，對本地和家族教育的發展起到了巨大的作用。乂安省現在 11 個村社的鄉約和碑刻中，有關於學田的條款：

序號	設立學田的村社	藏書號	學田面積	設置年代
1	興元府都安總正的村	AFb1/5	1 畝	嘉隆 2（1803）
2	興元府海都總科陀村	AFb1/7	2 分 5 尺 3	明命 11（1830）
3	興元府海都總魯田村	AFb1/8	10 畝	明命 12（1831）
4	興元府海都總裴孔社裴村	AFb1/11	5 分	嗣德 13（1860）
5	乂安省興元府海都總裴垻社裴洲村俗例	AF b1/12	3 畝	明命 2（1821）
6	興元府文園總慶山社	AF b1/20	1 分 8 尺	不明年代
7	興元府文園總祿田社	AF b1/21	1 分	不明年代
8	眞祿縣安陽總安薔社	HUN813	1 畝	保大 17（1942）
9	梁山縣朗田總朗田社	VHv.2654	1 畝	成泰 16（1904）
10	尚書少保裔郡公胡相公祠堂碑記	Nº 2818-2821	10 畝	景興 7（1746）[30]（年代偽造，當為嗣德 7 年（1854）
11	按察胡仲潗碑記事／	Nº 2826-	39 畝 2 分	景興 9[31]（年代

---

30 阮文原：《碑刻中的年代偽造問題》（遠東學院高等實踐院，2007），頁367。

31 同前註，頁367。

先慈范恭人誄文	27	3 □（含忌田和學田）	偽造，當為嗣德 9 年（1856）

興元府海都總魯田村設立的學田多達 10 畝：

> 一學田一所拾畝全民炤次輪流以供學俸。如何人認耕幹宜就學校呈教師付許筆跡或乞納辰務各宜盡力。若這學田日以瘦損定罰領耕人三十貫冀以冀其田再許認管」。[32]碑刻顯示這是胡氏設立的家族學田：「……又嘗置學田：田在本村同轄地分俗號鞞幣處貳畝餘，渣筆處柒畝餘，貳處該拾畝為世世子孫能讀書，取科第者勸噫。[33]

許多村社對學田的使用都有明確的規定。通常獲得秀才功名可以獲得自己的學田，如果取得更高的功名即可獲得更多。個人獲得學田將獲得巨大的利益，並且為家庭爭得榮譽。因功名而獲取的學田終生不需繳稅，子孫繼承村社方重新計算繳納稅額。下表即乂安省獲取功名者得到的學田標準：

編號	規定標準	藏書號	獲得標準	年代
1	興元府海都總長朗村	AFb1/8	秀才：一畝二高 舉人：一畝五高 副榜：一畝八高 進士：二畝五高	明命10（1829）
2	興元府海都總春喬村	AFb1/10	秀才俵一畝二高；中二場俵一高	紹治3（1843）
3	興元府海都總月井社村	AFb1/10	課生：一高二□ 試生：二高；一場一畝二高；二場一畝五高 秀才：二畝二高 舉人：二畝三高 大科：三畝二高 武舉：五高 武副榜：七高六□	紹治2（1842）

---

[32] 興元府海都總魯田村，AFb1/8，頁18b。
[33] 尚書少保裔郡公胡相公祠堂碑記，N⁰2818-2821。

			造士：二畝五高	
4	興元府海都總 清風社村	AFb1/11	中秀才：五高 舉人：一畝 大科：六畝 探花：五畝 黃甲：四畝 進士：四畝 武舉：五高 造士：三畝五高 武副榜：一畝	嗣德12（ 1859）
5	興元府海都總 裴坭社東村	AFb1/11	進士：三畝 副榜或舉人：一畝 秀才：五高 造士：二畝 武副榜：一畝 武舉人：五高	明命3 （1822）
6	興元府扶龍總 黎舍村	AFb1/13	會試中甲，乙榜： 一畝二高 舉人：一畝 秀才：八高 壹貳場：三高。	明命11（ 1830）
7	興元府扶龍總 安居村	AFb1/16	一，二場：五高 中舉人：一畝五高 會試中甲乙榜： 二畝五高	紹治6 （1846）
8	興元府通朗總 約禮村	AF b1/17	秀才：二高 舉人：五高 大科：一畝五高	紹治4 （1844）
9	興元府通朗總 由禮社玉田村	AF b1/17	大科：三畝 舉人：一畝 秀才：五高 造士：二畝	嗣德31（ 1878）
10	興元府通朗總 安耨村	AF b1/18	大科：一畝五高 舉人：一畝 秀才：五高	明命21（ 1821）
11	興元府文園總 福江村	AF b1/22	大科：一畝 舉人：六高 秀才：三高	紹治1 （1841）
12	長山村鄉例	VHv.2678	大科：三畝 副榜：二畝五高 舉人：二畝 監生：一畝五高 武階管衛以上俵如 大科	明命15（ 1834）
13	武烈總鄗山社	VHv.2677	鄉試中甲榜：五高 會試中甲榜：一畝 二高； 乙榜：六高	維新2 （1908）
14	武烈總清果社	VHv.2677	大科：二畝	維新5

			中科：一畝 小科：四高	（1911）
15	武烈總抱德社	VHv.2677	大科：五高 舉人：一高 武舉：二高	維新 5 （1911）
16	武烈總玉林社	VHv.2677	文武秀才：五高 中大科：七高	維新 5 （1911）
17	鄧山社龍山村	VHv.1825	文秀才，武正隊： 四高	年代不明
18	關中總壽山社 春山村	VHv.1216	大科：三畝 副榜：二畝五高 舉人：二高 秀才：一高 監生：一畝	嗣德22（ 1868）
19	滇州府東城縣 蔡舍總仙城社 富文村	HUN 807	士人：三高	年代不明
20	大同總浪溪社	VHv.1210	中會：三高 中鄉：二高	維新（1907- 1916）

興元府海都總清風社村設立的學田制度最有力度，取得科場功名者最多達到 24 畝，並對獲得各級功名有詳細規定：

> 一例社內何員試中秀才者（…）至給田日全民摘俵公田五高以享終身，其稅例全民均刊；何員試中舉人者（…）至給田日全民摘俵公田壹畝以享終身，其稅例全民均刊；何員試中大科者（…）係至給田日全民摘俵如榜眼員俵田陸畝，探花員俵田五畝，黃甲俵田肆畝，同進士員俵田三畝以享終身，其稅例全民均刊。一例社內何員武試中武舉（…）至給田全民摘俵公田三以享終身，其稅例全民均刊；何員武試中造士者（…）至給田全民摘俵公田三以享終身，其稅例全民均刊。何員武試中副榜者（…）給田與文科舉人同。[34]

還有一些村社動員激勵子弟向學參加科考 「鄉中從學人本社

---

34 乂安省興元府海都總清風社, AFb1/11,頁35a到39a。

給公田三高以勵」。[35]鄉約對教育事務的規定非常具體：

> 本社例置學田在給賜處五度次貳壹畝何係文中科場均認
> 耕作以勸後學。如科目未繼間有一二場試生聽權認耕作
> （遞年出錢拾陸貫認辨豬炊庶品附入文址正旦禮俟有科
> 榜卽照舊認耕（另取本社公錢附入正旦禮）。[36]

（2）新科賀禮

新科人員獲得功名後須返鄉，各村社將提供一筆公用款項
辦理迎接祝賀事務。這是普遍情形，有 166 個村社的鄉約均對
此做出了明確安排。迎接禮由甲，村，或斯文會，斯武會，本
社辦理。禮品通常有錢，帳，旗，對聯，芙酒等。不同的功名
得到的賀禮和迎接的排場也不相同：

> 一本村定賀以下：賀秀才錢五貫對一聯並芙酒；賀舉人
> 錢十貫，紅絹對一聯，芙酒一盤；賀副榜錢十五貫織帳
> 一幅芙酒一盤；賀進士錢二十貫，紅帳一幅，芙酒一
> 盤。[37]

海都總清風村的賀錢最多達到 100 貫：

> 一例社內何員試中大科者何日榮歸全民各肅將儀衛就本
> 省寓所迎接。整卞紅帳壹幅，或中榜眼者賀錢壹百貫，
> 中探花者賀錢捌拾貫，中黃甲者賀錢柒拾貫，中進士者
> 賀錢五十貫並芙蕾；（...）。係至給田日全民摘俵如榜
> 眼員俵田陸畝，探花員俵田五畝，黃甲俵田肆畝，同進

---

35 安城縣關中總富文鄉約, HUN.807。
36 真祿縣安陽總安蕾社券例, HU.N813, 頁16。
37 乂安省興元府海都總長朗村俗例, AF.b1/8, 頁4b。

> 士員俵田三畝以享終身，其稅例全民均刊。[38]

在賀錢和對聯之外，帳是迎接儀式中不能缺少的物品，不同的功名有不同的質料，如布，綢，刺繡等：

> 一某有登科者秀才賀鉛錢三貫對一聯用紅布舉人賀鉛錢六貫對一聯用紅絹芙酒本村擇員職一般往賀；一某中會科者副榜賀鉛錢十二貫對一聯用紅絹並芙酒；一約民村議定中大科賀錢五十貫織幅帳一幅制旗一隻。中舉人賀錢三十貫織幅帳一幅制旗一件。中秀才賀錢 十五貫織對一聯各芙酒一盤豪老裡役上下民衣布齊整旗扁大小鼓迎接。[39]

迎接儀式的贈品既帶來了榮譽，也有實際的物質利益，也成為人們努力學習參加科舉，以高中還鄉的積極性。

（3）免稅賦差役

取得功名的人將享受免除賦稅差役的權力，如築堤，修路，修橋，當兵等 其中很多與人民及士子的生活息息相關。因為學習帶來的巨大利益，使得人們努力專心學習。對於學習優秀的人，村社中給予優待：

> 一道學者所以明人倫正人心萬事萬物都從學問中來，學之為益大矣。嗣凡村內某有力學經已課中者其徭役一皆並酌，經已應試者其守役令副並徭役各項一皆並酌，茲約。[40]

38 同註34,頁36b,37b。
39 乂安省興元府福川村俗例, AFb1/21,頁4a,7b。
40 瓊留縣黃梅總務悅社安富村俗例, VHv.1824,頁45a。

各地優免措施皆不同。通常讀書人可以參加鄉飲禮即可減免：

> 一士人預入鄉飲係寔學宜將芺酒呈明免除搜差各役，準
> 免糧以半數，茲條。[41]

為了激勵學習，因此對學習的年齡沒有限制，隨時都可以學習，從學者皆可免徭役：

> 士人從學以到歲之年再容拾歲，不拘課憑有無並免徭役
> （為年長以培始從學者亦炤此例）三拾歲從項有課憑之
> 免。[42]

對於應試落第者，村社特別予以照顧安排，亦有減免。減免賦役深刻的影響了地方學風，激勵人們努力堅持學習：

> 一款社內士人學問勤專性行純雅，遞年考課藂期預得中
> 項搜役並除. 若當從學而應考落第者，本社亦咱暫除一
> 年雜役，其如搜稅不得約除這係有心獎勤以振文風。[43]

不止有功名的人可以享有免除雜役的優待，其兄弟亦可得益：

> 一條例民社凡有士人素從實學中壹貳場民社免除搜役免
> 除兄弟兵事壹代，其坐次俵分與同豪目。[44]

為了公平的激勵士子學習，對於不努力學習，缺乏毅力，濫竽充數的人則不予減免賦役：

> 一係村內士子自來雜身稅一皆酌免以便從學，是亦培養
> 士風一善俗也。但就中有寔學者有名是而寔 非者一律
> 酌除未免平民比較。嗣宜擬定現方從學者雜役與附養糧

---

41 豪傑村丞飭奉抄券約呈納, HUN.806,頁8a。
42 同前註, HUN.806,頁9b。
43 乂安省興元府文圍文圍社俗例, AF.b1/21,頁9b。
44 朗田口傳俗例摺(蔡妾社),VHv.2654,頁3b。

> 錢並酌。至如身稅係是國課課生應除半年。試生除壹
> 年，一二場除三年，其餘應受半分身稅俾別於平民以侍
> 勸勉。[45]

（4）延請教師和建設學校

　　從中央到地方雖然有系統完善的政策，考試制度，但學校
只到縣學，府學，因此村，社等基層單位須自己建設學校，延
請教師。這些學校與國家設立的國子監和府學，路學並無二
致，區別僅在於支付教師的束脩，學習的課程亦基本相同。以
致于考試時考生會不能分辨官學和私學，因為要試官學一場，
私學一場。[46]因此立私學，尋找經費維持，並給教師支付薪
酬，就成為最重要的事情，也是最切實的教育發展措施：

> 一本村例學校一座，遞年摘取公消一百貫修捕，存修錢
> 據入學士子炤收，每名全年六貫以助。存欠幹全民發買
> 巡霜栗附入或摘稅每畝半方以供給。再席帳與筆紙各款
> 增捕在士子亦可或裡長支料。俟有何支費炤扣亦可。[47]

這是社會鼓勵學習，發展教育的重要形式，保證士子學業優
秀，進而參加科舉。延請優秀的教師在地方授課教導子侄，並
給予優厚的薪酬使得教師安心教學：

> 一例全民置學田三畝為熟師歲俸。其塾師或社內人或別
> 社人必由官員裡役者目全民選請；或舉人，秀才，一

---

[45] 瓊瑠縣富厚總富義上村券，HUN.815,頁16a。

[46] 丁克順，《漢喃資料中的越南黎朝科舉與儒學》（河內：社會科學出
　　版社，2009），頁53。．

[47] 乂安省興元府海都總魯田村俗例，AFb1/8,頁18a。

二場，必須學識行檢可為人之師範。其學長以本社文祠
為所。社內何人有子孫就學者只有辰節之禮，多少隨
心。全民擇委丁男一名抬水以供熟師或熟師不期有所役
使亦置田二高許伊耕作取其花利。茲例。[48]

地方上制定嚴密的制度保障學校的正常運行：

一義學淚其社內要擇社內或縣內休官或進士舉人。係是
宿學德望者請為社內義學師。 其全年學俸摘給公田三
畝併摘取義倉一百貫以供歲俸。其社內子弟權詣學集，
若何人力不能下筆紙，全民給許筆紙每月一貫。社內已
擇保檢察二員至月，氏親來學場檢察。何係學習專勤，
文章日進，定賞鉛錢一貫，何係遊蕩者定罰三十笞。若
不悛而再犯者即逐以嚴學例。茲例。[49]

（5）分奉祭品

獲取功名後，會獲得村社中人的鄭重對待和尊敬。乂安省
90 中鄉約均規定對新科之人有奉儀。通常是在祭祀典禮如元
旦，春秋，求安，除夕等，對有功名，科榜者多分祭品。

一明年元旦禮六具，每具欵鶏芙依斤五花務在豐潔。寅
刻恭遞文址，靈殿二官廟，進士廟靈寺各一具。祭畢，
俵科榜首紙敕命，存半現員，上下正副裡長，欠者預
焉。一下標禮 一具準許納錢二貫，交裡長辦芙酒香燈
恭進靈殿進士廟，二官廟。敬祭畢俵科榜首紙敕命，存

---

48 乂安省興元府海都總裴坭社裴洲村俗例, AF.b1/12, 頁38b。
49 乂安省興元府通朗總由禮社玉田村俗例, AF.b1/17, 頁43a。

半現員飲酒，正副裡長欠者預焉。一上新禮，夏冬二
務，十具雞粿芙酒依斤五花恭進靈殿二靈官廟，進士廟
靈寺本村。敬祭畢，俵科場首紙敕命諸員，半現員飲
酒，半均分上下。一端陽禮，六具雞粿芙酒依斤五花，
恭進靈文廟一具，靈殿一二靈官廟，進士廟靈寺各一。
祭畢，俵科場首紙敕命諸員飲酒，半均分上下。一五月
道場禮具有田錢九貫由裡長隨宜妥卞本村　敬祭畢俵科
場首紙敕命諸員，存現在均惠。[50]

祭品有豬首，糯米飯，豬肉和酒：

正祭牲首敬俵文武大科，副榜四品官以上；牲頸敬俵文
舉人，監生，率隊，武舉以上。左肩肉一片方五寸敬俵
文捌玖品，在貫秀才武隊長有敕文硃憑者新舊正副。[51]

牲首是非常莊重禮品，通常有大科領取，沒有大科由舉人領
取，沒有舉人則由秀才領取：

一牲首有大科者俵之，若未有者咱其俵舉人秀才一分，
若未有大科舉人秀才咱其敬俵試生一半，會長一半。[52]

另外不同的功名獲得的奉儀不同，文武職也不同：

一牲有大科者俵之，若未有者咱其俵舉人秀才一分，若
未有大科舉人秀才咱其敬俵試生一半，會長一半。[53]

2.精神方面

---

[50] 乂安省興元府安場總南康村俗例，AF.b1/2，頁1a-5b。
[51] 桃園杏林二社四派亭中事例券約，HUN.809，頁4。
[52] 乂安省興元府海都總魯田村俗例，AF.b1/8，頁4a。
[53] 同前註，AFb1/8，頁4a。

　　乂安科舉勸學有隆重的祈科，謝科禮，是很高的榮譽，對士子的學習產生了積極的動力科促進。

（1）祈科禮與謝科禮

　　為了使士子安心學習，對科考有深刻的認識各村社都有求科禮。在鄉試，會試之前，各村社組織祈科禮，希望士子高中，這是科舉勸學非常普遍的活動，通常在元旦之後或者科考之前組織，禮節大致與春丁和秋丁相同：

> 子午卯酉等年祈科禮，以春二月十三日，早告迎安位歌唱壹刻限壹貫附薦，謁禮入夜歌錢做十貫，上下拾五日早薦牲粢行禮告餕（禮品勝薦謁禮是日筵請鄰接各村）凡二夜壹日應辦雞粢或齋盤，設敬不得疏曠。此外年祈福禮，以六月十五日謁告十六日大祭禮記。[54]

祈科禮常根據村社風俗在文廟，文址，舞亭等地擇址舉行：

> ◇壹款社內士人係至科期，何士中覆，本社修辦祈科禮在文址並亭宇武所以原鄉風。[55]
> ◇紹治四年正月初六日共議：從前鄉潰祈科已有舊券，茲再凡鄉會祈科試本會應就祠宇，敬設祈科拜謁一壇，禮錢十貫上下，永為例。[56]
> ◇一士子入第一場在本村出公錢六貫，買卜斐雞金銀香燈花果設禮在亭祈科。第二場並出如例，第三場依如此例。[57]

---

[54] 長山村鄉例,VHv.2678, 頁13b。
[55] 朗田口傳俗例摺,VHv.2654;瓊瑠縣上安村鄉例,VHv.2675/1。
[56] 瓊堆今事跡鄉編小引(會券),A.3154,頁28。
[57] 福厚村俗例, AF.b1/16,頁11b。

士子考試歸來後，本社又要組織謝科：

> 一祈科禮：係至何年試期，本村修辦芙酒就文址壇祈禱
> 以篤文風。[58]

祈科禮與謝科禮通常由本村，本社組織，祭禮多是守備，巡
長，裡役準備，由本村耆老行禮。祭禮通常有雞肉，糯米飯，
芙酒，水果，有時也有豬牛犧牲：

> ◇一欵科目坦途國家盛典，凡鄉試會試屆期士子入場應
> 試，民村先辦雞欵芙酒行祈禮以重風化，茲約。[59]

> ◇一遞年科場本村預辦祈科禮，事清，再行謝禮。準定雞
> 二觜，欵二具，芙酒用足。[60]

（2）獲得榮名

科舉中榜的人將獲得巨大的榮名，根據功名的等級可以在
文址，文祠，文廟碑上刻名，受到供奉。最為典型的是乂安省
清漳縣文廟中有 13 位黎朝進士題名：

> 文廟：黎永盛以前廟在土豪社界，中間土（……）本朝
> 甲子間，縣會申諸縣正以土豪總人科派營築，復以土豪
> 故址。修革正廟五間，下廊三間，左右兩廊各三間。春
> 秋二丁備尊不腆。正中至聖先師位，復聖位宗聖，述聖
> 位亞聖位配。墜左右十哲位。及本縣先生先賢列位
> （……）十三位本縣大王同從祀。[61]

---

58 乂安省宜祿縣上舍總金塢村俗例,AF.b1/31。
59 黃梅總各社村鄉俗,VHv.1824,頁20a。
60 乂安省興元府安場總安榮社俗例, AF.b1/2,頁26a。
61 清漳縣誌, VHv.2557,頁28a,b和31a。

十三位進士是：阮善彰，宋必勝，朱光著，阮仕教，阮進材，阮廷滾，阮仲常，黎瑾，范經緯，阮林泰，阮仲璫，阮世平，阮堂。對於曾經獲得功名榮譽的人，即便過世之後也有立碑，供奉祠堂，文址，文祠書名的權利。根據功名高低，最高的可以在縣中文址供奉，對子孫後代產生了巨大的動力。

《三代皇華四代使阮重》碑[62]立於清漳縣忠勤社阮重家族祠堂，記錄三位進士阮重常，阮重堂，阮仲璫的行狀，三人曾與阮重堂之父阮重武共同出使中國。《大科列位/校生秀才列》[63] 碑立於東城縣黃舍社玉林村，刻本社五個村的眾位獲得功名人士的姓名，其中大科三位，秀才 36 位。

《儒先續碑記南金總祠宇後祀》[64]記錄南金總的 17 位大科的行狀，包括南中，慶山，南強，南金和南福。特別值得一提的是，清漳縣武烈社亭中立有六通科考碑，即《歷代大科碑記》，《黎朝鄉貢碑誌》，《黎朝號生生徒碑誌》《皇朝舉人碑記》以及兩通《皇朝秀才碑記》。[65]這是巨大的榮譽，名彪千古，對地方子侄的學習有巨大的勸進作用。

在登科錄材料，科考碑以外，乂安地誌中還記錄了 63 位大科科舉人物的事跡，這也是地方勸學的重要措施和手段，有利於今後本地區科舉教育的發展。具體情況如下：

---

62 寧日交：《乂安碑刻》（乂安：乂安出版社，2004），頁288-292。
63 大科列位/校生秀才列位, N⁰2411-2414。
64 寧日交：《乂安碑刻》（乂安：乂安出版社，2004），同註62，頁308-313。
65 寧日交：《乂安碑刻》（乂安：乂安出版社，2004），同註62，頁313-336。

序號	書名	藏書號	總人數	陳朝	後黎朝	阮朝
1	東城風土記	VHv.1719	7	2	5	0
2	鄉編郎瓊	VNv.103	11	0	4	7
3	乂安記	VHv.1713/1-2	54	2	53	0
4	乂安人物誌	VHv.1369	12	0	12	0
5	乂靜雜記	A.93	52	1	53	0
6	瓊琉古今事跡鄉編	A.3154 VHv.1377	9	0	5	4
7	瓊琉風土記	VHv.1377	1	0	1	0
8	清章縣誌	VHv.2557 A.97	13	0	13	0
總數	8	8	63	2	53	8

　　科舉中榜者衣錦還鄉，享受巨大的榮譽。中科之後，君主會賜宴、授衣冠、安排隨從返鄉。縣鄉民眾舉旗帶傘，鑼鼓喧天，前來迎接。到村時，新科先到祠堂祭祀拜謝祖先，拜謝座師和父母。榮歸拜祖不止是新科的榮譽，父母鄉鄰皆與榮之，這亦是勸學的措施。榮歸禮明確了各級功名所獲得的禮儀級別，級別越高，規格越重。經統計，在乂安鄉約俗例中，有 91 村的鄉約中有專門迎接新科的條款。迎接地點亦不同，秀才在社，舉人在總，大科在省。迎接人員有官員，鄉老，職色，裡役和民夫，衣冠正裝，帶旗傘鑼鼓，前往迎接。文科謁文廟，武科謁武廟。新科者的名字將被記入社簿之中：

　　　一試中科場宜有迎接賀禮 ：第一甲進士賀錢壹百五拾貫，第二甲進士賀錢壹百二拾貫，第三甲進士賀錢壹百貫，擇員職陸人，役夫拾二人將網子儀仗就省迎接。至本縣文址文職並役夫盛陳儀仗，冠服迎回本社，扛亭拜謁，以俟來日回家拜祖。副榜賀錢捌拾貫，擇員職三人，役夫陸人將網子就省迎接。至都梁市地界文職並役夫迎回本社 文址並貢亭拜謁。 舉人賀錢陸拾貫，擇員職二人，役夫 四人具將網子就省迎接。至本總地頭文

職並役備將冠服儀仗迎回本社　文址並貢亭拜謁。秀才
賀錢三拾貫，擇員職一人，役夫二人將青蓋一株就省迎
接。至本社地頭文職並役備將網子衣服儀仗迎，回本社
文址並貢亭拜謁。[66]

通常文武科均會受到迎接，禮節大致相同：

武有欽蒙朱敕朱旨亦有迎接賀禮：統制提督賀錢壹百
五拾貫，擇員職陸人，役夫拾[77a]二人將網子儀仗就省
迎接。至都梁市地界文職並役夫盛陳儀仗冠服迎回本社
貢亭拜謁。領夫賀錢壹百貫，擇員職三人役夫陸人將網
子儀仗就省迎接。至本總地頭文職並役夫盛陳儀衛冠服
迎回本社貢亭拜謁。正副衛尉賀錢三拾貫，管奇賀錢拾
五貫，員職二人，役夫肆人將網子青蓋就省迎接，至本
社地頭文職並役夫迎　接如儀寔。　該隊，隊長賀錢五貫
擇員職並役夫就家迎至貢亭拜謁，茲欽。[67]

前來迎接的人員也是注重科舉的人，不敬科舉的人既不能參與
迎接，還有受到懲罰：

一例社內若有何試中文自進士以上，鄉中得捷音者即委
正裡長與副裡整辦新榔，北茶二坪，紙砲一封。即就在
省寓謁賀問伊員何日榮回，詳與全民知詳於伊日社內官
員，職色與者老，職役諸員人並正副裡長各齊整巾，督
率社內人丁盡率具將旗傘，並將大小鼓就本縣地頭迎
接。倘若何人慢視科目不肯迎接者，全民捉罰青錢一貫

---

66 鄧山朗田二總各社村鄉俗例 (知禮社),VHv.1825,頁76a,b。
67 同前註,頁76b,77。

二陌，芙薈一百口致謝伊新科官。其錢交與裡長認守編
入公簿內後有公需全民充支。[68]

（3）鄉飲禮和亭中座次優待

在鄉約俗例中，鄉飲禮非常重要，用以安排座次，尊崇長
貴，通常在祭祀等場合進行，根據年歲、貢獻、功名等來安
排。通常村中都有鄉飲簿，其中安排成年男子參加。鄉飲的尊
卑以盤數來確定。何鄉重爵是官職坐第壹盤，何鄉重齒是老年
坐第壹盤，三盤的是職色鄉目，另外還有白丁，黃丁，根據年
齡和父母的情況來安排長山村對此規定清楚：[69]

> 鄉飲名籍文舉人，監生武率隊長以上，為先。其文中秀
> 才，武中武舉，除其員名在三盤內不須定，外餘宜陸續
> 升繼三盤下[70].

亭是村社中威權最為集中的地方，是鄉村公共事務的核心地
點，組織祭祀，禮會，唱誦等，其中的座次只能接類似於小朝
廷。在亭中的座位顯示其在村社中的地位。這是民眾巨大的榮
譽，也是希望之所在。通常是主祭，助祭和科場人士依次列
坐，接著是長壽長者列坐：

> 大亭壹屋五間，正中壹間，左右二，行左行坐次每席上
> 下有差。上一席文大科，副榜，四品官以上。第二席五
> 六七品官員在，貫舉人，監生。第三席八九品員職在貫

---

[68] 乂安省興元府海都總方賴村俗例，AFb1/12，頁19a。

[69] 陳氏金英《鄉飲例-儒家在越南的鄉飲酒演變》，《漢喃雜誌》第5期
（2006），頁33。

[70] 長山村鄉例,VHv.2678,頁12a,b。

秀才。右壹行坐次上下有差。一席武造士，副榜，三品
官，副管奇以上第二席率隊，武舉以上，第三席隊長有
敕文硃憑者，省府縣奇衛，典司，書吏權充鄉勇，率隊
有硃憑者，總色鄉色，壽老預有本券文會為主祭者。各
村培祭者鄉色已有預賀禮者繼分坐左右二列。左右間內
列依此外二列戶分壽老。[71]

地位最高的是諸位中榜人物，以及擁有敕命的人，以尊重教
育，鼓勵後進努力學習，金榜題名：

一祭畢之後，亭中或廟所中間左邊，上席科場敕命，次
席文會以次定坐。中間有邊上席上壽，次席老自六十
以上，已有納望及陪祭，次席弁兵，下席饒買。左右兩
間上席自五十未有納望並正副裡長，次席守役，令副戶
項，仍以齒為序.若某有失次者定罰三陌，茲約。[72]

祭祀禮節中的正拜，也需要選擇，多由科場人物擔任：

本村有會科者舉為正拜，未有會科者舉人為正拜，未有
舉人者舉秀才為正拜。[73]

主祭和陪祭通常也選擇有功名的人：

陪祭諸員有文憑者，典儀員預有文憑，讀祝人試課生一
二場，臨祭辰衣冠嚴整面對。[74]

---

[71] 桃園杏林二社四派亭中事例券約，HUN.809，頁1,2。
[72] 黃梅總務悅社安富村鄉俗，VHv.1824，頁44b。
[73] 清烈村俗例，AF.b1/16，頁10a。
[74] 乂安省興元府扶龍總校美村俗例，AF. b1/16，頁2b,3a。

四、結語

　　乂安科舉成績輝煌，在越南歷史上齒下了光輝的一頁，對
教育勸學發揮了重大的作用。從陳朝的「寨狀元」開始，到黎
朝設立 8 個學校，再到阮朝時的人才輩出，乂安科舉在全國享
有巨大的名譽，取得了巨大的成功。乂安省各村社都特別注重
各種形式的勸學。現在河內文廟，順化文廟的進士題名碑和地
方的文址碑，文祠碑，總共有 120 文碑記乂安人士科榜。有 63
位大科的乂安士人事跡見於地方誌書。266 個村社均在鄉約中
均有勸學條款，從精神和物質兩個方面鼓勵教育和科舉。乂安
省有悠久的勸學傳統和執行措施。

　　乂安的勸學活動極早瓊，光順八年（1467）的《太師岡國
公碑》以及 1660 年的《瓊堆會券》都有勸學內容。勸學活動
與科舉制度和儒家教育共同發展，並因此形成重學習，建學
校，考科舉的傳統。地方的勸學行動都非常實際，具有可操作
性，沒有虛浮之事，對村民自治有很強的促進激勵作用。進而
使得民眾能夠盡心學習，努力科考，以巨大的決心獲得科舉功
名。陳朝胡宗鷟，胡宗頓，胡宗成父子三人均中狀元。光興十
五年（1592）科舉考試，三分之二的中進士者都是乂安人，其
中有吳智志和吳智和父子。

　　乂安勸學仍然有一定的局限性，如婦女教育和科舉不在其
中，因為她們不能為國家貢獻才能。科舉考試時間不定，且通
過率極低，因此很多人致力於考試，而治國才能遲遲沒有條件
培養和發展。乂安士人不可避免的受到了這種情況的制約。

第參編・詩學及跨文化

越南使節於中國刻詩立碑之現場考察：河南湯陰岳王廟

陳益源*

摘要

　　本文係作者 2017 年 6 月 17 日河南湯陰岳王廟現場考察的成果報告。先復述並增訂關於越南使節題寫湯陰岳王廟的詩文與立碑記錄，然後報告現場考察的情況，包括有明確文獻記載的范熙亮（1871）〈謁岳王祠〉詩碑已不見於河南湯陰岳王廟，但可喜的是該處現場竟意外發現：（一）王有光〈謁湯陰岳忠武王廟〉（1848）詩碑、（二）枚德常〈湯陰謁岳忠武王廟〉（1849）詩碑、（三）潘輝泳、范芝香等人（1853）捐銀碑、（四）阮思僩〈謁湯陰岳武穆王祠敬題〉（1869）詩碑、（五）阮述〈湯陰謁岳武穆王祠〉（1881）詩碑、（六）陳慶洊〈謁岳忠武祠〉（1881）詩碑。此一河南湯陰岳王廟現場考察的重要發現，揭開了清代越南使節於中國刻詩立碑的若干謎團，同時無論是對越南北使詩文的挖掘、校勘，或對中越文化交流的歷史記憶，都具有寶貴的學術價值。

關鍵詞　越南、使節、刻詩、立碑、湯陰岳王廟

---

* 〔臺〕國立成功大學中文系特聘教授兼臺灣中文學會理事長。

一、前言

筆者曾撰〈清代越南使節於中國刻詩立碑之文獻記載〉一文，初步發現至少在中國廣東清遠的飛來寺、廣西桂林全州的湘山寺、湖南祁陽的浯溪碑林、江西南昌的滕王閣、河南湯陰的岳王廟、河北邯鄲的呂仙祠，以及山東鄒縣的亞聖（孟子）廟、山東濟寧的仲夫子（子路）廟等八處，現場都曾有越南使節在該地刻詩立碑的記錄。這些中國各地現存的越南詩碑，是越南使節於中國題詩的早期版本，有助於越南北使詩文的精確校勘，並且了解使節詩作的修改過程；同時，經過大量燕行文獻的整理與現場的田野考察，一定也很有機會發現更多中國各地現存的越南詩碑及其相關作品，可以充實當地的傳統文化資產，進而發揚其在中外文化交流史上的人文價值。[1]

本人近期便是在上文的基礎上，開始著手進行現場的田野考察，截至目前為止，上述八處大致都先走過了一遍，獲悉有些地方因天災或人禍，文物嚴重毀損，越南詩碑已不復可見，在遍尋不著的情況下，不免令人感到失望惆悵；有些地方則符合原來的越南文獻記載，當親眼見過越南使節詩碑仍完好地矗立在現場時，儘管碑刻出現風化或斑駁的狀況，倒仍令人發思古之幽情；另外有些地方，根據原始的文獻記載線索追蹤至現場，結果想找的沒找到，但卻意外又發現了當地另有更多越南使節詩碑的存在，直教人驚喜不已！日後本人將一一進行這些

---

[1] 詳見胡志明市人文與社會科學大學主辦之越南學國際學術研討會論文集，2017 年 7 月，頁 682～703。

田野調查現場的報告，本文擬優先「報喜」，與大家分享我在
河南湯陰岳王廟的最新發現。

二、越南使節題寫湯陰岳王廟詩文與立碑記錄

河南湯陰岳王廟，越南使節詩文中對它有時作別的稱呼，
或云岳武穆王祠、岳武穆故里、岳王祠、岳武穆王廟、岳廟、
岳飛祠等等，今因現場入口「精忠坊」牌樓題作「宋岳忠武王
廟」，故不妨統稱曰「岳王廟」。

為了讓大家對清代越南使節與河南湯陰岳王廟的關係有個
比較全面的了解，我們有必要復述並增訂越南方面相關文獻記
載如下：從清道光五年（1825）潘輝注行經湯陰在他的《華軺
吟錄》留下〈岳武穆王祠〉詩作開始；同時，黃碧山《黃碧山
詩集》（1825）有〈過湯陰（縣）岳武穆故里〉；其後，潘輝
注第二次北使詩集《華軺續吟》（1831）又有〈謁岳王祠〉；
阮輝炤《華程偶筆錄》（1833）有〈過岳武穆王廟〉；李文馥
《周原雜詠草》、《使程遺錄》（1841）都有〈謁湯陰岳武穆
王祠〉；范芝香《郎川使程詩集》（1845）有〈題岳武穆王廟
二律〉、〈再題岳武穆王廟〉；裴樻《燕行總載》、《燕行
曲》（1848）也都寫到「湯陰岳廟松楸古，正氣昂昂彌宇宙；
誤宋權奸階下囚，天理人心公好惡」；阮保《星軺隨筆》
（1848）有〈經岳飛祠〉；阮文超《方亭萬里集》（1849）有
〈岳武穆王故里瞻謁靈祠感成〉；潘輝泳《駰程隨筆》
（1853）有〈謁岳王祠〉；黎峻、阮思僩、黃竝《如清日記》

（1869）和阮思僴《燕軺筆錄》都有關於他們經過岳武穆王廟
進香的日記，另外阮思僴的《燕軺詩文集》也有一首〈謁湯陰
岳武穆王祠敬題〉；此後，范熙亮北使詩集《北溟雛羽偶錄》
（1871）有首〈謁岳王祠〉，其《范魚堂北槎日記》在往程與
回程也都有所記載；裴文禩《萬里行吟》（1876）有首〈湯陰
謁岳武穆王廟敬題〉；阮述《每懷吟草》（1881）也有首〈陽
（湯）陰謁岳武穆王祠〉。以上詩文記錄，謹列於本文【附錄
一】，以供參考。[2]

　　我們一開始會認定河南湯陰岳王廟必有越南使節詩碑，乃
是根據范熙亮《范魚堂北槎日記》自己的記錄。越南阮朝嗣德
二十三年（清同治九年，1870）冬十月遣使如清，以署工部右
侍郎兼管翰林院阮有立充正使，光祿寺少卿辦理刑部事務范熙
亮充甲副使，侍講領按察使陳文準充乙副使[3]。此行甲副使范熙
亮說他於嗣德二十四年（清同治十年，1871）七月初一日午經
湯陰縣，謁岳王祠，提到它「廟制壯麗，庭前松柏參天，石刻
題咏甚多」；返程時，十二月十二日午抵湯陰縣，再入謁岳王
祠，「觀前日所囑豎題詩石碑（自註云：高式尺五寸，闊一尺
五寸），已完，立於庭上之左，字刻亦精美（自註云：詩錄別

2　至於阮述《每懷吟草》書上另有一首〈留題岳王廟〉詩，詩曰：「十
　有餘年樹戰功，石如肝腑日如忠。滿腔勁節酬千古，一片孤城對兩
　宮。懷土有芝生異椿，彊天無酒飲黃龍。凡人盡為家身計，誰是流芳
　史冊中。」但其內容實乃抄自阮輝𠐓《奉使燕京總歌並日記》
　（1766）中的〈留題岳王廟〉（行經安徽貴池所作），和河南湯陰岳
　王廟無關。
3　詳見《大南實錄正編第四紀》卷四十三，日本慶應義塾大學言語文化
　研究所複印本，1980年4月，頁6616。

集），因留工銀。」[4]這則日記說他曾「自費」在湯陰岳王廟立了一塊詩碑，連碑的尺寸大小都記載得很清楚，至於是誰同意他在岳王廟前庭立碑的，日記並無交代。外國使節居然能夠自費在中華大地上刻詩立碑，此事恐非尋常，箇中緣由著實讓人感到好奇。

三、范熙亮〈謁岳王祠〉詩碑已不見於河南湯陰岳王廟

為了一睹范熙亮〈謁岳王祠〉詩碑的廬山真面目，2017 年 6 月 17 日，筆者在河北師範大學文學院霍現俊和河北工程大學中文系楊國玉、文物與博物館學系杜獻寧三位教授的陪同下，從河北邯鄲驅車到一小時車程距離的河南省湯陰市岳王廟進行現場勘察，行前內心是充滿無限期待的。

根據設於湯陰岳王廟內的岳飛紀念館在 1990 年統計，湯陰岳王廟存有明、清石刻 201 塊[5]，這次我們去到現場，猶如看到了 1871 年范熙亮所言「石刻題咏甚多」的相似畫面，差別在於這些石刻的位置可能都被挪動過了，因為 1966～1968 年冬天「文化大革命」運動以「破四舊」之名對岳王廟進行了嚴重的破壞，「廟內所有匾額、楹聯被摘掉……；大部分碑碣被推翻，部分被砸。」1969 年春天縣文化館占用岳王廟改為「毛

---

4 引自范熙亮：《范魚堂北槎日記》，法國遠東學院藏抄本之微縮膠捲（Paris EFEO MF I.514），頁 64a。

5 參見王春慶、陶濤編《湯陰岳飛廟》之〈岳飛紀念館藏品統計表〉，鄭州：中州古籍出版社，1991 年 3 月，頁 55。

澤東思想宣傳站」，同年，文化館工作人員「將廟內遺留的重
要碑刻，外部砌成平面，寫上標語及毛澤東語錄」，始得倖
存。[6]這些倖存的碑刻，現在有許多都是被不規則地重砌在山門
與儀門之間左右兩側的牆上。

遺憾的是，經過我們四
人一方一方仔細檢視，不斷
地尋尋覓覓，卻始終找不到
那塊原高二尺五寸、闊一尺
五寸、字刻精美的范熙亮
〈謁岳王祠〉詩碑的蹤跡，
不禁大失所望。

　　當然，找到會有找的喜悅，找不到呢，其實也有找不到的
意義，這樣更加證明了范熙亮《北溟雛羽偶錄》所錄〈謁岳王
祠〉詩的獨一無二的文獻價值，因為反過來說，河南湯陰岳王
廟舊庭之左已消失的那方外國使節詩碑，正是靠越南北使詩集
的存在而獲得了絕無僅有的記錄，詩曰：

　　十二金牌宋國虛，千秋浩氣礴扶輿。

　　英雄屈死心何怨，廟社平沉事莫如。

　　河北書生勞扣馬，湖西老子穩騎驢。

　　誰人聚鐵還成錯，劓盡奸形恨有餘。[7]

6　以上詳參殷實學、陶濤主編《岳飛廟志》第十一章〈大事記〉，鄭
　　州：河南人民出版社，2007 年 3 月，頁 55。

7　引自范熙亮：《北溟雛羽偶錄》，收入中國復旦大學文史研究院、越
　　南漢喃研究院合編：《越南漢文燕行文獻集成（越南所藏編）》（簡
　　稱《越南漢文燕行文獻集成》）第 21 冊，上海：復旦大學出版社，
　　2010 年 5 月，頁 67-68。

這塊已在湯陰岳王廟現場消失了的石碑上，曾鎸刻越南使節范熙亮在旅途中熟練運用「河北書生勞扣馬，湖西老子穩騎驢」的典故[8]，足見其對岳飛掌故的瞭若指掌，這位宋代民族英雄的諸多故事無疑已深深烙印在越南文人的心中。

四、意外的發現（一）：王有光〈謁湯陰岳忠武王廟〉詩碑

雖然這次的田野調查，范熙亮〈謁岳王祠〉詩碑已不見於河南湯陰岳王廟的狀況令人遺憾，不過皇天不負苦心人，我們竟然意外地在現場發現到另外六塊與越南使節有關的碑刻。

其一是王有光的〈謁湯陰岳忠武王廟〉詩碑，位於山門入口右側牆背，碑刻的內容為：

〈謁湯陰岳忠武王廟〉

宋家釁櫱罪人謀，終古紛紛論未休。

遺恨兩宮勞百戰，精忠一節足千秋。

河山不逐鶯花改，風雨猶聞草木愁。

天為英雄長解甲，燕雲今是帝王州。

道光戊申嘉平月中浣天南陪臣王有光拜題

根據《大南實錄》的記載，王有光曾兩度出使中國，[9]第一次是

8　此二句都是與岳飛故事有關的掌故，或可譯作：可笑那河北書生費盡心機叩馬勸阻金兀术叫他不要退兵，可嘆那韓世忠被解兵權無奈只好騎驢於西湖畔安度晚年。

9　詳見《大南實錄正編第三紀》卷四十六，日本慶應義塾大學言語文化研究所複印本，1977 年 4 月，頁 5348；《大南實錄正編第四紀》卷一，同上，1979 年 4 月，頁 5708。

在紹治五年（清道光二十
五年，1845），由內閣侍
讀陞授侍講學士充乙副
使，與正使禮部左侍郎張
好合、甲副使鴻臚寺卿范
芝香同行，此行他曾在行
經湖南祁陽浯溪留下了一
塊詩碑；[10] 第二次是在紹
治七年、嗣德元年（清道
光二十八年，1848），由
已任禮部右侍郎的他和光
祿寺卿阮保擔任甲乙副
使，陪正使刑部右參知裴

櫃（曾名裴玉櫃，至是改回原名裴櫃），往告國恤，並攜帶阮
登楷奏摺奏擬懇請清廷派使於富春（順化）舉行邦交鉅典，這
一次他又在河南湯陰岳王廟留下了第二塊詩碑。

　　紹治七年、嗣德元年使華的正使裴櫃，此行留有《燕行總
載》、《燕行曲》，乙副使阮保也寫下了一部《星軺隨筆》，
但他們兩位關於岳王廟的詩作，並未出現在廟內；在越南，我

10　該詩碑無題，詩曰：「三五往事老元君，到處湖山獨爾聞。近水亭臺
　　千古月，橫林花草一溪雲。崖懸石鏡留唐頌，雨洗苔碑起梵文。題詠
　　曷窮今昔概，滿江煙景又斜暉。」尾署：「道光二十五年孟冬月上浣 /
　　越南使王有光題」。詩碑位於石屏區 13 號，65cm×38cm，字大
　　4.5cm，拓本收入浯溪文物管理處編：《湖湘碑刻（二）浯溪卷》第五
　　章之〈清代碑拓選編〉，長沙：湖南美術出版社，2009 年 4 月，頁
　　267。

們並未見到王有光的詩文集存世，因此這次在湯陰岳王廟發現王有光留在中國的第二塊詩碑，確實彌足珍貴。

細看這塊〈謁湯陰岳忠武王廟〉詩碑左下方，尚刻有「奉祀生岳奇對督工」等幾個小字，值得注意，下文將再述及。

五、意外的發現（二）：枚德常〈湯陰謁岳忠武王廟〉詩碑

其二是枚德常的〈湯陰謁岳忠武王廟〉詩碑，位於山門入口右側拱門邊的牆面上，碑刻的內容為：

〈湯陰謁岳忠武王廟〉

痛飲黃龍志未伸，金牌奸檜促何頻。

兩宮遺恨淪沙漠，三字奇冤泣鬼神。

宋室長城真自壞，岳家正氣浩難泯。

風雲為護叢祠在，桑梓千秋薦潤蘋。

道光己酉越南使鴻臚寺卿枚德常貞叔拜題

《大南實錄》載：「帝以開年屆如清歲貢，命禮部右侍郎潘靖充正使，鴻臚寺卿枚德常充甲副使，翰林院侍講學士阮文超充乙副使。」[11]這趟出使中國歲貢於

---

11 語見《大南實錄正編第四紀》卷三，日本慶應義塾大學言語文化研究所複印本，1979 年 4 月，頁 5756。

嗣德二年（清道光二十九年，1849）啓程，乙副使阮文超此行撰有《方亭萬里集》、《如燕驛程奏草》等書，據《方亭萬里集》載，啓程之初，還在廣西桂江見到了前部如清告哀返國的使節裴樻、王有光、阮保三人，彼此賦詩唱和。

今查阮文超《方亭萬里集》，其中有〈岳武穆王故里瞻謁靈祠感成〉詩，在湯陰岳王廟現場未見，但找到了甲副使枚德常留在中國的〈湯陰謁岳忠武王廟〉詩碑。枚德常未見詩文集存世，即使 1848 年和 1849 年的二部使節團曾在廣西唱和，我們也未能從中尋獲王有光和枚德常的其他詩作，因此發現鴻臚寺卿枚德常的這塊詩碑，也是很有價值的。

六、意外的發現（三）：潘輝泳、范芝香等人之捐銀碑

其三是潘輝泳、范芝香等越南使節的捐銀碑，與枚德常〈湯陰謁岳忠武王廟〉詩碑隔一拱門砌於牆上，碑刻無題，內容作：

癸丑（咸豐三年，1853）夏，前中堂訥公視師懷慶，過先祠，見神像棟楹俱形闇淡，倡義捐廉，令對塗艧，對敬延鄉耆督工修理，旬月告竣，謹將捐賞姓氏勒石垂後，以誌不朽云。

大學士直隸總督訥爾經額		捐銀壹佰兩			
	劉　亮				李錫□
恩	武文俊				張榮封
越南國　貢部陪臣	潘輝泳	捐銀貳拾兩		督工	唐炳元
歲	范芝香				蘇喬年

　　　阮有絢　　　　　　　　　　楊大同

　　　阮　惟　　　　　　　　　　蘇佩訓

咸豐七年歲次丁巳仲秋二十四世奉祀奇對泐石謹記

越南嗣德六年（清咸豐三年，1853），國王阮福時命二部同時如清，一部是謝恩使部，派吏部左侍郎潘輝泳充正使，鴻臚寺卿劉亮、翰林院侍讀武文俊充甲乙副使，答謝嗣德二年「邦交禮成」（清廷命廣西按察使勞崇光往封），二年正派嗣停，到了六年始與癸丑貢例併遣；這年，歲貢正使是時任禮部左侍郎的范芝香，甲乙副使是侍讀學士阮有絢和阮惟二人。[12]正由於是二部同行，所以湯陰岳王廟捐銀碑才會一次出現六位越南國使節的姓名。

　　倘若我們單看潘輝泳的《駰程隨筆》，其中有〈謁岳王祠〉一詩，可以確定 1853 年二部使節團曾拜謁湯陰岳王廟，但他們捐銀二十兩助修湯陰岳王廟的事情，則是靠現場這塊捐銀碑才得到佐證的。

　　在這塊岳王廟捐銀碑的末行，署「咸豐七年歲次丁巳仲秋二十四世奉祀奇對泐石謹記」，可見岳家第二十四孫岳奇對是在大學士直隸總督訥爾經額、越南使部於咸豐三年（1853）聯合捐資重修岳王廟的四年後（咸豐七年，

---

[12] 詳見《大南實錄正編第四紀》卷八，日本慶應義塾大學言語文化研究所複印本，1979 年 4 月，頁 5858。

1857）才予以立碑紀念的。據此，可知《岳飛廟志》之〈大事記〉記載有誤。[13]

　　這位岳奇對，曾出現在上面介紹的王有光〈謁湯陰岳忠武王廟〉詩碑上，如此看來，王有光題於 1848 年的〈謁湯陰岳忠武王廟〉詩、枚德常題於 1849 年的〈湯陰謁岳忠武王廟〉詩，極可能也是 1853 年重修之後甚至是到 1857 年泐捐銀碑時，才由「奉祀生岳奇對督工」所立，當事人（王有光、枚德常、潘輝泳、范芝香等越南使節）自己應該並不知情。

七、意外的發現（四）：阮思僩無題詩碑

　　其四是阮思僩的無題詩碑，目前砌於枚德常〈湯陰謁岳忠武王廟〉詩碑所在的右邊牆上，碑刻的內容為：

　　　漫把杭京作汴京，十年竟自壞長城。

　　　中原豪傑英雄淚，當日君臣父子情。

　　　湖上跨驢無舊友，軍前叩馬有狂生。

　　　祇今河朔瞻祠廟，萬樹松風怒未平。

　　　己巳春正月上吉　越南阮思僩敬題

此處之己巳年，即越南嗣德二十二年（清同治八年，1869）。自從嗣德六年（清咸豐三年，1853）二部同時如清之後，中國發生了太平天國之亂，道路受阻，繞越無從，為了保障越南使團的安全，也為了保存清廷的顏面，丁巳（咸豐七年，1857）

例貢、辛酉（咸豐十一年，1861）例貢、乙丑（同治四年，1865）例貢連續三度展緩，到了嗣德二十一年才奉准合併己巳例貢，於次年四貢並進。這次派遣的使團，以署清化布政使（實授翰林院直學士）黎峻充正使，鴻臚寺少卿辦理戶部（授陞鴻臚寺卿）阮思僩為甲副使，乙副使是兵部郎中（改授侍讀學士）黃竝。[14]

此行，黎峻、阮思僩、黃竝共同署名的《如清日記》記載：「（正月）初陸日早，給發湯陰縣辦差土物錢文，進行。巳刻，經過岳武穆王廟，進香，給發岳王貳拾五世孫岳秀寔銀兩。」甲副使阮思僩個人的《燕軺筆錄》也說：「初六日早發……，抵湯陰縣城，入謁鄂岳武穆王岳公祠……，古來題詠刻石列庭前，並于牆外嵌石，不可勝紀。……謁悉，小坐客舍，王二十五世孫生員岳秀寔，出《家譜圖》相示，明太學郭樸為之序，蓋留守湯陰祖廟者，岳霖之後，餘皆散處江浙嶺表。」[15]對照湯陰岳王廟阮思僩詩碑左下方小字所署「二十五世奉祀岳秀寔勒石」，可知為越南使節刻詩立碑者，仍是岳家祖廟新一代的守廟者。

這塊阮思僩詩碑雖然無題，不過該詩收入阮思僩的《燕軺

---

14 詳見《大南實錄正編第四紀》卷三十八，日本慶應義塾大學言語文化研究所複印本，1980年4月，頁6516。

15 引文詳見本文【附錄一】。

詩文集》，詩題原作〈謁湯陰岳武穆王祠敬題〉，越南漢喃研究院所藏編號 A.199 抄本有朱筆改原抄詩題「汾陰」為「湯陰」，這是對的。阮思僩這塊詩碑的發現，對於該詩的正確校勘也有作用，例如 A.199 抄本改原抄「英傑淚」為「英雄淚」，也與岳王廟詩碑內容一致。不過，抄本尾句原抄作「萬樹松風怒未平」，與岳王廟詩碑所刻相同，後來「樹」字又被以朱筆塗改為「壑」，則不知是何依據？

湯陰岳王廟阮思僩詩碑的發現，還提供了一個我們深入理解范熙亮作品的機會。首先，范熙亮《北溟雛羽偶錄》所錄〈謁岳王祠〉詩的第五、六句「河北書生勞扣馬，湖西老子穩騎驢」的用典，應該正是參考阮思僩〈謁湯陰岳武穆王祠敬題〉的第五、六句「湖上跨驢無舊友，軍前叩馬有狂生」而來。其次，范熙亮《范魚堂北槎日記》在往程同治十年（1871）七月初一日對於湯陰岳王廟的種種描寫，也很明顯有「抄襲」阮思僩《燕軺詩文集》的嫌疑。再者，《范魚堂北槎日記》也寫到「王二十五世孫生員岳秀寔，蓋霖之後，守祖廟者」，這不免讓我們聯想到范熙亮極可能是親眼看到了二年前阮思僩的題詩石碑被岳秀寔刻豎在廟裡，所以他也興起了支付工銀、如法炮製的念頭。

八、意外的發現（五）：阮述無題詩碑

其五是阮述的無題詩碑，現位於山門入口左側拱門右邊的牆面上，碑刻的內容為：

巍巍鄂王祠，鬱鬱湯陰里。停輿拜遺像，拂石讀銘誄。

鴻文耀奎壁，餘音奏商徵。惜王遽班師，悲王被讒毀。
椎胸慟二帝，擢髮罵佳士。逝者自貽名，作者苦殫技。
嗟嗟豪傑才，遭遇每如是。矧當宋運微，會屬賢人否。
弔古豈勝哀，論功難盡美。惟王報國心，精忠獨自矢。
王神雖在天，王言猶在史。生平勞跂慕，今日式筵几。
碌碌世途中，令人靦然恥。雕蟲曷足云，效顰聊復爾。
願將王訓辭，告我百君子。文臣不愛錢，武臣不惜死。
佩此十字銘，奉作千秋軌。流芳辟銅臭，敵懍清郊壘。
庶幾挽頹波，貪廉懦亦起。天下見太平，潛靈諒有喜。
光緒七年四月二十六日　越南阮述孝生拜題

越南嗣德三十三年（清光緒六年，1880），遣使如清，由吏部
右侍郎充辦閣務改授禮部銜的阮述擔任正使，侍讀學士充史館
纂修改授鴻臚寺卿的陳慶洊擔任甲副使，兵部郎中改授侍讀學
士的阮懂擔任乙副使。[16]正使阮述於次年（光緒七年，1881）
四月行抵湯陰岳王廟，題了這首名為〈湯陰謁岳武穆王祠〉的
五言古詩，該詩收入阮述的《每懷吟草》，見於《越南漢文燕
行文獻集成》第 23 冊頁 65-66。可惜《越南漢文燕行文獻集
成》選用漢喃研究院編號 A.554 的抄本並不精良，題目與內容
二處「湯陰」均誤抄作「陽陰」，又如詩碑「嗟嗟豪傑才，遭
遇每如是」二句它作「嗟嗟豪傑才，遭逢多如是」，詩碑「佩
此十字銘，奉作千秋軌」二句它則作「佩此十字銘，餘觀可止
止」，岳王廟現存阮述詩碑上第一手的詩句可供作校勘之用。

---

16 詳見《大南實錄正編第四紀》卷六十三，日本慶應義塾大學言語文化
　　研究所複印本，1980 年 6 月，頁 7073。

此外，岳王廟現存阮述詩碑左下角有小字刻署「二十六世奉祀生岳永昌」，這也是應該留意的地方。

九、意外的發現（六）：
陳慶洊〈謁岳忠武祠〉詩碑

其六是陳慶洊的〈謁岳忠武祠〉詩碑，它現在擺放的位置就在山門入口左側拱門左邊的牆面上，與阮述詩碑隔門並立，其內容為：

〈謁岳忠武祠〉

四字銘心一字和，二杭氣數奈天何。

中原父老香盆在，五國君臣雪窖過。

半局已成金世界，豐碑猶勒宋山河。

當年不扑生秦檜，終古英雄飲恨多。

光緒辛巳清和月　越南陳慶洊子震拜題

清光緒辛巳（七年，1881）清和月（四月），侍讀學士充史館纂修改授鴻臚寺卿的陳慶洊擔任甲副使，與正使阮述一起來到湯陰岳王廟，一起題詩歌詠岳飛故事，一起被刻詩立碑在現場，直到現在仍然被擺

放在一起，這真是難得的事。阮述此行著有《每懷吟草》，陳慶涽則未見詩文專集存世，因此他被保留在中國的這首詩也顯得格外珍貴。

湯陰岳王廟所存陳慶涽〈謁岳忠武祠〉詩碑，其尾端雖然未署勒石者或督工者姓名，不過合理推測，這塊詩碑應該也是「二十六世奉祀生岳永昌」所為才對。

十、結語

以上，王有光〈謁湯陰岳忠武王廟〉（1848）詩碑、枚德常〈湯陰謁岳忠武王廟〉（1849）詩碑、潘輝泳、范芝香等人（1853）捐銀碑、阮思僩〈謁湯陰岳武穆王祠敬題〉（1869）詩碑、阮述〈湯陰謁岳武穆王祠〉（1881）詩碑、陳慶涽〈謁岳忠武祠〉（1881）詩碑，這六塊與清代越南使節有關的碑刻，正是我們 2017 年 6 月 17 日親赴河南省湯陰市岳王廟進行現場考察的意外發現，它們的被發現，無論是對越南北使詩文的挖掘、校勘，或對中越文化交流的歷史記憶，都具有寶貴的學術價值。

范熙亮〈謁岳王祠〉（1871）詩碑，最初是筆者鎖定河南湯陰岳王廟做為清越南使節於中國刻詩立碑考察地點的惟一線索，出人意表的是它已在當初立碑的現場消失，不過由於現場另有王有光等詩碑的存在，也讓我們終於解開了范熙亮得以非比尋常地「自費」在中國刻詩立碑的謎團，原來這一切都跟岳家祖廟的奉祀生有關。各代湯陰岳王廟的管理者（二十四孫岳奇對、二十五世孫岳秀實、二十六世孫岳永昌），似乎格外重

視越南使節對岳飛故事的題詠與捐獻，所以清道光、咸豐、同治、光緒年間至少立過七塊（含消失的范熙亮的〈謁岳王祠〉）以上的越南使節碑刻，為數不少，而且大多數是守廟者事後所為，當事人自己可能大都並不知情，故未普遍出現於越南漢文燕行文獻之中，若非進行現場考察，單靠文獻記載是絕對掌握不住的。

越南使節於河南湯陰岳王廟刻詩立碑的現場考察，讓我們了解到除了官方的禮遇立碑之外，另有私家碑刻的豎立模式，這個訊息同時也告訴了我們，在越南使節燕行路線之上，說不定還有不少私家事後為越南使節刻詩立碑的處所，猶待中國各地學者繼續努力發掘。

附帶一提：2017 年 6 月 17 日河南湯陰岳王廟的現場考察，筆者始有機會接觸到 1996 年的一份內部資料——《湯陰岳廟明清碑刻選》[17]，其中已曾選錄枚德常、阮思僴、阮述、陳慶浛等四位越南使節詩碑的拓片，惜未廣為人知，茲特予摘錄，做為【附錄二】，以饗讀者。

● 後記：本文係作者執行臺灣科技部專題研究計畫編號：MOST 106-2410-H-006-071-MY2 的研究成果之一。

---

[17] 《湯陰岳廟明清碑刻選》，是 1996 年 10 月由殷時學（特邀）、關寶英、王春慶、司丙午編輯，湯陰岳飛紀念館 1996 年 12 月編印的內部資料，第一部分為詩詞，第二部分為文記，第三部分為附錄，凡 50 頁。

【附錄一】 清代越南使節題寫湯陰岳王廟之相關詩文

潘輝注	1825	《華軺吟錄》	〈岳武穆王祠〉	《越南漢文燕行文獻集成》第 10 冊，頁 260-261
（在縣城內，湯陰是王故里。） 唾手燕雲措日期，壯圖無奈講和時。岳家旗號方驚敵，江國金牌已罷師。 香頂空揮中土淚，丹衷長許老天知。二杭城郭浮雲改，枌梓㨾〔蔫〕萬古祠。				
黃碧山	1825	《黃碧山詩集》	〈過湯陰（縣）岳武穆故里〉	《越南漢文燕行文獻集成》第 11 冊，頁 323
（邑在縣城中，今建為廟，廟外有鐵像五，即秦檜夫妻、張俊、夏候（万俟卨）〔王〕雕兒，各封手跪伏階下。） 古廟森松柏，下排五鐵像。雄雄撼山威，至今猶慨慷。 嶽（岳）爺驚戎虜，軍聲凜梟將。北轅不可復，忠墳空怏怏。 千年人共怒，盡繫（擊）秦檜黨。				
潘輝注	1831	《華軺續吟》	〈謁岳王祠〉	《越南漢文燕行文獻集成》第 12 冊，頁 69
湯陰松柏鬱□蒼，顯廟千秋奉岳王。往事莫須談檜案，中原長自戴盆香 二杭疆宇空和□，三晉山川憶戰場。正氣永留忠義烈，一庭霜碣仰遺章				
阮輝焀	1833	《華程偶筆錄》	〈過岳武穆王廟〉	《越南漢文燕行文獻集成》第 12 冊，頁 361
孤忠報國幾同儕，力挽天戈掃積氛。禁苑何年生檜樹，軍門遺恨逐金牌 香殘郾陌戎塵起，秋冷杭城寶劍埋。猶有古今難泯處，江山正氣日霜懷				
李文馥	1841	《周原雜詠草》	〈謁汾（湯）陰岳武穆王祠〉	《越南漢文燕行文獻集成》第 14 冊，頁 205-206
（汾（湯）陰，王故里也。神像冕服，祠極固壯，碑碣不可勝紀。祠門外鐵像五，字刻奸賊秦檜夫妻、奸黨張浚（俊）偡高（万俟卨）、背主王雛兒，凡五人，皆帶鎖長跪，觀者多以鐵椎拊擊其首，而秦檜夫妻頭乳穿裂尤甚，嘉慶間有知縣姓秦者，乃取鐵椎藏之。） 可憐戎馬看花會，不果黃龍痛飲時。鐵像祇今空碎首，金牌當日已班師 十年虛嘔孤臣血，三字難磨萬古碑。故宋冠袍瞻仰處，家山古柏護靈				

祠。（庭有古柏二大樹。）				
李文馥	1841	《使程誌略草》		《越南漢文燕行文獻集成》）第15冊，頁69
（七月）初四日（至湯陰縣城，詣岳武穆王祠謁。……） 按忠武王祠（門層重疊，制度宏廣，中正一座，奉公神像，冕服，對聯云：「詔捧金牌千秋冤獄莫須有，祠依梓里百戰忠魂歸去來」。祠後一座，奉公神像，燕居服，並夫人像。內右一座，奉公節女。中左一座，奉公長男雲。隔一座，奉公孫珂。中右一座，奉公四子。門外奉公將施全，持杖擊姦像。堦下鐵像五，一刻秦檜，一秦檜妻王氏，一張俊，一方族萬（万俟卨），一王雛兒，各桎其手足，向祠而跪，是五奸賊受罪。）				
范芝香	1845	《郿川使程詩集》	〈題岳武穆王廟二律〉	《越南漢文燕行文獻集成》）第15冊，頁171-172
（廟在湯陰，乃岳王故里，廟門外有鐵像五，刻奸賊秦檜夫妻等，並桎其手足，蓬頭垢面，向廟長跪。） 〔其一〕 岳王祠下柏森森，讀罷殘碑思不禁。粘罕有謀歸賊檜，紹興無志殄讎金 山河共灑班師淚，箕尾空懸報國心。痛飲黃龍嗟已矣，英雄遺恨到如今 其二 背嵬一戰走彊夷，北擣燕雲唾手期。鐵騎豈能終撼岳，金牌何事趣班師 兩宮讎恥山河共，三字沈冤日月知。賊檜死心何足問，奄奄終宋古今悲				
范芝香	1845	《郿川使程詩集》	〈再題岳武穆王廟〉	《越南漢文燕行文獻集成》）第15冊，頁184
朱仙不反斾，江左不偏安。河朔頂香邇，烏珠撼岳難。 可惜十年功，如何三字冤。湯陰祠廟在，千古宋衣冠。				
裴櫃	1848	《燕行總載》		《越南漢文燕行文獻集成》）第15冊，頁342-343
湯陰岳廟松楸古，正氣昂昂彌宇宙。誤宋權奸階下囚，天理人心公好惡 （湯陰，古蕩陰地，乃岳武穆故里，廟門前刻奸賊秦檜、張俊、万俟卨、王鷗（雛）兒與檜妻王氏五鐵像，各桎其手足，向祠中長跪，昔有鐵椎，許人摑擊，近有秦姓者藏之。）				
阮保	1848	《星軺隨筆》	〈經岳飛祠〉	《越南漢文燕行文獻集成》）第15冊，頁140

（進退韻） 晚霞世界屬雲雷，愨殄強金矢壯懷。拐馬寒心難岳撼，黃龍唾手欲飛來 中原興望香盆頂，君側奸謀金字牌。報國此身非惜死，冰天誰使兩宮回				
阮文超	1849	《方亭萬里集》	〈岳武穆王故里 瞻謁靈祠感成〉	《越南漢文燕行文獻集成》）第16冊，頁271-272
造化觀乎動，君子亦有恐。湯陰繼羑城，天地風雷闉。 文王不死殷，武穆乃死宋。有詔即班師，豈曰非智勇。 同此演易心，春秋義所重。中原會見還，大理先有夢。 杭州寄孤墳，亦隔先人隴。汴洛既腥臊，梓里何光寵。 世運金復元，山河付大慟。 (《縣志》廟舊在南關外，明景泰移建此，關之北道旁有岳武王先塋石碑。《廣輿志》岳王墓在宋都杭州。《言行錄》載岳王在兵間夢詔獄大理。文王廟在道北，即古羑里城。)				
潘輝泳	1853	《駰程隨筆》	〈謁岳王祠〉	《越南漢文燕行文獻集成》）第17冊，頁297-298
將軍霜劍射星寒，父老香盆載道歡。檜賊已歸難兩立，朱僵未退肯偏安 晉雲北向神空往，汴水東流淚不乾。報國一腔忠義氣，故鄉俎豆宋衣冠				
黎峻阮思僩黃竝	1869	《如清日記》		《越南漢文燕行文獻集成》）第18冊，頁297-298
（正月）初陸日早，給發湯陰縣辦差土物錢文，進行。巳刻，經過岳武穆王廟，進香，給發岳王貳拾五世孫岳秀寔銀兩。				
阮思僩	1869	《燕軺筆錄》		《越南漢文燕行文獻集成》）第19冊，頁155-158
（正月）初六日早發，午過石碑崗，崗北三里，道旁有晉侍中稽（嵇）紹墓碑，又北九里，抵湯陰縣城，入謁鄂岳武穆王岳公廟。廟三重門，正殿祀王牌位，殿後為正寢，祀王像及王配楚國夫人李氏像，皆古衣冠。正殿後寢，扁對甚多，王手寶筆墨，皆列殿中。古來題詠刻石列庭前，並中（于）牆外嵌石，不可勝紀。後寢左邊一屋，祀王長子雲像，外扁「人倫之至」四字。右邊一屋，祀雲、雷、霖、震、霆五人像，皆				

衣冠服秉芴坐。右邊北上，上一屋祀王少女銀瓶娘子，外扁「孝娥祠」三字。左邊右外面一屋，祀宋侍郎岳珂（珂，王子霖之子）像。廟制極壯麗，庭前松柏數十株，皆合抱參天。謁悉，小坐客舍，王二十五世孫生員岳秀寔，出《家譜圖》相示，明太學郭樸為之序，蓋留守湯陰祖廟者，岳霖之後，餘皆散處江浙嶺表。廟門前有施將軍（全）廟，廟面岳廟，中奉全像，作拔劍欲斬秦檜形，旁奉宋義士隗公牌位。施廟前列鐵像五，蓬頭垢面，內（向）廟中長跪。中二像，右秦檜（胸前刻「奸賊秦檜」四字），左檜妻王氏（胸前刻「奸賊秦檜妻王氏」七字），皆肉袒面縛，以手反接於背後鐵柱。左万俟卨像（胸前刻「和成冤獄宋諫議大夫奸黨万俟卨」等字），又張浚（俊）、王雛兒二像（浚（俊）像胸前刻「背正誣陷宋樞密使奸黨張浚（俊）」等字，王雛兒像刻「王雛兒」等字），亦皆肉袒梏手。昔有鐵錐，凡入廟禮拜者，必摑擊諸鐵像，幾無完膚，後有知縣姓秦者藏去鐵錐矣。城北門外有廟，合祀岳武王、稽（嵇）侍中，扁「岳帝精忠嵇（嵇）公節烈」八字。里許有岳武穆王故里碑，又有岳武穆王先塋碑文。數里有周文王演易處門坊及周文王羑里城碑，城內松柏繁盛，屋宇整麗。

阮思僩	1869	《燕軺詩文集》	〈謁汾（湯）陰岳武穆王祠敬題〉	《越南漢文燕行文獻集成》）第20冊，頁106
漫把杭京作汴京，十年竟自壞長城。中原豪傑英傑淚，當日君臣父子情湖上跨驢無舊友，軍前叩馬有狂生。祗今河朔瞻祠廟，萬樹松風怒未平				
范熙亮	1871	《北溟雛羽偶錄》	〈謁岳王祠〉	《越南漢文燕行文獻集成》）第21冊，頁67-68
十二金牌宋國虛，千秋浩氣磚扶輿。英雄屈死心何怨，廟社平沉事莫如河北書生勞扣馬，湖西老子穩騎驢。誰人聚鐵還成錯，剷盡奸形恨有餘				
范熙亮	1871	《范魚堂北槎日記》		法國遠東學院藏抄本之微縮膠捲（Paris EFEO MF I.514），頁43。
七月初一日，早行五里鋪，道旁有晉嵇侍中墓碑。午經陽（湯）陰縣宜□（宜□，亦此縣，就驛供應，縣員双林），謁岳王祠。廟三重門，正殿祀王，後正寢奉王像及王配楚國李夫人。王手筆墨寶，皆列殿中。左堂屋祀王長子雲像，右祀雲、雷、霖、霞、霆像，皆古衣冠象（秉）芴。北上一屋祀王女銀瓶，扁「孝娥祠」。廟制壯麗，庭前松柏參天，石刻題咏甚多。王二十五世孫生員岳秀寔，蓋霖之後，守祖廟者。廟前門有施將軍全廟，廟中奉施像，作拔劍欲斬檜形。施廟前列鐵像五，蓬頭垢面，向廟長跪。秦檜（胸前刻「奸賊秦檜」四字）、檜妻王氏（刻				

「奸賊檜妻王氏」），左了俟窩（万俟卨）（刻「和成冤獄宋諫議大夫奸黨了俟窩（万俟卨）」），右王雛兒、張俊（刻「背正誣陷宋樞密使奸黨張俊」，又「王雛兒」等字），皆肉袒面縛，桔手。昔有鐵椎，入廟者撾擊，後有知縣姓秦藏去。城北門外有廟，合祀岳武王、嵇侍中廟。里許，岳武穆王故里碑，又有岳王先塋碑。又里許，有周文王演易處坊及周文王羑里城碑。

范熙亮	1871	《范魚堂北槎日記》		法國遠東學院藏抄本之微縮膠捲（Paris EFEO MF I.514），頁 64a。

（十二月）十二日，午抵湯陰縣，再入謁岳王祠，觀前日所囑豎題詩石碑（高式尺五寸，闊一尺五寸），已完，立於庭上之左，字刻亦精美（詩錄別集），因留工銀。

裴文禩	1876	《萬里行吟》	〈湯陰謁岳武穆王廟敬題〉	漢喃研究院藏抄本，編號：VHv.849/2，卷三

宇宙何悠悠，全材見者幾。壯哉武穆王，智勇誰與比。
盡忠以報國，四字深膚理。當宋南渡秋，志在滅金耳。
百戰軍聲振，兀尤望風靡。頂香兼載草，父老相歡喜。
黃龍須直抵，渡河日可指。班師十二牌，事機遂失此。
河山付慟哭，人心增憤排。英雄一葉去，中原嗟已矣。
三字冤獄成，蕩陰繼羑里。（隔廟數里有周文王羑里城碑。）
臣罪豈當誅，天地寔鑒止。
使公志得行，韓彭安足擬。可以復金鏈，可以雪宋恥。
高廟壞長城，賊檜主國是。遂教狂書生，料敵知彼己。
如何瓊山淪，一歸之天爾。文臣不愛錢，武臣不惜死。
數語獨千秋，臣道奉儀軌。信史垂丹青，故鄉潔饗祀。
正氣所磅礡，令人肅瞻視。萬里乞餘靈，祠柏悲風起。

阮述	1881	《每懷吟草》	〈陽（湯）陰謁岳武穆王祠〉	《越南漢文燕行文獻集成》）第 23 冊，頁 65-66

巍巍鄂王祠，鬱鬱陽（湯）陰里。停輿拜遺像，拂石讀銘誄。
鴻文耀奎壁，餘音奏商徵。惜王遽班師，悲王被讒毀。
椎胸慟二帝，擂髮罵佳士。逝者自貽名，作者苦殫技。
嗟嗟豪傑才，遭逢多如是。矧當宋運微，會屬賢人否。
弔古豈勝哀，論功難盡美。惟王報國心，精忠獨自矢。
王神雖在天，王言猶在史。生平勞跂慕，今日式筵几。
碌碌世途中，令人靦然恥。雕蟲曷足云，效顰聊復爾。

願將王訓辭，告我百君子。文臣不愛錢，武臣不惜死。
佩此十字銘，餘觀可止止。流芳辟銅臭，敵愾清郊壘。
庶幾挽頹風，貪廉懦亦起。天下見太平，潛靈諒有喜。

【附錄二】《湯陰岳廟明清碑刻選》所載越南使節詩碑拓本

越南 10 世紀到 19 世紀的漢字六言詩研究

阮青松（Nguyễn Thanh Tùng）*
阮俊強（Nguyễn Tuấn Cường）**

摘要

　　六言詩是中國漢詩中的一種獨特詩體。在古代漢文化及漢詩強烈傳播的趨勢下，東亞各國早已接受並參與創作這種詩體。近年來，在中國、韓國、日本等國的六言詩吸引學術界從形成與發展過程、特點與面貌、移植與改變、本土化等許多方面進行深入研究。但在此背景下，越南的漢字六言詩卻尚未得到應有的關注。越南存在著漢字六言詩的流派，此詩體在近千年間（10 世紀到 19 世紀）有豐富的創作歷程與作品。在當前東亞詩學的背景下，越南漢字六言詩接受與創作的情況與東亞各國有相當的差異，對探討漢文化圈國家接受漢詩及漢文化有積極的意義和巨大的學術價值。

關鍵詞　漢字六言詩、東亞詩學、越南、傳播、接受

---

* 〔越〕河內師範大學語文學系副教授。
** 〔越〕越南社會科學翰林院所屬漢喃研究院院長。

一、背景簡說

六言詩在中國漢詩中是一種獨特的詩體，[1]尤其是在節奏、聲律和筆法的表現上。也正是因為其「獨特」以及一些其他歷史因素，在中國古代，與五言詩、七言詩等其他詩體相比，六言詩的接受和創作較少。因此，六言詩在中國文學的地位和影響也比較有限。儘管如此，漢文化以及漢詩強大的輻射力還是影響了整個東亞地區，漢字六言詩對現今的越南、日本、朝鮮—韓國等當時「同文」國家的文學都產生了一些影響，這體現於這些國家在中世時期時期對六言詩的創作，其程度和性質有相同亦有細小的不同之處。因此，這是一個有趣的「情況」，深入研究後，能更加了解東亞地區文化及文學的交流，及中國文化對周圍國家的影響。在該「情況」中，漢字六言詩在越南中世時期是一個「典型」的現象，然而卻在東亞地區以及越南學界尚未得到其應有的關注，在此學術背景下，本文將介紹越南漢字六言詩，通過對其的一些分析、評價以及將其與東亞各國相關的現象進行比較，提出未來與東亞各國可共同合作研究之領域與課題的建議。

二、漢字詩體在越南的概述

---

[1] 六言詩是指每一句由六個字或六個音節組成的一種詩體，每首詩的行數不固定，但按照傳統至少要4行以上。實際上，六言絕句是最普遍的，也是本文中所指的「六言詩」。在越南，還可以使用越南語（喃字、國語字）來創作六言詩，但是在本文中，筆者只關注使用漢字創作的六言詩，因此筆者亦會使用「漢字六言詩」這個概念。

　　由於接近的地理位置，在很早以前（至少是在秦漢時期），越南就已經與漢文化接觸，越南中世時期深受漢文化的影響，其中包括語言、文字以及漢文學。據現存史料的記載，越南在漢代就已開始使用漢字著述，包括一些論說宗教的文章。[2]至唐代，詩歌的創作在酬酢、哀悼、[3]應試[4]和宗教證悟[5]這些活動中被使用。[6]越南人當時的漢字詩歌被中國詩人給予極高的評價。[7]進入獨立時期後，漢字詩日益豐富多樣，使越南漢字詩歌融入東亞漢字詩歌的主流，成為越南中世時期文學最重要的組成部分。詩歌不僅存在於日常生活的創作中，漢字詩在還

2　東漢時期，23-220年，交州有牟子作《理惑論》，論證思想、宗教。至劉宋（420-479），又有交州的和尚釋道高和釋法明作《答李交州淼難佛不見形事》、《答李交州書》論證佛學。

3　證據是一些中國（唐代）的詩人與越南友人的唱酬作品，如：楊巨源的《供奉定法師歸安南》、張籍的《山中贈日南僧》、《送南客》、賈島的《送安南維鑒法師》、《送黃知新歸安南》、貫休的《送僧之安南》等。

4　比如，姜公輔（730-805），愛州（即今越南清化省）人，唐朝764年舉進士，後升任宰輔。他的《白雲照春海賦》和《對直言極諫策》兩篇作品被記載在《全唐文》，卷446。其弟姜公復（？-？），舉進士，任郎中。現存的著作有：《對兵部試射判》、《唐故刑部郎中劍南東川租庸使盧江何公妻隴西李氏夫人墓銘并序》，被記載在《全唐文》，卷622。雖然兄弟兩人的詩歌創作已經失傳，但肯定存在過，因為唐代的科舉考試中有一個科目是作詩。

5　現存越南最早使用漢字創作詩歌者是唐代的禪師，詩歌被記載在《禪苑集英錄》，如：定空禪師（？-808）的三首誦，體裁為四言絕句、丁羅貴長老（852-936）的一首偈，體裁為五言絕句。

6　參看鄭永常：《漢文文學在安南的興替》，（臺北：臺灣商務印書館，1987）。

7　在《送詩人廖有方序》中，柳宗元在評價交州的廖有方「為唐詩有大雅之道」。廖有方現有一首詩名為《題旅櫬》創作於814年，被記載在《全唐文》，卷490，該首詩還有別名為《葬寶雞逆旅士人銘詩》。廖有方（？-？），交州人，舉進士（815），任校書郎。

成為越南選拔官吏的重要考試科目，[8]與中國、朝鮮情況相近。這也使漢字詩在越南的創作變得越來越繁盛，漢字詩的詩集、選集、總集、全集琳瑯滿目，體裁、題材越來越豐富，越南中世時期的漢字詩數量大約超過十萬首。

　　越南幾乎接受了來自中國的所有詩歌體裁，如：歌行體、樂府、三言、四言、七言、六言、八言、詞曲、長短句等；又正體、變體、古體、近體等均有，可以說中國漢詩有什麼形式體裁，越南的漢字詩就會相同的情況。值得注意的是，越南人還有兩種相關的創新：第一，使用越南語（喃字、國語字）來重新創作中國的詩體（最多是唐詩，名為唐律體喃字詩－「thơ Nôm Đường luật」）；第二，使用漢字創作越南傳統的詩體（如：六八體、雙七六八、說唱詩）。這些創新使越南的漢字詩寶庫越來越豐富，對東亞漢字詩做出巨大貢獻，與漢文小說、詞曲、賦、駢文等其他體裁的文學作品並駕齊驅。

　　越南中世時期漢字六言詩，就是越南人接受來自中國的詩體之一。但是，如果說四言、五言、七言、長短句等其他詩體的創作、批評與研究均得到不同程度的關注，漢字六言詩就明顯少了許多，[9]因為這樣的原因，越南對於六言詩的研究也比較

8　李朝科舉考試的其中一個項目是作詩。《大越史記全書》記載，「庚戌神武二年宋熙寧三年……秋八月脩文廟塑孔子周公及四配像畫七十二賢像四時享祀皇太臨學焉」〔《本紀全書》卷之三，〈李紀〉，頁5a〕，另外「乙卯〔太寧〕四年宋熙寧八年春二月詔選明經博士及試儒學三場」〔《本紀全書》卷之三，〈李紀〉，頁8a〕。建文廟、教學、選明經博學、進行三場考試，證明漢字詩已經正式被用於選拔官吏。

9　其實，不僅只有越南，中國、朝鮮的漢字六言詩很少被創作，與其他詩體相較，比例甚少。關於它的研究、批評也隨之尚未得到關注。但

欠缺，包含六言詩的搜集、翻譯和發表相當缺乏，使得對六言
詩的研究也受到不小的影響。[10]總的來說，五言詩、七言詩的
研究已有很多成果，但越南的漢字詩歌[11]或越南中世時期詩歌
中的「六言詩」的研究只停止在簡單的介紹上，如「別體」[12]
或者「順便（介紹）」。[13]甚至，當提到「六言體」時，人們
還想到已經被確定為喃字唐格律的「七言插入六言詩」（「thơ
thất ngôn xen lục ngôn」）這個體裁（「唐律體喃字詩」），彷

是最近漢字六言詩的研究情況在東亞，尤其是在中國，已經出現積極
的轉變。

[10] 如今在越南，對漢字六言詩的蒐集、翻譯以及發表還很慢、零散並隨
興。

[11] 阮才謹研究阮忠彥的詩歌時，在《李陳漢文對阮忠彥詩歌的影響》
（1995年）一文中發現阮忠彥其中五首七言詩有插入六言的情況。從
而作者初步查找從《詩經》到宋明詩歌中的六言句和漢六言詩。其
中，作者已經留意到「有些首詩有六個字也被列進一種單獨的體裁，
與收悉的五言、七言並列」（阮才謹1995，頁103）。不過，阮才謹還
沒有將六言詩分成單獨的一種體裁來研究，也未將越南的漢字六言詩
視為一個獨立、擁有自己歷史的現象來看待。

[12] 提及「六言詩」最多的是裴文元、何明德的《越南詩歌：形式與體
裁》。當介紹到「模仿中國詩歌的體裁」，編撰者同時將唐律體六言
詩與四言、五言、七言等其他體裁併提（卻沒有提到古風六言詩……
或漢六言詩的起源），並承認，這是一種「少有人做」的體裁（裴文
元、何明德1971，頁279）。但是，編纂者卻將「六言」列進「特別的
體裁」，與雙疊、截下、尾三聲、首尾吟、回文、連環、烏鵲橋、蜂
腰等並列。這裡明顯仍然沒有將漢六言詩與「特別的體裁」、越南語
六言詩等其他體裁劃分清楚來研究。這也反映出在研究該體裁時的模
糊不清、不知所措。

[13] 阮檀那的《從漢字六言詩到越南語六八詩中的六言詩》（2010）初步
介紹了中國漢字六言詩的起源——演變（從先秦至宋朝）以及越南的一
些漢字六言詩作品（李陳時期：戒空禪師——范邁莫記），目的為尋
找越南語六言詩的起源（唐律體喃字詩以及六八詩——雙七六八
詩）。

佛對六言詩沒有完整的概念，但六言詩與「七言插入六言詩」是各自獨立的詩體。[14]對喃字詩（含六言詩）太過注意，間接使漢字六言詩成為被眾人遺忘、低估的「受害者」。因此，越南漢字六言詩的研究也經常被放進這些喃字唐格律詩的研究中。這讓我們看到六言詩在越南文學史以及越南文學研究史中的欠缺和不足。

因為國內的研究比較冷清，使得國外學者也幾乎沒有對越南中世時期的漢字六言詩進行研究。因此，本文以及筆者的其他研究將努力補充這些空缺。本文包括以下內容：概述越南中世時期漢字六言詩的接受史、改變和創作；介紹六言詩的一些內容和形式特點；將越南中世時期的漢字六言詩放在東亞詩學的背景下進行比較、論述。

三、漢字六言詩的起源

（一）關於六言詩的起源

中世時期以來，許多人認為六言詩在中國出現的時間很早，在先秦的《詩經》、《楚辭》（〈離騷〉、〈九歌〉、〈九辯〉等）中已經有六言的散句，完整的六言詩出現與西漢，劉勰（465-520？）《文心雕龍‧章句》認為「六言，七言，雜出詩騷，而體之篇，成於西漢。」任昉（460-508）在

---

[14] 比如，楊廣咸在其《越南文學史要》（1941）中提出「六言體」這個概念，但是不是漢字六言詩，而是「七言插入六言詩」（楊廣咸1993，頁136）。越南的研究者好像還沒注意到漢字六言詩，甚至還將「六言詩」與「七言插入六言詩」混成一體。

《文章緣起》中更加具體的道出「六言自漢大司馬谷永始。」
據現代學者的考察，六言詩出現得極早，在《詩經》中零散出
現，如：〈周頌·烈文〉「無封靡於爾邦」、《魏風·園有
桃》「謂我士也罔極」等。但是這些只不過是一些散句，還不
是完整的六言詩，其節奏、音調還沒有完善，讀起來比較生
澀、自由。其實，《詩經》中的詩歌本來是歌詞，在表演時需
要音樂，因此，如果將詞曲分開，聲調就不和諧了。有人認
為，如果將〈離騷〉中的「兮」字去掉（句式普遍的是 7/6/7/6
等），就會出現第一首長篇六言詩，但是該意見早已經被反
駁，因為這兩種體裁的格式、節奏很是不同。[15]儘管如此，
〈九歌·雲中君〉中已經出現整首詩幾乎都是六言句（只有一
句是五言的）的結構。在〈九辨〉中有四行六言詩（有「兮」
字）連續在一起的情形，如：「慷慨絕兮不得，中瞀亂兮迷
惑。私自憐兮何極，心怦怦兮諒直。」如果將該四句分開，我
們將會有一首完整的四句六言詩，三個韻母與六言絕句很是接
近。具有「兮」字的六言體形式後來在東漢時期的歌曲、小賦
（受《楚辭》的影響）中還可以看到，故兩漢時期的資料中也
沒有看到完整的六言詩，大多只是一些散句，如：東方朔（公
元前 111-？）的兩句六言散句、董仲舒（公元前 179-104）
〈琴歌〉中的兩句、樂府詩中的「歌行」（其中六言詩不用虛
詞了）、邊孝先（東漢）、童謠、讖語、小賦等。

　　人們也懷疑東方朔、谷永做六言詩的可能，因為資料大部

15　俞樟華、蓋翠杰：〈論古代六言詩〉，收入《文學評論》第 5 期
　　（2002），頁 14-20；谷鳳蓮：〈論六言詩的嬗變〉，收入《棗莊學院
　　學報》第 1 期（2007），頁 11-13。

分是間接、流傳性的，不過我們可以由此判斷，也許該時期已經出現完整的六言詩，但是失傳了。值得注意的是，在東漢的小賦中，有一些相當長的六言句，如張衡（78-139）的〈歸田賦〉，這是六言詩的萌芽。直到東漢末，六言詩才得以正式形成，孔融（153-208）〈六言詩〉三首即是完整的六言詩，〈其一〉有五句，每句都押韻：「漢家中葉道微，董卓作亂趁衰。僭上虐下專威，萬官惶怖莫違。百姓慘慘心悲」。孔融的這首詩具備六言詩的所有基本特點（押韻法、停頓、諧音等），體現出其對六言詩的創作具有清楚的意識。這可以視為對六言詩的（完整）出現打下了正式烙印（正式出現的標誌）。但是人們也可以往前推測，認為六言詩在東漢時期形成並發展，是比較恰當的說法。

（二）三國（220-280）至兩晉（266-420）

這個時期六言詩發展蓬勃，其中有些詩人是相當有名的，如：曹丕（187-226）、曹植（192-232）、稽康（223-262）、傅玄（217-278）、陸機（261-303）、謝晦（390-426）等，還有一些是童謠、古樂府詩（佚名）等。研究者一致認為，六言的發展與樂府有著密切的關係，幾乎所有初期的六言詩都是由樂府脫胎出來的，文人們根據樂府的「調」和「舊題」做成「六言歌章」。該階段的六言詩也如孔融的六言詩一般、每首詩有五句（也有2句、3句、4句、6句、8句等）、每句押韻。另外，也有一些一韻到底的長篇六言詩，如曹植的〈妾薄命行〉（29行）、曹丕的〈黎陽作〉（9行），或者是連珠押韻的長篇六言詩（停頓2/2/2或3/3，其中大多數是2/2/2），如謝

晦的《悲人道》（300多行）等，其風格豪放；語言豐富而有
魅力；感情悲切、真誠。這是六言詩發展的一個基礎。

（三）南北朝時期（420-589）

人們開始看重聲律、對偶、間韻，六言詩亦在韻、律、對
偶上有所發展，代表的人物有：王規（488-536）、蕭統（501-
531）、蕭綱（503-551）、庾信（513-581）、陸瓊（537-
586）等。尤其是到蕭綱、庾信時，六言詩的格律化、駢偶化
基本上已經定型，該階段的六言詩開始偏於4句（絕句），然
後是8句。六言詩的形式大多數都是三個韻腳或者兩個韻腳
（四句）和格律六言詩（八句、5個韻腳或者4個韻腳）。長篇
六言詩也繼續發展，後來成為近體詩的一種形式，稱為「排
律」六言詩。六言詩的題材也很豐富，包括了詠史、歌頌功
德、人生哲理、世事變幻、遊仙、感慨等，對近體六言詩在唐
代時期的正式問世做了極好的鋪墊。

（四）隋代（581-619）、唐代（618-907）和五代十國（907-979）

六言詩已經很注重聲律，尤其是律詩和絕句的格律更加嚴
格，此時期的六言詩被稱為近體六言詩（或者六言格律詩）。
但是，唐代六言詩的格律（以及往後的時期）相較七言詩、五
言詩寬鬆（尤其是在聲律、對偶、韻律）。此時期的六言詩已
經被著名的詩人注意到，如：王維（701-761）、劉長卿（709-
780）、皇甫冉（？-？）、張繼（-756）、顧況（725？-
814？）、韋應物（737-792）、王建（751-835）、劉禹錫

（772-842）、白居易（772-846）、杜牧（803-853？）、魚玄機（844-868）等。人們統計《全唐詩》中的 48900 首詩中，有 75 首六言詩（只佔 0.15%），一共 442 句。其中值得注意的是絕句六言詩佔大多數（50 首），最有名的是王維的，比如其〈田園樂〉（7 首），很是得到世人的稱頌。唐代的六言格律和六言絕句十分要求對偶，且注重風景的描寫，注重印象與意象，極具審美性，具有唐詩的特徵。六言詩一般在文藝、娛樂的主題中出現，具有「艷情」的色彩，如在宴席、歌館、酒樓等，或者富有村野、山區、寺觀、禪院、邊疆等背景。因此，其內容主要是「艷情」、「主情」或具有禪學、道學、對自然感悟的色彩。但是總的來說，在唐朝以前的六言詩創作比較偶然、即興，還沒形成風潮和愛好，所以數量不是很多。六言詩的創作者對音律、樂律要有一定的了解才能作出好詩。這也使六言詩在該階段與其它詩體相比數量明顯偏少的原因。

（五）宋朝（960-1279）、元朝（1271-1368）

　　此一時期好像才開始出現一些作者和文人有意識、專門創作六言詩，尤其是是六言絕句。因此，在此時期，六言詩發展到其頂峰。出現了更多六言詩的作者，其中不乏一些著名的文學家，如王安石（1021-1086）、蘇軾（1036-1101）、黃廷堅（1045-1105）、秦觀（1049-1100）、沈括（1031-1095）、范成大（1126-1193）、陸游（1125-1210）、劉克莊（1187-1269）、馬致遠（1250-1321）等。其中，有許多作者創作了數十，甚至數百首六言詩。如劉克莊創作了宋朝（也許也是中國歷史）數量最多的六言詩，共計 397 首。宋代六言詩的總數達

到 1000 多首,是中國歷史上創作六言詩最多的朝代。宋朝的六言詩偏於酬酢、抒情和言志,因為作者主要是文人、儒士。宋朝文人也開始有意識的研究六言詩體,代表為吳逢道的《六言蒙求》(6 卷,今已失傳)。也就在這個時期,漢字六言詩蔓延到各鄰國,其中包括越南(大越)。

(六)明朝(1368-1644)、清朝(1644-1912)

至明清時期,六言詩的創作雖然沒有宋朝那麼盛行,[16]但是仍繼承其成就並且有一些作者及作品值得注意,如明朝有:楊士奇(1365-1444)、李東陽(1447-1516)、何景明(1483-1521)、袁中道(1575-1630)、譚元春(1586-1637)等;清朝有:顧炎武(1613-1682)、王夫之(1619-1692)、朱彝尊(1629-1709)、袁枚(1716-1797)、趙翼(1727-1814)等。此時期六言詩也走進了民間創作(歌謠、劇藝),或者章回體小說,如曹雪芹的《紅樓夢》。同時,還有作者專門編選六言詩詩集、詩彙,如:楊慎(1488-1559)的《古六言詩》、李攀龍(1514-1570)的《六言詩選》、黃鳳池 (約 16 世紀)的《六言唐詩畫譜》等。六言詩也在一些詩論中得到嚴謹的考究,如:謝榛(1495-1575)的《四溟詩話》,陸時雍(約 17 世紀)的《詩鏡總論》,胡震亨(1569-1645)的《唐音癸籤》,趙翼的《陔餘叢考》,袁枚的《隨園詩話》,董文煥(1833-1877) 的《聲調四譜圖說》等。[17]

---

[16] 據不完全統計,明清時期還留下873首六言詩。唐愛霞:《古代六言詩研究》(浙江:浙江大學博士論文,2009),頁2。

[17] 關於中國漢字六言詩研究,我們根據以下資料:蕭艾(1987)、褚斌

　　從中國漢字六言詩的形成和發展過程來看，六言詩具有悠久的歷史，並且取得了一些成就，但是與五言詩，尤其是七言詩相比，六言詩的成就相對黯淡（據不完全統計，大概有 2000首左右）。[18]雖然沒有七言詩或者五言詩發展的那麼蓬勃，但是漢字六言詩也有自己的生命和活力，這也體現在各「同文」（日本、朝鮮、越南）國，比如在朝鮮有許多作者創作漢字六言詩，如：李奎報[Yi Kyu Bo]（1168-1241）、白賁華[Baek Bi Hwa]（1180-1224）、李穡[Yi Saek]（1328-1396）、南龍翼[Nam Yong Ik]（1628-1692）、張維[Jang Yu]（1587-1638）、李彥瑱[Yi Eon Jin]（1740-1766）[19]……在日本，六言詩也被創作傳播，其代表為：高泉性敦[Kosen Shoton]（1633-1695）、賴山陽[Rai San'yo]（1780-1832）、菊池溪琴[Kikuchi Keikin]（1799-1881）、森春濤[Mori Shunto]（1819-1889）等。在中越文化交流過程中，越南的六言詩也開始出現與發展。

四、漢字六言詩在越南的接受與再造

（一）越南中世時期漢字六言詩的創作狀況

　　杰（1990）、俞樟華、蓋翠杰（2002）、張弦生（2006）、谷鳳蓮（2007）、唐愛霞（2009）、阮檀那（2010）等。

[18] 據唐愛霞給出的統計：魏晉南北朝時期有大約68首、唐朝大約有115首、宋朝有1000多首、元明清有873首（略計）。這樣一共大約有2000多首（唐愛霞2009，頁2）。但是我們認為，這數據不齊全，因為在朝鮮中世時期時期，六言詩的數量已經是1139首，難道在中國祇比其稍多。如果進行更大規模的調查，實際的數據應該更多。

[19] 該作者創作了158餘首漢字六言詩。

1.李、陳兩朝的漢字六言詩

綜觀越南中世漢字詩的歷史，六言詩較早出現。從詩句方面來看，越南最早的六言詩可能是李朝倚蘭皇太后（1044-1118）的一首佛偈：「色是空空即色，空是色色即空。色空俱不管，方得契真宗。」雖然如此，這只是一首五言絕句詩的兩個詩句，且這兩個六言詩句的節奏（3/3）也不甚為六言詩的特殊節奏（2/2/2）。那兩句甚至也可以視為有口語性的三言詩句，如同中國古風三言詩。六言詩句在廣嚴禪師（1121—1190）的一首四句的佛偈也被使用：「離寂方言寂滅，去無後說無生。 男兒自有衝天志，休向如來行處行。」[20]前兩句聲調登對，節奏也是依據六言詩的普遍句式（2/2/2），但不是獨立的一首詩，而是和另兩句七言詩合成一首七言嵌入六言詩。根據廣嚴禪師的這兩句六言詩與上述倚蘭皇太后的兩

---

[20] 《禪苑集英語錄》，漢喃研究院館藏編號Vhv.1267。這首詩前兩句的版本、句讀、翻譯等問題仍有爭議。《禪苑集英語錄》原所收錄的是：「離寂方言寂滅去，生無生后說無生。男兒自有衝天志，休向如來行處行。」這也是學界中較為普遍的版本。但是，根據枚亨、阮董芝、黎仲慶的《阮廌—天才的文學家與政治家》（河內：文史地出版社，1957），這首詩前兩句應該這樣拼讀：「離寂方言寂滅，去生後說無生。」，即去掉第二句的「無生」兩個字。若從漢文的文脈來言，此拼讀法比以上全七言的詩句脈絡得多。但是，分析了枚亨等人的拼讀法的對仗（詩律）和意義（禪意）兩個方面，我們認為尚未完全清楚。據我們的看法，第二句還有在脈絡、詩律和禪意等方面上更加合理的另一個拼讀法，就是：「離寂方言寂滅，去無後說無生。」即去掉第二句的兩個「生」字。這兩個「錯簡字」使得前兩句六言詩（「離寂方言寂滅，去無後說無生。」）變成難以理解的七言詩（「離寂方言寂滅去，生無生后說無生。」），導致了後人的錯解。類似的錯簡字現象在越南漢喃文獻不是少見。因此，我們肯定廣嚴禪師這首詩前兩句就是越南李朝的罕見的六言詩句。

句六言詩，就可以判斷漢字六言詩在李朝已不是陌生了。

　　李仁宗（1066-1128）時，僅有戒空禪師有創作六言詩的紀錄。這首佛偈具有李朝常見的倫理內容（也是李朝唯一的一首六言詩）。作者採用古體六言來創作，用仄聲韻（包括連韻與間韻），具有接近口語的風格，略有「苦讀」的特點（有歌行體的特點）。戒空禪師的意思可能是通過「苦讀」與口語加強其內容，而不是表面的形式，強調使慧覺醒悟，[21]這也是禪宗的主張（言語道斷，心行處滅）。這首佛偈是一首結束偈也是一首示寂偈，因此其教訓性較為明顯：

> 我有一事奇特，非青黃赤白黑。天下在家出家，親生惡死爲賊。不知生死異路，生死祇是失得。若言生死異塗，賺却釋迦彌勒。若知生死生死，方會老僧處匿。汝等後學門人，莫認盤星軌則。[22]

達到如此純熟創作的六言詩，反映了六言詩體在越南中世時期初期，就被使用於創作與接受的活動（思想與教理），這也讓我們了解李朝的漢字詩大多是各位禪師的詩與偈（頌與讚），而且大多是古體詩，由於資料有限，這只是一個推斷。另外，李朝六言詩的出現並非偶然，我們認為六言詩的創作於宋代開始蓬勃發展（具體是從宋徽宗（1082-1135）以後），且宋代也有許多禪師創作六言詩，[23]因此不僅推動中國境內的創作六言

---

[21] 也有另一個說法以，寫六言詩反映了各位禪師的作詩能力仍有限，所以他們只能用比較自由的古體詩來創作，而近體詩需要較精微的筆法。

[22] 戒空禪師：《我有一事奇特》，收入《禪苑集英語錄》，漢喃研究院館藏編號：VHv.1267。

[23] 張明華、王啟才：〈黃庭堅與六言詩在兩宋之際的發展與變化〉，收

詩活動，還向中國鄰近國家有不小的影響，其中有越南、朝鮮。戒空禪師的六言佛偈也具有宋代詩的風格與氣質—哲理深邃，音調參差，重於學問。

到了陳朝（1225-1400），六言詩進一步發展，至少目前可知道的有三首。[24]這時期詩的主要創作目的是用以送贈、詠物以及寄託心情與志向。陳朝六言詩都是近體六言絕句（主要用間韻、嚴謹對偶、齊整和諧聲調、平韻、仄起等筆法），每一首詩都具有老練的筆法以及豐富的內容，其中最有特色的是抒情性、形象性與側重於描寫大自然等特點。以此來看，陳朝創作漢字詩的程度已經非常地進步，漢字詩數量比李朝的更為可觀，[25] 藝術性也更加提高。據阮蕙芝的研究：「實際上，從李朝詩到陳朝詩是量的大變化，詩質愈來愈提高，語言修辭更加藝術性，詩的音域更加豐富。」[26]陳朝最佳的漢字六言詩可提到莫記的〈送使吟〉。胡元澄（1374-1446）在《南翁夢錄》對此詩有如下的加載：

> 軍頭莫記，東潮人也，出身行伍，酷好吟詩。元統間，伴

入《滁州學院學報》第8期，（2006），頁1-5。

24 我們認為這是「至少」是因為李朝漢字詩的資料不多（由於被損壞與遺失），且李朝漢字詩受到唐宋較為深刻的影響。據此特點以及尚存的漢字詩，我們固然可以想到一個假說：李朝有可能有更多六言詩，不只是尚存的三首詩。這三首六言詩是：陳明宗時期（1314-1329）范邁（？-？）的〈閒居六言題水墨帳子小景〉、陳憲宗時期（1329-1341）莫記（？-？）的〈送使吟〉〈留別詩〉、陳顥（？-1391）的〈贈司徒元旦〉。

25 有關漢字詩數量的變化，詳見黎貴惇的《全越詩錄》。

26 轉引自：阮公理：〈李陳時期佛教文學的特點與面貌〉，（胡志明市：胡志明市國家大學出版社，2006），頁316。

> 送元使黃裳，裳亦好詩者，旬日江行，相與唱和，多有佳
> 句，裳甚歡之。至界上，《留別詩》云：『江岸梅花正
> 白，船頭細雨斜飛。行客三冬北去，將軍一棹南歸。』
> [27]

到了晚陳時期，唐詩的影響逐漸降低，作詩者開始喜愛宋詩以及宋學，這個變化很清楚地展現在范邁的〈閒居六言題水墨帳子小景〉。如與莫記的詩相比，此詩的形象和觸感不及莫氏，但是，其價值仍是不可否定的。儒家的「道」只於最後四句而展現出來：

> 紅樹一溪流水，青山千里斜陽。欲喚扁舟歸去，此生未
> 卜行藏。〈閒居六言題水墨帳子小景〉[28]

陳顥的〈贈司徒元旦〉更加展現其儒家的「道」：

> 我是當年棄物，公非大廈奇才。會取一般老病，田園早
> 辨歸來。〈贈司徒元旦〉[29]

總之而言，在李、陳兩朝四百年的歷史中（十一世紀到十四世紀），我們現在只能找到四首漢字六言詩，因此我們可以了解此階段的兩個特點，文獻的大損失與漢字六言詩創作潮流的沉靜。雖然六言詩數量較少，但是其中也有藝術性很高的佳作，

---

[27] 最近有一位中國學者李娜提出其觀點：根據分析這首詩的邏輯以及「行客」與「將軍」的稱呼法，她認為這首詩是黃常所作的而不是莫記的。見李娜：〈考究與中國赴越南使臣有關的三首詩作者〉，《東南亞縱橫》第5期（2014年）。我們暫時認可此說法，但本論文仍保留學術界故有的觀點。

[28] 〔越南‧後黎朝〕潘孚先編：《越音詩集》，漢喃研究院館藏編號：A.1925。

[29] 同前注，漢喃研究院館藏編號：A.1925。

這反映了越南人對六言詩創作活動已達到較高的程度。換個說法，有可能在這個時期六言詩體沒有得到文人們的關注，因為五言與七言詩仍佔其主要地位。

2.黎、西山兩朝的漢字六言詩

根據我們的統計，在黎、西山兩朝（1428-1802）總共有五首漢字六言詩。[30]黎朝六言詩大概有哲理性、多言志、少寫景、少意象，偏白描法等特點。例如，黎聖宗皇帝的〈題扇〉（其一）是深具黎朝風格的一首詠物詩，其內容為詠物寓情，以扇子象徵臣子之勤敏及做事守則：

> 赫赫空中熘火，甚明君子行宜。折折西風曙退，正知君子藏時。[31]

馮克寬的〈戲題臺山石峒〉雖然提到賞玩仙境，但是寫景方面很少，反而提到脫俗的哲理性：

> 海外蓬壺方丈，人間勾漏天台。些間有絕奇處，引得群仙到來。[32]

吳時任的〈八月忌感懷〉卻觸及另一種情懷，因母親的忌日而感歎，表示為人子的孝道：

---

30 包括黎聖宗（1442-1497）的〈題扇〉其一、馮克寬（1528-1613）的〈戲題臺山石峒〉、吳時任（1746-1803）的〈八月忌感懷〉、十八世紀跌名的〈新訂嶺南摭怪列傳題詞〉、相傳阮秉謙（1491-1585）作或者馮克寬作的〈識記〉等作品。

31 〔越南‧後黎朝〕阮直評論，武覽喃註：《洪德朝詩集》，漢喃研究院館藏編號：AB.612。

32 〔越南‧後黎朝〕馮克寬：《言志詩集》，漢喃研究院館藏編號：VHv.1442。

海上寒風蕭瑟，悶倚篷窗度日。隴崗松竹雲深，游子天
邊鵁鶄。蘋藻倏忽今年，淚向秋潮催出。懸弧枉作鬢
眉，爲女當初恨不。[33]

〈新訂嶺南摭怪列傳題詞〉一首則具有天道的哲理，說明了
《嶺南摭怪列傳》中以章回小說形式敘述的故事。

閱檢古今勝迹，紛茫載事難窮。了然出笑談中，並是夕
陽流水，慕著千翹萬媚，總成一部稽文。揄揚自轉驚
人，盡入案前白紙。

相傳阮秉謙（1491-1585）作或者馮克寬作的〈讖記〉，全詩四
行，其內容為預告較玄密的時運，這不是一首完整的六言詩，
其中有一句為七言：

九九乾坤已定，清明時節花殘。直到羊頭馬尾，胡兵八
萬入長安。[34]

近四百年的歷史卻只有五首六言詩，可見在黎朝六言詩幾乎沒
有發展（陳朝只有三首，更比不上阮朝六言詩的發展）。這五
首詩，其中三首是六言絕句體（〈題扇〉其一、〈戲題臺山石
峒〉與〈讖記〉），其餘兩首是古體或近體的六言八句，它們
都有形象性少、少描寫大自然而偏於哲理與抒情的共同特點，

---

33 〔越南‧後黎朝〕吳時任等著：《吳家文派》，漢喃研究院館藏編
號：VHv.16/1-13。

34 最後一句若能省略一個字就成為一首完整的六言詩，不過這一字也不
是很重要，也有可能這是版本的出入。此外，有另一個版本是：「九
九乾坤已定，清明時節開花。宜到牛頭過馬，胡兵八萬迴家。」可見
這是完整的一首六言詩。因此我們認為這是黎朝的一首變體六言詩
（甚至其年代可以是阮朝，因為很難確認這是阮秉謙的作品，還是馮
克寬的作品。）

這也意味著黎朝詩歌（包括漢字跟喃字詩）比較重視哲理的內容，接近宋詩的風格。

此外，值得留心的是黎朝晚期有對六言詩的論述，黎貴惇（1726-1784）在《芸臺類語·文字篇》中記錄若干中國的六言詩。《全越詩錄》中也有收錄陳朝大越國的一些六言詩，在《全越詩錄·例言》有如下的討論：

> 漢魏齊梁四言五言六言七言歌行樂府謂之古體。唐以來五言六言七言律絕謂之近體。古取流動，律取偶對；古貴高肖而暢達，近貴清遠而秀麗。格局態度，迥不相同。昔人云：『律不雜古而古不可雜律』。今依分古近二款以便觀覽。其近體先七言律，次五言律，次六言律，次七言絕，次五言絕，次六言絕。[35]

黎貴惇的意見雖然不是很突出（而且還有其他詩體而雜論），但是這也意味著越南中世時期的詩人不只對六言詩有正確的認識，還掌握了相關的詩律（六言詩有古體和近體）。另外，透過黎貴惇在詩論中排列七言、六言、五言三種詩體，可見他對六言詩地位的重視。可惜的是創作方面還是不如期望，是否到下一時段六言詩會蓬勃的發展？

---

[35] 《皇越文選》，漢喃研究院館藏編號：A.2683。有人認為《全越詩錄例言》的手抄本，提供的不是正確的資訊，現在較普遍的《皇越文選》刊本的《全越詩錄例言》是很標準的版本。《李、陳漢文第一集》的編譯者（阮蕙芝，1977）在翻譯這一段也有注釋：「此段跟原文有矛盾，因為排律與六言屬於古體詩，但這裡排入近體詩。」不過六言詩其實可以是古體或近體，所以沒有任何矛盾，而且黎貴惇當然會掌握唐詩的格律。

3.阮朝的漢字六言詩

到了阮朝，六言詩開始蓬勃地發展，作者和作品數量加增了很多。值得注意的是，此階段有寫漢字六言詩的女作者（阮福靜和）。阮朝的文學資料非常的豐富，我們尚未徹底地考察，但根據初步的考察，阮朝六言詩有五十首，[36]也許在其他詩集還有很多六言的作品，此判斷並不是武斷，因為阮朝的文學活動頗為隆盛，而且此階段有一些具有吸引力和受到信任的詩壇領袖，讓創作者有交流的機會，也互相有不小的影響（例如阮福綿審或者嗣德皇帝）。此時有些作者作七八首漢字六言詩（如：鄭懷德、明命皇帝、阮福綿審等等），其他作者一般做二到三首（紹治皇帝、阮福綿寶、阮福紅衣等等）。其中作最多的是嗣德皇帝，他作十三首漢字六言詩，每個標題都有二到四首，這也意味著漢字六言詩在阮朝比以歷朝代的有更好的發展狀況。漢字六言詩的作者大多都有皇族的身分，而且每一

36　包括：鄭懷德（1765-1825）有八首詩〈湖南道中舟行雜詠〉八首，范廷琥（1768-1839）有一首〈問潘橫海〉，阮福膽（明命皇帝）（1791-1841）有七首〈泛舟後湖〉、〈雨〉、〈熱〉、〈黃羅傘〉、〈詠瑞香〉、〈秋夕偶成六言短句〉、〈一登兩兼六字二首〉，潘清簡（1796-1867）有一首〈美安夜發〉，阮福綿宗（紹治皇帝）（1807-1847）有兩首〈晚覘〉、〈古渡孤舟〉，阮福綿定（1808-1885）有一首詩言八句（關），阮福綿審（1819-1870）有七首〈閒居六言〉二首、〈椒園雨坐〉二首、〈題沈石田山水〉、〈桃花六言得仙字〉、〈送客〉，阮福綿實有一首〈賞荷〉，阮福綿寶（1820-1854）有兩首〈舟中曉起〉、〈悲春〉，阮福綿窩（1827-1907）有兩首〈漫興〉、〈紅茶花六言得蘭字〉，阮福洪任（嗣德皇帝）（1829-1883）有十三首〈舟中遇雨三〉、〈對月〉二首、〈望雨〉四首、〈喜雨〉四首，阮福靜和（1830-1882）有一首〈舟行〉、阮福洪依（1833-1877）有三首〈舟夜〉、〈桃花六言得仙字〉、〈詠燈〉。

首詩的標題常寫有「六言」和「六字」，有的作者還作六言詩組（二到八首一組），可見此時的詩人對選擇詩體以及藝術用意的自覺性。漢字六言詩還跟回文、順逆讀、九言、十言等奇異詩體一起排行，這意味著六言詩在當時被視為很一種很獨特的詩體，用以肯定作者的才華與個性 （看《御制古今體格詩法集》）。此外，「六字」兩字讓我們了解作者對六言詩的看法，他們認為這只是填字遊戲，完全與音樂無關，因此阮朝的漢字六言詩的數量較多，質量均為良好。總而言之，阮朝的漢字六言詩的內容與藝術價值都很高，有著唐宋時代六言詩的風格，其中許多可以算是巨作。

　　談到形式，阮朝的六言詩大多數雖然較為簡略，但意象豐富、感觸瀰漫，體例多為近體詩或者絕句、八句（主要的是八句，這也是東亞區域漢字六言詩的趨勢）。此時，漢字六言詩的語言及韻調已達到精微老練，體現出作者良好的創作能力。

　　言及內容，阮朝漢字六言詩大多數是描寫自然、即事感懷、作者經歷，很少言志和講理（大多是皇帝之作），例如鄭懷德的〈湖南道中舟行雜詠〉屬於紀行體，詩中展現了作者經過湖南時描寫的山奇水秀。如下介紹他兩首詩：

　　◇隨風迴粵商艇，逐水上燕使舟。迎送行人困倦，年來雲白山頭。（其一）[37]

　　◇人聚山腰成邑，客來巖麓艤航。語言人客相左，明月猶如故鄉。（其五）[38]

37　〔越南·阮朝〕鄭懷德：《艮齋詩集》，漢喃研究院館藏編號：A.780。

38　同前註，漢喃研究院館藏編號：A.780。

范廷琥卻用六言詩來描寫騷雅行樂的生活，這對學術界所了解的范廷琥形象很不相同：

> 橫海今宵何往？天王祠裡聽歌。墨客紅顏相對，燈前月下如何？〈問潘橫海〉[39]

潘清簡的〈美安夜發〉是很感動的哀哭詩：

> 漠漠煙籠碧樹，盈盈水浸平田。遠別始從今夜，再來定是何年。〈美安夜發〉[40]

值得注意的是皇家詩派的六言詩，例如：明命皇帝、紹治皇帝、阮福綿寶、阮福綿審等等）的創作背景是酬酢宴飲時，大家一邊喝酒一邊作詩，作出的詩都有很美好的韻味，他們作詩的傾向是在「艷情」的藝術活動中，運用「神韻」與「格調」的筆法來寫，這些六言詩深具唐宋六言詩的風味，尤其接近王維與王安石的六言詩。例如，阮福綿審的〈閒居六言〉二首傍佛禪宗的意味：

> ◇小院數殊松竹，宏溏十杖茭荷。曉色林中鳥喚，夕陽江上漁歌。（其一）[41]

> ◇綠水青山常在，孤雲野鶴同飛。短艇柳邊客釣，小橋月下僧歸。（其二）[42]

阮福綿寶的〈悲春〉一首具備內外的景象，包含清幽的外景、

---

[39] 〔越南‧阮朝〕范廷琥：《珠峰雜草》，漢喃研究院館藏編號：A.295。

[40] 〔越南‧阮朝〕潘清簡著、潘清簫校：《梁溪詩草》，漢喃研究院館藏編號：A.2125。

[41] 〔越南‧阮朝〕阮福綿審著、洪臘士長等註：《倉山詩集》，漢喃研究院館藏編號：A.1496/1-2。

[42] 同前註，漢喃研究院館藏編號：A.1496/1-2。

沉默的心境：

> 草際虫聲增感，簾前月色添愁。誰道春多佳日，悲春更
> 過悲秋。〈悲春〉

阮福紅衣的〈舟夜〉也展現了景與情的沉默：

> 所思渺渺何極，逐水滔滔自流。葦岸寒燈幾點，板橋細
> 雨孤舟。〈舟夜〉

嗣德皇帝的寫景詩也體現了他的才華，特別是〈舟中遇雨〉四首和〈對月〉二首。以下引用他的〈對月〉二首。

> ◇半夜月明如畫，一庭霜降生涼。同是十分清爽，不知何
> 月何霜。（其一）[43]

> ◇秋深風雨不少，夜靜月光豈多。倚閣褰帷相對，渾如知
> 己來過。（其二）[44]

這時期已經開始談到六言詩的詩法，紹治皇帝在《御製古今體格詩法集》提到顧況的「六言句的來源」以及「六言體」，例如，談到六言句，他認為六言句始於《詩經》：「六言起於我姑酌彼金罍及魚麗于罶魴鱧。」（《御制古今體格詩法集》，R.1600，頁 35b）。

這些觀點是前人所提出，到此時期，六言詩的理論也沒有新的發展。勉強來說，阮朝漢字六言詩的貢獻只限於作者的多樣化操作，這在紹治皇帝的《御製古今體格詩法集》清楚展

---

43 同前註，漢喃研究院館藏編號：A.134A/1-3；A.134B/1-3；VHv.68/1-3；A.134d/1-2；VHv.115/1-3；A.134d/1-3；A.134c/1-2。

44 〔越南·阮朝〕阮福晈：《御制詩集》（6卷），漢喃研究院館藏編號：A.134A/1-3；A.134B/1-3；VHv.68/1-3；A.134d/1-2；VHv.115/1-3；A.134d/1-3；A.134c/1-2。

現。紹治皇帝至少有兩首筆法老練的六言（八句）詩，〈古渡孤舟〉與〈晚眺〉。如下介紹〈古渡孤舟〉一首，作者已經直言這首詩是模仿顧況的六言詩體：

> 曲岸槐陰聳翠，遠津桃浪含青。依倚短蓬隱約，會通故道權停。行旅午天稀往，榜人晝寢未醒。枝上兩三鷗鷀，櫂頭一二蜻蜓。[45]

總的而言，到了阮朝，漢字六言詩已經蓬勃地發展，不僅作品的數量比前朝豐富，詩的面貌較為全面，反映了六言詩最基本的藝術與內容價值。但是，為何阮朝時期的漢字六言詩如此隆盛地發展？我們認為主要的原因是：六言詩的作者不是一般的儒士，而是貴族（皇帝、皇親、公主、官員），[46]他們絕大部分不需要參加科舉，所以不需要練習應付科舉的詩文（五言、七言、四言，科舉中沒有六言詩），反而有「遊於藝」的背景，他們要嘗試作出崎嶇難作、藝術性高的詩體，六言詩就是那種詩之一。

　　漢字六言詩「移植」到越南時，需要跟越語的六言詩（十六世紀出現）競爭，所以這是一場「雙馬競賽」，漢字六言詩顯然沒有勝利的機會。

（二）越南中世時期漢字六言詩的基本特點

---

45 原註：「倣唐顧況六言體原二韻加足四韻」。顧況的詩是六絕，紹治皇帝改作六言律詩。顧況的原本六言詩詩《歸山作》（有另一個說法以為這首詩是張繼作的）：「心事數莖白髮，生涯一片青山。空林有雪相待，古道無人獨還。」

46 「官員」一般的是要通過科舉選材，這裏名單只有潘清簡與鄭懷德，其中潘只有一首六言詩，鄭卻不是志於科舉的人。

1.內容特點

如上所述，我們所統計的越南中世時期漢字六言詩共有 59 首（40 個標題，22 作者），如下面的統計表：

序號	作者	出身	詩題	數量	出處
1	戒空	禪師	1	1	《禪苑集英語錄》
2	范邁	儒士、官員	1	1	《越音詩集》
3	莫記	將軍	1	1	《南翁夢錄》
4	陳顥	貴族	1	1	《越音詩集》
5	黎聖宗	皇帝	1	1	《洪德朝詩集》
6	阮秉謙（？）	儒士、官員（？）	1	1	《程先生國語[詩集]》
7	馮克寬	儒士、官員	1	1	《言志詩集》
8	闕名（？）	儒士（？）	1	1	《新訂嶺南摭怪列傳》
9	吳時任	儒士、官員	1	1	《吳家文派》
10	范廷琥	儒士、官員	1	1	《珠峰雜草》
11	鄭懷德	儒士、官員	1	8	《艮齋詩集》
12	明命皇帝	皇帝	7	8	《御制詩集》
13	潘清簡	儒士、官員	1	1	《梁溪詩草》
14	紹治皇帝	皇帝	2	2	《御制詩集》
15	阮福綿定	貴族、皇室	1	1	《雅堂詩集》
16	阮福綿審	貴族、皇室	5	7	《倉山詩集》
17	阮福綿寊	貴族、皇室	1	1	《葦野合集》
18	阮福綿寶	貴族、皇室	2	2	《謙齋詩集》
19	阮福綿寯	貴族、皇室	2	2	《雅堂詩集》
20	嗣德皇帝	皇帝	4	13	《御制詩集》
21	阮福靜和	貴族、公主	1	1	《蕙圃詩集》
22	阮福洪依	貴族、皇室	3	3	《徇陔別墅詩合集》
	總計			59	

上面的 22 位作者的出身來源豐富，有禪師（戒空）、皇帝（黎聖宗皇帝、明命皇帝、紹治皇帝、嗣德皇帝）、將軍（莫記）、貴族（陳顥、陳元旦、阮福綿審、阮福綿寶、阮福綿寊、阮福綿寯、阮福靜和）、儒士（范邁、阮秉謙（？）、馮克寬、吳時任、范廷虎、鄭懷德、潘清簡），都是屬於上層或精英階級，他們的漢字六言詩內容豐富多彩。由于作者所關心的領域不同，引致漢字六言詩所牽涉內容也分成不同的題

材。另外，漢字六言詩在不同的背景編寫，如：示寂（去世之前的留言）、詠物、詠景、唱和、酬酢、題詞、送贈、諷諫、祈禱、即景、感懷等，按照傳統的區分，主題可以分成幾種：

（1）偈頌（佛教理論）有一首：空戒〈我有一事奇特〉；

（2）讖緯（預測）有一首：阮秉謙（或馮克寬）〈讖記〉；

（3）詠物（包括題畫、題扇、詠事物現象、詠天氣現象等）共有十二首，如：范邁〈閒居六言題水墨帳子小景〉，黎聖宗皇帝〈題扇〉（其一），明命〈黃羅傘〉、〈詠瑞香〉、〈熱〉、〈雨〉，阮福綿審〈桃花六言得仙字〉、〈題沈石田山水〉；阮福洪寯〈紅茶花六言得蘭字〉，阮福洪依〈桃花六言得仙字〉、〈詠燈〉，阮福綿寊〈賞荷〉的十二首。其中，「和韻」詩有阮福綿審〈桃花六言得仙字〉、阮福綿〈紅茶花六言得蘭字〉，阮福洪〈桃花六言得仙字〉的三首。

（4）寫景寓情共有十二首（有八個題目），是馮克寬〈戲題臺山石峒〉，明命皇帝〈一登兩兼六字〉二首、〈秋夕偶成六言短句〉，紹治皇帝〈晚覘〉、〈古渡孤舟〉，阮福綿審〈椒園雨坐〉二首、〈閒居六言〉二首，嗣德皇帝〈對月二首〉。

（5）送贈共有四首，如陳顥〈贈司徒元旦〉，莫記〈送使吟〉，范廷虎〈問潘宏海〉，阮福綿審〈送客〉。

（6）紀行共有十五首（六個標題），如：鄭懷德〈湖南道中舟行雜詠八首〉、明命皇帝〈泛舟後湖〉，阮福靜和〈舟行〉，阮福洪依〈舟夜〉，嗣德皇帝〈舟中遇雨三首〉，阮福綿寶〈舟中曉起〉。

（7）說理（儒家）共有兩首，如〈新訂嶺南摭怪列傳題詞〉
（闕名），阮福綿寯〈漫興〉。

（8）即景感懷共有十一首（五個標題），如吳時任〈八月忌
感懷〉，潘清簡〈美安夜發〉，阮福綿寶〈悲春〉，嗣
德皇帝〈望雨四首〉、〈喜雨四首〉。

總之，越南漢字六言詩的主要主題是紀行、寫景、詠物、
感懷等，關於偈頌、說理、送贈為主題的不多，說明越南六言
詩的內容是：內向比外向多，自娛比送贈多，說情比說理多，
唱和詩也是少數，合唱主題的著作數量較少，表明這種體裁在
越南不太受到歡迎。著作活動只是個人而不是集體性（當然，
在阮朝時也有共同創作的情況，特別是在貴族階級，但是只是
和韻而已，沒有更多的範圍）。另外，每個題目的著作數量相
差不大，就是說明越南漢字六言詩的內容相當專一與穩定。

2.藝術特點

基本上，越南中世時期漢字六言詩的藝術特點跟當時的中
國大同小異，差別只在內容的深淺、筆法的多少，注重或者忽
略的方面等幾個具體點而已。

在詩體上面，大部分運用近體六言詩（55/59 首），古
風、古體的數量不多（只有 4/59 首，是八句體（1 首）跟長篇
（3 首），詩律比較自由（有時連續十句都用仄聲韻）。在近
體詩之中，六絕占大部分（44/55 首），六律數量較少（11/55
首）。這一點顯示六言詩在越南出現的時間比中國晚，所以受
到近體六言的影響，中國六絕與六律的數量比例也有類似的情
況（六絕占大部分），主要是六言詩（在延長句數時）有了客

觀的難度，其體裁的優點是具有含蓄性，語短而意味深長。

在詩韻上面，通常押韻在第一句跟第二句，整首都押韻的比較少見，只有〈新訂嶺南摭怪列傳題詞〉。六言詩幾乎都遵守韻格，首句一般都不押韻，也不常使用仄聲韻，除了戒空〈我有一事奇特〉、明命皇帝〈熱〉、阮福綿寯〈漫興〉等幾首，或者只有在古體六言詩有這個現象。越南漢字六言詩大多數都押平聲韻，因為平聲的優點是讓整個首詩聲調柔軟，順耳易讀，該點既是作者所追求的，也是漢字詩的共同特點。在聲調上，仄起詩占大多數，越南六言詩遵守漢字詩體裁的格律，但是，也有出格的情況（按照漢越音的聲調），比如：

◇前程且記如此，十里自有一塘。（鄭懷德〈湖南道中舟行雜咏〉）

Tiền trình （平） thả kí （仄） như thử，Thập lí（仄） tự hữu （仄） nhất đường。[47]

◇纖穠謾誇嬌態，旖旎先識艷姿。（明命皇帝〈詠瑞香〉）

Tiêm nùng （平） mạn khoa （平） kiều thái，Y nỉ（仄） tiên thức （仄） diễm ti （tư）。[48]

◇兩兼不孤懸額，一上而趣味長。（明命皇帝〈瑩兩兼六字〉其一）

---

[47] 〔越南‧阮朝〕鄭懷德：《艮齋詩集》，漢喃研究院館藏編號：A.780。

[48] 〔越南‧阮朝〕阮福晈：《御制詩集》（6卷），同註44，漢喃研究院館藏編號：A.134A/1-3；A.134B/1-3；VHv.68/1-3；A.134d/1-2；VHv.115/1-3；A.134d/1-3；A.134c/1-2。

Lưỡng Kiêm （平） bất cô （平） huyền ngạch，Nhất
thưởng （仄） nhi thú （仄） vị trường。[49]

這種破律現象說明什麼呢？一般而言，我們都肯定作者對詩律
的掌握，所以推斷他們為了達到藝術效果而故意破律。但是，
在客觀角度看來，也有可能是六言詩跟其他詩歌體裁相比沒有
嚴格的格律（特別是已經移植到中國之外的地區），朗讀起來
還是順耳，所以作者沒有特別注重這個問題。這個現象無論是
在中國還是朝鮮的作品也很常見。

在詩韻的分節上面，大部分都是雙字分組，其中有
「2/2/2」、「2/4」、「4/2」的變體等。也有單字分組，如：
「3/3」、「5/1」、「1/5」、「1/1/1/1/1/1」及「3/1/2」等等。
例如：

◇非/青/黃/赤/白/黑。（戒空禪師〈我有一事奇特〉）

◇棋/思/靜/動/方/圓，文/喜/溫/柔/敦/厚。（阮福綿寯
〈漫興〉）[50]

◇數日前/猶/覺寒，今朝午/乃/炎熱。（明命皇帝
〈熱〉）[51]

◇有著名/同莽茗，不聞香/似芝蘭。（阮福綿寯〈紅茶

---

49 同前註，漢喃研究院館藏編號：A.134A/1-3；A.134B/1-3；VHv.68/1-
3；A.134d/1-2；VHv.115/1-3；A.134d/1-3；A.134c/1-2。

50 〔越南・阮朝〕阮福綿寯：《雅堂詩集》，漢喃研究院館藏編號：
VHb.7。

51 〔越南・阮朝〕阮福晈：《御制詩集》（6卷），同註44，漢喃研究院
館藏編號：A.134A/1-3；A.134B/1-3；VHv.68/1-3；A.134d/1-2；
VHv.115/1-3；A.134d/1-3；A.134c/1-2。

花〉）[52]

◇百尺岩/懸瀑布，千重林/带寒煙。（嗣德皇帝〈舟中
遇雨〉其一）[53]

這種現象也在中國的六言詩出現（如：黃庭堅、范成大等人的
作品）在對仗上，可以運用在六言詩不同的位置，比較多是在
絕句的第一、二句，或者在八句詩的第三至六句，也有整一首
都用對仗的。對仗是具有極高的藝術性，能讓詩歌的語言具有
空間性、構築性和含蓄性，讓詩歌具有無限的表達效果。這一
點對中國與各地區的漢字詩都適用。下面這一首是對仗運用的
生動例子：

江上波光落照，堤邊樹影斜暉。遊魚戲藻浮泳，宿鳥穿
雲競飛。牧笛疎林乍歇，客帆遠浦同歸。漁燈螢火交
錯，野色嵐煙正肥。（紹治皇帝〈晚眺〉）[54]

在語言、筆法上面，越南漢字六言詩基本上都相當含蓄，很少
虛詞、口語（除了古風、排律的少數之外），在越南中世時期
詩歌，最常使用約麗象徵的寫神筆法，該體裁的形象擁有古典
詩歌的精美特徵。越南漢字六言詩的語言，跟其他漢化國家的
六言詩之語言特點大都相同，比如具有視覺性、空間性、形象
性、含蓄性（使用實詞來描寫顏色、風味、人名、地名、數

---

52 〔越南‧阮朝〕阮福綿寯：《雅堂詩集》，同註50，漢喃研究院館藏
編號：VHb.7。

53 〔越南‧阮朝〕阮福晈：《御制詩集》（6卷），同註44，漢喃研究院
館藏編號：A.134A/1-3；A.134B/1-3；VHv.68/1-3；A.134d/1-2；
VHv.115/1-3；A.134d/1-3；A.134c/1-2。

54 同前註，漢喃研究院館藏編號：A.134A/1-3；A.134B/1-3；VHv.68/1-
3；A.134d/1-2；VHv.115/1-3；A.134d/1-3；A.134c/1-2。

次、連綿詞、典故等）等表達效果。大概而言，越南六言詩屬於漢字文言文，這不是六言詩專屬的特點，而整個越南漢字文學的主要特色。

五、越南漢字六言詩與中國、朝鮮漢字六言詩之相關比較

現今，將越南中世時期漢字六言詩與東亞地區漢字六言詩做全面、仔細地比較是一項複雜的任務，遠超出此文章的範圍及筆者之能力，故文章裡筆者僅針對越南中世時期各朝代提出一些評論及想法而已。亦先說明，由於筆者尚未有機會在日本或台灣接觸以及了解到漢字六言詩的相關資料，因此本文章僅對越南中古漢字六言詩與中國和朝鮮的漢字六言詩進行對比。

從數量方面，中國與朝鮮相同，漢字六言詩佔著較不利的地位，尤其與四言詩、五言詩、七言詩相較。其原因亦具有彼此相同之處，研究六言詩的專家已概括出一些原因，如下：

普通之格局為「2/2/2」（或有時為「3/3」），亦為平板格局，缺少餘波（其餘波由於單音節造成），缺少靈活敏捷、自然，六言詩不同與五、七言詩具有單音節，讓漢字六言詩不易創作，也不易造成有趣的效果，創作數量自然少。

科舉中主要使用的是五言詩和七言詩，使得大部分的知識分子只集中熟練五言、七言詩，而忽略六言詩，所以只剩下不從事科舉仕途、有特別個性愛好的作者，才會關心到漢字六言詩的創作。

　　漢字六言詩初始時，與民間音樂有密切的關係，這種民間音樂被認為較卑賤，不受到知識分子的重視，遂逐漸失傳，這使漢字六言詩失去了音樂的助力，變成單調、難創、稀有的絕句，這對於六言詩的創作者而言，具有一定的創作難度。六言詩本身也得和其他六言體的文學作品，如詞賦，四六文競爭，但其他六言體的文學作品較具優勢，讓漢字六言詩句成為創作者次級選擇，難受到文人的關注。唐代的古文運動批判四六文，也使六言詩受牽連，沒有機會與五言、七言詩齊名。

　　六言詩的詩律詩法很散漫、雜亂、缺少系統性，且不夠完善，這些原因也使創作六言詩的創作者碰到不少障礙。六言詩的創作依靠經驗主義，或是通過「別傳」的方式，讓六言詩難以廣泛且普遍的流傳，對於在中國域外的詩家，這種「別傳」的方式更造成不少的困難。可是這個方面在各個國家也存在一定的差異，跟中國、朝鮮的漢字六言詩相比，越南漢字六言詩數量相對稀少。比如在朝鮮中古時期，漢字六言詩數量是 1139 首（509 題目/總數約 200000 首漢字詩），[55]在中國，漢字六言詩的數量有幾千首（/總數幾千萬首漢字詩），在我們的考察中，越南漢字六言詩只有 59 首（總數大概 100000 首漢字詩）。另個方面，將六言詩的作者數量來相比，情況也相似。在越南中古時期，大概有 22 位作者創作漢字六言詩，朝鮮有 237 位，中國則有幾千位，相對和絕對的比例都給可以清楚顯示，漢字六言詩在越南民族文學和東亞文學的不利地位。

---

[55]　黃麗華：《古代朝鮮六言詩研究》（吉林：延邊大學碩士論文，2015），頁10。

　　若從作品數量比較，亦可得到相同的結果。越南創作漢字六言詩最多的詩人是嗣德皇帝，有 13 首；中國六言詩的大家是劉克莊（1187-1269）創作約達 397 首；朝鮮漢字六言詩巨擘是李彥瑱（Yi Eon Jin，1740-1766）創作達到 198 首。[56]對越南漢字詩歌而言，漢字六言詩之數量亦反映出六言詩對於文人的限制，體現出越南詩人是以實際的精神，來接受中國的詩歌，也就是說與罕見之體裁相比，越南中世時期詩人偏愛具有普遍性與實際性之體裁來創作，反映出越南詩學的特徵為，繼承實際而簡化之精神。[57]此外，漢字六言詩還要跟越南本土的六言體競爭，越南本土的六言體相較下更豐富多彩，例如：越南的六八詩體、雙七六八詩體、說唱詩歌、越南語六言詩等等。然而，此「並駕齊驅」之競賽過程中，六言詩依舊沒有得到文人及讀者的青睞，使它顯得氣短弱勢。

　　從越南中世時期漢字六言詩之作者群像，可得出一些特徵：首先，創作者皆為精英、知識分子（儒士、高官貴子、禪師、皇帝、皇親），漢字六言詩沒有傳播到民間。這種情況與中國或朝鮮較大差別，中國與朝鮮的民間都有創作六言詩的情況，例如：朝鮮中世時期末期，有許多民間詩人創作漢字六言詩；中國亦有不少民間文人創作六言詩。可見在越南，漢字六言詩並未受到民間文人的注意，這些創作者可運用六八詩體或七雙七六八詩體來創作，因此漢字六言詩可能不是這些創作者的首選，這也體現出漢字六言詩在越南佔著較爲不利的地位。

56　同前註，頁13。
57　王小盾、何仟年：〈越南古代詩學述略〉，收入《文學評論》第5期（2002），頁24。

　　其次，創作者主要為貴族（皇族、君主），越南貴族扮演
創作漢字六言詩的重要角色，例如，中國或朝鮮所創作漢字六
言詩之力量以文人為主，但仍有儒家或禪師（中國具有許多禪
師創作六言詩），甚至民間的詩人（中國與朝鮮民間詩人較
多），在越南漢字六言詩者的作者多為皇族之成員（主要在阮
朝下），甚至就是皇帝（占 11/22 詩人，即占總詩人之 50%，
這 50%創作了近六成的六言詩（41/59 首，占 69.5%），其餘為
科舉儒士（10/22 詩人），僅有一位禪師（1/22 詩人），這種
比例不見於東亞的其他國家，此現象說明了，越南文人和儒士
不太關心漢字六言詩，反而貴族階層卻特別關心漢字六言詩。
在其他方面，此現況是否反映出創作者在接受漢字六言詩的歷
程特徵？如上所言，六言詩具有高度文藝、娛樂特質的詩體，
其符合藝術家、文人、有真正品賞藝術之需求，因此越南貴
族、宮廷詩人就會關心、品賞及創作漢字六言詩。雖然在文人
與儒士界創作許多漢字詩歌，如四言詩、五言詩、七言詩，但
是六言詩的創作卻很少，是否科舉制度與實際生活（提高四言
詩、五言詩、七言詩等詩以及將這些詩體成為科舉學習與考試
之內容）產生了不小的影響？

　　越南漢字六言詩的創作者多深受儒教影響，因此，越南漢
字六言詩有著深奧的儒教思想，這是因為越南的知識分子，通
曉漢字者大致上皆經過「孔門程戶」，在學習漢文的過程中已
洞徹儒教思想。越南漢字文學創作者皆為漢學、儒學之智識
者，可接受那種難以創作和具有娛樂性的漢字六言詩，佛教和
道教傾向的智識者很少，也沒有機會接近以及試著去創作此獨
特的詩體，對六言詩創作就沒有留下深刻印象。

從六言詩的發展史方面，可見如下：越南與中國的六言詩發展過程不同，中國的六言詩至宋代發展至巔峰。越南、朝鮮的漢字六言詩出現的時間約在 11 世紀末至 12 世紀初，朝鮮第一位創作漢字六言詩的詩人是李奎報（Yi Kyu Bo 1168-1241），反映在「同文」之「域外」的朝鮮，繼承了來自中國宋代的六言詩。越南的漢字六言詩首見於李朝，但在之後的陳朝、黎朝與西山朝的發展較平緩，直至阮朝（19 世紀）才開始蓬勃發展。朝鮮漢字六言詩出現於高麗時期（936-1392），勃然發展於朝鮮時期（1392-1910）。此發展情況幾乎跟日本相同，由此而言，越南、朝鮮（可能亦包括日本）之漢字六言詩發展史已經反映出一個規律，當起源國之文學體裁發展到頂峰期時，其動力會轉移到周邊各國。雖然中國宋代以後六言詩發展不如以往，但已經移植至同文之「域外」，六言詩在這些國家仍持續發展，卻突然出現了一股力量，終止了這個發展歷程，那股力量就是西方文明的侵略，強制開啟了中世時期過渡至現代所出現的文化轉型。

越南、朝鮮漢字六言詩的發展存在一些差異，以起源來說，漢字六言詩在越南先被僧侶接受，之後才傳到文人、儒士分子，但這似乎不是一個順利的開頭，因為修行之人沒有意志，甚至無法真正學習、弘揚文學體裁的精隨，如六言詩。因此，越南漢字六言詩起初的發展並不順利，作品數量亦少。在朝鮮，漢字六言詩自初始就已被貴族、文人、儒士等接受，例如：李奎報為高麗大臣及儒士，之後六言詩便在韓國的土地發展。因此，朝鮮漢字六言詩的發展史比越南較順利且自然。朝鮮漢字六言詩的創作，亦隨著時間而增加。反觀越南的漢字六

言詩沉寂了近八個世紀，直到 19 世紀才蓬勃發展，是比較非
典型的發展歷程，關於越南各朝代漢字六言詩發展，上文已經
仔細說明。在與朝鮮漢字六言詩之比較中，可發現朝鮮的漢字
詩歌與中國的六言詩有著密切的關係，也許是朝鮮的政治與社
會情況較為穩定，僅有兩次的「反正」活動。但越南卻頻頻遭
與朝代的更迭，或是被侵略，以及文化衝突等影響，故越南文
學的不能順利、自然發展，當中就包含了漢字六言詩。戰火造
成文獻資料被毀損，漢字六言詩亦有被摧殘的可能。19 至 20
世紀，越南的漢字文獻資料保存較為豐富充實；接受漢字文
化、文學的狀況才有比較明顯呈現與發展。

　　內容方面，越南中世時期漢字六言詩跟東亞地區漢字六言
詩有不少相同之處，如題材方面有：詠物、紀行、寫景、感
懷、偈頌、說理、讖記，但是比例有一定的差異，如越南漢字
六言詩少有說理、宗教，而富有寫實性、即時、即事、感懷。
但越南漢字六言詩的題材相較中國、朝鮮，在各主題的創作數
量上較為平均，不特別傾向特定的領域，這使我們認識越南詩
學的和諧的生活性，也反映大越的生活現實、自然與事件，特
別是阮朝的幾首漢字六言詩（明命皇帝、紹治皇帝、嗣德皇
帝、阮福綿審、潘清簡等的作品）的描寫既具體又生動，帶著
生活氣味，富有寫實性，包括自然現象或事件內容。描繪越南
中部，尤其是順化京都的天然景色，如：後湖、兩兼樓、椒
園、美安，海湖、等山林風景，此外對水災、旱災等在害景象
亦有描寫，這跳脫了漢字六言詩的固有模式。以嗣德皇帝幾首
富含寫實性的作品來看：

　　◇五月周旬連雨，預憂六月無霖。何期只得纖滴，一滴誠

逾寸金。(〈望雨〉其一)

◇爲霖傳柬爲誰，仰雨心如慕慈。天際濃雲忽解，樹頭少

女空吹。(〈望雨〉其二)

◇誰云天道無知，允是居高聽卑。去夜裁詩祈雨，今朝得

雨如詩。(〈喜雨〉其一)

◇平旦片雲蔽日，纔晡如墨漫天。乍聞滴瀝鳴樹，倏見滂

沱溉田。(〈喜雨〉其二)[58]

這個趨勢也跟越南中古後期漢字詩歌的發展接近，風格越來越接近現實生活，以實踐為重，對事實抱著懷感，深具寫實性，亦為越南中世時期漢字六言詩最有特色之內容。

從藝術形式方面來看，越南漢字六言詩跟其他「同文」地區之漢字六言詩的形式基本相同，如：空間性、模式性、形式、韻律、用典等等。雖然有一些語言或次韻現象的差異，以次韻現象來說，越南漢字六言詩較少出現。次韻為一形式的現象，表現詩人「愛好」的性質，也反映越南漢字六言詩在形式上偏低的現象，這亦是越南漢字六言詩偏少的原因。在語言方面上，越南漢字六言詩主要使用文言文來創作，文言文為一種嚴謹的古老文字，僅用來書寫與閱讀，但越南人能用漢越音來朗誦，以及在特定的場合用來交際；在中國及朝鮮，文人還會運用白話來創作六言詩，中國人使用白話來創作六言詩為可以想見的，因為中國是六言詩的發源地，漢字的使用與發展是同步的。朝鮮李岸瑱的六言詩，亦具有白話的特點，因為詩人精

---

58 〔越南·阮朝〕阮福晈：《御制詩集》（6卷），同註44，漢喃研究院
館藏編號：A.134A/1-3；A.134B/1-3；VHv.68/1-3；A.134d/1-2；
VHv.115/1-3；A.134d/1-3；A.134c/1-2。

通白話文。[59]朝鮮漢字六言詩跟中國六言詩有著密切的關係，但越南詩人大致已經被死亡語言所封閉。

六、結語

藉由接受中國詩歌體裁而來的越南漢字六言詩，最早出現於越南中世時期文學。越南漢字六言詩數量不多，暫時的統計大約為 59 首，但出現於中世時期文學的各個時期（10 世紀至 14 世紀初期；15 世紀至 17 世紀中期；18 世紀至 19 世紀末期），以 18 至 19 世紀最為集中（尤其 19 世紀）。漢字六言詩主要包含哲理與抒情內容，反映的問題如：友情、夫婦之情、自然觀感、志向和感嘆之抒發等。越南漢字六言詩繼承並運用中國六言詩之藝術手法與詩律，且融入了越南的本土色彩，越南漢字六言詩不僅有對漢字的多元化上有貢獻，亦豐富了越南漢字文學的成就。「大同小異」是漢字文化圈的共同特徵，越南漢字六言詩體現越南中世時期文學的地區關聯。希望將來的相關研究，能夠提出更多的見解，以及對新知識有更仔細、更深入、更全面之研究。

◉後記：本文由臺灣中正大學中文學系侯汶尚博士候選人協助全文修潤，以及由同校歷史所潘青皇博士協助編校引用書目。
◉本文首發於臺灣中正大學編刊《中正漢學研究》（THCI）總第 29 期（2017.6），「越南漢學專輯」，頁 115-145。

---

[59] 黃麗華：《古代朝鮮六言詩研究》，同註55，頁14。

黎貴惇的中國史觀

鍾彩鈞[*]

摘要

　　本文依據黎貴惇《群書考辨》研究他的中國史觀。《群書考辨》內容為上古至宋代的中國史論，並載有清朝官員秦朝釪的評語，二者對觀，可以理解中、越兩國不同的歷史視野。黎貴惇從積極進取的立場，偏好封建與地方分權、重法治、尚武、重視君主的能力與獨斷。秦朝釪則顯得謹慎保守。這差異反映兩國不同的政治社會背景與歷史發展階段，中國廣土眾民，在中央集權制度建立以後，靠制度來統治，維護並推行制度成為主要的道德行為。但在越南，具雄才大略，能突破既成格局的人，可得到更多的尊敬。黎貴惇對宋代文弱的貶抑與秦朝釪的反駁，清楚地說明了這種差異。

關鍵詞 黎貴惇、《群書考辨》、封建、中央集權、宋代、神秘
　　　　主義

---

* 〔臺〕中央研究院中國文哲研究所兼任研究員。

一、前言

黎貴惇，字允厚，號桂堂，生卒年 1726-1784。黎貴惇是越南後黎朝著名的政治家與百科全書式的學者，是越南傳統學者中著述最豐富的一位。黎氏主要的著作方法是面對源自中國的學問，勤於閱讀，分類抄錄，而後彙集成書。本文以其《群書考辨》為對象，探討他的中國史觀。

《群書考辨》二卷，二百零四條，內容是對中國古代至宋代歷史的評論，約完成於 1757 年。黎氏於 1760-1762 出使中國時，攜帶此書與《聖謨賢範錄》向中國官員請教並請序。出使回程時，自北京至廣西的伴送欽差秦朝釪（號岵齋），與廣西學政朱佩蓮（號東江），皆為此書品評並作序。[1]

對於這樣一部篇幅不長，但跨越千餘年，內容豐富多元的著作，要用甚麼方法快速掌握其中的特殊觀點？秦朝釪的評語可視為當時中國人閱讀的反應，本文便以此為入手的主要線索，期能清楚扼要地描繪出黎貴惇中國史觀的特色。

二、文字因緣

本文將一併檢討秦朝釪的評語，首先對其人做一些探討。

秦朝釪在《清史稿》中並沒有傳記，只能說是清代芸芸學者官僚中的一人。筆者檢得傳記資料如下：

---

[1] 對《群書考辨》的初步研究，可參考林慶彰：〈黎貴惇《群書考辨》研究〉，收入鍾彩鈞主編：《黎貴惇的學術與思想》（臺北：中央研究院中國文哲研究所，2012），頁11-28。

秦朝釪，字大樽，乾隆十三年進士。由禮部郎中出為
楚雄知府。朝釪胸無柴棘，吶於口，而丰裁峻屬，人不
可干以私。官楚雄日，屬有兵事，朝釪辦治井井，兵過
而民不知。一日，巡撫過境，朝釪方讀書廓中之山亭。
迨終卷，出城，不及趨謁。巡撫聞其賢，亦不怪也。繼
以左遷歸。朝釪工於詩，其集顧光旭刻之。尤善治古
文，多可傳者。[2]

除了傳記，筆者又覓得兩條友人敘述，一是蔣士銓〈岵齋詩文
稿序〉：「予交岵齋四十年，君恂恂儒者，學問淹博，晚游豫
章主講，弟子信從者百餘人，岵齋與之講明聖賢之學，舉向來
世俗所習，滌除殆盡，其設教可云今日之河汾、泰山矣！」另
一是為他刻集的顧光旭，在所著〈梁溪詩鈔〉中，說他晚年主
江漢書院九年、豫章書院三年，課暇則徜徉山水之間，與世外
人飲酒談笑。至於其為人治學，則說：「岵齋考古論世，於識
頗長，而見事遲，無應猝才，小人猝然窘之，無如何也。其自
序曰：『少讀書，慕周昌、汲黯之為人，而官未嘗為御史；比
壯讀書，慕元道州，而守楚雄者十五月。』讀者想見其為
人。」[3]從以上傳記資料看，秦朝釪雖在性靈上屬於有物外高致
的詩人，但在治學、做官、教育上，卻十分嚴謹而認真。他學
問淵博，抱持正統儒家思想，老實做人，不喜交際，不善應

2　〔清〕裴大中等：《光緒無錫金匱縣志·文苑》，收入《中國地方志集
　　成·江蘇府縣志輯》（南京：江蘇古籍出版社，1991）24冊，卷22，頁
　　31下。
3　以上兩段見引於錢仲聯編：《清詩紀事》（南京：江蘇古籍出版社，
　　1989），乾隆朝卷，秦朝釪條，第八冊，頁5335。

變。這些特點也反映到對《群書考辨》的評論上。

黎貴惇於乾隆二十五年至二十七年使清，他將出使前的籌備公文與出使至回國的大大小小事情記載下來，彙編為《北使通錄》四卷。[4]《北使通錄》二、三卷已佚，卷四起於乾隆二十六年 1761 六月二十六日，秦朝釪伴送則始於回程啟程的三月初，因此三至六月的記載已不可見。好在兩人切磋著作的記載從八月中旬才開始，更早似乎很少來往。

> （乾隆二十六年 1761 八月）十四日，仍駐。欽差官（即秦朝釪）帖送甲副使（即黎貴惇）云：「聞貴使有新製《史辨》，何不攜來一觀？倘稱惜之至，看過仍又攜去可也。」巳刻，甲副使官往，伊迎入，以筆問答。……取《群書考辨》看之，忻賞擊節，逐條之下，頗加評品。意有不合，亦即席論訂，往復數十則。伊覽內論東漢黃巾、宋元白蓮會等事，曰：「妙識高才，愚所傾倒。但議物直截而果決，異日臨政，尚其慎之。」[5]十六日，行二十里，至蟠塘駐。申時，欽差官再邀甲副使官往，并看《史辨》。甲副官曰：「連日惠看敝編，窺才學言論，並極敏贍，令人心醉。所拈數十則，將重寫此書，一一登載，以光（青）〔清〕德。請每條細認，一一賜教。」伊曰：「載問答語不妨，正可見一時推敲不苟。尚有數條須稍見鄙意者，容續入。若逐條評

4　〔越南〕黎貴惇：《北使通錄》，收入葛兆光、鄭克孟主編：《越南漢文燕行文獻集成》（上海：復旦大學出版社，2010），越南所藏編，第四冊。

5　《北使通錄》卷4，頁206。

注，自可不必，古人亦無法也。」又曰：「欲另謄一
本，此間無書史，不能也。或遣人一寫，予我一本，可
乎？」曰：「此不難，更乞為一弁卷耳。」伊曰：「另
有新書幾種？乞一見示。」曰：「僕竊有編來（《聖範
賢謨錄》）〔《聖謨賢範錄》〕，容改日遞候。此書輯
古嘉言，元不著一文半語，尚希細閱，為作一序。」伊
答依命。6

二十七日，仍駐，重登赤壁山。……夕時，欽差官送正
官酒麯，邀二副使官飲酒。乙副官以疾辭，獨甲副官
往。伊甚懇勤，以筆寫曰：「《聖謨賢範錄》得古人集
書之意。用心如此，不愧古人矣。」答曰：「昔日本國
王子與唐人奕，稱服，曰：『小國之一，不敵大國之
三。』今僕所量，未足當本國之三，而竊視大人才學，
則宜大國之一也。景慕之情，曷維其已！」伊曰：「中
朝人物，愚最居下，不敢當過獎。即貴使選擇於國中而
出，自是一國之望。然切須韜晦，大抵才高者，眾忌之
招也。幸勿以交淺言深見怪。」曰：「本國公卿推讓，
士大夫和輯，固不憂參商矛盾。然大人規勉，自是古今
處己正法，敢不佩服。」伊取所作〈群書考辨序〉與
看，曰：「草稿甫完，幸勿見哂。」曰：「宋朱弁有
言：『良工不示人以朴，恐人見其斧鑿痕迹也。』僕謂
輪扁斲輪，何妨指示；公輸削墨，誰敢批駁？蒙以元稿
賜觀，愈見相待真情。文理平順，無煩改正矣。」伊

6　《北使通錄》卷4，頁210-211。

曰：「末附相勉一段，欲見鄙意。古人亦多如此，勿嫌
粗率也。」曰：「不敢請耳。固所願也。」更深別回。[7]
卷四提及他們在三月初二日已出京（頁 201），因為種種原
因，其中最主要一項是水手沿途藉故稽延，以便販賣私鹽，行
程極為緩慢。欽差與越南使臣最初似乎很少來往，至八月船到
九江，才來詢問越南現況，不久又索觀黎氏著書。上引第一
條，欽差與黎貴惇共看《群書考辨》，並加品評與即席論訂。
接著黎氏記云：「伊又取所著《讀書說》與看。其中大要取
〈毛序〉與朱子《集註》、諸家註釋《詩經》，參以己意。以
出京之日起課，每日讀某詩，共千章，下附評論，亦多可
觀。」（頁 207）秦朝釪既然看了對方著作，也取自己的成果
來請教。可知近半年的旅程中，秦朝釪不事交際，忙著研究
《詩經》。雙方皆學問中人，雖然冷淡了半年，一旦搭起文字
橋樑，很快就成為知心朋友。對話的內容也很有趣，皆互相恭
維對方在國內一定有很高的學術地位，同時推說自己在本國只
是無名小卒，除了謙讓，更有為本國爭體面的意味。

上文又記載秦氏對《群書考辨》（又稱《史辨》）中的數
十則做出品評，並有往復討論者。黎貴惇命書吏清謄一本相
贈，並請秦氏作序。今《群書考辨》前有朱佩蓮、秦朝釪序，
書中有岵齋、東江、吳陽亭評語。岵齋即秦朝釪，是最主要的
評論者。東江即朱佩蓮，廣西學使，乃黎貴惇在中國最後一段
旅程廣西時，請朱氏評閱並作序。吳陽亭在書中有少數評語，
其人俟考。

---

[7] 《北使通錄》卷4，頁215-217。

三、黎貴惇的立場：積極進取

秦朝釪作〈群書考辨序〉，其中所謂「末附相勉一段」，
是這樣的：

> 昔晏子身相齊國，名顯諸侯，其智識見聞，齊之士當無
> 有出於其右者。然其志念常抑然自下，何哉？知天下之
> 理無窮，而眾之不可概也。夫人之不學者多，而學者
> 少，欲以一人之長蓋之，非所以為容也。世事日新，人
> 情日異，而欲執古說以格之，非所以通變也。以桂堂生
> 長遐邦，矻矻然勤于史若是，則既加人一等矣。予嘉其
> 能學古，而欲重有以益之，使觀于古而宜于今，抑其長
> 以善下于人，則其所得于史者，將用之而不窮也。[8]

這段勉勵黎貴惇的話包括兩項內容，一是希望黎貴惇謙抑下
人。「人之不學者多，而學者少，欲以一人之長蓋之，非所以
為容也」，謂露才揚己容易招忌。所以如此說，除了可能在親
身接觸中感受到黎氏的自負，另外就是黎氏的觀點比較激進。
秦氏除了年長幾歲，[9]由於身居中國官場與學術傳統中，無論是
處世態度與學術主張，都顯得和平與老成。秦氏的第二個期望
是天下之理無窮，世事人情日變，因此還要擴展眼界，廣求眾
理，特別是不要以古範今，才能達到通變之宜。如果不以古自
限，反而能得史之用。更直截地說，他認為黎氏有泥古之處。
這兩個地方，筆者不擬視為個人史觀的差異，而是擴大為越南

---

8 《群書考辨·秦朝釪序》
9 秦朝釪的生卒年是1721-1794。此時四十一歲，黎貴惇是三十六歲。

人與中國人對中國歷史的不同詮釋。秦朝釪雖然名不見經傳，但學識淵博，好學不倦，不但是科舉出身的知識官僚，還是詩人與教育家。他的評語正可反映一般讀書人的歷史見解，與黎貴惇代表的越南人中國史觀針鋒相對。

　　在謙抑下人的方面，首先就前引文中的例子討論。「伊覽內論東漢黃巾、宋元白蓮會等事，曰：『妙識高才，愚所傾倒。但議物直截而果決，異日臨政，尚其慎之。』」[10]《群書考辨》的原文與品評云：

> 先王聯屬其民，以為比閭族黨互相檢察之意，寓於守望出入之中。至於假鬼道以疑眾，執左道以亂眾者，皆殺。推此而行，豈至有奸民構黨，至數十萬而不覺，同時並起，震動天下，如漢末之黃巾乎？宋元巨盜如劉方臘、劉福通亦多因白蓮會，燒香聚眾，此有國之所以嚴禁，而勿容易視也。○岵齋曰：制治于未亂，察奸于未發。真有姦亂之賊民，乃誅之。若重法以懲民，株連以累眾，又是大傷和氣。[11]

黎貴惇舉出歷史上多次宗教叛亂，主張在比閭族黨等共同體中寓稽察之意，如果發現左道惑眾的，須斷然處置，以免形成燎原之勢，不可撲滅。宗教叛亂在中國與越南歷史上屢次發生，因此黎貴惇及早處置的見解獲得秦朝釪的贊同。然而秦氏顯然要持重許多，主張必須真有其人，而且要縮小打擊面，懲治首惡，而不株連於盲從的大眾。

10　《北使通錄》卷4，頁206。
11　《群書考辨》第八十二，卷1，頁127-128。

再舉一例，黎氏辨絳、灌未害賈誼：

> 史稱文帝欲用賈誼，大臣絳、灌、東陽侯之屬盡害之。
> 夫絳、灌、張相如夙稱重厚長者，不忍恥言人過，安肯
> 各權蔽善？據史所載，諸人於是相繼衰謝，非能陷人
> 者。考應邵《風俗通》備載劉向告成帝語曰：「誼數諫
> 上遊獵，與鄧通供侍中同位，又惡通為人，數廷譏之。
> 由是疎遠，遷為長沙太傅，渡湘水，投書曰：『闒茸尊
> 顯，讒諛得志』，以哀屈原，亦因自傷為鄧通等所
> 遡。」得此方知賈生困於鄧通，非絳、灌也。《漢書》
> 亦稱袁盎以數直諫，不得久居內。……。〇岵齋曰：此
> 一則論絳、灌不讒，賈生為鄧通所讒，雖得之稍僻之
> 書，亦自快絕人意。可以洗古大臣之冤矣。然朝中老
> 臣，見少年喜事之人，欲變更朝廷事體，每常不喜。一
> 則恐其不知利（動）〔害〕輕重也，一則恐人主聽聞一
> 滑，人人將攘臂而起，祖宗之法橫決奔潰而不守，小人
> 乘其間，將肆意以傾人之國也。此中亦有一段苦心。若
> 便惡之、讒之、毀之以賤天下之才，必小人也。愚亦諒
> 絳、灌決無此事。[12]

這條是黎貴惇少數史實考證之一。秦氏表示贊賞，認為可洗清
大臣不白之冤。然而秦氏雖然肯定大臣未害賈誼，卻認為他們
不喜賈誼是合理的，因為少年銳意改革，變更朝廷事體，[13]不

---

12 《群書考辨》第六十七，卷1，頁101-102。
13 可參考《史記》的敘述。「賈生以為漢興至孝文二十餘年，天下和
洽，而固當改正朔，易服色，法制度，定官名，興禮樂，乃悉草具其
事儀法，色尚黃，數用五，為官名，悉更秦之法。孝文帝初即位，謙

守祖宗之法，在政治穩定與人才識拔上都是弊多於利。

　　以上可作為秦氏勉勵黎貴惇「謙抑下人」的旁證。但如果從更廣大的政治社會背景來看，這可能不僅是個人氣質的問題，而是在官僚體制細密穩定的中國，體制本身是重要的統治工具，其成效往往超過個人才具。雖然從英雄主義的觀點看來難以忍受，然而以英雄的個人事業來取代制度，往往所得不及所失。因此養成中國人普遍保守持重的心態。

四、黎貴惇中國史觀的要旨

　　秦氏對黎貴惇的另一項勉勵是博求眾理以通變，以免泥古之失。筆者以為前一項尚屬心態上的差異，本項進入具體主張。筆者認為雙方對中國歷史評價的不同主要由於政治社會形態的差異。以下列舉黎貴惇的重要主張。

（一）封建的存廢

《群書考辨》云：

> 封建肇自上古，至於周而又潤飾之。君各保其民，臣各事其君，上下之志，截然一定。又有世家大族，與之為維持。如魯受殷民六族，衛受七族，晉受九宗五正之

讓未遑也。諸律令所更定，及列侯悉就國，其說皆自賈生發之。於是天子議以為賈生任公卿之位。絳、灌、東陽侯、馮敬之屬盡害之，乃短賈生曰：『雒陽之人，年少初學，專欲擅權，紛亂諸事。』於是天子後亦疏之，不用其議，乃以賈生為長沙王太傅。」見《新校本史記三家注》（中央研究院漢籍電子資料庫）〈屈原賈生列傳〉，卷84，頁2492。

類。諸國繼世之君，其支宗又各以字為姓，別成一族，如魯三桓，鄭七穆，宋華、向之類。根腳牢固，支蔓糾結，寔有不可動之勢。自非無禮無法，本顛葉披，未易遽亡也。遂亡，遺民四族，能殲齊戌；羅與盧戎能破楚師；譚拒齊人，三年始下；偪陽力抗諸侯，踰時而後降。小國尚然，況大國乎？數百年間，互相兼併，以及赧王之時，小者僅存十餘，大者只有六七。然宋、魯、邾最後亡，衛亦延祀至秦二世，尤為長久。楚先已為吳所破，幸而復存。燕、齊季世皆已滅矣，卒立六國。蓋其大宗強姓，自為枝輔，安於小弱者，葛藤依托，崎嶇之間，亦足以自保；而素稱強大者，餘業未墜，寒灰再燃，猶能續其統也。秦吞六國，已非人心之所樂，公論之所與，若收其舊臣遺民，為立王侯以管攝之，舉賢用能，設官布職，猶庶幾乎綏靜。乃廢封建，立郡縣，大家貴族，降同編戶，而欲一力壓制，隳其名城，收其兵器，徙其豪傑，謂可銷禍亂而息戰爭，不亦淺乎？夫以周之至德，區處頑民，不勝其勞。封殷後以順眾望，建衛國以撫遺氓，修道進良，彰善旌淑，無非得人心之事，（況）〔須〕三紀而後丕變。觀其書云：「不剛不柔，厥德允修。」今以無道之秦，承三代之季，區區役其智力，以合天下於既分，聚天下於既散，使從古以來，聖賢封域，蕩為丘墟，聖賢胄裔，剪為臣僕，固已異常駭俗之甚。所當加意廣處，而不敢少忽者，顧乃坦然恣志以為無虞，凡百所行，一於剛戾以把持之，全無溫柔懷睦之意，是豈不犯天下之公怒哉？觀即墨大夫告

齊王曰：「三晉大夫不便秦而居河鄄之下；楚大夫不便秦而居鄢郢之間者百數。」此豈能終抑之，使老於田野乎？以一士之仲連，猶挺然有蹈東海之氣，矧於諸人，其暫時降屈，特畏始皇之威耳。……。故以張良狙擊，眾人為其耳目，公相容隱，至大索十日而不得。陳勝至於微小，縉紳士大夫皆抱禮器而歸之，不復違擇，蓋苦秦之心甚矣。始皇遠扶蘇，使胡亥得立，固是天意，然使扶蘇嗣位，亦未能止關東之亂。但從改紀其政，則秦祚亦尚可保，不至舉咸陽而棄之耳。究竟秦之所以亡，在廢封建。故項羽代之，不得不分王諸侯。漢高繼之，亦不得不分諸侯王。當惠、文時，天下初定，諸侯務各拊循其民，分設官屬，收用豪傑，招致賓客，熙熙然相安於無事。賈誼有言：「淮陽吏民不樂屬漢，欲得王已。」……諸侯王之驕縱者稍稍除削，而州縣大姓又以不法，次第為酷吏所誅滅。然後天下之民，輻輳面會，以奉天子，安於郡縣之治，無復他志，而封建之說浸以不譊焉。是亦可謂百餘年而後世變風移矣。○岵齋曰：此識時世之言也。然三代而下，井田封建未可輕議。井田之法斷難復，稍得均田之意可耳。然只可於大亂後開國時議之，又有人才為料理乃可。若封建利一而害百，小則不足以壯維城，大則為漢之七國，唐之藩鎮，可不畏乎？故郡縣之議，若有天意焉。梁王問孟子曰：「天下惡乎定？」孟子曰：「定于一。」其氣運消息理勢，蓋先見之矣。孟子學問直截，豈若後世前知之士哉？亦言其理而已。以此見封建未可輕議也。○桂堂曰：克國

> 禮賢，古之道也；興滅繼絕，禮之經也。千八百國，至
> 於只存六、七，勢不得不定于一。定之者豈可私之，遂
> 以為一人之天下乎？不能褒先聖之後，又不能樹其尊
> 戚，舊國之世臣大家又何所置之？子弟相攻之弊遠而
> 緩，豪強扇動之患近而急。秦人慮目後而忽目前，此其
> 所以亡也。若漢唐以後誠未可輕議封建。[14]

黎貴惇的長文論述從周初到西漢中葉，封建轉變為郡縣的歷史。其結論是西漢建國百年之後，郡縣制才得以穩定，在與秦氏反覆討論中，他也以為漢唐以後不可輕議封建，但很明顯地，他認為封建是比較理想的制度。但秦氏則認為封建利一而害百，〈群書考辨序〉中認為黎貴惇泥古，當指封建而言。

黎貴惇贊成封建，只是就大原則而言，其內容頗為複雜，可進一步分析。據上文的論述，封建的優點有二，一是地方分權，一是故家舊族的號召力。在封建體制中，即使政權亡了，打著舊旗號的勢力仍然盤根錯節地遍存著在於故土之中，隨時可能死灰復燃。根據這理論，國家得以長久，但相對地要滅人之國也不容易。因此周滅殷後，除了大封同姓，對舊勢力也要有相當程度的妥協與安撫。除了分封舊王朝為杞、宋之外，更要把殷民各族分配給新封的魯、衛、晉，雖然是監視管束，又何嘗不是為他們保留原有的組織形式與生活空間，以達到懷柔的目的。秦滅六國後的高壓統治，就是不明這個道理，看不到草野中無法撲滅的復仇怒火。因此始皇一死，六國紛紛復起，

---

14 《群書考辨》第二十三，卷1，頁50-56。

項羽、劉邦復行封建，其實是不得已之舉。一直到西漢中期武、宣之後，人心習於和柔，郡縣制度才得以穩定下來。

黎貴惇在與秦氏討論過程中，也不得不把封建的必要限於秦代一統時，而承認漢唐以後封建未可輕議。

然而通觀黎貴惇對各朝代的評論，他仍然認為封建是理想的政治制度，只是必須避免流弊，或者換個方式，修正郡縣制度以容納封建的優點。相關言論貫通於全書之中。

關於封建存廢的後果，黎貴惇指出景帝因懲七國之亂，對王國痛加減黜，武帝又下推恩之令，使得諸侯過於微弱，致使王莽之變時未有能樹魯衛晉鄭之勳者。光武繼續抑制宗室，故董卓之亂，公侯單弱，無能扞禦。唐明皇、明成祖因爭奪帝位，恐宗室亦效己所為，是以過於防制，其後皆不得宗室之效。[15]相反地，晉元帝在西晉亂後，興起於江東，國統不絕，正是晉初封宗室之效。[16]

但即使傾心於封建，黎貴惇還是得承認封建的流弊，總之是利弊參半：

> 《詩》曰：「价人維藩，大師維垣，大邦維屏，大宗維翰。」《春秋傳》又曰：「五大不在邊，大城害於國。」「末大必折，尾大不掉。」意似相反，而寔為名言，可以參看矣。夫強邊重鎮，大（眾）〔家〕貴臣，皆王家之所與立也。外而無此則患於孤立無衛，不可以支緩急，此秦之所以亡於六國，宋之所以蹙於夷狄也。

---

15 《群書考辨》第七十四，卷1，頁115-116。
16 《群書考辨》第一百○四，卷1，頁144。

外而有此則患於跋扈難制，不可以保常安，此楚靈王之
所以弒於棄疾，唐明皇之所以迫於祿山也。權內外事勢
之輕重，俾無偏焉，而又慎擇忠厚之人以付授之，其保
國之算乎！《詩》言：「懷德惟寧。」重在德字。然貽
謀永久，卻當思處置之道何如，無庸專以德望後世也。
[17]

黎貴惇走出困境的兩全之策，就是輕重不偏與慎擇忠厚，如果
力與德兼顧，大小合宜，中央有絕對的控制權，則能保持長
久。上文又有「強邊重鎮，大家貴臣」之說，雖不一定同姓，
但比較長期的地方分權是有必要的。他舉出唐初曾有的規劃：

太宗詔宗室群臣襲封刺史。各守一州，易制也；勳舊將
相，易使也。後世封建之法多矣，要皆莫善於此，眾議
沮之，誠可惜也。……天寶以後，置諸道節度使，即古
方伯之任也。帶之營田則專財賦，帶之觀察處置則專黜
陟。其地至廣，其權至重，有不順命，甚難制禦。此無
封建之名而有封建之寇，無封建之利而有封建之害。[18]

這裡可以看到黎貴惇一方面希望封建幫助國祚長久，另一方面
又希望中央對於封建「易制」、「易使」。唐太宗曾有的制度
設計符合這理想，但因為眾議反對，並未真正實行過，因此就
史實而言，未曾出現過封建有利而無害的例子。

（二）王霸儒法的選擇

17　《群書考辨》第十二，卷1，頁40-41。
18　《群書考辨》第一百二十八，卷2，頁10-11。

　　漢宣帝王霸雜用是中國歷史上的著名典故，雙方對此亦有深入討論：

> 宣帝言：「漢家自有制度，本以王伯雜之。」[19]戴氏非之，謂「治天下安有家法？又安有天下法？周家忠厚，自有天地以來，未之有也。謂周之家法可乎？秦苛刻，且不能保其家，安有其法？」此論未是。一代有一代之規模，一君有一君之體統，雖適治之路，人所共由，而見諸行事，各隨所尚。所以當時之治象微殊，末流之弊風隨別。若言無有家法，只是率意而行，則聖人所謂「夏道尊命，殷人宗神，周人宗禮」，「夏氏貴富，殷氏貴爵，周氏貴親」，與夫《中庸》所謂「憲章文武」，《論語》所謂「損益可知」者皆為空言矣，其可乎？且忠厚，心也，是心行乎法之中，既以是言，而謂周無所尚，可乎？秦雖不能保其家，然其法制見於史者，尚可考也。後人言用刑罰者歸之，何可謂其無家法？戴氏意謂天下有一定底道理，古人皆由之，而其非者，終歸子虛烏有。以此論周、秦效驗則可，以之論周、秦治體則不可。○岵齋曰：漢宣治天下，散處不差

---

[19] 「孝元皇帝，宣帝太子也‧母曰共哀許皇后，宣帝微時生民間‧年二歲，宣帝即位‧八歲，立為太子。壯大，柔仁好儒。見宣帝所用多文法吏，以刑名繩下，大臣楊惲、蓋寬饒等坐刺譏辭語為罪而誅，嘗侍燕從容言：『陛下持刑太深，宜用儒生。』宣帝作色曰：『漢家自有制度，本以霸王道雜之，奈何純任德教，用周政乎！且俗儒不達時宜，好是古非今，使人眩於名實，不知所守，何足委任！』乃歎曰：『亂我家者，太子也！』」見《漢書》（中央研究院漢籍電子文獻）〈元帝紀〉卷9，頁277。

而總處差。夫王伯兩道耳，而曰王伯雜，乃窺得祖宗疏處，反而用之，遂為自己巧處。趙、蓋、韓、楊之死，宣帝亦知其罪不至死，欲伸其法，遂峻其刑，使人視之不寒而慄。所謂「戮傷一人以懲天下，惟英主能用之。」元帝懲其父之刻，而好為優容。故君子小人皆渾然不區別，卒也羊望之死，而恭、顯用事以亂天下焉。王道之于刑賞二者，如義利之辨。辨之極真，處之極當，何得有一毫姑息？特用人以禮，刑人亦以禮，不為威劫勢奪，不以厭眾心者，自無流弊。語云：「極儉之後生奢華，峻刻之後生姑息。」愚以為元帝之優柔，宣帝之過察遺之也。使當日與之剖析物理人情，是非得失，推究到底，彼自豁然無疑。後日臨天下，亦有把柄。今與之說半邊話，便嗔責之。愚知宣帝于刑賞用權用術，自己亦有說不出在此。桂堂講論極確，近代明世宗亦則宣帝而更不及，若神尊乃元帝之流也。[20]

這段議論中，黎氏贊成宣帝漢朝家法之說，指出一代有一代的形勢，因此有家法而無天下法。例如周之忠厚，秦之法制，皆是家法，不可謂忠厚是天下法，而法治是家法。說家法有所不足，故最終衰亡，是可以的，這是以效驗而言。但並不能說沒有家法，這是就治體而言。秦氏主張王道，並不否認另有一伯道。但他對宣帝的王伯雜用，指出是取巧的做法。「窺得祖宗疏處，反而用之，遂為自己巧處」，謂相反於祖宗寬緩，對罪不至死者，故意嚴刑一二以造成恐怖氣氛。秦氏指出王道不是

---

20 《群書考辨》第七十二，卷1，頁109-111。

一味寬緩，而是刑賞皆要「辨之極真，處之極當，不為威劫勢奪」，才不會有元帝一般，在嚴苛之後又轉為縱弛的流弊。

這裡清楚看到，在政治制度與措施上，黎貴惇有比較大的彈性，而秦氏強調制度一致性與措施符合原則。在〈群書考辨後語〉中，黎貴惇說：

> 天下事不過理勢兩端，然而二者常相倚也。知理而不審勢，不足以成事；審勢而不知理，不可以立事。夫惟理勢鮮能兼明，而膠於私見，梏於一偏，此宋襄之仁義，商鞅之功利，所以異途同牟於前，而適足以發千古之浩嘆也。[21]

從「成事」、「立事」二詞看，勢是特殊的機會，須及時掌握，才可以「成事」。理是普遍原則，使事情獲得共同的承認，故曰「立事」。所謂家法就是理勢的結合，雖然不像天下法的有全然普遍性，但也有一時一地的客觀性，要超越偏私才能夠掌握。理勢結合的理論下，黎貴惇指出一代有一代的家法，也發展出較獨特的中國史觀。周家忠厚，秦家法制，已見前述。其中對秦的評價是比較有特色的。他說：

> 秦應侯問孫卿曰：「入秦何見？」曰：「其國塞險，形勢便，山林川谷美，六材之利多。入境，觀其風俗：其百姓朴，其聲樂不流污，其服不挑，甚畏有司而順，古之民也；及都邑官府，其百吏肅然，莫不恭儉敦敬忠信，古之吏也；入其國，觀其士大夫，出於其門，入於公門，出於公門，歸於其家，無有私事，不比周，不朋

---

21 《群書考辨》卷2，頁117。

黨，莫不明道而公也，古之士大夫也；觀其朝廷，其間聽受百事不留，怡然如無治者，古之朝也。故四世有勝，非幸也，數也。是所見也。」佚而治，約而詳，不煩而功，治之至也。秦類之矣。縣以王者之功則不及，殆以無儒耶？[22]嗚呼！王道最尚，無論也。即伯術功利富強，亦非易事。人皆云：「秦以智力詭詐制服六國。」孰知其所以治官理民者，亦自有道也？秦雖不修仁義，而維持統御，甚有法紀。六國反之，如何不為秦所併？孝公以下四、五君，以區區之地，致萬乘之權，兵強海內，威行諸侯，民不困弊，國不空乏。是豈談高虛，務媮美者所能辦？惜始皇好名喜事，不能寬簡鎮靜，以凝結人心。一變而為燥急煩碎之治，以致本原動搖，精華殫竭，其勢遂不可復振耳。[23]

秦國是個樸實無華，崇尚法治的國家，因此國勢迅速上升。始皇不知當寬簡鎮靜以凝結人心，反而施政燥急煩碎，才使得國本動搖。黎貴惇又引劉邦、項羽遙見始皇而興起取代之思，而說：「萬乘之君，威靈氣焰，雖自赫然，而睥睨其旁者未嘗無也。人君監此，亦可以惕然矣。苟能修德政以服人心，則四海英雄願為之用，畏如雷霆，戴如神明，誰復萌窺覬之心哉？」[24]因此秦國之失不在法制，而在威焰震赫，未必能禁人窺覬，應該知道修德政以服人心。

---

22 以上出自《荀子》（中央研究院漢籍電子文獻），〈彊國篇〉第十六，頁354-355。黎氏所錄與原文有異同。

23 《群書考辨》第四十二，卷1，頁75-77。

24 《群書考辨》第四十五，卷1，頁78。

在中國人的一般評價中，秦是暴政必亡的代表，評價最低。秦的對立面是以仁義立國的宋朝，雖然文弱，但評價幾乎是最高的。但黎貴惇除了對秦是惋惜多於責備，對宋朝的好惡也與中國人相反，他反駁宋朝仁義之說：

> 《文獻通考》稱：太平興國中，試通天文星象者，以不次官之。預選百餘人。既而上等悉處大辟，中等杖流，下等配隸沿邊州軍，於是星學始絕。有宋三百餘年，無一人如淳風、天翼、一行者，以此也。太宗殘忍如此，仁厚何在？史遷云：「趙與秦同祖。」試參較之。平諸國，削方鎮，毀城郭，銷兵備，大略相類。科條繁密，公酒、私茶、私鹽，罪禁極嚴，其用法亦何異？秦能制匈奴，輕視小民，其禍起於屯隸；宋能結人心，安受外侮，其禍乃起於敵國。勢雖相反，而霸上、青城，究竟一般。[25]獨有尊經、用儒、敬禮士大夫一事不同，而國祚之延促分焉。[26]

這個事件似乎很少人知道，但發生在宋初刻薄的太宗，其目的應是斷絕對王朝不利的天象預言。黎貴惇舉此以見宋朝並非仁厚，並比較秦朝與宋朝，兩個朝代有共同點，就是高度的中央集權。差異處除了秦輕侮人民而亡於屯隸，宋臣事外族而亡於敵國外，又因宋朝能尊儒，禮敬士大夫，國祚得以長久。

（三）戰與和的得失

---

[25] 校讀者此處注云：秦王子嬰降沛公于霸上。宋欽宗降金人于青城。
[26] 《群書考辨》第二百〇三，卷2，頁114-115。

黎貴惇的政治思想其中的重要項目就是尚武精神。如下：

> 讀《左傳》宰孔告晉侯：「齊桓不務德而勤遠，故北伐
> 山戎，南伐楚，西入葵丘。」竊常曰：「東周議論如
> 此，所以奄奄而不能復振也。」夫以不務德責齊桓，固
> 應無辭。若伐戎伐楚，則攘夷狄以安中國，莫大之功
> 也；會於葵丘，則申王禁以正諸侯，甚盛之舉也；何得
> 以為譏？王道既微，四夷交侵，諸侯背叛，此卿士大夫
> 之恥也。群公三事，魯無發憤，口不誦克詰張皇之訓，
> 耳不聞〈六月〉〈采芑〉之詩，恬嬉玩愒，積歲累月。
> 賴有桓公為方伯，專九伐之責，一匡天下，然後天下之
> 人免於被髮左衽，而諸侯得以從容衣裳以尊周室。觀其
> 告成，正應自愧，顧以勤遠略議之，何其迂腐之甚也？
> [27]

此條反映了黎貴惇，甚至整個越南的尚武風氣。相較之下，他
對宋代的文弱感到難以忍受。以下兩個評論，一是宋不乘遼人
敗盟時用武，另一是宋為了和平寧可割讓土地：

> 讀史至富鄭公奉使一節，未常不嘆惜宋人苟目前之安，
> 而貽他日之誤也。敵不可恃，恃敵者必亡；兵不可厭，
> 厭兵者必削。宋與契丹講和，垂四十年，上下懈玩，兩
> 河守備零散不修，養虎狼於室外，而鼾睡其中者久矣。
> 一旦決裂舊好，相尋干戈，安知非天意警我以（優）〔
> 憂〕勤，動我以經略，而貽子孫永遠之安耶？當承平全
> 盛之時，與外夷角，亦未必彼之遽能勝我也，況敗盟之

---

27 《群書考辨》第十五，卷1，頁43-44。

事在彼而不在我，天道必順，人道助信，因可知用兵之
必有利矣。自富公一往，和好復定，上恬下嬉，蕩然無
備。陝西以有邊釁，故雖與夏通和，中國未嘗解甲，而
河北獨弛武事，遼寇乍滅，強金復興，猝然南侵，如入
無人之境，一自安山發，便直渡河而抵汴都，豈非由慶
曆結好以為祟乎？[28]

土地人民，國之寶也。冒頓不惜所愛之女子、名馬，而
欲爭千里之棄壤，毅然斬其臣言予地者，遂舉兵威東
（湖）〔胡〕。宋人棄靈州、西涼以奉西夏，割河東
（伐）〔代〕北以畀遼，舉兩河全委於金，復併唐、
鄧、淮、泗四州，陝西三路予之。君臣安然坐視，若拋
瓦礫，略不動念，累世以為守國之上策，何其懦劣之甚
耶？[29]

富弼使契丹在慶曆二年（1042），時因西夏趙元昊入寇，宋窮
於應付之際，契丹乘機遣使來索取關南之地（地是石晉所割，
後為周世宗所取）。仁宗許增歲幣，令富弼報聘。富弼出使，
力抗割地之請，最後歲增銀絹各十萬，與前共五十萬匹兩。[30]
對於這個事件，《宋史》及一般的評論都從富弼受命時回答仁
宗「主憂臣辱，臣不敢愛其死」開始，一路贊許富弼慷慨赴
任，完成使命。但黎貴惇卻提高一層，斥責宋朝在契丹乘機勒
索時的讓步政策，而沒有藉著契丹敗盟的機會來反攻。黎貴惇

---

28 《群書考辨》第百七十三，卷2，頁72。

29 《群書考辨》第百九十七，卷2，頁104-105。

30 《新校本宋史》（中央研究院漢籍電子文獻），〈富弼傳〉，卷313，
　　頁10250-10252。

以為至少應恢復對峙之局，才不會因武備廢弛而釀成後日靖康之禍。第二條則極言宋人缺乏戰鬥意志，因此棄土地如瓦礫。

　　不過黎貴惇雖然對宋朝的懦弱不進取深表不滿，卻不是一味主戰。畢竟宋朝兵力太弱，民族戰爭幾乎皆敗北收場，因此需有求和的認識。王安石謀求恢復燕雲故地，黎貴惇評論云：

> 荊公為神宗謀破遼，復燕雲故地，無論其行事之疎，亦是不識時運。日中則昃，月盈則虧，天之道也。故〈泰〉之九三，便有平陂之象，〈離〉之九三，便有耋嗟之象。宋自太祖混一天下，四宗守成，太平百有餘年，豈非極盛？盛則漸趨於衰，乃其勢也。烏有復能吞併四夷，恢復舊強之理？……盛衰相代，強弱相反，天數之常。若宋則自南北通和，邊民百年不識兵革，邵子所謂「生來只管見豐稔，老去未常經亂離」，從古未有也，又何加焉？況漢、唐皆因其衰亡而撫之，本出無心。安石則欲開兵端而取之，不亦異乎？國方靜而動之，民方逸而勞之，生事貪功，天之所惡也。故自為謀之後，四海動搖，積而至於宣、靖，坐失中原，遂成江左之勢。雖是理數推移使然，而安石亦何以辭始禍之責耶？[31]

他以為王安石不識宋已渡過盛極的時代，其勢將漸趨於衰，沒有能力併吞四夷，因此其挑起兵端，是宋代喪失中原，偏安江左之始。基於同樣的態度，他並不反對和議：

> 天下事最不可持兩端。持兩端而無一定之說，必敗事者

31　《群書考辨》第百八十五，卷2，頁85-86。

也。馭戎之策，古今文武之臣，所常力爭於廟堂之上
者，大要右征伐而左和親，以謂不作國威，不能自立
也。然和議亦豈可少哉？邊鄙少輯，民狎其野，穡人成
功，為利亦已深矣。若夫綱戶之防，重門之備，自是保
邦常事，非可以和靖而遂弛也。待於人也無失，處於己
者有餘，守約則禮之，犯邊則討之，制御之權常在中
國。所謂上策，不過如此。宋自澶淵之後，南北弭兵，
中外無事，百有餘年，豈非斯民之福？非自宋首敗盟，
結金棄遼，又納叛臣張穀，失信於金，則邊患何自興
乎？靖康初，大敵臨城，不能一意戰守，納幣請平，示
弱於人，誠為失策。然使和局更成，金雖豺狼，未必不
聽，尚可看力俟釁。唐有便橋之盟，其後更滅突厥，和
亦何所妨？請三鎮而不予，留其使而不遣，結其臣余
覩，通遼後雅里，紛紜舉動，愈生其憤，而卻罷援兵，
斥逐良相，自撤邊備，和不成和，戰不成戰，大寇再
至，遂不能支，是可專咎於和乎？周書曰：「卑辭厚幣
以服之，弱國之守也。修備以待戰，敵國之守也。循山
川之險而固之，僻國之守也。伐服不祥，伐戰危，伐險
難，故善伐者不伐三守。」試問宋於三者何居焉？高宗
中興，捨復讎之外，固不容別有異說。然檜賊專主和
議，盡抑士論，結好往來亦至二十餘年。雖中間海陵背
盟，大定之後，南北再歡，四十餘載。非侂冑開邊，金
固未能生隙也。嘉定以後，乘其有難，絕其歲幣，兩境
尋兵，互相報復，金終不能加於宋；馴有入蔡之舉，中
國之氣賴以少伸，寧不由中國之有定畫歟？總之，宋與

> 遼、金為隣，有辰一於和，有辰一於戰，皆有其利。惟
> 不成局面，而為害事耳。[32]

南宋建國之初，與金簽訂屈辱的和議，後來又有幾次失敗的北
伐，南宋一方的應對在歷史上很少受到好評。然而黎貴惇的看
法不同，他的著眼點是南宋有一貫的政策。紹興屈辱的和議固
然不該簽訂，但事實上維持了長久的和平。嘉定以後南宋鷹派
得勢，雙方交戰，宋並未吃虧。這是南宋有定畫的關係。回看
北宋所以屢被侵入，終至覆亡，並非因為和議，而是雖有和議
卻不信守，又不能加意防備，和不成和，戰不成戰，因此大敵
再至時，終於宗國淪亡。黎貴惇有獨特的眼光，所以東江（朱
佩蓮）評云：「此等議論，正自難得。」

（四）制度與獨斷的是非

　　黎貴惇對宋朝的儒弱深為不滿，但中國學者卻高度評價宋
代，其實還有比文武對立更深的理由。先看他們對真宗時宰相
李沆的安靜政策的討論：

> 《揮犀錄》鄭希仲云：「凡仕宦有三難：一謂統十萬之
> 師而為帥，二謂翰林學士，三謂劇邑。三者苟非其才，
> 則事必隳廢。除是三者，雖宰相猶可以常才兼之。」此
> 有激之言，非確論也。將相一也，翰林守令，又其下
> 者。居宰相之責，酬應難，區處難，鎮靜難，決斷難，
> 忍容難。苟非才器過人，殫心精慮，敗事覆餗，禍患立
> 至。自己身家不足恤，如國與天下何？……宋初大臣論

32　《群書考辨》第百九十八，卷2，頁105-107。

議，如曰鎮靜，曰重厚，曰慎守法度。噫！執此以往，政事所以蠱壞，國勢所以委靡，而終於不振也。……古人相業宏大奇偉，夫豈全在德望？坐鎮雅俗，亦由其綜理經畫之才，而濟以奮迅激昂之氣，此天下之治所以常新也。宋時名臣如李沆、王旦諸公，一味恬和重厚，習良相體，以資格用人，以條例決事，雖不言人之過，亦不揚人之善，雖不生事以擾民，亦不革弊以利民。齷齪近幸，庸常守故，四方所陳，不問得失，一切報罷；百僚論事，不問是否，一概沮抑。有出一語言，則曰浮躁；勵一寔節行，則曰矯激；立一事功，則曰喜事。士氣消爍，人情解惰，棄地求和，姑息戎狄，偃兵弛備，養成禍胎。有猷有為者，乃如是乎？有大有為之臣，然後能輔有為之君；有非常之才，然後立非常之功。平常如此，而欲以運用天下，宗強國勢，難矣。常觀《名臣奏議》，……凡諸條對皆可施行，而付之寢格，豈不可惜哉？由王、李二公以因循安靜之說，膠固君心，不復整齊法度，興建治具，所以雖偷享其利於一時，而終貽其害於他日也。……○岵齋曰：《史辨》一書，其中名言正復不少。中有兩則，愚意以為未盡。一則盛言宋朝之因循，並歸過於真宗時宰相李沆，于言利害者，一切報罷，以釀積弱，職此之由。夫人臣進言有三，一則直言切磋君身；二曰直言朝政誤謬；三則時有大權奸，出死力以彈劾之，為國家除害。此三類進言者，閱之當如星火，其言可用，則用之當如救火追亡，以其切要也。若指陳利害，卻要謹慎。大抵開國規模必寬必大，後人

指摘利害，必嚴必密。開國之人，心眼周密，防患未然，後人抉摘細小，反多疎漏。故曰：「害不甚不去，利不甚不變。」若其有所偏重，欲救之，須君相同心，悉力講究，而又得大吏之有才識者以奉行之，使人轉移而不覺，乃可。……宋之積弱，在乎法不行于將與兵，外困於北方之歲幣，而內困於郊祀之賞賚。然無修而欲革其弊，寧不發大難之端乎？其姑息兵將，則因太祖得天下，本為亂兵所推，故中多內愧，尚承五代姑息武人之術。然蘇老泉上韓公書乃曰：「雖多殺亦可。」豈非險語？老泉之經濟才名，而論議尚如此，言利害者可輕聽乎？○桂堂曰：五代之亂極矣，至于真宗君臣，承見成之規模，順欲息之人心，勢不得不安靜。李沆為相，亦無可議。僕誠恐後之人君，苟安而無立志，人臣則自用而拒眾言者，動以宋人藉口，故生此一段議論耳。見示以人言利害不可輕聽，最有斟酌。且究趙氏積弱之由，寔曲盡事情，但為君相者正不當先執成見，於人言一切擺落。僕所惜者，如楊億所上咸平中一疏，請復置支郡，與賞賚、選舉、舊勳、蔭敘等事，鑿鑿可行，而真宗付之不問耳。即三種進言，當時四方所陳，安知其無也？○岵齋曰：經濟一道最難言。善于著手者自有天命。如知兵者，不可以輕著者也。楊億所言，范公著一稍試之，而為群小所攻，卒不究其志以去。想亦不能革以漸耶？○桂堂曰：流水不腐，戶樞不蠹，以其常活動也，況治天下而可無運動乎？運動善則為齊桓之伯國，漢武之強兵，不善為唐文之甘露，宋神之新法。○岵齋

曰：古帝王終日乾乾，自強不息，何常敢一日怠惰耶？
須是勵精圖治，業業兢兢，上恐有違乎天意，下恐有抑
乎人心，則補偏救弊在其中。齊桓、漢武本微有不同，
然亦如人吃大力丸與熱藥，後日俱有毒發，不足道也。
33

關於李沆的安靜政策，黎貴惇與秦朝釪的評論站在兩極。黎貴
惇認為宋代國勢衰弱，最根本的原因是在精神上消極畏縮，而
李沆在宋初的玩歲愒日，不肯積極任事要負最大責任。黎氏以
為宰相承擔軍國之重任，應該興利除弊，全力以赴。他的論證
很明白，不煩解說。然而秦氏卻不斷為安靜政策辯解，其基本
理由是開國君臣對制度有整體的設計與考量，雖寬大而實周
密，後人指摘細故，似密反疏。縱使有偏重當救正，亦宜在君
臣同心，幹才任事，使人轉移於不覺乃可。在實務上，北宋面
臨的問題是承襲五代割據之局，而姑息兵將，又有北邊之歲
幣、郊祀之賞賚，以致財政枯竭。對此若不積極充實自身條
件，只是大張旗鼓地激烈改革，必走上失敗之途。面對強力的
辯論，黎氏只得退一步，說他擔心的是一味消極，能改而不
改。然而政治以健動為本質，雖然結果有成敗之殊，而齊桓之
霸，漢武之強，皆是成功的例子。但秦氏仍然說縱使齊桓、漢
武的有為，仍然如服猛藥，會產生有害的後遺症。

　　秦氏並是不認為君臣可以太平無事，優游歲月，他說：
「古帝王終日乾乾，自強不息，何常敢一日怠惰耶？須是勵精
圖治，業業兢兢，上恐有違乎天意，下恐有抑乎人心，則補偏

---

33 《群書考辨》第百六十七，卷2，頁58-66。

救弊在其中。」他們也是殫精竭力地工作，然而主要在法度之中，凡有補偏救弊，也在無形之中完成。因此從大方向看，兩人的差異，一個是保守主義的體制運作，另一是英雄主義的奮發有為。擴大地看則是兩國政治取向的不同。在中國，政治的動力來自制度的穩定性與可預測性，對於權力總來源──皇帝──的期待是能夠維持與推動制度的順暢運行，一切改革也希望在潛移默化中達成。於是遵守制度的要求，不但是對於人臣，也是對君主的。從這種差異來看，雙方無法在根本處達到共識是理所當然的。

宋朝士氣甚盛，議論繁多，黎貴惇對此有許多評論。中心問題是議論無法達成一致而陷入困境，他指出解決困境之道不在於尋求共識，而是君心先定，不為議論所左右。他提出謀臣議臣不同的說法：

> 有謀臣，有議臣，二字相近。一君一臣，籌之於帷帳者，謀也；稠人廣坐，辨之於廟堂者，議也。官吏之治，兵民之政，固不妨於公言；若夫經世遠猷，伐國大計，則非密謀不可。古之人所以一話投機，便推心腹，親用無間者，為是也。千金之家，其經理營幹，亦不能無一親密子弟，況於國乎？齊之管仲，漢之諸葛，秦之王猛，隋之高穎，唐之玄齡，宋之趙普，內參禁闥，外總機要，一言而上下信，一令而軍民服，得不相德，誤不相咎，君臣相與，有如一人，此其所以建功於天下，成名於後世也。南宋之際，事勢極矣。求諸百餘年中，孰所謂謀臣歟？旅進旅退，乍用乍罷，其取也以眾望，其斥也以群毀。遠猷大計，無不形之奏疏，公之盈庭，

> 憑人批駁。己見伸屈，因時而變；君心濃淡，因事而
> 移。少利則遽以為功，少不利則遽以為罪。執此以往，
> 而欲鞭撻四夷，定平區宇，有是理乎？[34]

黎貴惇在謀臣、議臣的議題中指出軍國大計是不能訴諸公議
的，這論調雖似偏頗，而實涵至理。軍國大計雖可以發言盈
廷，但君相須有定見，能主動地採擇善言，而非在矛盾的意見
中茫然不知所措。[35]於是君相的精明卓絕成為推動政令的唯一
條件。黎貴惇理想中的君相是超越制度限制的：

> 自古有為之君，每藏之於沉略深幾，而發之於英威雄
> 斷。不飛則已，飛必衝天；不鳴則已，一鳴必驚。此楚
> 莊、齊威所以震服諸侯也。作輟無常，動靜無定，亂謀
> 少決，識者鄙之。孝宗為南渡稱首，而二十六年之間，
> 不曾做得一事，（止）〔正〕坐此也。豈諸臣無能輔其
> 志耶？[36]

因此，黎貴惇和秦朝釪的問題是：君主應該是雄才大略的人民
英雄，還是官僚體制的守護者？中國人無疑主張後者。宋代是
近世中國中央集權政治的開始，皇帝卻對文官最為禮遇，比起
後來的明清，距離虛君理想更為接近。這也是為甚麼宋代（特

---

[34] 《群書考辨》第百九十五，卷2，頁101-102。

[35] 以下一則有代表性。「《易》曰：『利用禦寇，順相保也。』朱子謂
『須是上下同心協力相聚，方足以禦寇。』宋人好議論，強敵臨境，
猶集議和、守、戰三策，筆鋒舌劍，相尋不已。二三大臣以意見同
異，累疏求去。時君茫然無所取決，計謀紛錯，心德乖離，安能以禦
外侮？靖康之事，建炎、隆興、嘉定之間，迄于德祐，杌陧屢矣。而
此風終不能改，惜夫！」（《群書考辨》第百八十七，卷2，頁87-88）

[36] 《群書考辨》第百九十三，卷2，頁97。

別是南宋）皇帝縱使「不曾做得一事」，歷史評價卻始終不墜的原因吧！

在中國，皇帝既然是制度的守護者，自身的傳承也必須依制度，由嫡長子繼任。然而黎貴惇卻認為國有賢君最為重要，為了拔擢賢君，寧可破壞繼承制度。對於漢朝，黎貴惇以為「元帝不省召致廷尉為下獄，靈帝不知鉤黨不軌為何義」，知識能力太差，大臣卻不知勸先帝易儲，漢代從此衰微。[37]對於唐代，李世民功蓋天下，海內屬望，不可居建成下，而高祖不知易儲，而造成同室操戈之禍。[38]宋初則有太祖立儲的故事：

> 太子者，天下之本也。安危治亂，係乎繼述之賢與不肖。……趙宋啟運，太祖經營恢拓，十有七年，臣民已有定志；太宗承統，維持轉運之規模，綏衛撫寧之力量，所以闡揚而光大之者，又垂三十年，宜有開治平而垂長久也。使德昭（按，太祖之子）當此，未知何如？杜太后曰：「國有長君，社稷之福。」其超世卓見乎！杜后欲傳太宗而趙普贊成之，一言之興邦也。向后欲立徽宗，而曾布贊成之，一言之喪邦也。[39]

黎貴惇全面贊成太宗繼位。但中國人總要抬出太后的旨意作為依據，再加上斧聲燭影的軼事，屬於太祖世系的孝宗終於即位，所反映的想法是：不循制度的道路一定是崎嶇不平的。

黎貴惇的中國史觀還有神秘主義的面相，包括天運觀、天命觀與報應觀。天運觀指盛衰循環的規律。前舉王安石對遼不

---

37 《群書考辨》第八十三，卷1，頁128。
38 《群書考辨》第百二十三，卷2，頁3-4。
39 《群書考辨》第百五十九，卷2，頁47-48。

應輕啟事端，其中一項重要理由在宋開國至今而極盛，盛而漸趨於衰，因此宜於靜守。《群書考辨》還有一則言國家在中葉以後宜守靜：「國家之方興也，事力充，氣勢盛，人心齊同，奸宄斂戢，內整紀綱，外揚威武，以貽謀於永遠，正不妨隨時動作。若夫繼體守成之後，與衰微折墜之日，要莫若以靜鎮之，從容導養，調停妥帖，自然無事，日計不足而月計有餘。若謂積弊不可坐視，橫逆不可容忍，機會不可錯過，禍原不可養成，而奮發為之，則大誤矣。」[40]天命觀指的是歷史的不可理解性，如劉備北伐時，曹操規模已成，為時已晚。[41]劉備、諸葛亮簡拔賢才留給後主，卻相繼凋落。[42]曹操能識劉備為英雄，司馬懿非人臣，卻讓備脫身於外，對懿解除疑心。[43]其他還有許多例子，都是用天命來解釋歷史。關於報應，黎貴惇常將個人遭遇歸因於先前種下的惡因。陳平計擒韓信，其子孫皆無興者。[44]李廣殺降，殺伯陵尉，不但自己不得善終，孫陵以降虜見族。[45]曹操、司馬懿欺孤弱寡，國祚不長。[46]再舉一條較陌生的：「（唐）玄宗以用衛兵平內難，又以衛兵誅羊、岑。其後龍武衛將士殺國忠，羽林兵脅遷西內。《左傳》謂『君以此始，必以此終』，信然。玄宗誅太平公主，不先白睿宗，驚殿，將欲隕於樓下，郭元振保護而止。其後李輔國露刃脅遷，

---

[40] 《群書考辨》第百五十七，卷2，頁43。

[41] 《群書考辨》第八十六，卷1，頁132-133。

[42] 《群書考辨》第八十八，卷1，頁134-135。

[43] 《群書考辨》第八十九，卷1，頁135。

[44] 《群書考辨》第五十一，卷1，頁83-84。

[45] 《群書考辨》第六十一，卷1，頁94。

[46] 《群書考辨》第九十九，卷1，頁142。

玄宗亦驚幾墜馬，賴高力士扶之，事亦相類。豈非不善之報？」[47]神秘主義的面相，筆者沒有能力討論，只是點出於此，以待賢者的發揮。

五、結語

　　本文研究黎貴惇《群書考辨》的中國史觀，並以秦朝釪的評語為線索探討其特色。黎貴惇評史的基本立場是積極進取，秦朝釪則較為謹慎保守。黎貴惇從積極進取的立場，偏向封建與地方分權，重法治、尚武、重視君主的能力與獨斷，秦朝釪則大抵站在另一端。這種差異與其說是兩人的不同見解，不如說是反映了兩個國家不同的政治社會背景。廣土眾民的中國，在中央集權制度建立以後，是靠制度來統治的，於是從皇帝到官員，維護並推行制度成為主要的道德行為。但在越南，雄才大略，突破既成格局的人，可得到更多的尊敬。

　　四十年前一位美國學者著書，[48]研究阮朝輸入清朝的政治制度時，如何因應自身的政治社會條件加以轉化。筆者曾為文介紹，綜合整理他所歸納的中、越兩種文化的基本特徵如下：

> 中國為了對廣土眾民的有效統治，發展出道德的、倫理
> 的文化，「三綱五常」便是基本概念。上位者是道德的
> 權威，對於在下位者，他們是效法的模範，也擁有支配

47　《群書考辨》第百四十三，卷2，頁26-27。

48　Alexander Barton Woodside, *Vietnam and the Chinese Model: A Comparative Studyof Vietnamese and Chinese Government in the First Half of theNineteenth Century.* Cambridge, Mass: Harvard University Press,1971, 1988.

> 的權力。這種文化在政治上則依賴階級性的科層（官僚）組織來運作。由上到下的科層體制就形成權力與推動力。因為廣土眾民的關係，政治力量達不到的地方，則有保甲的地方基層組織，並由士紳做為政治與民間的連結。相應的文化教養是儒家文學，不但承載道德倫理的意識形態，又是一種表達政治符號的書寫體系，用來傳達命令與消息，而且表達其階級位置。東南亞由於幅員相對狹小，其統治基本上較少依靠抽象的意識形態與制度，而更依賴人間的直接關係。在上位者，從皇帝到新科進士，其身分是維持人民生計與幸福的英雄，而不是道德的模範。[49]

這種差別在分析黎貴惇的中國史觀時仍是值得參考的。

讀完《群書考辨》，筆者直接的感覺是中國的確是個偉大的國家，它建立了穩固的制度，要求從皇帝到臣民都加以遵循，也培養出大量勤謹的學者官僚。然而遇到變局時，反應常常不夠靈活，制度反而成為因循苟且，不思進取的托詞。這是值得我們繼續思索的問題。

---

[49] 鍾彩鈞：〈越南與中國模型〉，收入鍾彩鈞主編：《東亞視域中的越南》（臺北：中央研究院中國文哲研究所，2015年11月），頁308。

從東亞視野論《性理大全》的意義：以韓國與越南的流傳比較為中心

許怡齡*

摘要

　　本文從東亞儒學的意義上考察 15 到 19 世紀《性理大全》在韓越的接受過程與定位差異。永樂 17 年，三《大全》被頒賜給朝鮮及當時的交趾郡，使《性理大全》成為韓越性理學的重要讀物。三《大全》中，《性理大全》是唯一在韓越兩國皆產生「節要本」者，這似乎暗示《性理大全》與另外兩《大全》具有不同的存在方式與意義。相對於另外兩《大全》，《性理大全》與科舉的關係較為薄弱，使該書具有一種相對的「脫世俗性」。朝鮮將《性理大全》視為三大全之首，越南則將《性理大全》視為三大全之末。藉由比較韓越對《性理大全》的定位，兩國儒學的基本質性差異也被顯題化：若說朝鮮儒學是「作為『心學』的儒學」，越南儒學可說是「作為『實學』的儒學」。

關鍵詞　朝鮮、越南、性理大全、節要、金正國、裴輝璧

---

* 〔臺〕中國文化大學韓國語文學系副教授。

一、前言

本文目的在於從東亞儒學的意義上考察《性理大全》在韓越的接受過程，[1]比較兩國對《性理大全》的定位差異，並藉此理解韓越兩國儒學基調的異同。[2]

前近代的東亞，思想傳遞主要依靠書籍作為媒介，用漢字寫成的儒學經典從中國出發，傳播到日本、韓國、琉球及越南，進入當地的思想體系，形成形塑知識結構的養分。經典的文本內容、特定經典流傳到東亞的時間、該地刻印書籍的客觀條件、書籍流通的通路，都與經典在當地可產生的影響力息息相關，因此從東亞視域探討儒學時，相關書籍的跨國流傳和出版考察有其重要性。[3]本文將考察對象限於韓國及越南，原因在於日本、越南、韓國、琉球雖有漢字文化圈的共性，若以科舉

---

[1] 本文所述之時代原無「韓國」及「越南」之稱，唯文中涉及跨朝代之概念，或特意凸顯兩國相對概念時，始用「韓」「越」稱之。

[2] 黃俊傑指出「東亞文化交流圈中經典與思想的交流」為值得關注的研究主題，經典之東亞流播形成的思想交流，對東亞地區的思想形成衝擊，此為具有東亞特色的現象。詳見黃俊傑：《東亞文化交流中的儒家經典與理念—互動、轉化與融合》（臺北：臺大出版中心，2016），頁 38-36。

[3] 東亞漢籍的研究，以張伯偉十餘年的研究為代表，帶動學界對東亞漢籍的關懷，並提出東傳、回流之外的「環流」等新方向。參見張伯偉：〈明清時期女性詩文集在東亞的環流〉，《復旦學報（社會科學版）》第三期（2014），頁 95-106。大木康指出「出版文化」的研究進路，乃將書籍的產生、流通過程等問題從社會史的角度探討，追查書籍及其文本內容對社會的實際影響。參見大木康：《明末江南的出版文化》（上海：上海古籍出版社，2014）之〈中文版後記〉，頁188-189。張伯偉和大木康所帶起的研究進路，大幅提高了東亞漢籍研究的跨國連結性和社會性，筆者深受啟發。

制度區分，東亞還可分為二：一是「科舉主要地區」，為韓國及越南；二是「非科舉主要地區」，日本及琉球屬之。前近代的韓越與中國土地相連，與明清中國維持朝貢往來，且長時間以儒學及科舉作為主要取士制度，因此在漢字文化圈中，韓越具有更高的共性，客觀上足以獨立形成有意義的研究區塊。本文嘗試以韓越為範圍，探討並比較《性理大全》韓越流播的狀況與意義。

明永樂 13 年（1415），胡廣（1370-1418）等人奉永樂帝之命進行大明帝國的重大文化工程，編纂《五經大全》、《四書大全》、《性理大全》三書。王鴻泰指出永樂帝自篡逆登基後，對外持續進行征伐，試圖進一步開創明帝國的東亞局勢；對內則在不到一年內編纂多達兩百六十卷的三《大全》，意欲彰顯其「聖王之治」，並於永樂 15 年[1417]下令「頒《五經》、《四書》、《性理大全書》于六部，併與兩京國子監及天下郡縣學」。[4]此一行為的歷史影響超出有明一朝，影響甚深。[5]本文的焦點，則在探討永樂三《大全》的影響如何超出中國一國，在朝鮮及越南發酵。雖然明清學人對三《大全》沿襲前人陳說、導致古義淪亡、經學衰落等批判絡繹不絕，[6]如顧炎

4　〔明〕楊士奇：《明太祖實錄》（臺北：中央研究院歷史語言研究所，1984），卷186，永樂15年，總頁1990-1991。

5　王鴻泰：〈聖王之道：明文皇的政治文化與文化政治〉，《臺大歷史學報》57期（2016年6月），頁117-181。

6　相關論述，詳見林慶彰：〈《五經大全》之修纂及其相關問題探究〉，《中國文哲研究集刊》1期（1991年03月），頁361-383；王鴻泰：〈聖王之道─明文皇的政治文化與文化政治〉，《臺大歷史學報》57期（2016年6月），頁159-174。

武謂「經學之廢實自此始」，[7]朱彝尊謂「《大全》者，乃至不全之書也」，[8]四庫館臣謂「自胡廣等《五經大全》一出，應舉、窮經久分兩事」，[9]但如吾妻重二所指出，三大全在東亞的重要性，在於將朱熹（1130-1200）為主的宋儒著作提升為東亞地區的「新經典」。[10]永樂 17 年[1419]，三《大全》被頒授韓越兩國，開始了東亞流傳接受的過程。在此過程中，朝鮮於 16世紀產生了《性理大全》節要本，越南則至少在 19 世紀產生了三《大全》的節要。「節要」的產生，暗示了該書在當地有流通的需求。學界已知三《大全》在東亞受到重視，但在三《大全》中，僅《性理大全》在韓越皆產生「節要本」，這顯示《性理大全》在兩地都有一定的重要性，同時可能意味著《性理大全》與另兩《大全》定位不同。永樂帝在《性理大全》御製序中曾提到三《大全》的相互定位：

> 六經之道明，則天地聖人之心可見，而至治之功可成；
> 六經之道不明，則人之心術不正，而邪說暴行，侵尋蠹
> 害，欲求善治，烏可得乎？朕為此懼，乃者命儒臣編修
> 《五經》、《四書》，集諸家傳註而為《大全》。凡有
> 發明經義者取之，悖於精義者去之。又輯先儒成書及其

7　〔明〕顧炎武：〈四書五經大全〉，《日知錄》（臺北：文史哲出版社，1979），卷 20，頁 525-526。

8　〔清〕朱彝尊撰：《經傳考》（北京：中華書局，1998），卷 49，頁272。

9　〔清〕永瑢等撰：《四庫全書總目》（北京：中華書局，1965），卷16，「詩故」條，頁 129。

10　吾妻重二：〈《性理大全》的成立與黃瑞節《朱子成書》—宋代道學家著經典化的重要層面〉，收入徐興慶編：《東亞文化交流與經典詮釋》（臺北：臺大出版中心，2008），頁 366-367。

議論格言，輔翼《五經》、《四書》，有禆於斯道者，
類編為帙，名曰《性理大全書》。[11]

三《大全》的編纂宗旨，以闡明六經之道、追求至治為目的，
其內容可分為兩組：《五經大全》、《四書大全》為經書的諸
家傳註；《性理大全》是為輔翼《五經》、《四書》而蒐羅的
先儒議論格言。胡廣的〈進書表〉說明了「先儒」之學的內
涵，謂：「夫濂洛關閩之學興，而後堯舜禹湯之道著」，認同
宋儒之言有「為前聖之輔翼，合眾途於一軌，會萬理於一原」
之效。[12]《性理大全》共 70 卷，1 至 25 卷收宋儒的性理學著
書，包括《太極圖說》、《通書》、《西銘》、《正蒙》、
《皇極經世書》、《易學啟蒙》、《朱子家禮》、《律呂新
書》、《洪範皇極內篇》等；26 到 70 卷將諸儒的性理之說分
列為 13 個條目，各為〈理氣〉、〈鬼神〉、〈性理〉、〈道
統〉、〈聖賢〉、〈諸儒〉、〈學〉、〈諸子〉、〈歷代〉、
〈君道〉、〈治道〉、〈詩〉、〈文〉。永樂帝頒賜《性理大
全》的 1419 年，於朝鮮為世宗朝，於越南為屬明時期。

目前為止中日韓越學界對《性理大全》的相關研究，可分
述為《性理大全》在中國、在朝鮮、以及在越南三個方向。針
對《性理大全》在中國，主要研究主題有：1.《性理大全》的
成書過程與思想來源考證，如吾妻重二以《性理大全》之成書
底本為中心，一系列探討《性理大全》與黃瑞節《朱子成書》

---

11 〔明〕胡廣等編，《性理大全》（山東：山東友誼出版社，1989），
　　頁 11-12。本文引用之《性理大全》皆為此明內府刊本，不再另行標
　　注。
12 同前註，頁 17-19。

及江西學派的關係。[13]2.《性理大全》在中國的傳播，如三浦秀
一考察《性理大全》出現的時代背景及明末清初為止的傳播狀
況。[14]3.明永樂帝編纂三《大全》、清康熙帝整理三《大全》
的政治背景、動機、官學化意義與國家認同。[15]4.從《性理大

[13] 吾妻重二：〈《性理大全》の成立と朱子成書〉，《名古屋大学中国哲学論集》第 5 號（2006），1-18 頁；〈《性理大全》的成立與《朱子成書》一兼論元代明初的江西朱子学派〉，《韓国中国学会第 26 回中国学国際学術会議論文集》（2006），頁 309-323；〈《性理大全》的成立與黃瑞節《朱子成書》一宋代道學家著作經典化的重要側面〉，收入徐興慶編：《東亞文化交流與經典詮釋》（臺北：臺大出版中心，2008），頁 365-391；〈《性理大全》の成立と「朱子成書」一黃瑞節および元代の江西朱子学派について〉，收入関西大学アジア文化交流研究センター編：《東アジア文化交流と経典詮釈》（日本：関西大学アジア文化交流研究センター，2009），頁 364-386。曾貽芬亦從文獻學方面探討三大全的來源，見氏著〈明代官修「大全」散論〉，《史學史研究》第 2 期（1996），頁 52-59。

[14] 三浦秀一：〈明代中期の《性理大全》〉，《集刊東洋学》109（2013），頁 63-75；〈《新刊性理大全》的出現及其時代背景〉，「明末清初學術思想史再探」會議論文（臺北：中央研究院近代史研究所，2014.10.25-27）；〈明末清初時期《性理大全書》的傳播與接受〉，《貴陽學院學報（社會科學版）》43 期（2015），頁 30-37。

[15] 權重達：〈《性理大全》의形成과그影響（《性理大全》的形成與其影響）〉，《中央史論》Vol.4（1985），頁 71-90。李焯然：〈治國之道：明成祖及其「聖學心法」〉，《漢學研究》第 9 卷第 1 期（1991），頁 211-227。郭素紅：〈明初經學與《大全》的敕修〉，《求索》（2007 年 10 月），頁 213-215。本杰明·艾爾曼（Benjamin Elman）：〈明代政治與經學：周公輔成王〉，收入氏著《經學·科舉·文化史：艾爾曼自選集》（北京：中華書局，2010），頁 22-48。姜海軍：〈《五經四書性理大全》編纂、思想與文化認同〉，《歷史文獻研究》02 期（2016），頁 33-43；〈《五經四書性理大全》的編纂與文化傳承〉，《五邑大學學報（社會科學版）》第 18 卷 01 期（2016），頁 48-52。王鴻泰：〈聖王之道一明文皇的政治文化與文化政治〉，《臺大歷史學報》57 期（2016 年 6 月），頁 117-181。潘志和：〈國家認同：康熙皇帝刊行、整理《性理大全》的政治指向〉，

全》探討宋代理學家的認知研究。[16]5.在探討《四書大全》、《五經大全》時連帶提及《性理大全》的研究。[17]針對《性理大全》在朝鮮，相關研究主題有：1.中韓外交及書籍交流。[18]2.《性理大全》在朝鮮的傳播研究。[19]3.將《性理大全》置於眾多性理書脈絡中的研究。[20]4.將《性理大全》置於教育及科舉

《中央社會主義學院學報》183 期（2013 年 6 月），頁 93-98。

16 李東宰：〈《性理大全》論詩條詩論研究〉，《漢文古典研究》（舊名《誠信漢文學》）第6輯（2000），頁 129-151。李星培：〈宋代理學家的「讀書論」和「歷史認識」──以《性理大全》為中心〉，收入姜錫東編：《宋史研究論叢》第15輯（河北：河北大學出版社，2014）。

17 林慶彰：〈《五經大全》之修纂及其相關問題探究〉，《中國文哲研究集刊》1期（1991 年 3 月），頁 361-383。陳逢源：〈四書「官學化」進程：《四書大全》纂修及其體例〉，《東亞漢學回顧與展望》（日本長崎中國學會會刊）Vol.1（2010），頁 87-102；〈從《四書集注》到《四書大全》──朱熹後學之學術系譜考察〉，《成大中文學報》第 49 期（2015 年 6 月），頁 75-112。

18 張升：〈明代的外交賜書〉，《江蘇圖書館學報》01 期（1995），頁 35-36。林琳：〈明朝與朝鮮李朝、日本圖書交流初探〉，《杭州師範學院學報（人文社會科學版）》01 期（2001），頁 106-108。刁書仁：〈朝鮮王朝對中國書籍的購求及其對儒家文化的吸收〉，《古代文明》第 3 卷第 2 期（2009 年 4 月），頁 84-92。

19 鄭愚亨：〈《五經‧四書大全》의輸入및그刊板廣布（《五經‧四書大全》的輸入及其刊板廣布）〉，《東方學志》Vol.63（1989），頁 1-27。池富一：〈조선초의 대명 문화교류와 《성리대전》 의 수용（朝鮮初의對明文化交流和《性理大全》的受容）〉，《東方學研究》Vol.3（1997），頁 31-55。禹貞任：〈朝鮮前期 《性理大全》의理解過程：節要書의 編纂‧刊行을 中心으로（朝鮮前期《性理大全》的理解過程：以節要書的編纂、刊行為中心）〉，《地域과歷史》31 輯（2012），頁 263-305。劉寶全：〈明初《性理大全》的刊行及其在朝鮮的傳播〉，《朝鮮‧韓國歷史研究》（2011），頁 201-216。劉寶全指導之碩士論文，邱敬霞：《朝鮮朝對《性理大全》的接受研究》（山東：山東大學碩士論文，2014）。

20 金恒洙：〈16 세기士林의性理學理解──書籍의刊行編纂을중심으로

脈絡中的研究。[21]針對《性理大全》在越南，有在科舉脈絡
中的研究及版本學研究。[22]整體來說，《性理大全》相關研究
最早始於 80 年代的韓國學者；日本學者最長於體系性地考證
版本及學派傳承；越南學者筆者所見僅有版本學研究；[23]華語
圈學者相對著重於《大全》編纂的政治意圖、官學化意義及國
家認同功能；台灣學界在本文之前尚無針對《性理大全》之專
論，但已有朱雲影先生從東亞視野探討經學的宏觀之作。

二、《性理大全》在朝鮮

（一）朝鮮對《性理大全》的接受過程

（16 世紀士林的性理學理解—以書籍的刊行‧編纂為中心）〉，《韓國
史論》7 輯（1981），頁 121-177；〈朝鮮前期 性理書 解釋의 推移
（朝鮮前期性理書解釋的沿革）〉，《同大論叢》25 卷 1 號
（1995），頁 217- 234；〈조선전기의程朱學수용（朝鮮前期的程朱學
受容）〉，《人文科學研究》13 卷（2007），頁 5-21。禹貞任：
《조선전기 性理書의 간행과 유통에 관한 연구（朝鮮前期性理書的
刊行和流通研究）》，釜山大學博士論文，2009。

[21] 參見朱雲影：〈中國經學教育對日韓越的影響〉，《歷史學報》5期
（1977 年 4 月），頁 1-28。朴鍾培：〈조선시대 유학 교육과정의
변천과 그 특징（朝鮮時代儒學教育課程的變遷及其特征）〉，《韓
國教育史學》第33卷第3號（2011），頁1-24。

[22] 陳文：《越南科舉制度研究》（北京：商務印書館，2015 年）。BÙI
ANH CHƯỞNG：《NGHIÊN CỨU VĂVHIẢN TÍNH LÝ TIẾT YẾU（性
理節要文本研究）》（河內：河內國家大學碩士論文，2014）。本文
的重點在於越南《性理節要》的研究，對母本《性理大全》僅有背景
式的探討。

[23] 越南尚無整體性的論文資料庫，筆者只能就已知範圍論述，尚請各方
學者補正。

　　《性理大全》於世宗朝傳入朝鮮後，在《朝鮮王朝實錄》被提及至少 90 次，其中世宗朝（1418-1450）26 次、成宗朝（1469-1494）19 次、中宗朝（1506-1544）28 次為其高峰，其餘王代僅出現 1 至 2 次。[24]《朝鮮王朝實錄》對《性理大全》提及的次數，具體而微地點出該書 15 到 16 世紀在朝鮮地位逐漸鞏固的過程：（1）於世宗朝傳入並在當地刊刻，但對內容尚無法完全了解。（2）於成宗朝在經筵積極討論，屬於朝中「官學」的學習階段。[25]（3）中宗朝「士林」[26]對《性理大全》的理解達到成熟，進而講解、刊印、節要《性理大全》，致力於大量普及。

　　世宗元年（1419），世宗之子敬寧君在北京獲賜三《大全》後帶回朝鮮，[27]此後 1426 年、1433 年、1469 年又多次獲頒《大全》。[28]1425 年為了刊印分量龐大的三《大全》，世宗

---

24 本統計乃以「性理大全」檢索韓國國史編纂委員會建置網路版《朝鮮王朝實錄》之結果。

25 此處「官學」乃朝中勳舊大臣之學，相對與民間士林的「道學」路線

26 高麗末期，儒者分化為支持改革高麗建立新國家的「事功派」，以及注重義理精神拒絕參與新國家建設的「道學派」。王朝交替後，事功派成為主導朝鮮王朝的勳舊勢力，道學派不參與政治，而在嶺南、畿湖地區為以金宗直（1431-1492）為中心形成「士林」，根據性理學理念對朝中勳舊派提出批評。參見李秉烋：《朝鮮前期 支配勢力의 葛藤과 士林政治의 成立（朝鮮前期支配勢力的衝突及士林政治的成立）》（韓國：嶺南大學校民族文化研究所，1990），頁 163-193。

27 《朝鮮王朝實錄》世宗 1 年[1419]12 月 7 日。載：「敬寧君裶、贊成鄭易、刑曹參判洪汝方等回自北京（...）皇帝待裶甚厚（...）特賜御製序新修《性理大全》、《四書》、《五經大全》及黃金一百兩、白金五百兩、色段羅彩絹各五十匹、生絹五百匹、馬十二匹、羊五百頭以寵異之。」

28 相關史料如下。《朝鮮王朝實錄》世宗 8 年[1426]11 月 24 日。載：

下令忠清、全羅、慶尙道分攤刊印所需紙張，[29]慶尙道於世宗 9
年[1427]7 月進貢完成的《新刊性理大全》，[30]同年 9 月世宗傳
旨慶尙道及全羅道監司，依《性理大全》之例再印《五經大
全》，[31]1428 年印《四書大全》。[32]《性理大全》的刊印早於
其他兩《大全》，可見世宗對《性理大全》的重視。世宗曾嘗
試研讀《性理大全》，但感到內容艱澀，且當時儒臣中理解該
書內容的「可講人」極少，實際上難以深入研究。這種困難感
在世宗與集賢殿應教金墩（1385-1440）的對話中可以得知。

　　輪對，御經筵。上謂集賢殿應教金墩曰：「《性理大全

「進獻使僉摠制金時遇，奉勅而回，上出迎于慕華樓如儀。其勅曰：
『勅朝鮮國王。今賜王《五經》、《四書》及《性理大全》一部共一
百二十冊、《通鑑綱目》一部計十四冊，至可領也。」《朝鮮王朝實
錄》世宗 15 年[1433]12 月 13 日。載：「千秋使朴安臣傳寫齎來勅書
二道，先使通事金玉振馳啓。一曰：「（…）今賜王《五經》、《四
書大全》一部、《性理大全》一部、《通鑑綱目》二部，以爲教子弟
之用，王其體朕至懷。」。《朝鮮王朝實錄》睿宗 1 年（1469）2 月 7
日。載：「崔安、鄭同、沈澮等，將皇帝別賜《五倫書》、《五經大
全》、《性理大全》、《四書》、白玉玲瓏天鹿帶、黑白玉玲瓏架上
鷹闊桩、各樣閃色蟒龍紵絲、熟絹、象牙等物，詣闕。上具冕服，迎
賜物，率百官入庭，行禮如儀。」
29 《朝鮮王朝實錄》世宗 7 年[1425]10 月 15 日。載：「傳旨忠清、全
羅、慶尙道監司：『欲印《性理大全》、《五經》、《四書》，其冊
紙給價換楮，忠清道三千帖、全羅道四千帖、慶尙道六千帖，造作以
進。』」
30 《朝鮮王朝實錄》世宗 9 年[1427]7 月 18 日。
31 《朝鮮王朝實錄》世宗 9 年[1427]9 月 3 日；世宗 9 年（1427）10 月 28
日。
32 《朝鮮王朝實錄》世宗 10 年[1428]1 月 26 日。載：「禮曹啓：『江原
道監司報：《四書大全》已分三處刊板，各構樓閣分類藏置，毋使亂
秩，如或刊缺，隨即改刊。守令交代之時，明載解由，在前冊板，亦
依此例，其藏書閣營造，聽自願僧徒，功訖賞職。請依所報，竝諭他
道，依此施行。』從之。」

書》今已印之，予試讀之，義理精微，未易究觀。爾精
詳人也，可用心觀之。」墩曰：「非因師授，未易究
觀，然臣當盡心。」上曰：「雖欲得師，固難得也。」
33

世宗謂《性理大全》「義理精微，未易究觀」。朝鮮雖被頒賜
《性理大全》，卻無老師可講授該書，朝鮮儒者僅能靠自力通
讀，故世宗時期《性理大全》雖受重視，但當時韓儒對《性理
大全》尚未能完全吸收。即便如此，當時朝鮮朝中仍認為「理
學則《五經》、《四書》、《性理大全》，無餘蘊矣」，34以
致朝中商議赴明使行採購書目時，甚至不多考慮購買其他性理
書，其原因之一是三《大全》乃「中朝諸儒承命撰述之書」，
35其「御纂」的官方身分，在朝鮮被認知為權威的象徵。

　　成宗時期對《性理大全》的談論大多與經筵相關。當時主
張「《資治通鑑》，史家之根本；《性理大全》，理學之淵
源，此二書不可不講也」。36此時經筵的內容是「朝講《資治

---

33 《朝鮮王朝實錄》世宗 10 年[1428]3 月 2 日。
34 《朝鮮王朝實錄》世宗 17 年[1435]8 月 24 日。載：「理學則《五
經》、《四書》、《性理大全》，無餘蘊矣；史學則後人所撰，考之
該博，故必過前人，如有本國所無有益學者則買之。《綱目》、《書
法》、《國語》亦可買來（…）北京若有《大全》板本，則措辦紙墨
可私印與否，并問之。」
35 《朝鮮王朝實錄》世宗 17 年[1435]10 月 25 日。載：「《性理大全》
及《四書》、《五經大全》，中朝諸儒承命撰述之書，採輯先儒諸說
而折衷之，實理學之淵源。」
36 《朝鮮王朝實錄》成宗 11 年[1480]10 月 20 日。載：「《資治通
鑑》，史家之根本；《性理大全》，理學之淵源，此二書不可不講
也。然《性理大全》有《皇極經世書》、《律呂新書》，其奧義微
旨，非人人所能解也。請擇弘文館員之英敏者，預習進講。」

通鑑》，講畢後，講《性理大全》。晝講《前漢書》，講畢
後，講《近思錄》。夕講《孟子》，講畢後，講《高麗
史》」。[37]

此時朝中儒臣對《性理大全》中的《皇極經世書》、《律
呂新書》仍感到艱澀難解，但仍設法苦心研讀。

中宗時期，被譽為「近世道學之宗」的金宏弼（1454-
1504）將道學一脈傳至趙光祖（1482-1519）、金安國（1478-
1543）等嶺南一帶士林（即日後的己卯士林）[38]。中宗在 1506
年推翻燕山君取得政權後，起用原本在野的趙光祖（1482-
1519），使己卯士林一躍成為與朝中「官學派」相對的「士林
派」。韓國學界一般認為朝鮮對《性理大全》的理解自中宗朝
才達到標準，[39]此時己卯士林登上政治和學術的主流舞台，成
為《性理大全》的詮釋者與普及者，為《性理大全》在朝鮮的
地位定調。他們普遍將《性理大全》視為「帝王學」書籍，與
「心學」諸書並論。

> 《性理大全》，人君之所當講究者也，當進講，以觀古
> 昔聖賢之事；《近思錄》亦當進講。
>
> 文宗嘗曰：「近見《近思錄》，所得頗多。」今若進
> 講，必補心學。[40]

---

[37] 《朝鮮王朝實錄》成宗 12 年[1481]3 月 23 日。

[38] 此派士林學者於中宗 14 年[1519]己卯士禍時被大量肅清，故被稱為
「己卯士林」。

[39] 參見禹貞任：〈朝鮮前期 《性理大全》의 理解過程：節要書의 編纂
·刊行을 中心으로（朝鮮前期《性理大全》的理解過程：以節要書的
編纂·刊行為中心）〉，《地域과 歷史》31 輯（2012），頁 273。

[40] 《朝鮮王朝實錄》中宗 11 年[1516]4 月 19 日。

由於對《性理大全》理解深刻，己卯士林中多人擔任《性理大全》的可講人，金安國與其弟金正國（1485-1541）也在其中，[41]金安國更成為留名後世的「名講」。除了在朝中講授《性理大全》，金安國還在1518年擔任慶尚道觀察使時於當地刊刻《性理大全》，使該書普及到漢陽以外的地區，當時尚且年輕的退溪李滉（1501-1570，慶尚右道出身）和南溟曹植（1501-1572，慶尚左道出身）即在此時接觸到《性理大全》。[42]金安國在〈書《新刊性理大全》後〉寫道：

> 《性理大全》一書，乃理學之源本，經書之羽翼。士苟志於古，不徒以記誦詞章為務，則舍是書何以哉？（…）竊觀南州之士相尚以詞華，操觚而能者，所在而群。若更研究於窮理盡性為己切實之學，則本末兼該，文行兩茂。其處也，足以懷道而範俗；其出也，足以尊主而庇民，不止為文人才士而已。醇儒輩出，講習相繼，俾濂洛淵源之教浸興于東國，大盛於本朝，豈不有補於聖代右文之化哉？[43]

---

41 《朝鮮王朝實錄》中宗13年[1518]11月6日。載：「政院選《性理大全》可講人，書啟南袞、金安國、李耔、金淨、趙光祖、金世弼、申光漢、金正國、金絿、洪彥弼、金湜、韓忠、朴世熹、奇遵、鄭譍、張玉、趙佑、李希閔、黃孝獻、權雲、李忠健等二十一人。」

42 金恒洙：〈16세기 士林의 性理學 理解—書籍의 刊行·編纂을 중심으로（16世紀士林的性理學理解—以書籍的刊行·編纂為中心）〉，《韓國史論》7輯（1981），頁121-177。

43 〔朝鮮〕金安國：〈書《新刊性理大全》後〉，《慕齋集》，收入《韓國文集叢刊》第20冊（首爾：民族文化推進會，1988），卷12，頁219。

金安國的敘述，可看出己卯士林將涵載「濂洛淵源之教」的《性理大全》定位為「理學之源本，經書之羽翼」，同時也是「窮理盡性爲己切實之學」。金安國認為士人徒以「記誦詞章」、「重視詞華」為務，是捨本逐末的行為；要本末兼該，才能從單純的文人才士躍升為「尊主而庇民」的士大夫，故致力於《性理大全》之普及。

（二）朝鮮《性理節要》的意義與《性理大全》在三《大全》中的地位

金安國在〈書《新刊性理大全》後〉，除了說明當時《性理大全》在朝鮮的地位，亦敘述了《性理大全》流傳的困難。實際上當時知識分子要取得《性理大全》並非易事。

> 然簡秩繁多，流布不廣。遠方之上，有只聞其名而不一見其書，至齎價求購于京，累世而不得者，深可歎已（…）謹購《性理大全》善本于京都，刊之本道，印布諸邑，以與志學之士共之，庶得家有而人讀之，使知所趨向而興起焉。[44]

金安國指出「簡秩繁多」是《性理大全》流布不廣的原因。當時朝鮮紙價高昂，書籍頁數越多，成本就越難以負擔。由於朝鮮並無書肆，因此《性理大全》此種國家認可讀物，有時會將書板置於鄉校，允許民間有志取得此書者自備紙張來印；但仍有紙張昂

---

[44] 〔朝鮮〕金安國：〈書《新刊性理大全》後〉，《慕齋集》，收入《韓國文集叢刊》第 20 冊（首爾：民族文化推進會，1988），卷 12，頁 219。

貴無法備齊的情形。[45]究竟朝鮮紙價高昂是何種水準？朝鮮前期
文人魚淑權（？-？）的〈書冊市准〉紀錄了朝鮮 31 種書籍印刷
所需的材料與經費，其中《性理大全》多達 70 卷，耗費最大，需
紙 1 萬 8 千張，工錢為棉布 6 匹。姜明官指出當時棉布一匹的價
格，可能高達奴婢一年的總收入，[46]故漢陽外的士人只聞書名不
見其書者大有人在；即便有志到漢陽求購此書，亦大為不易，甚
至有「累世而不得」之嘆。紙價引發的普及困難，並非金安國在
慶尚道刊刻《性理大全》所能解決。此時出現了金安國之弟金正
國編纂的《性理節要》。

中宗 14 年（1519）己卯士禍發生，金正國受波及被削奪
官職，謫居住在高陽芒洞。此期間金正國抄錄《性理大全》70
卷中最切要者，編為《性理節要》4 卷，於 1524 年成書。
[47]1538 年金正國重回政界，在赴任全羅道觀察史時，使用當時
保管在羅州牧的木活字刊印《性理節要》，印刷了 800 套。

---

45 《朝鮮王朝實錄》世祖 17 年[1435]10 月 25 日。載：「《性理大全》
　　及《四書》、《五經大全》，中朝諸儒承命撰述之書，採輯先儒諸說
　　而折衷之，實理學之淵源，學者當先講究者也。太宗皇帝賜與以後，
　　已曾板刊，置于鑄字所。向者印頒臣僚，期於廣布，但外方各官鄉校
　　與窮村僻巷，曾無一本之藏，鄉邑有志之士，雖欲考閱，無由得見，
　　誠爲可慮。今同封各冊卷數，曉諭各官，如有不干民力，無弊自備，
　　欲印置于鄉校者，豎邑人如有能辦自願印之者，收其紙以送，則皆許
　　印送。如或不願，不必強使爲之，其自願者，亦不必一時盡印諸書，
　　雖一經一書，隨其所備紙數，收納上送。」

46 姜明官：《朝鮮時代 冊과 知識의 歷史（朝鮮時代書與知識的歷
　　史）》（首爾：千年의 想像，2014），頁 305-309。

47 刊印過程參照周世鵬：〈新刊性理節要〉序〉，《武陵雜稿》別
　　集，收入《韓國文集叢刊》第 27 冊（首爾：民族文化推進會，
　　1988），卷 6，頁 152-170。

[48]1546 年《性理節要》再度鋟梓刊行，顯示當時對此書的需求。金正國在《性理節要》自序中表達了對《性理大全》的看法以及編纂《性理節要》的目的。一如己卯士林的一貫態度，金正國積極認同《性理大全》，並指出世間「學者之文」為求科舉之效，一度離六經之道日遠，直至濂洛發明經義而朱子集其大成，「始變魏晉唐宋之陋，而為羽翼六經之文」，讚揚永樂帝編纂《性理大全》並布諸天下之大功。[49]至於《性理節要》的成書目的，金正國指出：

> 學經書之文者，病於難到而遂為陳腐；學莊列班馬之文者，似於模倣而流為浮華。科場收格，不得已點陳腐而取浮華，故進取者爭相慕效，連帙而書首舉之卷，累編而集著者之稿，皆辭麗而理悖，外華而內枯，殊無可觀。余是之病，頃在退休之日取全書，刪去支離，幷棄語錄，略取其可為模範者若干篇如；有意趣深切，則雖片言隻辭，亦或取錄編成，名曰《節要》。[50]

金正國的編纂目的，表現出己卯士林「文以載道」的價值取向，[51]反對文章就其自身追求藝術性，同時反對將文章視為服務科舉考試的工具，主張以承載的精義質量做為評斷文章優劣

---

48 《性理節要》自序，見清州古印刷博物館藏本。該本為 1538 年地方官署的木活字本，由於該時代的資料多於壬辰倭亂中損毀，該本目前被指定為韓國國家紀錄遺產。

49 《性理節要》自序，清州古印刷博物館藏本。

50 《性理節要》自序，清州古印刷博物館藏本。

51 朴熙秉：〈儒教와 韓國文學의 時代別 장르體系（儒教與韓國文學的時代別類型體系）〉，見氏著《儒教와 韓國文學의 장르》（坡州：돌베개，2008），頁 117-150。

的標準。在東亞將文章視為個人心性闡發的傳統上，金正國的見解雖然看似對文章寫作的批評，實際上批評的是當時儒者的態度及價值觀。為糾正這種只求科第而不重經義奧旨，以致辭麗而理悖、外華而內枯的浮華之文，金正國選錄《性理大全》中可為「載道之文模範」及「意趣深切」者，編為《性理節要》。在己卯士林的論述脈絡中，《性理大全》及《性理節要》都是高於科舉世俗價值的存在。

　　1546 年周世鵬（1495-1554）在〈《新刊性理節要》序〉說：「二南之士家誦是書」，[52]可見《性理節要》一時之間以節要本的形式增加了《性理大全》的普及率。緊接在《性理節要》之後，朝鮮於 1564 年出現了李楨（1512-1571）《性理遺編》、朴丞任（1517-1586）《性理類選》這兩本以《性理大全》為母本的書籍。學界將此兩書也泛稱為《性理大全》的節要書，事實上《性理遺編》僅選錄了金正國基於「文以載道」刻意忽視不選的「詩文」部分，並非全書之「節要」；《性理類選》為《性理大全》26-69 卷之節要，26 卷前從《太極圖》到《洪範皇極內篇》皆未涉，且終朝鮮一朝未曾刊刻。[53]上述兩書應稱為「選錄」還是「節要」尚待商榷，但就此足以看出 16 世紀前中期《性理大全》確實受到多數朝鮮儒者的關注。

---

[52] 〔朝鮮〕周世鵬：〈《新刊性理節要》序〉，《武陵雜稿》別集，收入《韓國文集叢刊》第 27 冊（首爾：民族文化推進會，1988），卷 6，頁 166。

[53] 《性理節要》、《性理遺編》與《性理類選》研究，詳見禹貞任：〈朝鮮前期 《性理大全》의 理解過程：節要書의 編纂・刊行을 中心으로（朝鮮前期《性理大全》的理解過程：以節要書的編纂・刊行為中心）〉，《地域과 歷史》31 輯（2012），頁 279-302。

　　相對於《性理大全》，另兩《大全》在朝鮮沒有類似的節要本。若「節要本」暗示了對該書籍的需求，則必須考慮《性理大全》在朝鮮的重要性是否可能高於另外兩《大全》。事實上，在網路版《朝鮮王朝實錄》檢索「性理大全」得到的 90 筆結果，遠高於檢索「四書大全」的 6 筆、「五經大全」的 6 筆。此外在《韓國文集叢刊》資料庫，以「性理大全」檢索有結果 558 筆，而「四書大全」為 27 筆，「五經大全」為 13 筆。針對此種數量的懸殊差距，可能的解釋是《性理大全》與另兩《大全》不僅被分別看待，且更受重視。確實，在文獻中《性理大全》並非總是被夾帶在三《大全》中論述，朝鮮前期經常可見《性理大全》與《近思錄》、《心經》、《朱子語類》等書並列。如韓忠（1486-1521）在其行狀中被敘述為「取《小學》、《心經》、《近思錄》、《性理大全》、《朱子語類》等書，沈潛玩索，晝習夜誦」；[54]1566 年《明宗實錄》載曹植（1501-1572）「教學者每勤讀《近思錄》、《性理大全》等書，皆以體會自得爲急，不屑屑於口讀之末」。[55]這些讀物，在朝鮮被視為「心學」之書。

> 帝王之學，以治心爲本。方今所講《論語》、《大學衍義》雖好，猶不若《近思錄》、《心經》、《性理大全》等書也。儒臣中從事學問者，宜常常顧問也。臣恐殿下圖治之心，或未免始勤終怠，若以心學爲本，則必

---

[54] 〔朝鮮〕李廷龜：〈行狀〉，《松齋集》，收入《韓國文集叢刊》第 23 冊（首爾：民族文化推進會，1988），卷 4，頁 550。

[55] 《朝鮮王朝實錄》明宗 21 年[1566]12 月 2 日。

無是患矣。[56]

上文提到帝王之學以「治心」為本，應當注重《近思錄》、《心經》、《性理大全》等「心學」之書。此處所謂「心學」並非陸王心學，而是指「聚焦於心性涵養的性理學」，與之對立的則是迎合科舉及政治而世俗化的性理學。[57]在己卯士林的論述脈絡下，《性理大全》被定調為具有「脫世俗性」的「心學」書籍，其地位高於作為科舉基本書的兩《大全》。除此之外，朝鮮視《四書大全》與《五經大全》亦有高下之分，看重《四書大全》勝過《五經大全》。《四書大全》由於忠於朱子集注，相對來說較受到朝鮮儒者的認同；而《五經大全》以元人註釋為底本，難為朝鮮儒者接受，因此將五經縮減為三經，去掉了《春秋》和《禮記》，李滉之後「四書三經」的形式固定下來。[58]就此論之，三《大全》在朝鮮的地位排序應為《性理大全》、《四書大全》、《五經大全》。

《性理大全》在朝鮮影響力的形成，除了「脫世俗性」的「心學」地位外，另一原因在於當時朝鮮進入朱子學體系未久，性理書未齊。金恒洙整理朝鮮儒者對性理書的接受，指出《性理大全》傳入之前，最重要的性理學書為《朱子家禮》，

---

56 《朝鮮王朝實錄》仁祖 2 年[1623]7 月 24 日。

57 參見정재훈：〈16 世紀前半 새로운 性理學의 摸索과 心學化（16 世紀前半新性理學的摸索與心學化）〉，《韓國思想史學》第 18 輯（2002），頁 333-368。

58 參見崔錫起：〈朝鮮時代的經書解釋及崔象龍之《論語》解釋〉，收入張崑將編《東亞論語學：漢日篇》（臺北：臺大出版中心，2009），頁 100-101。

且流傳限於嶺南地方。59因此當世宗朝傳入收錄 120 位儒者之
言的《性理大全》，即被視為重要的性理書大總集，填補了朝
鮮儒者「吾東方文籍鮮少，學者病其未能盡博」的缺憾。60後
來對朝鮮影響最大的《朱子家禮》版本亦非早期傳本，而是
《性理大全》版本。61中宗 38 年[1543]朝鮮首次刊印《朱子大
全》，士人始得以全面了解朱子的思想體系，自此朝鮮從以
《性理大全》為中心的性理學，轉移到以《朱子大全》為中心
的朱子性理學。62故 1569 年奇大升（1527-1572）有「永樂皇
帝命撰集《四書》、《五經》及《性理大全》，則不知朱子之
意而撰修處多有之」63之批判，《性理大全》不再至高無上。
但到朝鮮後期為止，查閱《性理大全》仍為朝鮮文人的習慣。
略舉英祖、正祖朝兩例如下。

　　　上曰，〈漁樵問答〉曾見之，而依俙不能記得，持入可

---

59 金恒洙：〈16 세기 士林의 性理學 理解：書籍의 刊行‧編纂을
중심으로（16 世紀士林的性理學理解：以書籍的刊行、編纂為中
心）〉，《韓國史論》第 7 輯（1981），頁 175。

60 〔朝鮮〕卞季良：〈《四書》《五經》《性理大全》跋〉，《春亭集》，
收入《韓國文集叢刊》第 8 冊（首爾：民族文化推進會，1990），卷 12，
頁 161。

61 盧仁淑：《朱子家禮與韓國之禮學》（北京：人民文學出版社，
2000），頁 19。

62 朝鮮性理學的重心逐漸由《性理大全》轉移到《朱子大全》一事，較
早見於金恒洙：〈16 세기 士林의 性理學 理解：書籍의 刊行‧編纂을
중심으로（16 世紀士林的性理學理解：以書籍的刊行、編纂為中
心）〉，《韓國史論》7 輯（1981），頁 176。《朱子大全》形成的具
體影響，參見신두환：〈16 世紀 朝鮮의 《朱子大全》 刊行과 그 學
問의 動向研究（16 世紀朝鮮的《朱子大全》和其學問動向研究）〉，
《南冥學研究》Vol.52（2016），頁 43-78。

63 見《朝鮮王朝實錄》宣祖 2 年[1569]4 月 19 日。

也。以權承命持入《性理大全》〈漁樵問答〉卷。[64]

（奎章閣抄啓文臣）[65]金處嚴段（...）今此諸條，事當一一仰對，以贖前慢，而前旣失對，今又強爲之說，甚非誠實底道理，矣身[66]不敢生意是白乎矣。至於「理作合字看」一句語，矣身不謹之罪尤在於此：蓋此出於朱夫子之說，而矣身不及考見於《語類》及《性理大全等》書，遂認作程子說看，則性理卞難之際，其註誤穿鑿，果如何哉？[67]

引文第一例是英祖突然想閱讀邵雍〈漁樵問答〉，命人取來收有此文的《性理大全》，這表示英祖不但熟知《性理大全》內容，當初也可能是在《性理大全》讀到〈漁樵問答〉的。第二例是正祖下教責備抄啓文臣學術駑劣不精，被點名責備的抄啓文臣金處嚴誠惶恐認錯，反省自己在回答問題時未查考《朱子語類》及《性理大全》，以至於將朱子之說誤記為程子之說。由此兩例可知《性理大全》在朝鮮前期確立其地位後，即便與《朱子大全》產生地位交替，對《性理大全》的閱讀需求仍持續

---

64 《承政院日記》英祖 49 年[1773]10 月 14 日。

65 括號內為筆者註。據《經國大典》〈月課文臣〉和〈專經文臣〉條記載，「抄啓文臣」制度乃選拔 37 歲以下堂下官，使之到 40 歲為止免除原本職務，於奎章閣專注於讀書精進學問。抄啓文臣每月有兩次課講（口試）與一次課製（筆試），有時正祖會直接參與講論或考試計分。參考韓國學中央研究院編《韓國民族大百科》。

66 「矣身」一詞在朝鮮漢文中為「我」之謙稱，《朝鮮王朝實錄》可見許多用例。如《朝鮮王朝實錄》宣祖 29 年[1596]8 月 8 日，載「以矣身爲崔瑩子孫，自少有勇健之名故也，矣身豈有如此覬望之事乎？蒼天在上，矣身萬無此理云云。」；宣祖 39 年[1606]6 月 20 日，載「矣身自刑曹移來禁府之時，妻娚莫龍持矣身枷頭而來。」

67 《承政院日記》正祖 20 年[1796]12 月 2 日。

到朝鮮後期。韓國現存的多種朝鮮本《性理大全》也呼應此一事實。邱敬霞指出目前韓國現存《性理大全》朝鮮本多達21種，當中能確認年代者有世宗9年（1427）、中宗-明宗朝（1567-1608）、宣祖朝（1567-1608）、正祖朝、以及高宗11年，[68]可謂終朝鮮一朝持續被刊印。

　　本節論述，可以發現：1.1419年後朝鮮多次受明朝頒賜《性理大全》，世宗朝重視且刊印此書，但對內容理解程度不高；成宗朝官學派學者將《性理大全》視為經筵重要書籍；中宗朝己卯士林深刻理解《性理大全》，對其推崇及大力推廣。2.己卯士林將《性理大全》定位為「心學」的重要書籍，「脫世俗性」使其地位高於兩《大全》。3.16世紀金正國編《性理節要》，同時期亦有其他《性理大全》節選本，顯示該書備受關注。4.即便16世紀中朝鮮性理學的重心由《性理大全》轉移至《朱子大全》，到朝鮮後期《性理大全》仍是重要讀物。

三、《性理大全》在越南

（一）越南對《性理大全》的接受過程

　　1407年，明永樂帝滅安南胡季犛，設交趾郡，越南進入長達20年的屬明時期（1407-1427）。《大越史記全書》記載，永樂17年[1419]明遷監生唐義向交趾郡頒賜《五經大全》、《四書大全》、《性理大全》等書於府、州、縣儒學。[69]陳文指出

68　參見邱敬霞：《朝鮮朝對《性理大全》的接受研究》（山東：山東大學碩士論文，2014），頁 17-22。

69　〔後黎朝〕吳士連撰，孫曉編，《大越史記全書（標點校勘本）》

此時期明於交趾郡實施一連串文教政策，包括設置各級學校、遣交趾子弟赴國子監就學、建立官僚隊伍、開設交趾鄉試、傳播儒學等。[70]屬明時期結束後，越南進入後黎朝（1427-1527），但並未回到屬明前三教並重的傳統，而是獨尊儒學，[71]越南進入儒學鼎盛期。[72]此時三《大全》與逐漸鞏固的科舉制度結合，成為後黎朝、阮朝科舉的主要內容。[73]以下就後黎朝與阮朝分論之。

朱雲影指出，原本科舉在越南並非定期舉行，後黎朝初期可見六年或五年一試，黎聖宗於洪德 6 年[1475]依《大明會典》訂定三年一試；[74]陳文指出此後越南科舉開始制度化，到後黎朝滅亡為止持續三年一試，成為社會身分流動的主要途徑。[75]考察《大越史記全書》，可發現絕大多數關於三《大

（重慶：西南師範大學出版社，2015），本紀實錄卷 10〈黎皇朝記〉，頁 459。載：「明遣監生唐義賜《五經》、《四書》、《性理大全》、《為善陰騭》、《孝順事實》等書於府州縣儒學」。本文引用之《大越史記全書》皆為此本，不再另行標注。

70 詳見陳文：《越南科舉制度研究》第二章〈黎朝時期的學校教育〉（北京：商務印書館，2015），頁 54-64。

71 朱雲影：〈中國經學教育對日韓越的影響〉，《歷史學報》第 5 期（1977），頁 21。

72 何成軒在《儒學南傳史》第七章〈越南獨立後儒學之興替〉中的各小節名稱為「李朝：三教並用佛教為主」、「陳朝：儒學逐漸取得主導地位」、「黎朝：儒學鼎盛時期」、「阮朝：儒學由盛而衰」，基本上點出了儒學在越南的發展進程。詳見何成軒：《儒學南傳史》（北京：北京大學出版社，2000），頁 334-358。

73 陳文：《越南科舉制度研究》（北京：商務印書館，2015），頁 55。

74 參見朱雲影：〈中國經學教育對日韓越的影響〉，《歷史學報》5 期（1977），頁 21-2。

75 陳文指出北方鄭主沿習黎初期政策，南方阮主則非，指出故科舉在南阮不佔社會流動主要地位，故科舉的影響以北方為主。參見陳文：

全》的敘述都與科舉有關。關於三《大全》在後黎朝與科舉結合的具體的過程和時期，黎貴惇（1726-1784）在《見聞小錄》中有如下說明。

> 洪德中，遞年頒官書於各府，四書、五經、《玉堂文範》、《文獻通考》、《文選》、《綱目》，學官以此教習，科舉以此取士。中興以後，只以《五經》、《四書》、《性理大全》、《少微通鑑》、《綱領》、《呆齋》、《四道長策》、《源流至論》命題。正和甲戌，擬以《綱領》、《呆齋》、《四道長策》、《源流》枝葉之文停之，令天下學子學《綱目》、《左傳》。近來庭試，亦多間問《周禮廣義》、《大學衍義》此二書。
> 76

黎貴惇將後黎朝科舉的重要書籍分成三個時期說明，[77]且整理如下表（斜體字表示推測）。

	洪德間 1470-1497	中興後 1533-	正和甲戌 1694 後
儒學/經學	四書類 / 五經類	《五經大全》《四書大全》《性理大全》	《左傳》《周禮廣義》《大學衍義》《五經大全》《四書大全》《性理大全》
實用文	《玉堂文範》	《玉堂文範》	
文學	《文選》	《文選》	
史學	《綱目》	《少微通鑑》	《綱目》

〈科舉取士與儒學在越南的傳播發展──以越南後黎朝為中心〉，《世界歷史》第 5 期（2012），頁 70-78。

76 〔後黎朝〕黎貴惇：〈體例〉，《見聞小錄》（夏威夷大學藏本，編號 DS557.A5 L42 54a），卷 2。

77 後黎朝以 1527 年莫登庸建立莫朝，到 1533 年阮淦擁黎寧復辟為界，可分為 1428-1527 年的黎初朝，及 1533-1788 年的黎中興朝。黎中興朝南北分治，黎貴惇位於北方，故其所言應以北鄭狀況為主。

			《少微通鑑》
典章制度	《文獻通考》	《源流至論》	~~《源流至論》~~
舉業文		《綱領》	~~《綱領》~~ ~~《呆齋》~~ ~~《四道長策》~~

1.洪德年間（1470-1497）：

（1）經學方面重視四書五經，但無法具體得知書名，不確知是否包括《大全》系統。（2）實用文方面有《玉堂文範》，目前無法確知其內容，從書名看來是朝廷實用文。（3）文學方面以《昭明文選》為主。（4）史學方面讀朱熹《資治通鑑綱目》，該書將司馬光《資治通鑑》以綱目體編列，加以道德信念和解釋而成。（5）典章制度方面，《文獻通考》記載中國上古到宋的典章制度，為議論古今政治得失的基礎知識。考證《大越史記全書》所載當時洪德 3 年會試內容，四場考試的內容分別是：第一場四書五經，第二場制、詔、表等實用文，第三場詩賦等文學，第四場歷代政事得失等史學內容。[78]會試內容與黎貴惇所提書目高度重合。

2.中興後（1533-）：

（1）經學方面，具體以三《大全》為書目。（2）史學方面，以《少微通鑑節要》代替《資治通鑑綱目》。《少微通鑑》是江贄將司馬光《資治通鑑》刪節並以編年體編排而成。

---

[78] 《大越史記全書》，本紀實錄卷 12〈黎皇朝記〉，頁 652。載：「會試天下舉人，取黎俊彥等二十六人。其試法，第一場，四書八題，舉子自擇四題作四文，論四題，孟四題。五經每經三題，舉子自擇一題作文，惟春秋二題並為一題，作一文。第二場，則制、詔、表各三題。第三場，詩賦各二題，賦用李白體。第四場，策問一道，其策體以經書旨意之異同，歷代政事之得失為問。」

（3）典章制度方面，以宋朝林駉撰科舉用類書《古今源流至論》[79]代替《文獻通考》。（4）舉業文方面，《綱領》、《呆齋》是何書尚無具體推論，但三書在前引文獻中前後並論兩次，其屬性應相近。《呆齋》可能為明人劉定之（1409-1469）的《呆齋先生策略》或其他著作；《四道長策》一書目前未見存本，參考漢喃院藏《四道長策詳注》之題解，此書應為策試用的舉業文。[80]

3.正和甲戌（1694）後：

（1）經學方面，獎勵學子讀《左傳》。黎貴惇未言三《大全》去除，表示《大全》可能持續沿用（故暫列入上表），並增加《周禮廣義》[81]和真德秀《大學衍義》。（2）史學方面，重新獎勵學子讀朱熹《資治通鑑綱目》。《少微通鑑》不知是否並存，但從「《通鑑綱目》與國史須融會貫通」的要求看來，[82]此時期《資治通鑑綱目》可能更為重要。

黎貴惇的話說明，至少在後黎朝中興年間，三《大全》已

---

[79] 《古今源流至論》為宋代類書，內容分為「衛兵」、「形勢」、「畿兵」、「屯田」、「州兵」、「民兵」、「兵權」、「車戰」、「舟師」、「馬政」、「國用」、「漕運」、「賦稅」、「榷茶」、「榷鹽」、「錢幣」、「楮幣」、「文學」、「國學」、「科舉」、「學政」等數十目。

[80] 此書目前未見存本，但參考中研院建置「越南漢喃文獻目錄資料庫系統」內《四道長策詳注》提要，《四道長策》應為策文選，內容涉及政治、教育、道德、風俗、禮樂等方面。

[81] 此處《周禮廣義》可能指明張時泰的《廣義》。

[82] 《大越史記全書》續編卷 5〈黎皇朝記〉（黎顯宗 40 年（1779）），頁 1194。載：「又常考料事，問以兵機，試以政數。其四書五經，務在熟講義理；《通鑑綱目》與國史，須融會貫通。」

在越南科舉中具有重要地位。到了阮朝，朱雲影指出三《大全》在阮朝成為最重要的講學經籍，[83]陳文亦指出三《大全》成為阮朝主要教學內容及考試題源。[84]具體分析《大南實錄》，可發現《性理大全》相關記載集中在「皇子講學書目」上。明命 4 年[1823]朝中討論諸皇子「講學規程」十一條時，朝臣吳廷价（？-？）建議讓皇子比照乾隆帝的讀書書目，學習《四書》、《五經》、《性理》、《綱目》、《大學衍義》、《古文淵鑑》等書。[85]此處所言《性理》是否為《性理大全》未能確知，但嗣德 25 年[1872]嗣德帝曾要求教導皇子的講習員，按照當年吳廷价的標準嚴正教育皇子。此時皇子的讀書書目明確提到《性理大全》。

> 講書日例，單日講五經，再講諸史；雙日講四書，再講
> 《性理大全》，以廣見聞。五經四書，每於次日背讀，
> 正文精熟。諸史與《性理》，要貫通大意，免其背讀。
> [86]

皇子講書內容以單日、雙日區分，最主要的內容仍是五經學和

---

83 參見朱雲影：〈中國經學教育對日韓越的影響〉，《歷史學報》5 期（1977 年 4 月），頁 1-28。

84 陳文：《越南科舉制度研究》（北京：商務印書館，2015），頁 265。

85 《大南實錄》第二紀卷 21（明命 4 年[1823]），頁 7。載：「今請定為講學規程凡十一條。一曰講學經籍。（謹按清高尊御製〈樂善堂全集序〉云：「余生九歲始讀書，十有四歲學屬文，今年二十矣。其閒朝夕從事者《四書》、《五經》、《性理》、《綱目》、《大學衍義》、《古文淵鑑》。」此則高尊當為皇子自表其所學然也。且諸書所載聖賢蘊奧、歷代政事備焉。學堂中宜以進講。）」括號內為小字兩行註。

86 《大南實錄》第四紀卷 46（嗣德 25 年[1872]），頁 27。

四書學，課後次日須要背讀經文。單日講完五經後講諸史，雙日講完四書後講《性理大全》。讀史的目的在於「求古人之事蹟，以明得失而正是非」；[87]而讀《性理大全》的目的則被敘述為「以廣見聞」。《性理大全》代表的「先儒議論格言」、「濂洛關閩之學」，在阮朝仍被重視，其定位似乎較為輕鬆。

針對《性理大全》在越南的流傳狀況，可發現 15-19 世紀史料中雖有官方刊刻或普及兩《大全》的紀錄，卻難覓《性理大全》相關消息。《大越史記全書》明確記載越南鐫刻三《大全》的紀錄有兩次：一次是黎太宗 2 年[1435]刊刻《四書大全》，[88]一次是黎純宗龍德 3 年[1734]校閱中國本後新刊《五經大全》，此處未見《性理大全》。[89]《大南實錄》記普及書籍，可舉紹治 6 年[1846]朝臣之上疏為例。

> 茲請在京由國子監監臣詳撿《四書》、《五經大全》原本，有舛謬者，量行補刻。在外左畿由平定，右畿由乂安，南圻由嘉定，北圻由河內、南定，各鐫刻《四書》、《五經大全》印版一本，…。凡所在府省，竝附近各轄，不拘官民士庶，情願印刷者竝聽夫。如是書籍流布，天下共之，萬世傳之，人人仰無窮之教澤矣。[90]

---

[87] 《大南實錄》第四紀卷45（嗣德 24 年[1871]），頁 26。

[88] 《大越史記全書》本紀實錄卷 11〈黎皇朝記〉（黎太宗 2 年[1435]），頁 541。載：「《新刊四書大全》板成」。

[89] 《欽定越史通鑑綱目》卷 37，頁 30。載：「春正月，頒《五經大全》於各處學官。先是遣官校閱《五經》北板，刊刻書成，頒布令學者傳授。禁買北書，又令阮俶、范謙益等分刻《四書》、諸史、《詩林》、《字彙》諸本刊行。」

[90] 《大南實錄》第三紀卷 58（紹治 6 年[1846]），頁 15-16。

朝臣請求紹治帝不僅在京城國子監檢閱補刻《四書大全》、《五經大全》，還要求允許左畿、右畿、南圻、北圻各自鐫刻書版，由官民士庶自願印刷，期待書籍得以「天下共之，萬世傳之，人人仰無窮之教澤」。但此時亦僅求普及兩《大全》，又未言《性理大全》。綜上而論，15-19世紀《性理大全》在越南刊刻流傳的痕跡實為模糊，史書罕見相關紀錄，劉玉珺調查現存越南本中國典籍514種中亦未見《性理大全》。[91]幸而陳文呷〈北書南印板書目〉載有《性理大全》，[92]證明了該書在越南曾被刊行。

（二）越南《性理節要》的意義與《性理大全》在三《大全》中的地位

綜觀史料，可以發現《性理大全》在越南文獻中不僅若隱若現，且幾乎未曾獨立於兩《大全》。相關論述總是將《性理大全》與兩《大全》並論，更多時候只有《四書大全》、《五經大全》被提及。越南三《大全》節要書及相關文獻也是如

---

91 劉玉珺調查越南社科院漢喃研究院、文學院、歷史研究院、越南國家圖書館、法國遠東學院、法國國家圖書館寫本部、法國亞洲學會圖書館所藏漢喃文獻，加上《東洋文庫安南本目錄》及《古書院書籍守冊》，將《越南漢喃文獻目錄提要》所載 500 種越南本中國典籍增訂至 514 種。參見劉玉珺：《越南漢喃古籍的文獻學研究》（北京：中華書局，2007），頁 35-40 列表。

92 〈北書南印板書目〉目前僅存漢喃研究院抄本 VH.2691，本文參考陳益源整理之〈北書南印板書目〉，其中編號 204 者為《性理大全》，編號 209 為《五經大全》，編號 219 為《四書大全》。〈北書南印板書目〉收入氏著《越南漢籍文獻述論》（北京：中華書局，2011），頁 71-86。

此，以致必須以兩《大全》的狀況推測《性理大全》。

19 世紀，坊刻的三《大全》節要在阮朝普遍流傳。雖然現在學界將「簡單化」（節要化）和「民族化」（喃字化）視為越南儒學的特色，[93]亦將儒學「節要書」視為越南文獻的一個獨立群體，[94]但 19 世紀當時，阮朝朝臣一直把民間慣用「經史摘要」一事視為不當。《大南實錄》記載了明命 4 年[1823]提出的「經史摘要」（節要）問題。

> （1）四書五經至宋而下，既經真儒表章之，後而講釋之，卷帙多至汗牛，閒亦純駁互出；史則溫公《資治通鑑》朱子《綱目》之外，摘選之集無慮其數，而去取不同，褒貶亦異，非深造者莫能究其指歸，而合一其說。

> （2）故大清諸帝節次簡命儒臣會同裁纂為一代成書，

---

[93] 中、越學界都曾提出相關看法。越南學者阮才東指出越儒治經學有「簡單化」（節要化）和「民族化」（喃字化）的趨勢，黎貴惇將四書簡化並加上喃文編為《四書約解》即是代表性的例子。詳見阮才東：〈民族精神與振興儒家：以越南黎貴惇為例〉，《유학연구》28（2013），頁 438-439。中國學者馬達提出越南儒學有四項特點，其中第三項謂越南儒學具「實用和簡約」特性，把中國文化簡化和實用化以適應越南國情，如陳朝的朱文安把四書簡化為《四書說約》、裴輝璧把明朝的《性理大全》簡化為《性理撮要》等（筆者注：《性理撮要》應為《性理節要》之筆誤）。詳見馬達：〈略論越南儒學的特色及其影響〉，《河南教育學院學報》（哲學社會科學版）01 期（2010），頁 34。

[94] 劉玉珺談越南古籍的文獻特色，陳文談越南儒學著作，都將節要書另歸一類討論。參見劉玉珺對「北書的評選、節要、改編」之探討，見氏著《越南漢喃古籍的文獻學研究》（北京：中華書局，2007），頁 280-283。陳文對「摘要節要儒家經典」的探討，見氏著〈科舉取士與儒學在越南的傳播發展—以越南後黎朝為中心〉，《世界歷史》第 5 期（2012），頁 76-77。

曰「欽定」、曰「御定」、曰「御纂」、曰「御批」，諸書均以眾智成編，而取正于上意，義定一有所適從。今學堂講帙，請以《日講四書解義》、《日講書經解義》、《日講禮記解義》、《日講春秋解義》、《日講易經解義》、《御纂詩義折中》、《御定孝經集註》、《孝經御批》、《歷代通鑑輯覽》定為講論之書，頒賜諸位閱習。其《御纂周易折中》、《欽定詩書春秋傳說彙纂》、《欽定三禮義疏》、《御批資治通鑑綱目》、《御纂春秋直解》、《御纂周易述義》等書，請藏之學堂，以備參究。

（3）至如民間常習各品五經、四書及諸《綱鑑》、《少微》之書，鈞出一家私集，各別主意，請實之備考，不登講帙。[95]

上段所論「經史摘要」的問題，主要可分為三個部分。（1）四書五經之學，講釋之書卷帙多至汗牛；史學除了朱子《綱目》可做為司馬光《資治通鑑》的優秀「摘選之集」，此外無數「摘選之集」對母本內容的去取標準皆不一致，品質亦各異，學者若閱讀各自成書的摘要（節要），將難以得到統一的概念。（2）清國以朝廷之力聚集群臣眾智共編的經史注釋書，其內容符合國家統一的意識形態，釋義亦有共同標準，故吳廷价進言應以這些御纂類書籍作為皇子的講學用書。就此看來，阮朝與朝鮮一樣，對中國的「官方編纂」有高度信任感。

---

[95] 《大南實錄》第二紀卷 21（明命 4 年[1823]），頁 7-8。引文中（1）、（2）、（3）為筆者為增加討論的便利所加分段。

（3）此時民間好讀之不良「節要」讀物，來自某家私編的
《五經》、《四書》、《綱鑑》、《少微》，此人即 18 世紀
越南大儒黎貴惇（1726-1787）的弟子裴輝璧（1744-1818）。
裴輝璧號存翁、希章、黯章，青池縣人，出身儒學門第。23 歲
起師從大儒黎貴惇，景興 30 年[1790]中進士，曾任職翰林院、
國子監，官至繼烈侯，在越南學界被視為有影響力的代表儒者
之一。[96]裴輝璧著作甚多，包含經學、史學、詩文、序跋等，
並編纂諸多節要書。他以三《大全》為底本，編纂《五經節
要》、《四書節要》、《性理節要》，另編有《少微通鑑節
要》及《周禮節要》。現存裴輝璧節要書的存本，刊行年代都
在其身故之後，無法確定裴輝璧生存時書籍是否已經普及；但
從 19 世紀朝廷內的討論來看，裴氏三《大全》節要和《少微
通鑑》節要對 19 世紀阮朝知識分子的影響極為明顯。嗣德朝
大臣阮通（1827-1884）曾上〈請申定史學疏〉及〈請頒給書籍
疏〉，強烈表達對裴輝璧經史節要書的批判：

> 奉我皇朝以《五經》、《四書大全》、《歷代通鑑輯
> 覽》、正史定為取士之則，道術昌明，文人蔚起。自裴
> 氏《五經》、《四書節要》、《新刊通鑑節要》諸書盛
> 行，學者奉為科途捷徑，正學不明。迫至嗣德九年，議
> 定專經條例，經學反正（…）所著之書大抵預為掇取科

---

[96] 參見黃俊傑、阮金三：〈越南儒學資料簡介〉，《臺灣東亞文明研究
學刊》第6卷第2期（2009年12月），頁221-226。「17、18世紀，有關
儒學經典的論著才有明顯的成長，許多儒學者都參加解經工作，最具
代表性的儒者有馮克寬、鄧太滂、黎貴惇、范阮攸、范貴適、吳時
任、裴輝璧等。」

第捷套，貽誤後生，令美才達士淪於曲學而不自知，則
雖比於異端邪說、惑世誣民，亦不為過。[97]

阮朝科舉重視《五經大全》、《四書大全》，然而由於裴輝璧
之節要本過度普及，導致學者依賴節要而不讀原書之弊。《五
經節要》、《四書節要》、《通鑑節要》被批為「預為掇取科
第捷套，貽誤後生」，其罪有若惑世誣民的異端邪說，嗣德皇
帝甚至因而進行「經學反正」。阮通雖未言及《性理節要》，
但坊間確實有裴氏《性理節要》流傳。《性理節要》現存坊刻
本四種，分別為紹治 2 年盛文堂本、[98]紹治 3 年集文堂本、[99]紹
治 3 年盛美堂本、[100]紹治 4 年美文堂本。[101]刊行年集中於紹治
2 年至 4 年，說明短時間內有眾多書坊同時印製《性理節
要》，且漸漸「增補」其內容。部分版本增補了「阮探花官正
本」，[102]「阮探花」即 1765 年出使清國的阮輝瑩（1713-
1789），其增補內容還需進一步考察。如果將裴輝璧對《性理

---

97 〔阮朝〕阮通：〈請頒給書籍疏〉，《（嗣德壬申年新鐫）淇川公牘
初編》，越南漢喃研究院藏本，編號 VHv.2073，卷 2。

98 〔黎阮朝〕裴輝璧輯：《性理節要》，越南漢喃研究院藏本，編號
Hv.13。

99 〔黎阮朝〕裴輝璧輯：《性理節要》，越南國家圖書館藏，編號
R372。

100 〔黎阮朝〕裴輝璧輯：《性理節要》，許燦煌文庫藏，編號
XCH00368。許燦煌文庫成立於 2017 年 7 月 24 日，所藏文獻為許燦煌
先生收藏之漢喃文獻。相關收藏尚未對外全面開放，本文乃紹治 3 年
盛美堂刊本首度公開。

101 〔黎阮朝〕裴輝璧輯，《性理節要》美文堂刊本，越南漢喃研究院藏，
編號 AC.5a；越南國家圖書館藏，編號 R.932。

102 《性理節要》的版本演變，詳見 BÙI ANH CHƯƠNG：《NGHIÊN
CÚU VĂN BẢN TÍNH LÝ TIẾT YẾU（性理節要文本研究）》（河
內：河內國家大學碩士論文，2014 年）。

大全》的刪節視為該書第一階段的重構，「增補阮探花官正
本」則是第二階段重構，表示阮朝《性理大全》的在地化更加
深入且複雜。

從眾多書坊爭相印製《性理節要》及朝廷的顧忌來看，裴
輝璧一系列的節要書確實具有重大影響，甚至可能比原始的
《大全》母本流傳更廣。但引人注意的一點是，各家所出《五
經節要》、《四書節要》書前都有序文，唯《性理節要》目前
存本皆無序文，這使得出版《性理節要》的緣由難以掌握。作
為理解《性理節要》出版緣由的參考，以下略舉《五經節
要》、《四書節要》之序文。

《五經節要》紹治 2 年（1842）盛文堂本序：

> 節要者，裴氏原本也。《五經》載衢之文皆要也；科舉
> 之學，專於理會文字，往往節而約之，以便記誦、備決
> 科。前輩諸家各有私本，就中訓解詳核，引用淵博，則
> 未有如是本者。因鋟之梓，顏以「節要」，亦曰「舉學
> 之要」云。[103]

《四書節要》成泰 7 年（1895）柳文堂本序：

> 節約也，要亦約也。何約乎？便於決科而已矣。夫科舉
> 之學與義理之學不同，義理之學必自傳而之約；科舉之
> 學則主於約，故取經傳之全而節之。就中裴氏私本較諸
> 家為善，前即取其《五經》而梓之，今乃及於《四

---

[103] 〔黎阮朝〕裴輝璧輯：《五經節要》，越南國家圖書館藏，編號
R.1287。

書》，其間訓釋援引，一依原本，而皆顏之曰「節要」
云。[104]

上引序文，雖分屬兩書，且時間相隔 50 年，但內容一致性極
高。首先分論「科舉之學」與「義理之學」，開宗明義說明
「節要體」即是「科舉之學」。「義理之學」的載道之文不可
刪節；而「科舉之學」則需要簡要的文字以便記誦。「諸家各
有私本」而「裴氏私本較諸家為善」之語，凸顯了節要書文化
在阮朝社會的普遍性。從越南當時對「節要體」的認知上，
《性理節要》亦應是以科舉準備書的型態流通，然而其與科舉
的連結性不若《五經節要》、《四書節要》緊密，其實用性
（世俗性）亦相對降低，以致在三大全中處於弱勢。由此可清
楚感受到越南儒學作為「實用之學」的性格。

綜合本節論述，可以發現：（1）15-19 世紀間，後黎朝將
《性理大全》視為科舉命題重要書籍，阮朝亦將《性理大全》
作為皇子的講學書目，可謂有一定的地位。（2）《性理大
全》相關紀錄在史料中若隱若現，被提及的數量遠不如《四書
大全》、《五經大全》。（3）19 世紀裴輝璧節要書廣泛流
傳，其影響力到達令朝廷警戒的地步。《性理節要》不見序
文，但按當時對「節要體」的認知，《性理節要》應作為科舉
用書而被編纂（或刊印）。（4）綜觀史料推測，《性理大
全》作為科舉用書的實用價值在三《大全》當中最低，因而地
位低於兩《大全》。

---

104 〔黎阮朝〕裴輝璧輯：《四書節要》，越南漢喃研究院藏，編號
   AC.226。

四、結語

前近代東亞思想的傳遞，以漢文經典為主要媒介。三《大全》承載著永樂帝的聖王大業，於 1419 年被頒賜給朝鮮和越南。即便後世學者如顧炎武等對三《大全》批評不斷，三《大全》仍成為朝鮮與越南的重要書籍。本文從東亞視域出發，探討承載「濂洛淵源之教」的《性理大全》在韓越如何被接受，並藉由比較兩國《性理大全》的定位差異，掌握韓越兩國儒學基調的異同。本文的結論可歸納為以下幾點：

第一、在《性理大全》的接受方面，朝鮮對《性理大全》的全面接受始於 15 世紀，此時期集結眾書和先儒之言的《性理大全》，在彌補書籍不足的缺憾上具有重要意義；加以己卯士林的推崇，《性理大全》成為朝鮮性理學的重心。即便 16 世紀中後期其中心地位由《朱子大全》接替，到朝鮮後期為止《性理大全》都是朝鮮儒者的重要讀物。相對於朝鮮，三《大全》傳入越南歷經屬明時期、後黎朝、阮朝，至少在 16 世紀黎朝中興年間，三《大全》已與越南科舉結合，成為重要科舉用書，並在阮朝成為教育皇子的講學書目。然而史料對《性理大全》的記載遠不及《五經大全》與《四書大全》清楚。

第二、《性理大全》在三《大全》中的地位，韓越不盡相同，但都與其「脫世俗性」有關。由於《性理大全》與科舉的連結性低於另兩大全，在朝鮮己卯士林的「心學」詮釋脈絡中，《性理大全》「脫世俗性」的精神價值獲得高於兩《大全》的地位。越南方面，三《大全》被定調為科舉用書，其中《性理大全》與科舉的連結性次於兩《大全》，因此就文獻紀

錄或從現存節要本，可推測越南《性理大全》之地位不若兩《大全》。對比兩國的儒學基調，若說朝鮮儒學是「作為『心學』的儒學」，越南儒學可說是「作為『實學』的儒學」。

第三、在流傳上，朝鮮以《性理大全》為主要流通文本，阮朝則以《性理節要》見長。朝鮮《性理節要》僅於 16 世紀被刊印兩次（1538、1546），而卷帙浩繁的 70 卷《性理大全》終朝鮮一朝都持續被刊印。相對於此，越南可能以節要本更具影響力。19 世紀裴輝璧的節要書流行之盛，到達朝臣上疏求禁的地步，其影響力不容忽視。然其《性理節要》由單純的「刪節」發展到增補「阮探花官正本」，顯示文本已有更深且複雜的在地化，其具體影響為日後應持續探討的課題。

❀後記：本文為科技部計畫「性理學在朝鮮和越南的特徵比較：以韓越《性理大全節要》為中心（105-2410-H-034-020-MY2）」之研究成果。
❀本文首發於臺灣中正大學編刊《中正漢學研究》（THCI）總第 32 期（2018.12），頁 35-64。

東亞漢文化圈的越南漢籍插圖本：以《如來應現圖》為中心

阮氏鶯（Nguyễn Thi Oanh）*

摘要

　　1945 年之前，插圖本（帶插圖的漢字書）是越南以及漢文文化地區國家如中國、日本、韓國的一種流行藝術形式。在越南，許多國 內圖書館及佛教基地仍然存儲著大量的插圖本，其中存儲最多的是漢 喃字研究院。 在統計、分類的基礎上，本文將概括漢喃字研究院目前存儲數 量和插圖本內容；經過對比越南的《如來應現圖》和中國的《釋迦如 來成道記》、日本的《釋迦本地》作品，將闡明越南、中國、日本的 刻圖藝術、文字、故事內容的異同，從而突出越南和日本在接收中國插圖本過程中的民族精神。

關鍵詞 插圖本、交流、接收、相同、差異

---

* 〔越〕昇龍大學昇龍認識・教育研究院副院長。

一、前言

　　直至前近代一直屬于漢文文化圈的越南漢籍之中，存在著與中國、日本、朝鮮半島一樣有插圖的刊本。收藏這些插圖本的圖書館就有河內越南社會科學院附屬漢喃研究院。通過最近的調查大部分的是佛教文獻。有趣的是，越南也發現了與韓國《佛說大報父母恩重經》插圖本極為類似的漢籍。而且與日本的《釋迦本地》、中國的《釋迦源流》、韓國的《成道記》一樣，越南有《如來應現圖》。十七世紀越南於中國的交流繁盛，引進了大量中國書籍。《阿彌陀經》《玉皇本行經》《太上感應篇圖說》等佛典、《四十八孝詩畫全集》等儒教經典、《忙閒初集外科秘書》等醫書、《農事全圖》等農業書、在歐洲印刷出版後又在中國翻譯出版的《博物新編》等插圖本書籍，傳到越南並在越南再版。

　　越南已經有圍繞佛典和其他文獻的印刷史方面的研究。不過，還沒有關於漢喃研究所所藏刊本、插圖本的全面介紹或研究。本發言者在 2014 年立教大學國際研討會做了題為《越南前近代的釋迦傳記》的報告。報告首先介紹了《如來應現圖》的文獻學方面的信息，檢討了最新搜集到的版本，並以最古刊本為核心，概括梳理了釋迦傳記故事與圖畫兩方面的情況。不過，未能與及中國、日本類似的釋迦傳記進行比較研究。

　　然而在日本圍繞《釋迦本地》（「本地」一詞即「法身」）的先行研究成果不勝枚舉。例如竹村信治、吉富裕子《〈釋迦本地〉的形成——各版本的整理以及福岡女子大學藏本的價值》

（《香椎潟》33、1987 年）等論文。尤其值得一提的是立教大學名譽教授小峯和明圍繞《釋迦本地》發表了 13 篇系列論文，如《解讀〈釋迦本地〉繪卷——佛傳的世界》（《心》武藏野大學星期天演講集 2004 年）、《論〈釋迦本地〉的圖畫與故事》、《論〈釋迦本地〉的故事與繪圖——從博德莫本的提婆達多形象說起》（《文學》2009 年 9 月）等，系統論述了有關問題。

　　本文在以上先行研究之基礎上，首先概括介紹漢喃研究院藏插圖本，然後比較越南《如來應現圖》與中國的《釋迦如來成道記》、日本的《釋迦本地》在文字、故事內容、圖像等方面的異同。通過上述考察，探討越南繪卷、插圖本的總體情況，分析越南、中國、日本三國極為相似的「釋迦源流」。

二、漢喃研究院所藏插圖本

（一）概述：儲量、分類

　　按初步統計數據，目前漢喃研究院儲存約206本圖說冊本。以形式分類具有兩種：手寫冊本和打印冊本。手寫冊本數量最多，約143本，主要是跟醫學、地理、風水及道教有關的冊本。打印冊本數量較少，約63本，分成兩類：越南人編製的冊本及越南人編輯和刻印從中國引進書籍的冊本，主要是佛經冊本。根據年代，重新打印（從中國引進的）冊本的最初年代是在黎朝1660年代如《大方廣圓覺了義經略疏忽》，其他書籍主要在阮朝（1802-1845）編輯及刻印。以下舉例說明。

1.關於醫學

《疹痘科家傳》、《諸脈見証》、《古傳治痘瘡秘法》、《灸法精微摘要便覽覺》等。醫學書籍特點是跟人體部位、把脈方式，治病有關，分成各種門類如中風，寒熱；痘類疾病；外科疾病；內科疾病；婦科疾病等。

2.關於風水地理、天文

《地理平陽精要》（打印冊本）、《地理遺稿》、《地理家傳》、《地理分心》、《地理精撰立成方向》（手寫冊本）。說明圖畫特點均與土地、水源形勢、河流有關，以介紹及解釋珍貴地脈可建房、安葬墳墓、祈求髮達，子孫興旺之意義。《和正地理》書籍有50張說明土地的畫圖。特別是左幼的風水地理書籍如：《左幼真傳集》、《左幼真傳地理》、《左幼先生祕傳家寶珍藏》冊本關於找地脈以放墳墓，選擇土地和住宅方向、寺廟方向；天文書籍有：看天象、萬斛明珠、防風小集。看天象書籍是觀看太陽、月亮、風雨、打雷、天氣形色，以猜測旱災、洪水、暴雨、荒歉、豐收、疾病、變亂等情況。具有太陽、月亮、運圖畫相應於上述情況；萬斛明珠是天文書籍：依據太陽、月亮、運、星星現象來猜測跟農業有關的天氣。防風小集書籍是看天文書籍：解釋和備註一些星座，它與兵法的有關性。各圖畫都體現書籍上述內容。

3.關於道教書籍

206本書籍里具有56本跟道教有關，其中31本打印書籍都是從中國引進的道教書籍（占打印書籍總量的一半），在越南

編輯和重新打印，如：《感應篇圖說》、《攻文役庭排辦》、《大道經》。圖說特點是報應故事的圖畫：做善事會有善報、做惡事會有惡報；符籙圖畫，抓魔鬼送入監獄以治病。金剛經因果書籍具有在地獄拷打圖畫。《玉曆至報天》書籍具有10個閻羅殿的16個小地獄、斷案情景等。

4.關於佛教書籍

具有31本有圖畫的佛教經典書籍。如：《諸經日誦》、《瑜伽集要》、《如來應現圖》、《佛祖統紀》、《釋迦正度實錄》。佛教書籍的圖畫特點都與佛經內容有關。《如如來應現圖》是如來佛的事迹從誕生、修行、得到至靜滅。《華藏傳》書籍是《華嚴經解讀》文本，提到三天大天世界、三屆十方世界。圖畫和說明文。

5.其他類書籍

建築、文學、農業、工業、體育、信仰。關於建築方面有：《各矯**於京》書籍有108樣圖、肖像、花紋、畫節以裝飾裝修建築工程、祭祀工具、兵器和其他工具；《禦製銘文古器圖》33排名由明命皇帝編製提出到33個古物，依照商朝、周朝、漢朝（中國）樣式來製造；關於體育書籍有：《初習擊刺法》書籍有176個武勢，含大權、粗舞、拿東西跳舞、拿劍跳舞、雙劍跳舞。有圖畫指導練法。關於文學有《二梅演歌》、《二度梅潤正》、《梅良玉書籍》。書籍里只有8張古傳人物的肖像。農業書籍有《農事全圖》書籍，提到農家工作从播種，施肥，收穫至做出大米。每個工作都有康熙皇帝（清朝皇

帝）的圖畫和詩句解釋（跟中國書籍差別很大）。工業書籍有
博物新編書籍，內容跟熱點、水、光綫、電、氣體有關，所有
內容都有圖畫說明。信仰書籍有《信仰形式》，具有200張圖
畫關於春節情景、地獄情景（八殿、九殿、十殿）、觀音佛、
西王母、孔子、官聖帝君、文昌帝君，具有引言。

（二）有圖說的書籍

1.佛教類插圖本、注釋書、儀式書

在此介紹一下第二種，
即從中國傳入，在越南復刻
的本子。具體如下。據統
計，佛典、佛教相關插圖本
占絕大多數，略舉書志情
況：(1)《阿彌陀經》編號
AC.85，100 頁，27×16cm。
與釋迦相關圖版有 20 頁〔圖
1〕。(2)《大阿羅漢經》編號
AC.166，138 頁。中國宋代
玄莊三藏法師翻譯，1854 年
越南興安縣多和社寺印刷，
圖版 18 頁，羅漢圖均有蘇軾
的解說〔圖 2〕。(3)《大悲

〔圖 1〕《阿彌陀經》
編號 AC.85

懺法》編號 AC.307，300 頁，28×16cm。中國宋代編纂，有明
成祖 1411 年序，覺羅氏康熙壬戌（1682）年跋，同年印刷，

〔圖2〕《大阿羅漢經》
編號 AC.166

〔圖3〕《大悲懺法》
編號 AC.307

越南 1898 年再版〔圖 3〕。佛教注釋書方面：(1)《大方廣圓覺了義経略疏》編號 AC.627，190 頁，29×17cm。1660 年越南再刊。(2)《維摩詰所説明注》編號 AC.499/1-2，422 頁，2×16cm。姚秦三藏法師鳩摩羅什從梵文翻譯成了漢文。1558 年印刷，1758 年越南北寧省超類縣大原寺再刊。佛教儀式書方面：(1)《藥師經懺》編號 AC.494-497，164 頁，24×17cm。1830 年越南順化府香茶縣國恩寺再刊。(2)《如來安象三昧儀軌經》編號 AC.127，124 頁，31.5×22cm。

2.道教插圖本

(1)《玉皇本行經》編號 AC.440，234 頁，27×15cm。有序文。1913 年越南太平省莊艾村兌林寺印刷。(2)《因果玉歷抄傳》編號 AC.531，172 頁，27×15.5cm。河內三聖寺藏版，1891 年河內再刊〔圖 4〕。(3)《三教源流聖帝師搜神大全》編號 AC.453，378 頁，27×16cm。編入中國傳說 135 則的插圖本。(4)《太上感應篇圖說》編號 AC.82/1-3，784 頁，29×18cm。1891 年河內玉山神社印刷。錄

因果復活故事，每頁有插圖〔圖5〕。

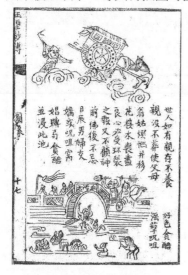

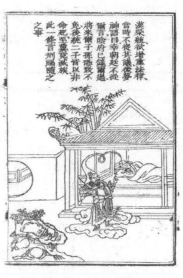

〔圖4〕《因果玉歷抄傳》
編號 AC.531

〔圖5〕《太上感應篇圖說》
編號 AC.82/1-3

3.儒教插圖本

(1)《關理合全》編號 AC.93/1-4，3104/a，70 頁，32×22cm。僅存圖版。河內壽昌 1846 年印刷，錄孔子事跡、儒教先賢傳說，有人物、地圖、舞蹈、祭器等多幅插圖。(2)《四十八孝詩畫全集》編號 AC.16、A.1304/c　60 頁 31×23cm。

4.醫藥類插圖本

《忙閒初集外科秘書》編號 AC.410/1，774 頁，28×18cm，寫本。有序、目錄，記錄外科方面的癌症、腫瘤、腫塊等、女性病治療方法。

5.建築、農業、交通、鑛山

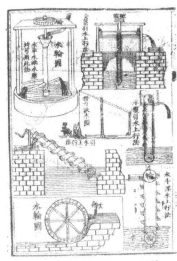

〔圖6〕《博物新編》編號
AC.674

(1)《御題名勝圖絵詩集》編號 AC.1412/1-4，914 頁，明命年間漢詩集，每首詩均配以插圖。(2)《農事全圖》編號 AC.602，54 頁，24.5×15.1cm，有序、目錄。自播種至收穫，詳記農業耕作，配以插圖與康熙（時代）的漢詩。(3)《十牛歌》編號 AC.470，24 頁，26×16cm，以牛與追牛為比喻，解釋「身」與「心」的關係。配以 10 幅插圖，表現皇帝與僧侶之間問答情況。(4)《博物新編》編號 AC.674，250 頁，24×15cm，1877 年印刷。內容為「地氣論」「熱論」「水質論」「光論」「電氣論」等〔圖6〕〕。(5)《航海金針》編號 AC.674，68 頁 30×18cm，由英國人譯成漢文，出版。1877 年以英國大使館印刷的版本再版，其內容為論述航海必備知識。(6)《開煤要法》編號 AC.264，英國人士密德編纂，蘭雅（英國人）直譯，王德君再譯為漢文。1877 年海陽再刊。其內容為論述尋找、開採煤炭的方法等。

（三）插圖本的價值

2004年，在東京立教大學舉行的國際研討會、東京文學資

料研究院研討會，作者有機會簡要介紹漢喃字研究院目前留底一些畫圖書籍－及其主要是如來應現圖.書籍。2017年，在第二屆文獻與進路：越南漢學工作坊發表資訊在台灣組織，因沒有條件統計漢喃字研究院目前留底的全部畫圖書籍及一些有關問題，因此無法在這個問題上進行科學的介紹。回到日本出差後，本文開始了解並初步列出清單，對所有畫圖書籍進行分類，因此可更加了解漢喃字研究院目前留底圖畫書籍的資料。因不是美術專家所以難以理解資料的真正價值，但想要研究跟越南的宗教、文化、習俗、信仰、繪畫等領域有關的圖畫書籍以及中國和越南歷史典故交接點和越南近代時期之前的木頭刻印行業則不可錯過該資料。

　　圖畫書籍數量並不多，難以跟中國、日本對比，主要原因是過去越南人喜愛漢子、喃字詩文，除了必須學習考試和日常生活相關工作使用之外，越南人用漢字、喃字撰寫並經常使用詩歌在見面時給出答案。繪畫取決於個人的才能，詩歌卻是社會的共同語言。從事行業的人須有手藝或稱為能力，富有審美及想象力的頭腦才能創造出名畫。在越南近代時期之前的傳說和故事，幾乎沒有與越南「繪畫行業」有關的任何故事。

　　這樣說並不意味著越南人不喜歡繪畫和沒有繪畫能力，因戰爭和惡劣的氣候條件，書籍丟失多，盡管封建王朝收藏古代書籍但因多數原因剩餘的書籍數量不能滿足研究專家的期望，但剩餘的東西使我們更加理解越南人過去時的繪畫。近期研究指出，陳朝時期的一組越南畫家和陳監如畫家在陳朝（1363）時期已經完成竹林大士出山圖的圖畫，目前在中國留底。通過剩餘的書籍資料我們可以確定繪畫變成越南人的精神糧食，等

待從18世紀的下班年代至19-20世紀年初，經與東西方接觸，越南人享受更多國外繪畫產品，從此造出國有和私有印刷廠、寺廟印刷廠的「名畫」。

作者按照《漢喃字遺產：提要書目》「具有畫圖」的標志來統計和分類，但對醫學、地理、風水的圖畫是否列入「繪畫」也是個需要商討的問題。該領域的圖畫使我們更加了解跟當時醫學、地理、風水等有關領域，特別是研究古傳醫學、跟越南人過去的地理、風水有關的研究問題

「具有圖畫」的佛教、道教書籍占漢喃字研究院目前留底的有圖畫書籍數量的大多數部分，並對研究近代時期之前越南佛教、道教有價值的書籍。佛教圖畫書籍不僅是研究、傳播越南佛法的珍貴研究資料，而是指出佛教對越南當時社會的巨大影響力。道教書籍也是重要資料以便了解越南的道教、道教信仰和三教。與佛教類似，道教早就進入引進越南，目前所留底的資料指出在18世紀，佛教和道教收到熱烈歡迎並髮展興旺。雖然道教和佛教的哲理不同，但共同點就是知道人類向善心、美好心態髮展。大阿羅漢經書籍「鼓勵人們念誦誦經，逃避災難」。《因果玉歷鈔傳》書籍具有10個閻羅殿審判官的圖畫。通過圖畫讓人們知道該如何才能避免死後不遭受地獄的刑罰。

跟建築、文學、農業、體育、交通、開礦和信仰生活有關的書籍雖然數量不多，但能指出越南人在阮朝時期（1802-1945）特別關心建築和繪畫。文學、農業、體育、交通、開礦書籍不僅讓讀者能欣賞作品內容，而通過圖畫更加理解作品。特別是信仰形式書籍約有200張圖畫，描述越南社會的居多方面，是漢喃字研究院目前留底的有價值收藏資料。

　　圖畫書籍成為歷史典故研究、越南經濟和印刷歷史的有價值資料。越南是靠近中國的國家，與中國具有悠久的文化交流曆史，所有中國書籍早就出現在越南。根据大越史記全書書籍，1020年阮道清已去中國，宋真宗皇帝已送給他三藏經書籍。在李朝時代，第一位李朝皇帝是李公蘊皇帝（在位於1010-1028年）已命令曾統髮至到廣州接待　（大越史記全書，前言：阮慶全院士教授；考研作者、文件、作品：潘輝黎教授；翻譯和備註：吳德壽；校正：何問晉教授，出版社社會科學，河內於1998，第二冊，8b）指出佛教經典得到國家的接受和重視、到黎朝、阮朝，中越關係有時變動，但中國書籍從出差團隊和商家跟中國有交易引進到越南很多，目前所留底的資料可證明作者上述所認定的問題。

　　印度行業早就出現在越南，根据三土實錄書籍，1311年陳朝陳英宗皇帝（在位1293-1314年）決定重新打印三藏經書籍。該經書於1311年開始打印但到1329才完成，含5000多本。據本文作者調查，這些插圖本涉及 318 家出版社，集中于三大區域。第一是由封建王朝執掌，第二是由宗教寺廟、祠堂等管理，第三為民間出版機構。越南的出版社具體自何時出現尚難確定，但是不少出版社距今約 400 年之久。例如，紅柳社存在了 211（1683－1904），多保社（1665－1881）存在了 216 年，永慶社（1750－1907）有 157 年歷史，国子監社（1820－1909）有89年，柳文堂（1834－1925）存在了 91 年(圖7)。該世紀的上班年代（ 1901 ）成立遠東博古學校(ÉcoleFrançaised'Extrême- Orient)，這是一個研究中心和收集書籍、資料，其中有漢喃字文件。三教相關書籍出版大多集中于

河內、以及河內、海陽、北寧、河南等周邊各地的寺廟。B. Woodside 在《越南與中國模型》一書中這樣評論：「我認為越南的印刷工業比東南亞整體水平高」。

越南許多印刷廠出現許多「名畫」而他們的傳記沒有介紹。如以下我們介紹的如來應現圖書籍有越南人以從中國書籍引進的興趣而畫出。希望在本文之後，圖畫書籍資料將繼續得到更深的公布研究，以闡明該資料來源帶來的價值。

由於一直以來並沒有人比較越南所藏的中國插圖本與越南本國印製的插圖本，更沒有與日本插圖本相較的先例，在此試析越南《如來應現圖》、中國的《釋迦如來應化事跡》（《釋氏源流》）、日本《釋迦本地》三國插圖本釋迦傳記之異同。

三、越南《如來應現圖》、中國《釋迦如來成道記》與日本《釋迦本地》

眾所周知，佛教開山鼻祖為釋迦。釋迦傳記一般將釋迦八十年的生涯分成八個階段，即「釋迦八相」—— 下天‧託胎‧出胎‧出家‧降魔‧成道‧転法輪‧涅槃。

（一）越南《如來應現圖》

編號為 VHt.34，本書為明命十三（1832）年刊本，有插圖，共 90 頁。線裝本，41×29.5cm，欄線 28×25cm。無外題，內題有《御製重錄如來應現圖序》，插圖有釋迦佛、普賢菩薩、文殊菩薩、護經藏王菩薩以及釋迦託胎、出家、成道等共三十九幅。形式為左圖右文，唯三十五頁順序顛倒。每一幅插

圖所附說明文字的大小、行數、楷書、草書、隸書等字體有差異。另外，還有顯示拓本模樣的頁面。除了《御製重錄如來應現圖序》以外，另有兩篇序文。

（二）中國《釋迦如來成道記》

越南社會科學通信圖書館所藏編號 G.48/1-2 有三個題名，第一頁為《重繪如來應化事跡緣起》，王勃所寫序言頁首又有《釋迦如來成道記》，而在目錄頁則記為《釋迦如來應化事跡》。因此，小峯教授指出其書名顯然存在混亂與錯誤。

該書原為乾隆 1794 年刊行本，永珊親王作序，嘉慶 1808 年和碩豫親王裕豐刊印。另外在目錄最後一頁有「同治己巳（1869 年）」，屬於後印本。線裝本，41×29.5cm，欄線 28×25。目錄分為四函，共 258 條，正文有《買花供佛》《布發掩泥》等 258 個題目。插圖頁前面為漢文頁（右文左圖）。G.48/1 共 108 幅圖，G.48/2 共有 100 幅圖，共 258 幅圖，正好與 258 條故事相對應，插圖均為黑墨印刷（圖 7）。

（三）日本《釋迦本地》

小峯和明が「日本と東アジアの（仏伝文学）－『釈氏源流』を中心に」という論文で、日本の近世の仏伝に関する諸本（刊本）について、以下のような例を挙げている。小峯和明《日本與東亞的「佛傳文學」——以〈釋氏源流〉為中心》裡面，列舉了日本近世佛傳諸刊本的情況如下：

『釈迦の御本地』万治四年（1661）説経節據『釈迦の本地』『釈迦八相物語』寛文六年（1666）仮名草子

『釈迦八相記』寛文九年（1669）古浄瑠璃釈迦誕生前史

『釈迦如来八相一代記』天和四年（1684）仮名草子

『釈迦一代記鼓吹』貞享元年（1684）浅井了意仮託

『釈迦如来誕生会』元禄八年（1695）近松浄瑠璃

『釈迦御一代記絵抄』文化二年（1805）

『釈迦応化略諺解』文化二年（1805）

『三世の光』文化十年（1813）

『釈迦一代実録』文化十二年（1815）

『釈尊御一代記図絵』天保十年（1839）読本北斎画

『八宗起源釈迦実録』嘉永七年（1854）

『釈迦八相倭文庫』弘化二－明治四年（1845-71）合巻

『釈迦如来八相談林』（未詳）

　　小峯教授指出：「近世佛傳儘管數量眾多，但是相關研究卻極少」。同時，小峯教授還在《論〈釋迦本地〉的圖畫與故事》一文中考察了各個版本、故事內容等方面的差異，進而還對比了東亞佛典和《釋氏源流》，由此發現《釋氏源流》系依據佛典正典而來，基本未超出其範圍。摩耶熟乳也並未繪圖，這一點與《釋迦本地》的差異極為明顯。由於本人已經獲得小峯教授提供的《釋迦本地》諸本情況的數據，在這些數據的幫助下考察越南、中國和日本《釋迦本地》之異同。

（四）釋迦誕生插圖本各國館藏舉例

　　筆者以下僅羅列各國相關館藏關於釋迦誕生的插圖，羅列清單如下：

1.漢喃研究所藏『如来應現圖』。圖書編號：VHt.34〔圖 7〕

2.社會科學通信圖書館藏『釈迦如来應化事蹟』。圖書編號：
G.48〔圖 8〕

〔圖 7〕漢喃研究院　　〔圖 8〕社會科學通信圖書館藏『釈迦如來
藏『如來應現圖』。　　應化事蹟』。圖書編號：G.48
圖書編號：VHt.34

3.布拉格東洋美術館藏《釈迦本地》（以下《釈迦本地》各版
本均據小峯和明教授提供圖版。書名省略）

4.筑波大学圖書館藏・插圖写本

5.斯賓塞博物館藏・絵卷

6.博德莫美術館藏・插圖写本

7.琴平神社藏・絵卷

8.大英博物館藏・絵卷

9.岩瀬文庫藏・絵卷

10.東洋文庫

（五）越南與中國的比較

首先比較越南與中國的插圖本。相同點：整體來看，均為漢文寫作而成的釋迦傳記。

越南刊本時間大致相同，VHt.34 刊於 1740 年左右，1832 年再刊。中國刊本 G.48 為 1794 年刊本，1869 年再刊(3)。

越南刊本 39 幅圖，相對較少；中國刊本一共 258 幅圖，堪稱巨制。越南本為壓縮版，缺中國刊本中原有的《釋迦垂蹟》《賣花獻佛》等條目，並且存在將原來的《釈迦垂迹》《買花供佛》《布髮掩泥》《上託兜率》《瞿曇貴姓》《咒成男女》《家選飯王》《乘象入胎》《樹下誕生》《九龍灌浴》10 個條目（相當於 10 頁內容）壓縮為一條的情況。

形式為「右圖左文」，內容也不盡相同。請看越南《如來應現圖》第三頁插圖(4)。原文：

> 故我釈迦世尊示最後身於兜率天上、名曰護明菩薩知諸衆生応受妙法、乃乘六牙白象、舉身放大光明無量、諸天作衆妓楽、燒衆明香、散天妙花、隨從菩薩、滿室虛中、放光現瑞而下。周昭王二五年癸丑之歲四月八日、明星出時、降神中方、迦毘羅國、聖王種族、釋迦苗裔、淨飯王家、摩耶夫人右脇而入、住於右脇、滿足十月，夫人欲出遊觀園林，王即敕諸臣，綵女前後導從，嚴諸幡蓋，燒香散花、垂於寶輦，往毘尼園，天龍八部充滿虛空，皆悉隨從。夫人既入園以諸根寂靜，身輕柔軟，不想三毒，於四月八日，日初出時，夫人見園中一大無憂樹，花色香鮮，枝葉茂盛，即舉右手欲牽傍之。時菩薩便從右脇脅而出，墜於七寶蓮花上，行七步舉其

> 右脅作師子吼，言於一切天人之中最尊最勝，無量生
> 死，（中略）。時四天王即以天僧接太子身置寶几上，
> 龍吐妙香水，天帝俸金盤[沐]太子身。飯王持拂侍立於
> 側。（後略）。

越南本沒有中國本裡面描寫摩耶夢見乘坐六牙白象的菩薩情
景，菩薩「乘六牙白象、舉身放大光明無量、諸天作衆妓楽、
燒衆明香、散天妙花、隨從菩薩、滿室虛中、放光現瑞而
下。」而中國本則描寫道：「爾時、善慧菩薩從兜率宮降神母
胎、于時摩耶夫人於眠寢之際見菩薩乘六牙白象騰空而来從右
脇入身」。

（六）中國與日本的比較

　　小峯指出「日本中世脫離佛典的規範，自由地創作新故事
并加以形象化，其典型就是《釋迦本地》」（『絵を読む、文
字を見る—日本とその媒体（看圖讀字——日本與其媒體）』、
アジア遊学 109 号、2008 年、32－43 頁）。同樣是釋迦誕生
的場景，在日本的釋迦傳記中極為常見。相較而言，越南和中
國的釋迦傳記更為相似。

　　首先來看插圖方面的日中的不同點。

　　1.非漢文，而是假名與漢字的混合文體。

　　2.誕生場面不是在樹下，而是在家中。（斯賓塞本）（筑
波大學本）〔圖9〕

　　3.未見夫人右手牽著樹枝時菩薩由其右肋而出的情景。
（博德莫本）〔圖10〕

　　4.本應為九龍灑水沐浴菩薩，只有兩條龍。（琴平本）

（布拉格本）（大英博本）（東洋文庫本）（巖瀨文庫本）

請看正文，在此使用小峯教授在讀書會上使用的博德莫本《釋迦本地》上卷翻刻、注釋資料。

某時，摩耶夫人在殿上高樓暫寢，夢見釋迦如來欲宿人腹，延續佛法種子，救未來眾生，回復本悟，現身於迦毘羅城，誕生示現於菩提樹下，赴婆羅奈國說法，滅盤於拘尸羅城，故而決定以飯淨王為父，摩耶夫人為母。摩耶夢覺之後，遂有孕感。

〔圖 9〕誕生場面不是在樹下，而是在家中。（斯賓塞本）（築波大學本）

〔圖 10〕未見夫人右手牽著樹枝時菩薩由其右肋而出的情景。（博德莫本）

懷妊之間、現種々奇特、瑞相。枯草木花開木成實、老者拜佛、齡忽復生、病亦平安、慳貪者起慈悲心。即便是邪魔外道，若奉拜者、無不得智慧。誕生時瑞相種種、非言語可盡述。

遂改年號，「甲寅卯月八日八日，於「たつりうほくの木」下，赤栴檀下自右肋而生。遂大地六種震動，述微妙言語，讚歎。四天王來奉拜。四方天空五色雲放光輝。金銀、瑠璃、摩尼珠、七珍万宝由空中、地下湧出，如此現出種種奇特變

化。各方國王、其數兩萬餘人，皆來禮拜淨飯王，讚譽曰：
「我願為童僕」。大王歡喜集鼓，令迦毘羅城十萬人家各擊
鼓，命曰「不可我一人歡喜，全城男女共歡慶」。

佛誕後七日，向西走七步，足下生出七寶蓮花，托住太子
腳，光明十方照耀。用左手指天，右手指地，唱四句偈曰「三
界九界かたうあんそく，天上天下、唯我独尊」。此心即天地
唯我獨尊之心。名為難陀、跋難陀二龍自空而來，獻水與湯沐
浴佛，命名為悉達。

此文與越南本存在相同點。日本佛傳記載摩耶夫人「懷妊
之間、現種々奇特、瑞相。枯草木花開木成實、老者拜佛、齡
忽復生、病亦平安、慳貪者起慈悲心。總之，即便是邪魔外
道，若奉拜者、無不得智慧。誕生時瑞相種種、非言語可以盡
述」。越南本雖然沒有描寫懷孕情景，但是詳細描寫了菩薩從
天而降以及種種奇妙現象。

（七）中國本的描寫簡單

1.「樹下誕生」

> 本行經云摩耶聖母懷孕、將滿十月、垂欲生時、引諸婇
> 女、遊嵐毘尼園大吉祥地、安詳徐步、處處觀看。園中
> 有一大樹名波羅、又柔軟低垂、夫人即舉右手攀彼樹枝
> 遂生太子放大光明。即時諸天世間悉皆遍照。時天帝釈
> 将天細妙憍尸迦衣裏於自手承接太子

2.「龍灌浴」

本行經云四大天王抱持太子向於母前、無人扶持即四方而各七

〔圖 11〕本來應該是九龍灑水沐浴菩薩，只有兩條龍。（琴平本）(布拉格本) (大英博本)(東洋文庫本)（巖瀨文庫本）

步举足出大蓮、観視四方、口自唱言「天上天下、唯吾独尊」、一切世間諸天及人恭敬供養。地忽自然湧出、二池一冷一暖清净香水、又空中九龍吐水浴太子身、諸天音楽雨妙香花供養太子。十方大地六種震動、一切衆生、皆受快楽。当此土、周昭王二十四年甲寅歳四月八日、是日江河泛溢山川宮殿震動、有五色光貫太微。宮王問群臣太史蘇由奉曰西有聖人生却後千年教法来此王令鑴石埋於南郊誌之

　　僅從前面所示插圖，釋迦誕生、龍吐水沐浴太子的情景系日本《釋迦本地》所獨有。正如小峯所述「原本僅從一例不能做結論，但是《釋迦本地》確實脫離了佛典的規範，作為自由創作的故事獨樹一幟地以繪畫表現具體場景」，此言甚是。

　　從文字內容看，儘管存在模仿佛典內容之處，但是前面所見「懷妊之間、現種々奇特、瑞相。枯草木花開木成實、老者拜佛、齢忽復生、病亦平安、慳貪者起慈悲心。總之，即便是邪魔外道，若奉拜者、無不得智慧。誕生時瑞相種種、非言語可以盡述」一段是中國本釋迦傳記所沒有的。

　　佛傳傳播的重要媒體就是繪畫與造像。除《如來應現圖》之外，還有《阿彌陀經》《大阿彌陀經》《瑜伽集要忠義經》

《釈迦正度實禄》等插圖本。期待將來與美術研究者一起合作，進一步調查越南寺廟刊行的插圖本的美術和雕刻藝術。

〔圖 12〕越南刊行《如來應現圖》的寶光寺照片與印版（現在在北寧省，桂武縣，南山社）。

小峯在《讀〈釋迦源流〉》一文中介紹過《今昔物語集》，江戶時代的《釋迦本地》自古代至近現代的佛傳文學，都是以通史的形式出現，這些研究資料非一兩個人就能研究。中國唐代流傳的王勃《釋迦如來成道記》，漢喃研究院藏本沒有插圖。不過與中國刊本存在何種差異值得研究。朝鮮存在過《成道記》，不過至今尚未發現。1425 年由寶成編纂的《釋迦源流》改名為《釋迦如來應化事跡》，在日本、越南均有繪卷和插圖本。各國版本上均附有統治者的序文，為人們重新思考該書地位、價值提供了很好的機會。

期待今後與漢文文化圈的研究者們一起合作，跨越時代與地域，以日本、中國、越南現存的類似的釋迦傳記以及附有插圖的釋迦傳記為研究對象，比較釋迦誕生的插圖和專輯內容之異同，思考它們在東亞古典中的地位。最後，介紹越南刊行《如來應現圖》的寶光寺照片與印版。

❀後記：拙論參考了小峯和明（立教大學名譽教授）提供的大量圖版以及寶貴意見，和暨南大學的司志武教授幫助翻成中文，在此致以誠摯謝意。

愛深責切的民族情感：
論二十世紀初期越南知識人黎懇
《南風雜誌》的文史書寫

羅景文[*]

摘要

　　越南知識人黎懇（Lê Du，1885?-1957，別號「楚狂」）曾有著與反法殖民運動者相似的知識接收過程和抵殖民經驗，後來卻又被法殖民政府所吸收。在出洋的過程中，他的活動足跡遍及中、日、韓、東南亞等地，形成特殊的東亞流動性體驗。相較於政治活動，黎懇更熱衷於文史研究與區域考察。他在返越之後，成為《南風雜誌》漢文版的主要撰稿人，更於 1924 年進入法國遠東學院（École Française d'Extrême-Orient，簡稱 EFEO）任職，得以展開更深入的越南文史研究。黎懇努力挖掘越南文史中隱而不顯，或是被抹除消音的歷史角落與邊緣人物。他的文史書寫，充滿著絲毫不遜於反法殖民運動者之熱烈深厚的民族情感，我們顯然不能用傳統「效忠」與否的二元觀點來看待他。反而，可以藉此思考這類經歷不同立場選擇之知識人，在書寫背後更複雜多元的情感意圖和行動抉擇。

關鍵詞　越南知識人、黎懇、楚狂、《南風雜誌》

* 〔臺〕國立中山大學中國文學系副教授兼代系主任。

一、前言

　　1905 年，越南近代著名的反法殖民運動者暨知識人潘佩珠（Phan Bội Châu，1867-1940）曾前往日本尋求支持抗法的資源，之後他多次往來日本、中國，進行革命工作，一方面祕密聯繫國內反法分子，同時也組織青年學生赴日本留學，史稱「東遊運動」（Phong Trào Đông Du）。其中有一位名叫「黎懂」（Lê Du，1885?-1957）的年輕人受其感召，前往日本苦學，卻在日後背叛組織，而被潘佩珠等人視為叛徒。

　　黎懂，本名黎登懂（Lê Đăng Du），別號「楚狂」（Sở Cuồng），[1] 約在 1885 年生於越南廣南省奠盤縣農山社，從小接受漢學教育，稍長則與同為越南近現代重要知識人的潘魁（Phan Khôi，1887-1959）、阮伯卓（Nguyễn Bá Trác，1881-1945）等人在河內學習法語。1906 年，黎懂前往日本參與潘佩珠所領導的東遊運動，該運動不斷受到

〔圖 1〕：黎懂像

來自法殖民政府的逼迫和壓力。1907 年 6 月，日法兩國締結「日法協約」，法方能透過日本的協助，驅逐這些在日反法運

---

[1] 圖片來源：〔越〕陳孟常（Trần Mạnh Thường）主編：《越南文學作家》（*Các Tác Giả Văn Chương Việt Nam*）第1冊（河內：洪德出版社，2015），頁877。

動者與留學生。東遊運動瓦解之後，黎懊便前往中國、朝鮮遊學，並在旅行遊歷的過程考察各國歷史、文化及制度。然而，研究者對於黎懊參加東遊運動與他在日本之生活情形，以及該運動瓦解之後，他是否滯留日本，日後又在那些地方遊學遊歷，所知不多。黎懊雖著有不少遊記或是采風報告，但他自己甚少提及自身之生活狀況。這或許是因為他曾被法殖民政府所吸收，並勸說潘佩珠提出「法越提攜」論（Pháp Việt Đề Huề），故而低調或是不願提起。

被囚禁在廣州的潘佩珠，於 1917 年 3 月（陰曆）出獄後，想趁著歐戰爆發的機會進行革命運動，為了尋求行動上的支援，他便與此時已經投法的黎懊和潘伯玉（Phan Bá Ngọc，約 1882-1922）兩人有密切的聯繫。根據潘佩珠的回憶，是黎懊先向他提到印度支那總督沙露（Albert-Pierre Sarraut，1872-1962）有較為開明且和緩的殖民政策，他勸潘佩珠為文提倡法越兩方相互合作提攜。日後又由潘伯玉再三鼓動，潘佩珠遂改變以往堅持的反法殖民立場，約於 1918 年前半年寫出〈法越提攜政見書〉，此論一出，法殖民政府的下懷，造成抗法運動團體內部的混亂，也削弱了反法的民族意識。[2]

2　潘佩珠在其自傳《潘佩珠年表》（*Phan Bội Châu Niên Biểu*）提到：「戊午年（1918）正月，黎（筆者按：即為黎懊）從內出，會予於杭州，『法越提攜』四字之名詞入予耳者，此為第一次。彼以為沙露全權之政策與向來諸全權不同。黎又云：『沙露社會黨人，社會主義與法國殖民政策大相矛盾。』黎又歷陳沙氏之種種政績，如立各學堂，改行北圻新律，許我人得結社立會如『開智進德會』云云。予初不甚信黎言，然念果如所言，則將計就計，未必無轉旋之餘地。予因謀於潘伯玉，是時予左右其共事多年，曾冒險多次，助予耳目成績頗多者，莫若伯玉。而此次黎出，尤與潘極意綢繆，潘提攜之熱已達極

　　黎懊於 1919 年返回越南後，加入《南風雜誌》（*Nam Phong Tạp Chí*），接替 1919 年 5 月被命為光祿寺卿的阮伯卓，以「楚狂」為筆名，發表多篇作品，成為漢文版的重要撰作者。後於 1924 年任職於河內的法國遠東學院（École Française d'Extrême-Orient，簡稱 EFEO，越語為 Học Viện Viễn Đông Bác Cổ，漢譯為「遠東博古學院」）。此時他也致力於越南文史的研究，並改於《南風雜誌》越文版上發表論著，日後出版更《南國女流》（*Nam Quốc Nữ Lưu*，1929 年）、《女流文學史》（*Nữ Lưu Văn Học Sử*，1929 年）、《白雲庵詩文集》（*Bạch Vân Am Thi Văn Tập*，1930 年）、《渭川詩文集》（*Vị Xuyên Thi Văn Tập*，1931 年）、《普昭禪師詩文集》（*Phổ Chiêu Thiền Sư Thi Văn Tập*，1932 年）等越文著作，展現了他在文史資料蒐集與編錄文獻上的專業。[3]1945 年胡志明（Hồ

　　點，予之未覺也。潘之言曰：『欲成大事，不可無詭謀，今先生但作一理論之文，專言法越提攜之兩相有益。法人得書，必謂吾意已緩和，不專注於吾黨。吾可以遣人入內，與法人周旋，為吾黨之間諜。法人之情狀，吾能窺知。國內之秘密，外人能知之。依黎君言，亦甚得策。』予信其言，謂彼決無背父叛國之理故也。爰著一篇文，顏為『法越提攜政見書』，獨醒子撰。撰成，潘伯玉繕寫，文末署『潘伯玉奉書』，五字有誚意在也。黎攜此書南歸，又四五月而潘公廷逢之愛兒，居然為拳鬚翁之忠狗。」見潘佩珠：《潘佩珠年表》，收錄於〔越〕章收（Chương Thâu）編輯：《潘佩珠全集》（*Phan Bội Châu Toàn Tập*）第6冊（順化：順化出版社、河內：東西語言文化中心，2000），頁596-598。此亦可見黎懊與潘伯玉兩人之間合作勸誘潘佩珠的關係。

3　關於黎懊的生平，詳見〔越〕陳海燕（Trần Hải Yến）：〈黎懊〉，收入〔越〕杜德曉（Đỗ Đức Hiểu）、阮慧芝（Nguyễn Huệ Chi）等主編：《文學辭典》（*Từ Điển Văn Học*）（河內：地球出版社，2004），頁818-819。〔越〕瓠圍（Hồ Viên）：〈前言〉，楚狂黎懊著、瓠圍譯注：《昇龍印痕：河城今昔考》（*Dấu Tích Thăng Long : Hà Thành Kim Tích Khảo*）（河內：勞動出版社，2007），頁5-10。

Chí Minh，1890-1969）正式宣布成立越南民主共和國（Việt
Nam Dân Chủ Cộng Hòa），法國遠東學院也進入新的階段，胡
志明政府為此設置了一個顧問委員會，黎懷即為該委員會成員
之一，可以獲得該學院的補助，進行相關研究工作。[4]

　　歷來關於黎懷及其文史著作的研究並不多，但大致可分為
以下二類：首先，是關於黎懷生平及作品之譯介，這類資料主
要見於工具書的辭條，或是譯介作品的「前言」之中，如上述
陳孟常主編的《越南文學作家》中的「黎懷」條便是如此。[5]又
如學者陳海燕為越南著名的《文學辭典》所撰之〈黎懷〉辭
條，陳氏認為黎懷非常擅於蒐集整理被人們所忽略的文獻史
料，為後世越南文史研究提供更多材料，雖然不免有些考證上
的錯誤，但其發掘與維護越南先人之資產的用心是有珍貴價值
的。[6]再如瓠園在譯注黎懷〈遊古螺城記所感〉、〈河城今昔
考〉時所撰之〈前言〉，他除了介紹黎懷生平和主要作品之
外，也說明〈遊古螺城記所感〉及〈河城今昔考〉的內容及特
色。[7]在目前學界討論不多的狀況下，這些既有成果對於我們初
步了解黎懷的生平事蹟，有其重要性。

　　其次，說明黎懷在東亞交流史研究上的成果與貢獻，例如段
黎江、黎光長〈楚狂黎懷：研究越日關係的先鋒者〉一文，他們
認為黎懷以介紹日本地理、歷史、語言、文學、教育制度、國民

4　〔越〕吳世隆（Ngô Thế Long）、陳太平（Trần Thái Bình）：《遠東博
　　古學院（1898-1957）》（*Học Viện Viễn Đông Bác Cổ（Giai đoạn 1898-
　　1957）*）（河內：社會科學出版社，2009），頁98、100。
5　陳孟常主編：《越南文學作家》第1冊，頁877-878。
6　陳海燕：〈黎懷〉，頁818-819。
7　瓠園：〈前言〉，頁5-10。

性、越日往來關係為主的〈列國採風記〉、〈古代南日交通
考〉、〈古代我們與日本交通之交通〉等著作，是越南最早關注
「越日」外交關係的論著，蒐集整理了相當豐富的史料，對於日
本之文化、制度和國民性亦有深刻的觀察，因此可說他是越南人
中研究越日關係的第一人。[8] 又如韓國學者尹大榮的〈1930-40 年
代の金永鍵とベトナム研究〉一文，此文約略述及金永鍵（1910-
1998?）與黎愻兩人在學術上的往來互動。黎愻曾以他關注到日本
的「白濱顯貴」，以及原為越南李朝王子，因躲避陳朝追殺，而
至高麗的「李龍祥」（Lý Long Tường，1174-?）的事蹟，來與金
永鍵進行學術上的討論，相互激勵並進而深化彼此的研究成果。[9]
黎愻所關注的不僅是越日關係，也進一步擴展到越韓關係。

---

8 詳見〔越〕段黎江、黎光長（Đoàn Lê Giang, Lê Quang Trường）：
〈楚狂黎愻：研究日越關係的先鋒者〉（"Sở Cuồng Lê Dư - Học Giả
Tiên Phong trong Việc Nghiên Cứu Guan Hệ Việt Nam-Nhật Bản"），越
南社會科學院文學研究所《文學研究》（Tạp chí Văn học），第7期
（2014），頁66-78。需要進一步說明的是，段氏提到黎愻這些論著是
用漢文寫成，不易為人所關注。所以，他用較多篇幅來翻譯介紹黎愻
考察日本文化制度及兩國往來史料的成果，尤其詳於黎愻所記錄的日
本教育制度。段氏另有一篇〈《外蕃通書》：越日關係的古代史料〉
（"Ngoại Phiên Thông Thư: Tập Tư Liệu Cổ về Quan Hệ Việt Nam-Nhật
Bản"），也運用了不少黎愻整理的資料，載於《科學和工藝發展雜誌》
（Tạp Chí Phát Triển Khoa Học và Công Nghệ），第17卷第12期
（2014），頁112-125。又如グエン・テイ・オワイン（Nguyễn Thị
Oanh，阮氏鶯）〈越日外交關係を古書籍に探る〉一文亦提及黎愻進
行越日研究的成果，並想在未來將黎愻這些成果翻譯為越文，此文收
入劉建輝編：《日越交流における歷史、社會、文化の諸課題》（京
都：国際日本文化研究センター，2015），頁25-44，其中與黎愻有關
之內容，詳見頁34-35。
9 〔韓〕尹大榮著，李美智譯：〈1930-40年代の金永鍵とベトナム研
究〉，《東南アジア研究》第48卷第3號（2010），頁326、330。

　　有意思的是，像黎懆這種傾法／親法的越南知識人，既具有高度的跨國流動經驗，又能進行跨語際的研究及書寫，對於蒐集文獻、考掘真相、顯微闡幽、重建越南文史傳統而用力甚深的學者，我們卻連他在法國遠東學院擔任過什麼職務，負責什麼工作，任職時間長短都不是很清楚，只能透過時人或是同事的簡短記錄，來推測他大致的職務和工作內容。1932 年 5 月，來自韓國的金永鍵取代了黎懆，成為遠東學院圖書館日文圖書室的助理圖書館員（bibliothécaire-adjoint），負責管理日、韓資料。[10]我們藉此可以了解黎懆先前應該是擔任助理圖書館員的工作，但當金永鍵接替他的職務之後，他又負責什麼工作呢？我們再透過著名越南史學者陳荊和（1917-1995）的記錄來略窺一斑，陳氏大學甫畢業即爭取至河內法國遠東學院交換留學的機會，後來在他〈戰時的法國遠東學院〉這篇短文裡，介紹了他旅越時期（1943-1946）該院的概況與相關研究人員，其中他提到了該院內的越南學者有阮文暄（Nguyễn Văn Huyên，1905-1975）、陳文玾（Trần Văn Giáp，1902-1973）、阮文寬（Nguyễn Văn Khoan，1890-1975）、黎懆、阮文素（Nguyễn Văn Tố, 1889-1947）等人。[11]不過，陳荊和也說到：「這三位（筆者按：上述後三者）本來是越南有數（筆者按：原文如此）的漢學家，但只因其方法較老，多

---

[10] 同前註，頁317-318。金永鍵於1936年4月升任為日本圖書室主任。關於金永鍵之研究成果的學術史討論，亦可參見陳瑋芬：〈金永鍵之日本與東南亞交流史論——《印度支那與日本的關係》述評〉，收入鍾彩鈞主編：《東亞視域中的越南》（臺北：中央研究院中國文哲研究所，2015），頁179-235。

[11] 陳荊和：〈戰時的法國遠東學院〉，《國立臺灣大學校刊》第13期（1949），第4版（原頁碼標示如此）。

年來都只能甘於『研究助手』的地位。」又云：「日本投降以後，成立了越盟獨立政府，那時學院也被這些越南學者接收，首先是黎懼任院長，但後來讓給了阮文暄氏，阮氏同時兼任東法大學的校長。」[12]藉由陳荊和的記錄，我們可以了解黎懼與其他越南漢學家都曾任職於法國遠東學院，受限於學歷及學術訓練，未能成為正式的研究員，但黎懼曾短暫地擔任該院院長。若相較於那些同樣任職於法國遠東學院而蜚聲國際的漢學家來說，黎懼所獲得的關注不啻有天壤之別。[13]更不用說黎懼的文史書寫與研究猶待進一步的開展。

　　因此，本文先試著介紹黎懼在《南風雜誌》上所發表之文史著作，並歸納其主題類型，以增進學界對這位越南知識人的認識，並作為後續討論之用。其次，進一步討論黎懼在《南風雜誌》上發表之文史書寫的特色，即他如何面對現實中被殖民的困頓處境，尋求越南歷史上的光榮時刻，來表達他對國家民族的熾熱情感，以及他的國族想像。相信透過這些問題討論，將有助於了解像黎懼這樣近現代越南知識人豐富的生命歷程與精神面貌。

---

[12] 同前註。但筆者目前尚未見到其他關於黎懼擔任法國遠東學院院長的資料。

[13] 以幾部回顧法國遠東學院百年來發展的著作為例，如 Philippe Le Failler：《法國遠東學院在越南1900-2000：回顧一世紀來的科學研究》（*Viện Viễn Đông Bác Cổ Pháp tại Việt Nam, 1900-2000 : Nhìn Lại Một Thế Kỷ Nghiên Cứu Khoa Học*）（河內：文化通信出版社，2000，此書為法越雙語對照），又如 Clémentin-Ojha, Catherine. Manguin, Pierre-Yves.: *A Century in Asia: The History of the 'Ecole Française d'Extrême-Orient, 1898-2006*（《在亞洲一世紀：法國遠東學院史1898-2006》）（Singapore：Editions Didier Millet, 2007）。以上兩書都未提到黎懼及其文史研究，僅有上文註4所引之吳世隆、陳太平所著之《遠東博古學院（1898-1957）》簡略提及黎懼是位「作家，漢喃研究專家」（"nhà văn, nhà nghiên cứu Hán-Nôm"），見頁100。

二、黎㥲在《南風雜誌》上發表之文史著作的概況

　　前文提及黎㥲曾以「楚狂」為筆名，1920 年之後在《南風雜誌》漢文版上發表多篇作品。1924 年，黎㥲雖任職於河內的法國遠東學院，但仍繼續為《南風雜誌》漢文版供稿，直到 107 期（1926 年 7 月）。[14]之後他出版數部越南文史著作，如《南國女流》（1929 年）、《女流文學史》（1929 年）、《白雲庵詩文集》（1930 年）、《渭川詩文集》（1931 年）。1931 年 6 月之後，黎㥲改在《南風雜誌》越文版上發表作品。為方便討論，筆者先將黎㥲在《南風雜誌》漢、越文版上所發表之相關篇目整理為以下二表：

14　黎㥲為何在《南風雜誌》107期之後，未繼續在漢文版上發表作品？其中一項原因可能是與漢文地位降低、縮減漢文版版面之編輯策略有關，陳慶浩先生曾提到：「隨著殖民地文化政策的推展，漢文日漸息微，失去了傳統的地位。新一代接受的是越文和法文教育，已漸漸不懂漢文。又隨著越文的普及和日趨成熟，老一輩知識分子，即便不能書寫越文，亦能閱讀，通過漢文來傳達和宣傳殖民地政策，已愈來愈不重要了，《南風雜誌》的漢文版版面逐漸減縮，與此同時，越文版日漸加強，又慢慢添了法文版。《南風雜誌》正反映了越南從使用漢文到以越文取代漢文的歷史。……到後期，漢文每期只得一二十頁，除了偶爾報導阮朝事務外，多是轉刊舊文，已少有新的創作了。最後二十期雜誌，大部分已沒有漢文版了。」見陳慶浩：〈《南風雜誌》漢文小說集總提要〉，收入孫遜、鄭克孟、陳益源主編：《《南風雜誌》漢文小說集》，《越南漢文小說集成》第19冊（上海：上海古籍出版社，2010），頁2-3。黎㥲後來未在漢文版，而是改於越文版發表作品，亦顯示了漢文越文版面的消長情形。

〔表一〕黎懽（楚狂）發表於《南風雜誌》漢文版之著作目錄表

序號	題目	卷期時間
1	列國採風記	第41-43、45期（1920年11月-1921年1月、3月）
2	西湖覽古	第44-46期（1921年2-4月）
3	暹京旅次見聞記	第48-50期（1921年6-8月）
4	香港行政談	第50期（1921年8月）
5	高綿考古	第51期（1921年9月）
6	古代南日交通考	第54期（1921年12月）
7	古代我國與日本之交通（續）	第56期（1922年2月）
8	文苑江戶竹枝詞	第56期（1922年2月）
9	粵東風土記	第57-61期（1922年3-7月）
10	越南光榮之歷史	第58期（1922年4月）
11	開智進德之主義急宜見諸寔行	第60期（1922年6月）
12	對於越南青年會之感想	第63期（1922年9月）
13	萬里長城巡遊記	第63、72期（1922年9月、1923年6月）
14	新聞家之事業	第64期（1922年10月）
15	記孔子歷史及其學說，並對於學孔道者之辯難	第67期（1923年1月）
16	體育學校前途之發達	第68期（1923年2月）
17	遊古螺城記所感	第68期（1923年2月）
18	日本風俗志	第71-72期（1923年5-6月）
19	文苑江戶旅中懷友人	第72期（1923年6月）
20	孟子學說	第76期（1923年10月）
21	墨學概論	第77期（1923年11月）
22	王陽明學說及其略傳	第79期（1924年1月）
23	河城今昔考	第80-81期（1924年2-3月）
24	本朝前代與明末義士關係之逸事	第81期（1924年3月）
25	編輯中有感	第84期（1924年6月）
26	萬里遠征記	第84、87-89、91-92期（1924年6月、9-11月、1925年1-2月）
27	安南人種之起源	第85期（1924年7月）
28	阮攸論	第86期（1924年8月）
29	博古學院對於我國文化之關繫	第88-89期（1924年10-11月）
30	記吳越遺事	第89期（1924年11月）
31	現今世界民治之趨勢	第90期（1924年12月）
32	西山史論	第93期（1925年3月）

33	阮有整論	第94期（1925年4月）
34	讀《安南志略》書後	第95期（1925年5月）
35	陳朝平元之武功	第96期（1925年6月）
36	明末義士魏九官逸事之研究	第96期（1925年6月）
37	《越文講義》新出版	第96期（1925年6月）
38	聞申相公訃音有感	第97期（1925年7月）
39	陳黎演義	第98-99期（1925年8-9月）
40	裁省南朝職員擴充議院權限之意見書	第102期（1926年2月）
41	裴家志士略傳	第103期（1926年3月）
42	鄭王史論	第104期（1926年4月）
43	研究史學之概要	第106期（1926年6月）
44	對於中圻人民代表院選舉後所感	第107期（1926年7月）

〔表二〕黎懊（楚狂）發表於《南風雜誌》越文版之著作目錄表

序號	題目	卷期時間
1	草澤英雄（Thảo Trạch Anh Hùng）	第163-166期（1931年6-10月）
2	忠義者之死（Cái Chết của Người Trung Nghĩa）	第168期（1932年1月）
3	鵬郡公史（Lịch Sử Bằng Quận Công）	第170期（1932年3月）
4	喃字與國語（Chữ Nôm với Chữ Quốc Ngữ）	第172期（1932年5月）
5	國音詩文叢話（Quốc Âm Thi Văn Tùng Thoại）	第173、175-180期（1932年6月、1932年8月-1933年1月）
6	古今逸史（Cổ Kim Dật Sử）	第188-189、192期（1933年9-10月、1934年1月）
7	對於人生的新觀念（Một Quan Niệm Mới về Đời Người）	第189期（1933年10月）
8	我國文學起源與新文學（Nguồn Gốc Văn Học Nước Nhà và Nền Văn Học Mới）	第190期（1933年11月）
9	歌舞與我國音樂（Ca Vũ và Âm Nhạc Nước Nhà）	第193期（1934年2-3月合刊）
10	佛教要論（Phật Giáo Yếu Luận）	第195期（1934年5月）

綜合黎懊發表在《南風雜誌》漢、越文版的作品，其書寫主題大致可歸納為以下四類：

　　一是黎懷對越南文史的考究，或挖掘歷史隱微之處，或反思既有之歷史書寫，或關注歷史中的無名英雄與底層人物。例如〈西山史論〉便是省思越南傳統官方的歷史書寫，黎懷認為若非西山阮氏的抵抗，越南早已遭中國清兵鐵蹄蹂躪，西山朝實「為我歷史上最有價值之時代」。但由於西山阮氏後敗於阮朝開國國君嘉隆帝阮福映（Nguyễn Phúc Ánh，1762-1820），《大南實錄》便將阮岳（Nguyễn Nhạc，?-1793）、阮惠（Nguyễn Huệ，1753-1792）等人所建立的西山朝視為「偽西」，故黎懷有此不平之論。另一篇〈鄭王史論〉亦有類似的歷史反思。出自於對歷史幽微處的關注，黎懷亦關注民間起義者及加入其陣營之文士，或是在時局紛亂中有複雜的政治認同者，例如他在越文版《南風雜誌》上所發表的〈草澤英雄〉一文，便是向歷史上的「狂顛英雄」（Khùng Điên Anh Hùng）再三致意，黎懷所描寫的這些歷史人物在阮朝朝廷眼中，他們屬於叛亂份子，但從另一角度來看，他們卻是人民心中的英雄。[15]黎懷也留心於河內及鄰近地區之地方史的建構，分別撰有〈河內今昔考〉、〈遊古螺城記所感〉兩文，在他的眼中河內是一座充滿活力的「鬧熱新都市」，卻也是「古跡名勝，歷歷可數」之「歷代帝王都所在」，在新舊今昔交疊之中，歷史的流動感於焉產生。他不僅「書寫歷史」，考察過去歷史之變遷，也「參與歷史」，記錄當下所聞所見所感，甚至繪出不同時期的河內城圖，以明變化發展之跡，如〔圖2、3〕所示：

---

[15] 詳見楚狂：〈草澤英雄〉（"Thảo Trạch Anh Hùng"），《南風雜誌》越文版，第163期（1931），頁530。

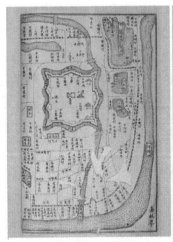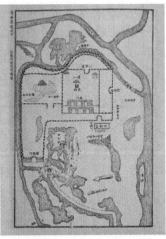

〔圖2〕（左）、〔圖3〕（右）李朝昇龍城圖、嗣德時代河
內城圖。（來源：楚狂：〈河內今昔考〉，《南風雜誌》漢
文版，第81期（1924），附圖，無頁碼。）

　　二是黎懁對於東亞關係史研究及相關區域之考察，這類著
作多以遊記、風土記錄，或是史料輯錄的方式呈現，例如一共
刊載六期的〈萬里遠征記〉便在卷頭預告，作者有遊歷中日韓
三地之舉，可惜文章未完，讀者只能見到作者至北京便戛然
而止。[16]然而，作者似乎又另起爐灶，再撰新篇，細加描述遊
歷某些地區的過程及其所得，如〈西湖覽古〉、〈香港行政
談〉、〈萬里長城巡遊記〉。此外，黎懁亦將行旅的足跡擴展

16　作者於〈萬里遠征記〉一開始，便列出他此次遠遊所經之地：「香
　　港、神戶、東京、橫濱、京都、大阪、門司、長崎、釜山、漢城、平
　　壤、鴨綠江、奉天、長春、哈爾濱、山海關、天津、北京、曲阜、黃
　　河、泰山、浦口、楊子江、南京、蘇州、上海、杭州」。見楚狂：
　　〈萬里遠征記〉，《南風雜誌》漢文版，第84期（1924），頁1。

至高綿和暹羅，並撰有〈暹京旅次見聞錄〉、〈高綿考古〉等
文。有些作品雖非遊記，偏向導覽特色或資訊介紹，卻能讓人
有一編在手，馬上掌握一地之風土民情、制度文化的便利性，
例如偏重介紹日本國之各項制度、文化、國民性的〈列國采風
記〉、〈日本風俗志〉，以及記錄廣東一帶民情風俗的〈粵東
風土記〉。文中內容大多是來自於他自身的親身經歷、實地觀
察、深刻體驗、甚至是來自與他人的訪談互動。又如〈古代南
日交通考〉、〈古代我國與日本之交通〉這兩篇篇名雖異，實
則一貫的作品，是黎懽自日本史籍中輯錄越日兩國外交文書，
並將其分為三個部分：「本朝先代日本交通之文書」、「黎朝
與日本交通之文書」、「鄭氏與日本交通之文書」，共收錄了
三十五篇越南日本兩國往來互致之文書。黎懽除了引錄書信原
文之外，也查考相關史料，進一步說明事件經過或考證事件人
物身份，從而開啟了新的學術議題。[17]在〈古代南日交通考〉
之後，黎懽又發表了〈本朝前代與明末義士關係之逸事〉、
〈明末義士魏九官逸事之研究〉二文，考察了明末為避戰亂，
而往返於安南及長崎之間進行貿易的魏之琰（1617-1689）的相
關事蹟，以證明東亞海域和中日越三國早已透過貿易而有密切

---

[17] 例如黎懽曾將弘定二年（慶長六年，1601年）的〈熙尊孝文皇帝寄日
本德川家康氏書〉與《大南實錄》前編相互對照，他發現1585年（日
本天正十三年）來越南刧掠的「西洋國賊帥，號顯貴者」，即為此信
所提的日本人「白濱顯貴」，見楚狂：〈古代南日交通考〉，《南風
雜誌》漢文版，第54期（1921），頁201。日後他曾與金永鍵討論此
事，金永鍵則透過更細緻的史料分析討論這位號「顯貴」的西洋國賊
帥，他認為是日人白濱顯貴的可能性很高。詳見金永鍵：〈安南の史
料に現れたる顯貴の名に就いて〉，收入氏著：《印度支那と日本と
の關係》（東京：富山房，1943），頁255-262。

的互動。[18]從黎燾的東亞遊記、區域考察、風土記錄，以及相關交流史料之蒐集整理來看，已經形成東亞視域中非常特殊的流動經驗，讓他可以在近現代東亞各國各區域的往來互動中，進行跨越地域文化的探索與省思。

　　三是黎燾針對政局時事發表意見，或觀察制度改革後所產生的新問題與解決之道，又或是介紹某些機關或組織之特色，如〈開智進德之主義急宜見諸寔行〉、〈對於越南青年會之感想〉、〈體育學校前途之發達〉等三篇文章，便認為當時成立之開智進德會、越南青年會可補教育之缺，有助於開啟民智，體育學校的開辦，更能鍛鍊越南人身心，達到強國強種的目的。至於〈現今世界民治之趨勢〉、〈裁省南朝職員擴充議院權限之意見書〉、〈對於中圻人民代表院選舉後所感〉等文，則呼籲刪減阮朝職員員額，增加議院議員之員額，擴大國民參與政治的機會，以求真正之民意。其中值得注意的是，黎燾曾發表一篇〈博古學院對於我國文化之關繫〉，介紹他所任職之法國遠東學院的設立沿革、人事組織、圖書館、博物館、學術出版品等概況，最後申說法國遠東學院對於保存越南文化的重要意義。雖然黎燾未提及他的職務與工作概況，但透過他的第

18　魏之琰，字雙侯，號爾潛，人稱魏九官。魏九官後入日本籍，以郡名鉅鹿為姓，成為長崎唐通事。他在旅居安南時，曾娶安南女子武氏暄（1636-1698）為妻，生二子永時、永昭，二子後隨其父至日本居住，獨留武氏於安南。武氏見夫及二子遠別，無復有團圓希望，遂轉嫁黎姓，而生一子黎廷相，一女黎氏玖。後魏氏與黎氏兄弟因其母喪及遷葬事而以書札相往。詳見楚狂：〈本朝前代與明末義士關係之逸事〉、〈明末義士魏九官逸事之研究〉，《南風雜誌》漢文版，第81、96期（1924、1925），頁47-49、92-93。

一手報導，我們可一窺 1920 年代法國遠東學院的發展狀態。

四是黎懊引介或評論中國思想文化，這類作品如〈記孔子歷史及其學說，並對於學孔道者之辯難〉、〈孟子學說〉、〈墨學概論〉、〈王陽明學說及其略傳〉等文。在介紹諸位思想家之學說大要外，黎懊更從正面的態度肯定這些中國傳統思想，並與當代局勢對應，試圖找出這些傳統思想的當代價值。例如黎懊透過〈孟子學說〉一文，回顧西方世界因歐戰爆發而導致的破敗，他寫到：「物質文明發達的現代，歐洲大戰與之以當頭一棒喝，大則亡人之國、喪人之家，小則寡人之妻、孤人之子。淒涼悲慘，萬象悉呈，憔悴瘡痍，百年難復。一時識者大有厭此時勢，欲返而求之於精神的趨嚮。」他認為可以用東方的精神文明來拯救，已經破產的西方文化，此時的孔孟所倡之倫理道德再也不是無法回應變局的糟粕，而是修補受損之精神心靈的良藥，重新肯定了孔孟學說與東方文化的價值。[19]

透過對越南知識人黎懊發表在《南風雜誌》漢、越文版之著作主題的歸納，我們可以了解到他在《南風雜誌》上的文史研究與區域考察之作，並非遊戲筆墨式的書寫活動，而是在殖民處境與東亞流動下的特殊體驗與選擇性書寫，據此我們可思

---

[19] 引文見楚狂：〈孟子學說〉，《南風雜誌》漢文版，第76期（1923），頁61。黎懊另於〈記孔子歷史及其學說，並對於學孔道者之辯難〉一文中也提到：「（孔教）尤於世道人心有所補益，而毫無神怪眩惑之事。泰西各國人亦公認孔教理想之高深，不敢有所瑕疵於其間也。我人得此粹美之教旨，果能身體力行，并輔之以新學見識而應之於用，則於我國政教前途，其文明進步寧可限量。」說明儒學之正面價值亦為西方人所肯定。見楚狂：〈記孔子歷史及其學說，並對於學孔道者之辯難〉，《南風雜誌》漢文版，第67期（1923），頁7-8。

考黎懷在殖民處境、學術研究、民族情感和政治立場下的複雜
思維與多重姿態。接下來，筆者將觀察黎懷如何書寫越南的現
實處境、回顧越南的歷史榮光，以說明他對越南民族愛深責切
的熱烈情感。

三、擔憂與反省：越南民族在殖民處境下
的衰弱與危機

　　自 1858 年法國逐步侵略，1884 年全面佔領越南，到 1940 年
代改由日軍武力控制，淪為殖民地的越南不斷湧現反殖民運動。
而除了政治和軍事行動上的作為之外，有志之士亦在書寫越南文
史著作時，貫串了強烈的民族與反殖民意識。例如被譽為國族史
學的開拓者——潘佩珠，[20]就曾著有《越南亡國史》[21]（1905）、
《越南國史考》[22]（1909）、《重光心史》（約 1917-1918）等歷

---

[20] 如日本學者白石昌也曾提到潘佩珠是：「ベトナム民族の歴史を振り
返ることによって、自分たち民族の現状を考察し、そして将来を展
望しようとした最初の近代的ベトナム知識人であった。ナショナリ
スト的歴史学は、彼によってまず開拓されたのである。」見氏著：
《ベトナム民族運動と日本・アジア——ファン・ボイ・チャウの革命思想
と對外認識》（東京：巖南堂書店，1993），頁738-739。

[21] 如David Marr認為潘佩珠的《越南亡國史》是越南第一本訴求革命之史
著，見David G. Marr, *Vietnamese Anticolonialism 1885-1925*（《越南反
殖民主義 1885-1925》）（Berkeley: University of California Press,
1971），p.114.

[22] 如越南學者胡雙（Hồ Song）認為《越南國史考》則是越南首部書寫越
南民族歷史發展之作，強烈的民族意識貫穿其中，詳見氏著：〈《越
南國史考》——潘佩珠對越南史學的貢獻〉（"Việt Nam Quốc Sử Khảo：
Một Đóng Góp của Phan Bội Châu vào Nền Sử Học Việt Nam"），收入章
收編輯：《潘佩珠全集》，第3冊，頁11-20。

史著作及漢文小說，並為越南歷史上無論著名與否的英雄人物立傳。藉此「凝聚認同、激發種性、振興國魂」，以回應國族的危機，關懷著整個國家民族的命運與未來，進而達到越南歷史書寫的新境界。[23]潘佩珠的文史書寫是與其反法殖民運動密切相關的，那麼對於先後投入不同陣營的黎懆來說，他的越南文史書寫又呈現出什麼面貌？

先從黎懆傾法／親法行為來看，他曾為法殖民政府所吸收，積極拉攏以潘佩珠為主的反法殖民者與法方合作，而後又進入印支地區最高學術研究機構任職，這些舉動不免讓他遭受外在的質疑，並背負道德上的瑕疵和愧疚感。獻身較為單純的學術研究工作，或許能避免較多的指責。然而，帝國主義、殖民事業與學術研究往往有著千絲萬縷的複雜關係，學者帶著先進的科學儀器和新式的知識架構，來探尋被殖民者的遺跡和古物，被殖民者的傳統資產也因此被納入在帝國權力和殖民控制之下。在兩相對比之中，被殖民的越南人容易將法國與科學、進步和文明概念畫上等號，並感到自身文化之不足或是落後，逐步接受法國殖民之優越地位，從而影響到觀看殖民者與被殖民者的不同角度。

黎懆在幾篇介紹官方機關、組織，或是針對時局發表意見的文章裡，的確有批評越南人民族性低劣，讚揚殖民者及其機關或組織的言論。例如他在〈對於越南青年會之感想〉一文中提到：「竊嘆我越南處此廿世紀時代，各國科學之發達，文明之進步，

---

[23] 潘佩珠試圖透過史學書寫，來為越南民族運動建構一套完整且可供運用的國族論述與英雄系譜，相關討論詳見羅景文：〈召喚與凝聚──越南潘佩珠建構的英雄系譜與國族論述〉，《成大中文學報》第37期（2012），頁159-186。

已達於絕頂，而在我則茫茫然昏昏然，民智之低劣猶故也，學問之缺乏猶故也，豈非大可痛惜事。」教育正是啟迪民智、提升學問的好方法，但在缺乏普及教育的狀況下，「青年會」的成立可適時彌補這個缺口。[24]根據黎懍的描述，青年會的活動與設施豐富多元[25]，看來相當吸引人，與其民族智識低落缺乏的狀態形成強烈的對比，從而宣揚了殖民者美好形象。

另一個例子，是黎懍在〈博古學院對於我國文化之關繫〉一文中，說到越南人缺乏保存文物及文化的觀念，其云：

> 我國始自鴻厖，而文郎而甌貉，歷丁黎李陳以至今日，歷代繼興。其間民族之移住，人種之變化，江山一帶，蓋不知歷幾廢興。然每時代有一時代之文化，古人雖云亡，而其所創造之事業多有不可泯沒者，惜我人嘗乏紀念的觀念，故對於古人所遺之典範之故物，非唯不能隨時注意保存，而且以私心毀壞之，使古人所留在人間之事業絕滅而後快。遂令前朝故殿，難覓殘釘；勝國舊宮，絕無碎瓦。無論數千年前之古，無復有存，即至近今百年黎鄭二氏歷代起在北河，為天下尊王，而有名的建築，已頹廢一空。[26]

---

24 引文見楚狂：〈對於越南青年會之感想〉，《南風雜誌》漢文版，第63期（1922），頁63。他接著說：「此之時欲加以當頭棒喝、醒夢晨鐘，莫有急於鼓吹教育之一途。然求教育之普及，又非容易事，對於現時勢之要求，又莫先於施速成之教育以造成普通學問之人材。而欲施速成教育，則先以創立青年會為要。」同見頁63。

25 黎懍提到：「越南青年會之目的係為我越南在校學生及出校學生而設，凡年十七歲以上三十歲以下，皆可入會。會館內有住宿室、遊戲場、飲食堂、圖書館，及其有益智識的遊玩，如影戲、演說、體操、彈歌等。為我子弟造一最快樂最高尚最有趣致的公共家庭，最進益的最速成的教育場所。我青年之欣慰愛何如矣。」見同前註。

26 楚狂：〈博古學院對於我國文化之關繫（續）〉，《南風雜誌》漢文

越南歷史發展有其長遠的時空脈絡，同時留下許多重要的文化資產，但也常隨著改朝換代、成王敗寇，經濟上的追求開發、汰舊換新，以及氣候濕熱等因素，而難以保存，或是保存狀況不盡理想。更重要是越南人對待自身之文化資產的態度，亦讓黎懊嗐嘆不已，其云：「顧我國人，類多缺乏愛國思想，往往崇今賤古，知近忘遠，致我民族數千年來之事業，如烟散冰消。無論求之圖籍，散逸少存，即求之遺跡，亦穨廢殆盡，其可痛惜為何如者。」[27]黎懊正提醒著我們，若忽略歷史與文化記憶，也就失去了對自我、對國家民族的理解與認同，將成為「失根」的民族。而遠東博古學院（法國遠東學院）的成立，正好填補了這樣的空白，該院有目的、有系統、有計畫地進行東亞，尤其是東南亞文化的保存與研究，他提到「博古學院對於古昔所之遺址，留心稽究，設法保存，並由其所殘存之點，考一民族文化之盛衰，及美術技藝之優劣，發表於本學院雜誌，以公於世，其於我文化史上之貢獻無復有大於此也。」[28]文中雖盛讚博古學院的貢獻，但也不免有自身之文化寶藏只能透過外來者發掘研究，才能獲得比較妥善之保存維護的感嘆。

　　黎懊則在〈編輯中有感〉這篇文章中表達了他對越南人不重視報章，或是只想利用報章為己宣傳以攫取名聲的批評，他說：「我國人之對報章，其觀念又與各國異，其下流者之對於報章，則視為可有可無，不之留意。其上流者之對於報章，則

版，第89期（1924），頁85-86。
[27] 楚狂：〈博古學院對於我國文化之關繫〉，《南風雜誌》漢文版，第88期（1924），頁61。
[28] 楚狂：〈博古學院對於我國文化之關繫（續）〉，頁86。

欲其媚己，鋪張揚厲，以搏社會之虛名。否則視之如仇、惡之如敵，其感情不啻如冰炭之不相合。」[29]他認為此明顯有違報章媒體為公眾服務，追求「公是公非」的公正價值與社會責任，使報章最後成為「個人奴隸之機關」。[30]他另外舉了他閱讀日本報章的經驗，來說明日人勇於接受報刊上社論的批評，此舉有助於國民水準的提升，相較之下，越南仍缺乏這般文明國家的意識。[31]由此看來，黎懀在編輯《南風雜誌》，或是自身在發表言論的過程中，可能受到外在不小的干預或阻力，以致於他在文末情緒激動地寫下：「嗟乎！南風暗淡，筆墨無靈；長夜昏茫，夢魂未醒。報章亦何補於事，唯無之何若有之為愈。而我國人又以冷淡態度視之，殊令人難耐。曉曉數言，為是為非，自有閱者議論，在記者良心上只望其有所醒悟。」[32]而日漸暗淡的南風，或許正預告了《南風雜誌》漢文版日後

---

29 楚狂：〈編輯中有感〉，《南風雜誌》漢文版，第84期（1924），頁99。

30 黎懀提到：「報章為指導國民之機關，傳播文明之利器，對於社會人群，有何等議論，亦本之公是公非。一字之褒，一字之貶，蓋非出於私意也。況隨國民之程度，順世界之潮流，乃報章所應盡之責任，編輯者又安敢一字一語，自作聰明，以亂人聽聞，而得罪於社會人群乎！今以閱者個人之私，必欲一切報章之媚己、尊戴之、贊揚之，記事者必須曲為回護，評論者必須為之恭惟，然後閱者之願始足乎！即此而論之，則報章乃個人奴隸之機關，豈社會人群之所以期望於報章者乎！豈閱者之所以期望於報章者乎！」〈編輯中有感〉，頁100。

31 其云：「余頃者東渡船中，在閱報客室見日本報登載華人張某攻擊日本國民論文一則。大書特書。非唯不曾責張某之攻擊，且又深贊其議論之正當，以促國民之覺悟。文明國人之從善如流有如此，視與我國人器度之不同何啻天淵之別也。宜乎文明者日進於文明，而我國民進化程度長此奄奄也。」〈編輯中有感〉，頁100。

32 楚狂：〈編輯中有感〉，頁101。

走向緊縮的命運。

　　除了上述對於越南民族性某些面向的批評之外，現實中被侵略被殖民的難堪處境，更讓黎懍沉痛地寫下：

> 士氣奄奄，民風不振之今日，河山慘淡而無色，種族鄙劣之可羞，令外人有語及我國歷史及民族者，必鄙視之，侮蔑之，謂我民族為無血性民族，我歷史為無價值歷史，一若世界上可卑可鄙可賤可惡之人類無有甚於我越南人者。噫！君子惡居下流，天下之惡皆歸焉。我國之至於如是之恥辱，吾人誠不可不思其故也。雖然，回頭往事，惓念古人，我民族我國威豈非亦曾有最轟烈最雄武之光榮歷史乎！而豈如今日也乎！[33]

黎懍用了許多負面的詞彙，來形容「越南」這個國家在被殖民的處境之下，所遭受的打擊和困局，簡直是難以翻身，甚至被外人形容為「無血性」之民族，「無價值」之歷史。既是如此無血性、無價值，殖民者便能輕易地抹除越南人的歷史記憶，隨意地蔑視他們、輕易地控制他們，使其歸順於殖民者所設好的一切。因此，黎懍呼籲國人應省思造成國勢衰微、慘遭殖民的原因，同時別忘記越南人也曾經有過「最轟烈」、「最雄武」的光榮時刻，回顧過去的恥辱挫折與燦爛輝煌，都是為了找出日後行動的方向，以指出更光明的未來。在歷史記憶的召喚中，得到民族更新與前進的力量，換來更積極的行動意義。

---

[33] 楚狂：〈陳朝平元之武功〉，《南風雜誌》漢文版，第96期（1925），頁87。

四、深情與期許：
越南民族排外的屈辱與榮光

　　雖然黎懷在幾篇官方色彩較強的文章中，批評越南人的民族性，並宣揚了殖民者的政績。不過，若進一步觀察黎懷的文史研究與書寫，我們可以發現他在承認越南自身的衰弱與危機之外，同時也積極尋求與展示越南歷史之光榮及自信。因此，黎懷大聲疾呼越南亦有輝煌燦爛的歷史傳統，亟待人們追尋與召喚。他在許多文史著作中都有這樣的創作實踐，例如他在〈陳黎演義〉這篇講述因陳朝末年權臣胡季犛（Hồ Quý Ly，1336-?）篡奪皇位，導致內外局勢動盪，給予中國出兵滅胡佔領越南的機會（明成祖永樂五年，1407）。中間經過後陳朝簡定帝陳頠（Trần Ngỗi，?-1410）、重光帝陳季擴（Trần Quý Khoáng，?-1414），以及後黎朝開國君主黎利（Lê Lợi，1385-1433）等人的努力，最後得以成功抵抗中國明朝軍隊而獨立建國的歷史。其中又以「逋姑之戰」（Trận Bô Cô）最為激烈，逋姑（今南定省豐盈縣）為簡定帝大敗明朝沐晟（?-1439）和呂毅（?-1408）之地，是越南抗擊強敵大國（中國）的光榮戰役。黎懷是這麼描寫這場戰役的意義：

> 自明兵入寇，四出橫行，吾民苦痛莫有甚於此時者也。使非有陳肇基等唱義擁立簡定帝，以與明人抗衡，及鄧國公殺明官率眾響應，則我國民當時之受明人宰割者，將無所底止也。而鄧國公逋姑之戰，麈殺明官及十餘萬眾，明人創巨痛深，為之少挫其蠻橫，尤為我國民最大痛快之事。與前此陳興道之驅逐元將脫驩，後此阮光中

> 帝之大敗清將孫士毅，先後輝映，為歷史上之光榮，我
> 國民所不可不知也。[34]

這場戰役嚴重打擊明軍士氣，是越南歷史上成功抗擊中國大軍的著名戰役，在黎懷筆下，直可與陳朝將領陳興道（Trần Hưng Đạo，1228-1300）力退蒙古軍隊兩次入侵，西山朝光中帝阮惠大敗清軍等光榮事蹟相互輝映。這是越南民族以少勝多、以弱敵強、以寡擊眾而成功排外的輝煌記錄，是國族的自信與尊嚴，因此國人有記憶銘刻此一歷史榮光的必要，黎懷多次在他的史論中表達這個觀點，如〈陳朝平元之武功〉一文便云：

> 我國只以驪愛以北兩廣以南之一彈丸黑子地，乃能與勢
> 力無敵之蒙古種角勝敗，使鐘簴不移，金甌永奠。雖以
> 忽必烈之雄，終莫之得志，豈非陳朝削平外敵之雄威所
> 賜乎？其為我民族歷史之榮耀為何如耶？余故曰：「我
> 民族不可不知此種歷史。知此種歷史，便知我民族非無
> 血性、我歷史非無價值也。」[35]

小國越南竟然能打敗蒙古大軍，免受蹂躪，維護自權。黎懷藉陳朝成功抗元之事蹟，再次肯認民族歷史價值與存在意義，來回應外界對於越南民族「無血性」，越南歷史「無價值」的質疑。

又如黎懷在〈西山史論〉一文認為西山阮氏成功抗清，大敗當時的兩廣總督孫士毅（1720-1796），也同樣是越南歷史上的光榮時刻。後來「雖享國不久，然一時事業，赫赫在人耳目，為我

---

[34] 楚狂：〈陳黎演義〉，《南風雜誌》漢文版，第98期（1925），頁25。

[35] 楚狂：〈陳朝平元之武功〉，頁92。

歷史上最有價值之時代」。[36]不過，在越南這段抗清退敵的歷史
背後，卻也有著令人心痛悲憤的屈辱。歷史的弔詭莫過於此，侵
略越南的清軍，竟是與西山阮氏相抗，為求復國復位的後黎朝黎
昭統帝黎維祁（Lê Duy Kỳ，1765-1793）向清朝請求來的。黎懊
不僅歌頌到西山抗清的歷史成就，也特別留意黎維祁向清廷求
援，卻困滯他鄉，在異國受辱的辛酸史。清朝雖出兵助其復位，
卻心懷異志，黎維祁引狼入室的結果，便是成為毫無實權的傀儡
君主。後來西山阮惠重整旗鼓，再次揮軍北上，一舉擊潰清軍，
黎維祁亦倉促避往中國。他再次向清廷求援，卻遭當時的兩廣總
督福康安（1754-1796）所拖延，並要求黎維祁君臣薙髮結辮易
服，喬裝為華人，托言如此裝扮，回國後便不易為敵人所認出。
黎氏君臣果真依言而行，詎料福康安卻上奏乾隆（1711-1799），
謂其無意再請援兵，並已薙髮易服，願安居於中國，請聖上降旨
罷兵。乾隆同意，日後更承認光中阮惠為安南國王，並將黎氏君
臣安置於北京，以便就近管理。心有不甘，不願就此終老一生的
黎氏君臣，希望透過鑲黃旗都統金簡（?-1794）的協助，求見乾
隆。金簡表面答應，卻暗中與和珅（1750-1799）合謀分置安南君
臣於各地，以分散其力量。黎維祁聞知此事，欲訴之金簡，金簡
正好於圓明園朝見乾隆，黎氏追至園門，為守門者所阻，黎氏馬
僮阮文涓（?-1791）遂與守門者打鬥，後傷重病死。黎氏自此之
後抑鬱悲憤，不言請兵之事，隔年（1792）五月又因其皇子患天
花而卒，哀痛病倒，後薨於癸丑年（1793）十月。[37]

---

36 楚狂：〈西山史論〉，《南風雜誌》漢文版，第93期（1925），頁
41。
37 事件經過改寫自〔越〕陳重金（Trần Trọng Kim，或譯為陳仲金）著，

　　當黎愷至北京遊歷時，黎昭統帝黎維祁受辱中國的這一段歷史不斷地在他腦中閃現，他相當感慨地寫到：

> 讀我歷史述及燕京而生無窮悲痛者，為黎昭統君臣被分插於燕京一事，時帝與羣臣因黎祚式微，干戈四起，痛宗國之顛覆，恨薄力之難支，因奔播北來，求援于清，為清君臣賣弄，分插於燕京城內外，或為所欺、或為所脅，或幽獄於一室，或分配於遠方。萬里南瞻，恨江山之暗淡；千行雪涕，感身世之飄蓬。事勢到頭，補救無術，其後君則葬身異域，臣則客老他鄉，此末路此慘狀，猶令人於百年後為之表同情者，故一述及燕京，無不為之怦怦然有動於中者。余平生一涉足燕京，心中所感，不啻披閱黎季痛史一遍，壯懷鬱勃熱淚淋漓，幾欲鳴劍為古人斬不平事。[38]

一國君臣淪落他鄉、流離異地，不但復國無望，又受盡欺瞞脅迫，這不僅是黎維祁等人受辱的歷史，也是整個民族的悲痛史。黎愷承認當他回顧這段慘痛的歷史記憶，亦是悲憤填膺、怏怏不平。揭露民族所遭受的苦難和恥辱，有助於族群認同與集體情感的鞏固和強化，其效果不下於回顧國族的光榮歷史。[39]這也是黎

　　戴可來譯：《越南通史》（北京：商務印書館，1992），頁277-280。
　　吳鈞：《越南歷史》，再版（臺北：自由僑聲雜誌社，1998），頁188-192。

[38] 楚狂：〈萬里遠征記〉，第89期（1924），頁89。

[39] 對於群眾運動深有體會與研究的賀佛爾（Eric Hoffer, 1902-1983），曾提到：「群眾運動不需要相信有上帝，卻不能不相信有魔鬼。在所有團結的催化劑中，最容易運用和理解的一項，就是仇恨。」「恨是最有力的凝聚劑」。這也是許多群眾運動領袖，或是民族史書寫者常用的論述策略。引文見賀佛爾（Eric Hoffer）著，梁永安譯：《狂熱份子：群眾運動聖經》（臺北：立緒文化事業有限公司，2004），頁

懱文史書寫中常見的一種論述手法，因此他欲於北京「城內外遍尋故黎出帝君臣旅居之遺址」[40]，不單單是為了「藉慰感懷」，亦有提醒國民外來者所給予的壓迫痛苦，來鞏固自我的認同。可惜諸多遺跡已景物全非、湮沒不存，黎懱大多空手而歸。但即便如此，他還是可以清楚地感受到探尋（甚至是一種親臨現場的田野調查）和書寫這段歷史記憶所喚起的強烈情感，他說：「（國子監）衙衙昔為黎帝及皇太后之駐所，俗呼為西安南營，至但見周圍房室皆古時建築。頹垣碎瓦，半帶綠苔；朽棟殘簷，皆呈古色。而國子監亦已荒廢，唯有斜陽掩映及子規啼暮之聲，一若黎帝有靈，見記者從故國新來與之嘆息前事，伸當時壹鬱不平之氣也。」[41]與其說是黎帝有靈，更不如說是黎懱心中激起了強烈情感，是對越南更深厚的關愛之情，而這份抑鬱不平之氣，也將為

131、136。

40 黎懱曾尋訪幾處黎帝及皇太后的駐所（安南營），也述及阮文涓事跡，其云：「燕京名勝最多，而最有名者為頤和園，園在京城西直門外，圓明園之西，圓明園頹廢已久，然經此遺址不覺憶及阮文涓故事。文涓清華布衛人，為黎帝馬僮，當從亡諸臣被清人以牛車發配三百里外，黎帝甚為憤鬱，乘馬直入圓明園，欲訴於清都統金簡，蓋時簡方侍乾隆帝遊幸園中故也，入園門之頃，為守門者彊抑不准進內，文涓臥於地下，大呼：『吳子無禮，敢辱我君？』因以石擲打守門者。文涓角鬪受傷甚重，後送病死，其骸骨後得與黎帝靈櫬歸葬於清華磐石陵旁。余今過此猶想像如聞壯士之呼聲，徘徊不忍他去。因述與各華友聞之，人皆為之起敬。」從阮文涓所說的話，可見其相當鮮明的國族意識，彼此不相混淆的，也是不容蔑視的。引文見楚狂：〈萬里遠征記〉，第89期（1924），頁90。

41 楚狂：〈萬里遠征記〉，第91期（1925），頁13-14。「壹鬱」一詞，典出南朝梁・蕭統〈文選序〉：「耿介之意既傷，壹鬱之懷靡愬。」有抑鬱之意。詳見教育部《重編國語辭典修訂本》，網址：http://dict.revised.moe.edu.tw/cgi-bin/cbdic/gsweb.cgi，檢索日期：2018年3月9日。

後世的越南國民所同情共感。在此,我們可以清楚看到黎僾運用同一個歷史轉捩點,為分屬不同立場的西山阮惠及後黎朝黎維祁進行書寫,前者為越南排拒他者(清朝)的輝煌歷史,後者則為越南受制於他者的慘痛回憶,這些都是有價值、有意義的歷史記憶,都能達到凝聚認同、醒覺國族的目的。

再回到我們所關注的,關於黎僾對於越南民族排外的光榮歷史的探討上。除了抵禦中國之外,越南人也曾成功地擊退海上的外患,根據黎僾的研究,1585 年(日本天正十三年)「洋人號顯貴乘五大艘泊海劫掠」者,即日本人「白濱顯貴」,文中這位被稱為「西洋國賊帥」的白濱顯貴曾被阮福源(Nguyễn Phúc Nguyên,1563-1635)所擊退,而獲得其父阮潢(Nguyễn Hoàng,1525-1613)的讚許。黎僾認為此事代表越南「古時之武威,已發揚於海外,豈非歷史上之光榮耶」[42],證明越南在東南亞海洋勢力的發展上已佔有一席之地。

黎僾對於越南光榮時刻的追尋、展示與銘記,並非僅止於「自立自強,不為中國所併吞」的抵禦外患而已,亦在於對他國的吞併和領土的開拓,「又能以彈丸黑子之地,日闢百里,奄有數國,至今龐然為一大越南國」[43],逐步成為傲視東南亞的強權。他在〈越南光榮之歷史〉一文中描述越南歷代政權逐步併吞占城和真臘的過程,他接著感嘆:「噫!偉哉!我越南不但不被併於北國又能吞併數國,以開拓疆土如此之廣且大,較與其他各國,歷史上之光榮為何如耶?迄今山河無恙,風景不殊,我後人

---

[42] 楚狂:〈古代南日交通考〉,頁201。
[43] 楚狂:〈越南光榮之歷史〉,《南風雜誌》漢文版,第58期(1922),頁120。

安坐而享此為鴻業，得不思所以增榮耀之耶！」[44]他提出後世越南國民如何承續先民基業，再造輝煌的問題。他在同篇文章追述越南的「排外」精神時，曾寫下這樣的文字：

> 環亞洲而立國者大小凡數十，其間為中國所吞併者比比皆是。……越南與此雄且強之中國為鄰，而儼然獨存，不至為其所吞併，豈非一快事哉？……其面積不過中國之一省耳，雖或時被併於秦，或時被占領於趙尉，或敗衂於馬援，壓迫於元，郡縣於明，而卒能奮發自強，河山無恙，<u>國土不至於淪夷，人民不至於牛馬</u>。今履我國土者猶稱曰越南國。見我人民者猶曰越南民，果何所憑藉而致此，豈非我先民剛猛不屈之氣，百折不挫之志，愈奮愈勵，<u>克自樹立而然耶</u>！[45]（文中底線為筆者所劃）

黎懽提到越南過去雖然曾短暫地被外人佔領，但總能克服民族的挫折與失意，奮然追求國家的獨立。越南人民所享有的一切，正來自於先民努力不懈、奮然自立的結果。黎懽不僅希望人們能回顧越南歷史的輝煌，更期許國民能承繼先民奮發獨立的精神，再造新的令人光榮的「鴻業」。他試著幫助國人找回國族的自信、認同及尊嚴，對映於越南被法國殖民的現實處境，他對國家的期許與深摯感情不言可喻。或許是怕觸犯禁忌，黎懽話鋒一轉，在該文文末寫下：「況又得歐洲文明先進國之貴國為之指導，民智日以開通，文化日以發達，我越人師而事之，以求進步，則國家光榮之前途寧可量耶！我越人之勉乎哉！」[46]至此一變先前「抵

---

44 同前註，頁121。
45 同前註，頁120。
46 楚狂：〈越南光榮之歷史〉，《南風雜誌》漢文版，第58期（1922），

殖民」的姿態，被殖民者民智之開通、文化之發展、前途之光
榮，仍有待法人的指導。由此可見，黎懽在面對不同政治立場時
所做出的調整，或許是一種不得不然的自我保護。但即使是曲終
變奏，我們仍可見到他那背後幽微卻又熾烈的情感與心聲。

五、結語

1923 年 1 月，黎懽與日本友人高橋、牧野二君一同遊歷由
安陽王（An Dương Vương，生卒年不詳）所構築的古螺城
（Thành Cổ Loa），他在〈遊古螺城記所感〉一文中寫下他觀
覽古城後的心情：

> 牧野、高橋二君以我越古辰代已有此等雄偉建築，不覺
> 讚嘆不置，遍覓諸古樹頹垣下，冀拾得一古物以為此行
> 之紀念，其好奇心有如此。余則獨自低迴，若有不勝情
> 者，念桑滄變易，乃天演不可逃之公例。無論安陽王當
> 年事業，無有復存者，即至最近如陳黎歷代，亦均伯圖
> 灰燼，王氣消沉，其可以供吾人憑弔者，只此一種斷瓦
> 頹垣耳。俯仰今古，則今觀此山河、此風景、此城郭、
> 此人民，亦何暇謂昔人惆悵哉？ [47]

黎懽曾錄下古螺城安陽王廟廟門上方所題之「俯仰千古」的字
樣（如圖四），這四字意謂安陽王的功勳，以及他所規劃構築
的螺城，在歷史的長河裡足為典範，永不磨滅，其功業也獲得

頁121。

[47] 楚狂：〈遊古螺城記所感〉，《南風雜誌》漢文版，第68期
（1923），頁32。

同行日本友人的讚嘆。不過，黎懽在追撫山河舊跡、俯仰今古興亡之際，反而陷入一種深沉複雜的愁緒之中。越南歷代均有光榮輝煌的成就，但這些歷史榮光似乎逃不過時間的淘洗，以及優勝劣敗的天演規律。山河景色或許無異，但國家的衰微淪亡卻不易挽救。光榮傳統與現實處境所形成的反差，更令人感到惆悵悲涼。由此觸緒生慨，足見黎懽民族情感之真摯深厚，其對越南國家處境的憂慮和省思，絲毫不遜於反法殖民運動者，我們顯然不能用傳統「效忠」與否的二元觀點來看待他。

　　藉由上文的討論，我們可以發現黎懽對於越南民族在殖民處境下的衰弱與危機，再三致意，多次表達他深層的焦慮和關心。雖然某些篇章宣揚了殖民者的政績與美好形象，但他更著眼於國民性的不足，以及被殖民的難堪處境。若再進一步觀察他的文史書寫，便能了解他同時也積極地召喚、展示越南歷史的光榮時刻，以喚醒越南人民的民族自信和國家認同，這些手法都成為他重要的書寫策略。黎懽這套打造「排外」論述，以面對「他者」的民族史學書寫，其實與潘佩珠極力建構的英雄系譜與國族論述極為相似，都是希望能藉此醒覺國人、凝聚族群，以追尋自我的主體

〔圖 4〕古螺城安陽王廟廟門，及門額上「俯仰千古」字樣（筆者攝）

性。[48]我們也可藉此思考這類經歷不同立場、陣營之選擇的知識人，在其書寫背後更複雜多元的情感意圖和行動抉擇。

　　黎應的文史書寫除了飽含愛深責切的民族情感之外，他也努力挖掘越南文史中隱而不顯，或是被抹除消音的歷史角落與邊緣人物，從而思考在政治抉擇與文化認同上的正偽之辨、出處之間等關鍵問題。而他同時留心於在東亞區域考察時的現代性體驗，並在感受彼此的差異之中，思考自我認同與國家處境。因此，在真相考掘、重建傳統、殖民處境與意識型態等多力互動共構之下，黎應如何進行顯、隱、去、取之間的認同或抉擇，其間複雜多元的面貌，將是筆者未來持續探索的課題。

❀後記：本文為科技部106年度專題研究計畫：「殖民處境與東亞流動下的選擇性書寫——越南知識人黎應在《南風雜誌》上的文史研究與區域考察」（MOST 105-2410-H-110-068）之部分成果，謹致謝忱。本文曾宣讀於國立中正大學中文系與越南社會科學翰林院所屬漢喃研究院主辦、國立中正大學歷史系協辦之「第二屆文獻與進路：越南漢學工作坊」，2017年10月20日，後刊於國立中山大學中國文學系《文與哲》（THCI）第32期（2018年6月），頁351-382。本文承蒙會議講評人漢喃研究院阮氏鶯（Nguyễn Thị Oanh）教授指正，復蒙《文與哲》審查委員惠賜審查意見，使本文論點與內容能更為周全。未逮之處，文責自負。

48　詳見羅景文：〈召喚與凝聚——越南潘佩珠建構的英雄系譜與國族論述〉，頁159-186。

西學東漸與書籍交流：近代越南《新訂國民讀本》的歐亞旅程

阮俊強（Nguyễn Tuấn Cường）*
梁氏秋（Lương Thị Thu）**

摘要

　　近世「西學東漸」運動在東亞漢字文化圈有廣泛的影響。越南《新訂國民讀本》係由「東京義塾」於 1907 年木刻出版，本文通過東西書籍的對照研究，指出其書的最早來源是英人 Hugh Oakeley Arnold-Forster 於 1886 年在英國出版的 *The Citizen Reader*（意味著「國民讀本」）。英國本教材在 19 世紀末傳入日本，日本教育家以其為基礎編寫出幾部日文版《國民讀本》，1903 年於中國出版的《國民讀本》受某日文版本影響，越南因當時的「新書運動」，中國本《國民讀本》流傳到越南。當時越南教育改革家模仿並節略中國本，「新訂」出越南漢文版《新訂國民讀本》，故越南版本有英國、日本和中國的三重影響，說明近世東西書籍交流關係千絲萬縷。各國的編撰者在教科書中不僅傳遞西學亦創造了「區別」。

關鍵詞　《國民讀本》、《新訂國民讀本》、越南、書籍交流

---

* 阮俊強〔越〕越南社會科學翰林院所屬漢喃研究院院長。
** 梁氏秋〔越〕越南社會科學翰林院所屬漢喃研究院碩士。

一、前言

　　沉迷於儒學傳統的千百年來，直到十九世紀的最後幾十年至二十世紀初，各東亞國家面臨來自各西方帝國的政治、經濟和文化的三大方面的威脅。在政治與經濟上的是歐美殖民主義、屬地爭奪、尋找新的市場等問題。在文化上的是歐美文化浪潮侵入，技術文明，工業文明，教育改革、排除儒教、語言思想及社會現代化的需求等問題。在此現代化的過程中，通過激進知識界的活動，（包括個人活動和組織活動）我們需要清楚地認識從外國傳入屬地國的資料和書本系統中的新知識的重要作用。這些書本被稱為「新書」，反映「新學」的知識，於儒教的「舊學」對立[1]。在越南，雖然東京義塾（1907-1908）只在短時間內運行，但是已經帶來了一陣新鮮「維新」之風，實現了開民智、振民氣、發揮愛國心的使命。東京義塾學校還編纂了一系列教材，內容包括多方面的新知識，這就是「新書」，反映當時的「新學」知識。

　　關於東京義塾的《新訂倫理教科書》（1907 年刻印），阮南指出該書的由來起源於日本秋山四郎學者（Akiyama Shiro）的《中學倫理書》（刻印於 1899 年），該書的下冊被董瑞椿1903 年在中國翻譯並印發，隨後東京義塾的志士對此中譯本進

---

[1] 中國清代末年「新學」的各領域已經闡述於：Michael Lackner and Natascha Vittinghoff eds., *Mapping Meanings: The Field of New Learning in Late Qing China* (Leiden & Boston: Brill, 2004).

行「新訂」，成為《新訂倫理教課書》（1907 年刻印）。[2]

本文受啟發於越南二十世紀初「維新」文化社會背景與當時士夫從「新書」系統接收新知識的需求，以考察越南東京義塾的另外一套漢文教材題為《新訂國民讀本》（1907 年木刻版）的起源，並用茲理解到近代時期從西方轉移到東方的文化與書籍的關係。

二、越南維新風、東游運動和東京義塾

（一）「維新風從東海吹來」[3]

十九世紀末年（歐美）西方大資本國家逐漸發展成為帝國主義國家，不斷爭奪殖民地與侵佔在亞洲和非洲地區的市場。中國和越南逐漸被列入西方各強國所侵略的名單。明治維新（1868）之前日本命運也是一髮千鈞。如果日本內部爭執不能迅速並機智地解決以有效地對付當時國際情況，那麼日本也就像亞洲的許多國家一律成為西方各國的誘餌。[4]但是超過所有的阻礙，日本維新事業終於獲得了成功，改變了日本的歷史，使日本成為亞洲乃至世界的強國。[5]

日本改革的風浪早已影響到中國。一群帶著改良思想的知

[2] Nguyễn Nam, "Thiên hạ vi công: Đọc lại Tân đính Luân lí giáo khoa thư trên bối cảnh Đông Á đầu thế kỉ 20," Tạp chí *Nghiên cứu và Phát triển*, 5 (122), 2015, pp.121-141.

[3] 引自："Văn tế Phan Tây Hồ của Phan Sào Nam," Vĩnh Sính, *Việt Nam và Nhật Bản giao lưu văn hóa* (TP Hồ Chí Minh: Nxb. Văn nghệ TP Hồ Chí Minh, 2000), p.170.

[4] Vĩnh Sính, *Việt Nam và Nhật Bản giao lưu văn hóa*, pp.80-81.

[5] W. G. Beasley, *The Meiji Restoration* (Standford: Standford University Press, 1972).

識份子，如康有為（1858-1927）、梁啟超（1873-1929）等主
張中國如想生存就必須盡快改革。日本明治時期對中國當時各
知識階層的深刻影響，當時約有一萬中國學生在日本留學，[6]同
時出現無數從日本語譯成漢語的讀物。[7]

　　越南封建國家自十九世紀末年已經成為法國的殖民地，各
個以武裝暴力抗法革命運動先後都被熄滅。進入二十世紀，日
本維新風浪傳流到越南。明治時期維新風浪的流傳力早已被越
南一些有改革思想的士大夫如阮長祚 （Nguyễn Trường Tộ,
1830-1871）、阮露澤 （Nguyễn Lộ Trạch, 1853-1898） 等在
1860 年代提起。[8]尤其在俄日戰爭（1904-1905）中的日本戰勝
后，日本成為越南人的興趣來源並將其視為一個榜樣，一個刺
激越南發展的動因，甚至是一位可施的救星。[9]許多越南知識份
子自問：日本是一個像越南一樣的小國，經過幾十年改革，從
明治時期（1868）之後，就能夠於西方強國並列，那麼越南豈
能不改革？這個問題在越南當時已被實踐化，體現於建立了維
新會（Hội Duy Tân, 1904-1912）、東游運動（Phong trào Đông
Du, 1905-1909）、東京義塾（Đông Kinh Nghĩa Thục, 1907-

6　中國學生從1896年到1905-1906年開始到日本留學大概有8000人（較之
　　於當時只有160人在美國留學）。參見: Vĩnh Sính, Việt Nam và Nhật Bản
　　giao lưu văn hóa,p.171.
7　Vĩnh Sính, *Việt Nam và Nhật Bản giao lưu văn hóa*, tr.pp. 170-171.
8　Nguyễn Tiến Lực, "Nhận thức của trí thức Việt Nam cuối thế kỉ XIX đầu thế
　　kỉ XX về cận đại hoá Nhật Bản," 載： Trần Quang Minh và Ngô Hương
　　Lan chủ biên, *Các vấn đề lịch sử - văn hoá – xã hội trong giao lưu Việt
　　Nam – Nhật Bản* (Hà Nội: NXB Đại học Quốc gia Hà Nội, 2015), pp.319-
　　336.
9　參見: Tran My-Van, "Japan through Vietnamese Eyes (1905-1945),"
　　Journal of Southeast Asian Studies 30, 1 (March 1999): 126. 英文原文:
　　"Japan became a source of inspiration and began to be perceived as a model,
　　a stimulant and even as a possible saviour of Vietnam."

1908）等各活動。[10]

（二）東游運動（1905-1909）

在 20 世紀初，越南有識之士潘佩珠 （Phan Bội Châu, 1867-1940）和畿外侯彊柢（Kỳ Ngoại hầu Cường Để, 1882-1951）於 1904 年在廣南（中部）成立了維新會。這是一個主張以暴力和求外援抗法，建立偏向君主立憲制度的越南革命運動。1905 年，潘佩珠被維新會選派到東京請求日本軍事幫助越南抵抗法國。通過梁啟超在日本的推薦，潘會面了日本議士犬養毅（Inukai Tsuyoshi，1855-1932）和大隈重信（Okuma Shigenobu，1838-1922）。那時俄日戰爭剛剛結束，日本雖戰勝但也耗盡國力。而且日本不想跟法國結怨，這意謂著向西方列強尋釁。因此日本兩位議士犬養毅和大隈重信勸潘應該集中發展國內的維新運動，以提高民氣、民智，庶幾可以實現自強、自主。犬養毅還答應潘盡力幫助越南留學生獲准在日本居住並免學費。[11]梁啟超也告訴潘佩珠：向日尋得援助軍事是不可能實現的，同時建議潘跟維新會的同志們集中培養民智、民氣和人才。潘依照建議，隨後回國推動東游運動（1905-1909），密送越南青年到日本留學，避免法國的窺伺。在 1907年派往日本的學生人數最多時約 200 人，他們分別來自越南三個地方：北部（40 多）、中部（50 左右）、南部（100 多）。這些留學生被安排到振武學校和東亞同文書院學習。[12]留學生

---

10 Vĩnh Sính, *Việt Nam và Nhật Bản giao lưu văn hóa*, pp.80-81.

11 Nguyễn Hiến Lê, *Đông Kinh Nghĩa Thục* (Hà Nội: Nxb. Văn hóa Thông tin, 2002), pp.34-35.

12 Phan Huy Lê, "Phong trào Đông Du trong giao lưu văn hóa Việt – Nhật", trong *Quan hệ văn hóa giáo dục Việt Nam – Nhật Bản và 100 năm phong*

到東京留學希望回國後，為了家鄉的改革事業做出貢獻，最終可以從法國手裡奪回民族自決權。這樣，日本不僅是給越南培訓人才的地方，而且還成為越南民族運動的基地。[13]

（三）越南東京義塾

越南著名志士潘周楨（Phan Châu Trinh, 1872-1926）於 1906 年初在日本逗留大約三、四個月的時間，在這段時間中（他跟潘佩珠一起到日本）他已經關注、考察日本人自強的方針，參觀慶應義塾大學（Keio University）──一所由福澤諭吉（Fukuzawa Yukichi，1835-1901）創立的私塾大學，是用來給明治維新之後新興的日本國培養人才。回到河內後，潘周楨跟梁文玕（Lương Văn Can, 1854-1927）探討在河內成立一所義塾，類似慶應義塾，以開闊民智、培訓同志為長期目標[14]。學校成立於 1907 年年初，根據日本學校名的命名為東京義塾。「東京」是胡朝（1400-1407）升龍城的名字，也重名於日本首都（Tokyo）。塾長是梁文玕，監學是阮瓘（Nguyễn Quyền, 1869–1941）。學校主張反「舊學」、反腐儒、反漢字、反科舉，提倡國語字、學習新方法、接受西方開放思想、倡導人本、發揮創新性、提高民族精神與愛國主義。自學校成立茲始，東京義塾兼有白班和夜班，包括小學、中學和大學的三個培訓體系。學生人數最初大約只有三十個、六十個、後來迅速

trào Đông Du (Hà Nội: Nxb. Đại học Quốc gia Hà Nội, 2006), p.49.

[13] 關於東游運動，參見：Vĩnh Sính eds., *Phan Bội Châu and the Đông Du Movement* (New Heaven: Yale Southeast Asia Studies, the Lạc Việt Series No. 8, 1988).

[14] Nguyễn Hiến Lê, *Đông Kinh Nghĩa Thục*, pp.42-43.

地增加到上百個、有時達到一千名學員。[15]

在組織方面，學校有四個工作組：教育組、財政組、鼓動組、修書組。其中修書組負責編撰教師和學生的教學和學習的材料。材料來源大部分提取於新書（如中國的新書、新文），或者摘錄自適合學校教育目的的古典文章。在簡短的時間內，修書組已編撰了一些教課書，包括《新訂國民讀本》、《南國佳事》、《國文教科書》、《新訂倫理教科書》等。這些都是漢字刻木版，在宣紙印成上百版，免費發放給學生、會員與共同遵旨的學校，有時出售給商店以收回成本。修書組還買了許多在中國和日本出版的作品，如：《中國魂》、《萬國史記》、《瀛寰志略》、《日本三十年維新史》等，以便於教學與編寫教材的時候參考。[16]

東京義塾從 1907 年 3 月在河內開辦，直到 1907 年 12 月一直以一所合法學校的形式運行，並擴大活動到周圍的幾個省，如南定省、太平省等。這不僅是教育新知識的學校、開闊民智的地方，「而且它作為一個愛國組織、一個義塾運動、維新運動、對於越南民族歷史上有一定的意義。」[17]學校的活動在北圻引起了以河內為中心的愛國運動，所以開始被法國直接鎮壓。1908 年年初，法國藉口學校會擾動民心，扣押學校的許可證。學校被停辦後，大部分書籍資料被燒毀。同時法國還為

---

[15] Chương Thâu, *Đông Kinh Nghĩa Thục: Phong trào cải cách văn hóa xã hội, tư tưởng đầu thế kỷ XX* (Hà Nội: Nxb. Hà Nội, 1982),p. 61.

[16] Chương Thâu, *Đông Kinh Nghĩa Thục*, pp.40-41.

[17] Đào Thu Vân, "Nhận thức về giáo dục Nhật Bản có trí thức Việt Nam đầu thế kỉ XX và dấu ấn của mô hình Khánh Ứng Nghĩa Thục (Keio Gijuku) trong phong trào Nghĩa Thục ở Việt Nam," *Phát triển Kinh tế - Xã hội Đà Nẵng*, 59, 2014, p.59.

難了許多在東游運動中，出洋到日本的越南青年家庭，並且對日本政府施加壓力，要求驅逐越南留學生，迫使他們回國。衛藤瀋吉（Eto Shinkuchi）認為：「東游運動遇到的困難是法國當局者的鎮壓政策，但明顯的是日本政府也要擔負對於共同消滅東游運動的連帶責任」，[18]促使此運動在 1909 年解體。

「維新風從東海吹來」越南，出現了一些充滿熱情的革命運動，儘管它們存在的時間不長。越南許多世系通過這些運動開放了眼光。他們接受從日本、中國傳來的一些新思想與論說如：民族解放思想、民族共和、君主立憲、地方自治、社會主義、國粹主義、發展教育以救國、發展經濟以救國等論說。這些思想傾向大多都通過新書印版得到傳播。

三、新書與跨陸地的知識

新書（new books）是指一些包含新的知識、即新學知識（new learning）的書籍。新學是新的學習內容和方法，與舊知識（舊學）即傳統儒家之學不同。章輸教授認為：「這些新知識包括關於自然科學和社會科學的知識，從數學、物理、化學到地理、歷史、經濟、政治、哲學等知識，多數從西方書籍翻譯。有時新書不是直接從西方書籍翻譯，而是從日本語翻譯。有時它們僅概括基本的意義，目的是介紹『西方的文明』，推薦以模仿與革新。因此新書與十九世紀在中國偏向西方資產的

---

[18] Eto Shinkichi, "Tính hai mặt của Nhật Bản thời Minh Trị và mối quan hệ Nhật – Việt," *25 năm quan hệ Việt Nam – Nhật Bản 1973-1998* (Hà Nội: Nxb. Khoa học xã hội, 1999), p.86.

改革維新思想互相聯結。」[19]

（一）日本和中國的新書

　　新書從哪裡來？轉載西方文明、思想進入東方的橋樑就是日本。在明治維新之前的兩個世紀中，通過蘭學（Rangaku, 荷蘭學、歐學）的道路，日本已經翻譯了許多歐洲的書籍。根據統計數據、從 1706 到 1852 年，日本人已經翻譯了 113 本德文書，30 本拉丁文書、30 本法文書、20 本英文書、20 本從荷蘭語翻譯到日本語的書籍，總共 213 本書。[20]到了明治時代，日皇施行了一系列根據西方各國為模型的改革措施，希望最快地接受西方的知識和技術。當時改革者主張將日本脫離中國影響區，以便可以列入跟西方各國爭奪的隊伍，這樣才可以保持獨立，擺脫儒教思想束縛以實現現代化。為了實現上述的主張，一方面日本政府積極地邀請更多行業的歐美專家，到日本講學與指導日本人。另一方面選派大量學生到其他歐美的國家留學，不僅學習技術方面，還要學習西方人做事方法、思維方式，以期回國後，他們將成為改革事業的棟樑。[21]

　　翻譯與介紹西方思想、文明的風潮為頭等優先。西方印版可以分為兩類：（1）科學技術書，尤其有關軍事和工業書籍；（2）關於社會機制、政治、經濟以及西方文明的一些精

---

[19] Chương Thâu, *Đông Kinh Nghĩa Thục*,p.24.

[20] Rebekah Clements, *A Cultural History of Translation in Early Modern Japan* (Cambridge: Cambridge University Press, 2015), p. 153.

[21] Nguyễn Thị Việt Thanh, "Nhật Bản - nhịp cầu chuyển tải tư tưởng và văn minh phương Tây vào phương Đông", *Tân thư và xã hội Việt Nam cuối thế kỷ XIX đầu thế kỷ XX* (Hà Nội: Nxb. Chính trị Quốc gia, 1997), 15-16.

神和基本價值觀的問題的書，如科學精神、獨立性等書籍。[22]
根據統計數據：社會科學譯書的數量為 633 本（算到 1887
年），文學書 120 本（算到 1890 年），其中多半是英文書和
法文書。屬於社會科學類的書籍即指關於經濟、政治、法律、
統計等書。這些書是日本關於西方政治、社會機制的最早的
「知識教科書」。當時英國出版的大多數重要書籍都被翻譯成
日語。[23]譯者是那些屬於士族（shizoku）階級的人，即當時日
本社會中流階層的人。翻譯西書運動與在明治前半期（1868—
1889）的本地著作有著對於促進加速日本更新的進程，起到了
將日本成為一個連思想帶經濟的富強國的積極作用。

　　中國與日本之間的書籍交流歷史早已進行，書籍數量十分
豐富，具有中譯日和日譯中的雙向性。[24]到十九世紀末，翻譯
新書的浪潮從日本慢慢蔓延到中國。「從 1902 到 1907 年的期
間日譯中文書的浪潮達到高峰，每年年均有 50 本翻譯書出版
（1903 年達到紀錄為 200 本翻譯書）。日譯書包括多種，從哲
學、社會科學到自然科學。據日本學者實藤惠秀（Saneto
Keishu）的《中譯日文書目》（Chuyaku Nichibun Shomoku）
統計，有 2,600 本日譯中文書從 1896 到 1945 年被出版。」[25]

---

[22] Vĩnh Sính, *Việt Nam và Nhật Bản giao lưu văn hóa*, p.160.
[23] Nguyễn Thị Việt Thanh, "Nhật Bản - nhịp cầu chuyển tải tư tưởng và văn minh phương Tây vào phương Đông," 15-16.
[24] 王勇、大庭修主編：《中日文化交流史大系－典籍卷》（杭州：浙江人民出版社，1996）；王勇等著：《中日書籍之路研究》（北京：北京圖書館出版社，2003）。
[25] Vĩnh Sính, *Việt Nam và Nhật Bản giao lưu văn hóa*, p.172.

（二）越南的新書[26]

越南當時亦在新書浪潮之中。雖然在二十世紀初越南沒有像日本和中國將外語譯成母語（越南語）的新書翻譯浪潮，[27]但是當時越南各志士已經很積極地接受與轉播新書，他們買外國書，然後在越南重複刻印、使之廣泛流傳。越南的新書是民主、民權、獨立、自由和文明的體現。東京義塾成為一個依照新書的宗旨開設的教育中心，監學阮璩大膽地提出改革口號：「開新界，轉新學行；迎新潮，建新民業；新書，新報，新文」等。[28]

我們或可以這樣說，東京義塾通過一些接受新書影響的資料，如《文明新學策》、《新訂國民讀本》、《國文教科書》、《新訂倫理教科書》等書籍，開啟了普及新概念、新思想的風潮，帶給越南各志士在認識與行動方面上的一個轉折點。潘周楨認為西方文明價值「像一陣清風，透入腦袋，吹淨掩蓋今時的煙霧」[29]。潘佩珠也說：「我小時候在國內已讀了梁啟超所寫的一些書，如《戊戌政變》、《新民叢報》、《中國魂》，我十分羨慕。」[30]新書不僅對成長於 1900 年代，像潘佩珠、潘周楨這樣的人有影響，而且直到二十年後，對於 19 世紀 20 年代的人，對越南新書的印跡還很深刻。[31]

---

[26] 關於越南的「新書」，參見: Nhiều tác giả, *Tân thư và xã hội Việt Nam cuối thế kỷ XIX và đầu thế kỷ XX* (Hà Nội: Nxb. Chính trị Quốc gia, 1997).

[27] Phan Châu Trinh, *Giai nhân kì ngộ* (Sài Gòn: Nxb. Hướng Dương, 1958).

[28] Chương Thâu, *Đông Kinh Nghĩa Thục*,p. 49.

[29] Phan Châu Trinh, *Giai nhân kì ngộ*,p. 39.

[30] Phan Bội Châu, *Phan Bội Châu niên biểu*, Phạm Trọng Điềm, Tôn Quang Phiệt dịch (Hà Nội: Nxb. Văn sử địa, 1957), p.52.

[31] Vĩnh Sính, *Việt Nam và Nhật Bản giao lưu văn hóa*,p. 175.

四、越南 1907 年《新訂國民讀本》與其文本源流的問題

在東京義塾的新書中，我們注意到一部漢文書，顏題為《新訂國民讀本》（以後簡稱《新訂》）。該書沒題作者姓名，由東京義塾在 1907 年進行木刻印行。該書有兩集，第一集有 49 頁，第二集有 50 頁，每頁兩面，依照木刻板印刷的。該印品曾經大量地發行，但是經歷過兵火與長時間的流傳，大部分已經失落

越南漢喃研究院所藏《新訂國民讀本》
（館藏編號 A.174）封面

了，現在只有以下三個處有保留：越南漢喃研究院（河內）編號 A.174;越南第一國家檔案中心（北圻統使室，檔案號 56.247）；法國普羅旺斯地區艾克斯市的海外檔案中心（檔案號 SPCE/351）。這三部書都是 1907 年木刻板印刷，所以它們的形式和內容大致相似。因此本文使用漢喃研究院 A.174 編號為代表版本。此版是木版刻印，有 190 頁，開本 26cm*15cm，包括上下兩卷，有〈編輯大意〉和〈目錄〉。全書有 79 個內

容題目，分為幾個部分，有獨立的標題32。《新訂》的全文已被翻譯成越南語，在越南出版，並附有漢文影版。33

　　重讀這本以 20 世紀初東亞為背景的書，促使我們不斷探尋書中知識的出處。通過觀察各內容部分的國家來源，我們可以看出書中有四大知識板塊：（1）關於西方文明的知識，如：第 68 條目：〈資本〉、第 79 條目：〈公司〉、第 76 條目：〈銀行〉、第 77 條目：〈欠票、匯票及銀行折扣〉、第 54 條目：〈法國民的跡據〉；（2）關於日本的知識，如：第 30 條目〈日本官爵及政府〉，第 31 條目〈日本國議會及地方議會〉，第 36 條目：〈日本學校〉，第 40 條目：〈日本徵兵略法〉，第 46 條目：〈日本裁判制度〉，第 47 條目：〈日本刑罰〉，第 52 條目：〈日本地方警察〉；（3）關於中國的知識，如：第 45 條目：〈中國司法各官〉；（4）關於越南的知識，如：第 9 條目：〈我國立國之古〉，第 10 條目：〈我國開化之早〉，第 29 條目：〈本國官爵及政府〉。上述僅是單方面的知識專目，還有許多交叉並互相混合的其他條目未被提及。這種知識背景在 20 世紀初特別豐富。在這裡我們分享一下阮南的觀點：當我們閱讀本書中關於日本的內容時，「讀者不免二乎關於編輯本書（指《新訂倫理教科書》）的原始資料來源？」34《新訂》的作者使用何材料？「新訂」了什麼？是

---

32 參見文後附錄

33 Đỗ Văn Hỉ, Vũ Văn Sạch 譯, *Tân đính Quốc dân độc bản*, 載：Chương Thâu biên soạn, *Đông Kinh Nghĩa Thục và văn thơ Đông Kinh Nghĩa Thục*, tập 2 (Hà Nội: Nxb. Hà Nội, 2010), pp.243-329, pp.330-522.

34 Nguyễn Nam, "Thiên hạ vi công: Đọc lại Tân đính Luân lí giáo khoa thư trên bối cảnh Đông Á đầu thế kỉ 20."

否起源於日本，再傳到中國，後來到越南，是否像阮南已指出
《新訂倫理教科書》（1907 年）的流傳道路一樣？[35]

經過長時間奔波尋找東、西方各類書籍資源，現在我們可
以初步勾畫出此書的傳播路徑。簡略地說：越南東京義塾的
1907 年刻印《新訂國民讀本》版本是按照中國朱樹人的 1903
年印發《國民讀本》而進行「新訂」工作。朱樹人又可能基於
日本的某一個作品（或者基於英文版）。日本的該書版本又從
英國學者 Arnold-Forster 在 1886 年出版的 The Citizen Reader 原
本作品翻譯與重寫而來。因此可以換個說法：此書的流傳道
路、內容的「本地化」和語言的「本語化」是從英國到日本，
又從日本傳到中國，最後來到越南的。

下面我們主要根據各本的目錄，加上一些內容字句對比，
先後展開分析並比較各版本。在本文後面的附錄部分，我們將
提供英、日、中、越等 4 個國家的 5 個作品的目錄對照表以展
示它們之間的相同與差異。

五、英國 H.O. Arnold-Forster *The Citizen Reader* （1886）

The Citizen Reader 一書由 Hugh Oakeley Arnold-Forster
（1855-1909）所撰，於 1886 出版，裡面有當代英國教育家、
資本家、政治家 William Edward Forster （1818-1886）的序
言。由 Cassell & Company Limited 出版社出版，該出版社在倫

---

[35] 同註34。

敦、巴黎、紐約都有辦公室。我們所使用的版本是紐約公共圖書館（The New York Public Library）的數位化網站 hathitrust.org, 1904 印，[36] 和 Alberta, Canada 大學（The University of Alberta Libraries）的數位化網站 archive.org。[37]

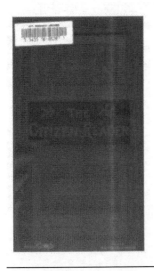

紐約公共圖書館本（1904 年初版），第二頁說明：該書初版印與 1886 年 1 月。在一年之內（1887 年 1 月），該書已經再版六次。書在 1887、1894、1898、1904 不斷修訂。到 1898 年，12 年之內，已經售出 310,000 本，成為當時的暢銷書。

The Citizen Reader 不僅在歐美列強熱銷，而且該書賦予推廣文化、教育民智目的，已經漂洋過海流傳到

---

[36] Hugh Oakeley Arnold-Forster, *The Citizen Reader* (London: Cassell & Company Limited, 1904 - revised version)：
https://babel.hathitrust.org/cgi/pt?id=nyp.33433081652871;view=1up;seq=8
（檢索時間：2017年2月）。

[37] Hugh Oakeley Arnold-Forster, *The Citizen Reader* (London: Cassell & Company Limited, date unclear)：
https://archive.org/details/citizenreaderfor00arno （檢索時間：2017年2月).

東亞，首先是在日本。第 260,000 本前言（Preface to the 260th Thousand）云：

> 這個蘇格蘭版本的《國民讀本》已經經歷了三版，並且
> 由於在連續兩年中大量的購買《國民讀本》，此書很大
> 一部分已被用於日本學校，這本書對於有興趣了解日本
> 教育部門的人可能有用。一個十分準確的法西斯版本的
> 《國民讀本》已在東京產生，其無論是在內容，註釋，
> 彩色製版上，都有著驚人的精確度。[38]

該前言沒有說明撰寫時間。但在第 260,000 印本的前言又有 1898 年第 310,000 印本的前言，證明第 260,000 印本的前言早於 1898。第二頁記載，本書的「蘇格蘭版本」於 1892 年 3 月初版，1893 年再版，1894 年修訂，1895 年、1899 年再版。因此我們得到結論：（1）The Citizen Reader 很早就已傳播到日本，得到日本教育機構購買，並在各所學校使用。（2）該書已經被刻印在東京，而

---

[38] See: Arnold-Forster, *The Citizen Reader* (1904), p. 4. 英文原文："The "Scottish Edition of the Citizen Reader" has now gone through three editions, and it may possibly be of some interest to those who use thisbook to know that the Japanese Educational Authorities, after having purchased a large number of copies of the Citizen Reader in two consecutiveyears, have now apparently adopted it to a large extent for use in Japanese schools. An exact facsimile edition of the Citizen Reader," in which text, illustrations, coloured plates, and cover are copied with astonishing accuracy, has been produced at Tokio."

於 1898 年之前發行。

> 上學的三個理由：10：我現在可以說出為什麼你應該樂
> 於上學並在那裡學到很多東西。11：首先，因為你學的
> 越多，你越能欣賞那些已經被創作出來的偉大作品，你
> 越能更好的理解關於自然的這些精彩作品，你也越能更
> 好的運用這些寶藏。12：期次，你應該樂於上學，因為
> 通過訓練你的思維以及學習什麼是歷史，地理和科學，
> 可以教會你更好的服務於自己的國家並且成為一位好的
> 市民。13：最後，你應該樂於上學，因為只有通過在那
> 裡得到的指導，你才可以接觸你的專業，無論是什麼，
> 才可以不落後於國外的高級技工與能手。[39]

貫穿整本書的主題是教育。*The Citizen Reader* 的內容和價值都
體現於原是英國教育委員會副主席 W. E. Forster 的 1885 年
「前言」（Preface）：

> 這個國民讀本，在我看來，是一次填補課本空白的成功

---

[39] H. O. Arnold-Forster, *The Citizen Reader* (1904), pp. 189-190. 英文原文：
"Three Reasons for going to School: 10. I have now given you the reasons
why you should be glad to go to school, and to learn all you can while you
are there. 11. In the first place, because the more you learn the more you will
enjoy all the great books that have been written, the better you will
understand the wonderful works of Nature, and the better use you will be
able to make of its treasures. 12. In the second place, you should be glad to
go to school, because by training your mind, and learning what history,
geography, and science can teach, you will be better able to serve your
country and to be a good citizen. 13. And, lastly, you should be glad to go to
school, because it is only by the instruction you get there that you can hope
to get on in your trade or profession, whatever it may be, and to prevent
being left behind by eleverer workers and quicker hands in foreign
countries."

嘗試，而這些空白在此之前，讓我驚奇的是，從未被填補過。毫無疑問，在學校的絕大多數孩子不只有社會的責任，還有個人的責任需要承擔。對於男孩而言，這種教導，在大多數情況下，是通過直接的行動表現出來；而女孩是通過間接的但是有力的影響他們不僅被教導要過一種正直的生活，並且要幫助那些因為家庭聯繫而對其負有責任的人，而且作為一個愛國的國民，他們對自己的國家也負有責任這些責任的履行會很大程度上受到國家相關部門信息的幫助。[40]

該書的目的已經非常清楚，因此可以證明為何 *The Citizen Reader* 有如此的影響力。我們進一步解釋，認為：（1）書的內容價值符合青少年渴望探討強國文化科技的需求。（2）西方列強在東亞殖民國的傳播文化目的和中亞的接受西方文化、文明的需要。因此，*The Citizen Reader* 在世界各地廣闊流傳。

六、日本：近代的三本《國民讀本》
（1887、1890、1910）

---

[40] Arnold-Forster, *The Citizen Reader* (1904), p.3. 英文原文: "This Citizen Reader seems to me a successful attempt to fill a gap in school books which I am surprised has not been filled before. There is no doubt that the enormous majority of school children will have public as well, as private duties to perform —the boys, in most cases, by direct action, and the girls by indirect but powerful influence. They will be called upon not only to load an upright life, and to do what they rightly can to help those who are bound to them by family ties, but it will also be their duty to serve their country as patriotic citizens; and the fulfilment of this duty will be greatly aided by some knowledge of the institutions of their country."

日本資料，我們在日本國會圖書館（國立國會圖書館 National Diet Library）找到幾本不同的《國民讀本》。若以越南《新訂》初版年 1907 年來參照，我們找到三本同名的日本書籍，其中兩本初版時間（1887 年和 1890 年）早於越南本，另外一本初版時間（1910 年）稍微晚於越南本。

（一）井田秀生的《國民讀本》（1887）

目前我們尚未找到很多有關作者井田秀生（Ida Hideo，?-?）的生平。從日本國會圖書館得知，井田秀生是《皇國小文典》（*Kokoku Shobunten*, 1894）、《小學高等新讀本》（*Shogaku Koukou Shindokuhon*, 1887）、《書道手引》（*Shodo Shuin*, 1909）等著作的作者。井田秀生的著作偏向於語文教育和藝術，其中有《國民讀本》一書。該書最後部分有作者的簡單敘述：「著者・愛知縣士族・井田秀生・東京々橋區因幡町十番地」。

井田秀生的《國民讀本》於 1887 出版，共四冊，牧野善兵衛等出版社出版，該書屬於小學國語（日本語）教科書。從日語的假名字母，井田秀生使用生動圖畫來說明和解釋每個音節。作者把每個假名字母放在對應的詞彙和漢字系統，以便小學生學習記憶，增加詞彙量。這些詞彙屬於語言和科學領域。作者在序言云：

> 本書用於公立小學教科書。以外，該書即將用在普通教科書。開頭部分簡而易懂，越往後難度越增加。這樣讓初學者在學習方面不覺得累或懶於學習，並可準確地評價學生的學習水平。每個音節、詞或片語都同時以口語

和文言來陳述，詞彙的變動和轉換並符合現實的日常生
活需求，讓它不只是空談，只有外表沒有內涵。[41]

因此，井田秀生的四冊《國民讀本》如序言所講「不僅是寄放
知識的地方」。這本書是教小學生假名文字。該書是語音教科
書、日本小學國語教材，同時也是提升民智的工具書。井田秀
生的《國民讀本》所提到的知識範圍與英國的 *The Citizen
Reader* （日本語翻譯同名）無關。

（二）高賀詵三郎的《國民讀本》（1890）

　　從日本國會圖書館查詢結果得
知，高賀詵三郎（Koga
Senzaburo，?-?）著述 35 本，其中
有《現代婦人の研究》（*Gendai
Fujin no Kenkyu*，1916）、《軍人
勅諭捷解》（*Gunjin Chokuyu
Shokai*，1902）、《日本倫理史
略》（*Nihon Rinri Shiryaku*，
1903）、《発音と口語》

（*Hatsuon to Kogo*，1907）等名著。1890 到 1939 年初版的著
作屬於哲學、歷史、社會科學與語言等領域。《國民讀本》是

---

41 井田秀生，《國民讀本》（牧野善兵衛等，明治十九年（1887）四月
　出版），凡例頁。日文原文：「本書ハ尋常小学校ノ讀本ニ供スル者
　ナレドモ。或ハ簡易小学科ノ讀本ニ用ヒ得ベク。意ヲ用ヒタリ。初
　巻ハ事ノ最モ易キヲ録シ。巻ヲ逐テ漸ク難キニ入ル。是生徒ノ力ヲ
　量リテ。習讀ノ際樂テ倦ム"ヲ忘レシムルノ意ナリ。一行文ハ。浮華
　ヲ去リ務メテ適實近易ノ文字ヲ用ヒテ。雅俗ノ間ニ出入ス」。

高賀詵三郎的作品之一。該書最後有作者信息：「編輯者・新潟縣士族・高賀詵三郎・東京麴町區飯田町二丁目十番地」。

　　高賀詵三郎《國民讀本》於 1890 年初版，敬業社出版。該書屬於知識教育類。於十九世紀末，當時日本教育系統正在發展，討論精神以國民教育為基礎。當時的教育家和啟蒙家，必會提到日本內閣總理大臣伊藤博文（Ito Hirobumi，1841-1909）非常關心極端歐化問題。他們提出不同觀點來建設日本國民的道德，以傳統儒家為根，結合西方的科學方法。有觀點認為國家的根本是國民的道德，道德比法律或制度重要。國民形象體現在明治天皇《教育勅語》（*Kyoiku Chokugo*）於 1890 年頒布。該大指的教育觀點接近儒家色彩，如：人民要勤勞、節儉、勇敢、忍耐、新知、大膽、愛國、尊重天皇等理念。[42]

　　高賀詵三郎《國民讀本》的編撰不外乎日本十九世紀末葉的具有現代知識的新式教科書潮流。該書的內容包括國家之定義及起源、國之資格、政治之體裁、政治之目的、法律、憲法、刑法、人權、租稅、兵役、愛國之情、國體之基本、族制之種類、君臣之情、君主與宗教之關係、官制等專門知識。

　　有關高賀詵三郎的《國民讀本》，西村茂樹（Nishimura Shigeki）[43]在該書的序文云：

---

[42] See: Benjamin Duke, "The Imperial Rescript on Education: Western Science and Eastern Morality for the Twentieth Centure, 1890," *The History of Modern Japanese Education: Constructing the National School System*, 1872-1890 (New Brunswick: Rutgers University Press, 2009), 348-369; Ozaki Mugen, *Cải cách giáo dục Nhật Bản* (Nguyễn Quốc Vương dịch, Hà Nội: NXB Từ điển Bách khoa, 2014),pp. 83-88.

[43] 西村茂樹（Nishimura Shigeki, 1828-1902），號泊翁（Hakuo），十九世紀日本有名啟蒙家、西洋學家、教育學家、文學博士，日本弘道會

序。語曰：工欲善其事。必先利其器。近日之教育家多
選法而不選書。吾未見其可也。然良書豈易得哉。淺於
學力者。不得作良書。乏於經驗者。不得作良書。無此
二短者。天下其有幾。然著者能以誠意從事於著作。則
學力經驗雖未深遠。亦有能足以資教育者。越後人高賀
北山著國民讀本。來索序。余一閱之。多學現行制度法
律以為篇。蓋在將使國民先知國法。由是生忠君愛國之
心。其意固美而其編著之法亦頗得宜。若能選取以充教
科之用。其於養成民德。必應有大可觀者。然用書猶用
器也。良工能化鈍器為利器。拙工則反乎是。余望世之
教育者。不以此書為鈍器也。明治二十二年十一月東京
西村茂樹識。[44]

在該書中的另一本序言，高賀誑三郎的好朋友佐分利金藏
（Saburi Kinzou）寫道：

之前，我有聽說法國有一門課讓了解國民，或如美國有
提供政治讀本。因此，對我們國家來說要詳細了解並選
擇國家政體；從小要對皇室、國體、政府、國會、軍
役、租稅等概念有所理解；要敬重皇家，相信政府。[45]

不僅只有西村茂樹認為教育家若使用該書教小學生，「其於養

創始人。

44 高賀誑三郎：《國民讀本》（東京：敬業社，1890），頁1-2。

45 同註44，頁2。日文原文：「余曾て佛國の小学に於て人民須知さる一
科を加ひ米國に於て八政治讀本を授くることを聞き以爲らく私か邦
まだ其の制を斟酌して幼より皇室國体政府國会兵役租税等の大要を
理解せしめなば其の皇室を尊び其の國家を愛し其の政府を信ず
る」。

成民德。必應有大可觀者」，連佐分利金藏也認為「幼童收其教育」：「幼童會忠君愛國和更加有用，我們會培養出愛國的國民，知道立國的原理。」[46] 總之，高賀詵三郎、西村茂樹和佐分利金藏的願望都是：「國民先知國法。由是生忠君愛國之心。」[47]因此，該書的編撰理念應是以培養國民新知識為主，實施智、體、德等「三教」政策，培養「忠君愛國」精神。

（三）大隈重信的《國民讀本》（1910）

大隈重信（Okuma Shigenobu, 1838-1922），日本武士、政治家、教育家。他曾擔任明治政府的重要職位，曾做到首相之

職，對教育有許多貢獻；他是早稻田大學（Waseda University）的創始人，至今仍為日本有名私立大學之一。

大隈重信的《國民讀本》

明治 43 年（1910）3 月，大隈重信初版《國民讀本》，認為日本的青少年教育程度太低，不知道什麼叫政治。他迫切認為應該提供國民一些基本知識。該書的精神和態度是寫給有氣質的日本人，所以成為日本的暢銷書，作者在書的最後表示：

---

46 同註44，頁3。日文原文：「幼童に授けば今より一層忠實有用なる國民を養成し以て邦基を鞏るして天壤と共に窮りなからしめ且彼の歐人をして永く驕慢ならをめざるに庶幾うらんか」。

47 同註44，頁2。

「我等要成為至誠。我等要正義，要成為仁愛之人。我等若沒有堅定和犧牲的精神，就無法有剛健的意志。」[48]這是大隈重信所追求的最高教育目的。

大隈重信著書的內容包括來源、國民性格、教育、人格、愛國、國民的權利與責任義務、法權行政、法律、法院、刑律、警察、租稅、軍隊、兵役、振興功業、銀行、錢幣等很多知識領域。該書編撰，一方面接受 The Citizen Reader 的西學知識，另一方面結合大隈重信從政生涯的日本知識，對現實社會和人的敏銳了解、對社會階層，特別是青少年，再加上政治、社會、國際狀況等等內容。

我們在此提到大隈重信的作品的原因是因為其書於 1910 出版，晚於越南《新訂》本（1907）不久。更引人注目的是，20 世紀初談到越南東游運動，許多越南出版品都有提到大隈重信。前文談到 1905 年的犬養毅、大隈重信與潘佩珠等的會晤。大隈重信在從政期間已經編撰、共同編撰、翻譯、主編各種有關青少年、國民教育、世界與本國社會、政治、經濟等書籍和雜誌。因此，我們推斷當時大隈重信、越南知識分子與中國知識分子在日本見面，也許已經探討如何改善國民知識，根據每個國家的具體背景來建設與發展國民教育？因此，越南本、中國本的知識內容與大隈重信的著作有很多相關之處，雖然大隈重信的著作較晚出版。

---

[48] 大隈重信：《國民讀本》（東京：丁未出版社及寶文館、明治四十三年1910），頁199。日文原文：「我等は至誠なるべし、我等は正義にして、仁愛なるべし。我等は剛健なる意志に兼ぬるに、犧牲の精神を以てすべし」。

　　總之，從日本的角度來看，十九世紀英文版 *The Citizen Reader* 傳入到日本，並廣泛流傳。隨著當時翻譯西方書籍的熱潮，也許很多日本學者已經注意翻譯或模仿《國民讀本》英文版來編撰成為日本著作。以上我們所提到的三種《國民讀本》，其中高賀詵三郎的《國民讀本》（1890）目錄及該書所探討的專門知識都與英國、中國和越南版本有相關性。同時，從目前我們在日本所收集到的資料來看，在時間上，高賀詵三郎的作品在東西書籍交流幾乎更為合理，從英國的 *The Citizen Reader* 到越南的《新訂國民讀本》。但該論點尚有很多限制，因為到目前為止，我們所收集到的日本資料還沒有足夠來做出正確推斷。因此有關該節的內容，我們希望能得到諸位學者指正，尤其是日本學者。

七、中國：朱樹人的《國民讀本》（1903）

　　根據顧廷龍主編的《清代硃卷集成》中所記載，朱樹人字慶一，號檩之，同治丙寅年（1866）十一月二十八日吉時生於上海。[49] 根據百度網站搜尋得知：他是漢族，上海交通大學五位創校人之一。他根據英美教科書，編撰《蒙學課本》，於1901 年刻印（光緒二十七年孟夏出版）。該書在中國廣泛流傳，並在各所小學使用。此外，他還編撰《物算教科書》、《筆算教科書》、《本國地理教科書》等，被刊印和普遍使用

49　顧廷龍主編：《清代硃卷集成》（臺北：成文出版社，1992），第197
　　集，頁193。

於 20 世紀初的各所小學[50]。百度雖沒提到《國民讀本》，但從編撰其他小學教科書的興趣來看，朱樹人編撰《國民讀本》是完全有根據。

1903 年 2 月，朱樹人的《國民讀本》由上海文明書局刊行。[51]書有上下兩卷（與越南的《新訂國民讀本》一樣，不同的是中國用卷，越南用編。作者在「編輯大意」云：是書仿泰西國民教育書體例，專為教育少年而設。凡社會、國家、國民之名義、國民之公德、政體、官制、學校、軍政、賦稅、法律、交通、警察、民政、戶律、宗教之名義制度、以及計學之要義、皆具焉。文理淺白，語氣和平。意在開通民智以立變政之基礎，無攻擊政府之意。[52]

由此可知：（1）中國的《國民讀本》根據西方作品編寫（2）中國的《國民讀本》是譯本？朱樹人的作品除了 1903 年的《國民讀本》外，還有其他作品，如光緒 27 年（1901）的

---

[50] http://baike.baidu.com/item/朱樹人，檢索日期：2017年2月。

[51] 李良品：《中國語文教材發展史》（重慶：重慶出版社，2006），頁265。

[52] 朱樹人：《國民讀本》上卷：編輯大意（上海：文明書局發行所，1903）。

《蒙學課本》，該書也是仿歐美教科書。

在追溯原文本的過程，我們驚訝地發現越南《新訂國民讀本》目錄架構與朱樹人的《國民讀本》目錄一樣，這部分於下章節將仔細對照分析。《國民讀本》的內容有很多知識來自歐美以及日本，目錄的一些內容又與高賀詵三郎的《國民讀本》類似。因此有可能朱樹人一方面直接根據 Arnold-Forster 的英文版（如在「編輯大意」所說），又參考了日本的版本來編撰，而這裡可以論斷為 1890 年高賀詵三郎的書。

八、中越兩本目錄和內容對照分析

有關「書籍流傳基因」有曾祖-內祖-父-兒子，相對應為英-日-中-越四種版本。後來的版本會承繼以前的版本，不斷更新本土知識。各種版本的共同點是都具有西方文明的文化和科學技術知識。個別知識乃本國問題。本文附錄中具有五種書的目錄對照表（包括日本兩種）。

除了大隈重信本（1910）有時間方面上的矛盾，剩下的日本高賀詵三郎本（1890），中國朱樹人本（1903）和越南本（1907）都順著時間的先後順序在不同的空間展開流傳的旅程。越南本和中國本都有高賀詵三郎書和大隈重信書中的有關日本的知識（英文本中沒有）。此外，大隈重信書所涉及到的知識領域比高賀詵三郎本還多。深入每一種知識項目對照，就發現大隈重信書與中國本和越南本則有更多相同之處。那麼，為什麼中國本和越南本卻比大隈重信書更早出版?如上所述，若沒有根據某日本書籍做參考，越南和中國在 19 世紀末 20 世紀

初的背景下，難以編撰有關世界形勢、西歐文明和詳細了解日
本的書籍。

英國本	日本兩本
中國本	越南本

由此可知日本作品難以晚於中國、越南本。本文暫時提出
兩個假設：（1）中國作者已經參考高賀詵三郎本，或者尚未
確定的另一本。根據 Joan Judge 的考證，雖然中國所出版的教
科書首先模仿西方傳教士教材的模式，但中國新式教科書如果
有大成功的（例如商務印書館的教科書）卻直接受到日本的影

響。53 商務印書館於 1897 年在上海成立，出版了許多日式的教科書，而上海文明書局也出版新式教科書，即朱樹人 1907 年的《國民讀本》。所以很有可能朱書也直接受到日本《國民讀本》的影響，因為它也能算是屬於在上海所出版的模仿日式教科書運動。（2）中國作者已經參考大隈重信的出版之前的書稿。第 2 假設也可能是對的：在中國，日本書籍普遍傳入；在越南，潘佩珠與大隈重信於 1905 見面，彼此之間有討論教育，也許當時有大隈重信尚未出版的稿子?那麼第二假設可以成立？書籍的溯源尚未結束!我們會繼續不斷研究。

有一點我們可以肯定，越南本是直接且全面參考中國本。越南本的目錄和內容，比英國本和日本本更接近中國本。為了釐清這一點，以下附表將根據不同符號來說明，標示如下：

◎：問題討論一樣，內容完全一致。

○：問題討論一樣，但修改一些詞彙，或詞彙用法不同。

△：問題討論一樣或擴大，但詞彙用法不同。

◉：問題討論一樣，但所談的地點不同（中國、越南）

◄：內容只在中國本有。

►：內容只在越南本有。

	中國《國民讀本》目錄		越南《新訂國民讀本》目錄	對照結果
1.	社會緣起	1.	社會緣起	◎
2.	愛群	2.	愛群	◎
3.	戀家戀鄉非愛群	3.	戀家戀鄉非愛群	◎

---

53 Joan Judge：〈改造國家：晚清的教科書與國民讀本〉，載《新史學》12卷2期（2001），頁6。

4.	爭先	4.	爭先	◎
5.	博愛	5.	博愛	◎
6.	立信	6.	立信	◎
7.	存恕	7.	存恕	◎
8.	原國	8.	原國	◎
9.	中國立國之古	9.	我國立我之古	◉
10.	中國開化之早	10.	我國開化之早	◉
11.	文明	11.	文明	◎
12.	文明無止境	12.	文明無止境說	○
13.	國家與人民之關係	13.	國與人民之關係	○
14.	國民解	14.	國民解	◎
15.	通商傳數			◀
16.	國恥			◀
17.	國不能獨立之懺	15.	國不能獨立之懺	◎
18.	民強則國強	16.	民強則國強	◎
19.	愛國	17.	愛國	◎
20.	愛國之實	18.	愛國之寔	○
21.	忠義	19.	忠義	◎
22.	獨立	20.	獨立	◎
23.	勿觀望政府	21.	勿觀望政府	◎
24.	進取	22.	進取	◎
25.	競爭	23.	競爭	◎
26.	天命正誤	24.	天命正誤	◎
27.	勇武	25.	勇武	◎
28.	原政			◀
29.	政體	26.	政體	◎
30.	原君	27.	原君	◎
31.	原官	28.	原官	◎
		29.	本國官爵及政府	▶
32.	中國政府			◀
33.	中國地方制度			◀
34.	日本政府及地方制度	30.	日本官爵及政府	△
35.	中國官制論			◀
36.	日本國議會及地方議會	31.	日本國議會及地方議會	◎
37.	國民宜知政理	32.	國民宜知政理	◎
38.	變政之難	33.	論變揖習之難	△
39.	教育	34.	教育	◎
40.	釋學	35.	釋學	◎
41.	中國學術論			◀
42.	中國學校			◀
43.	日本學校	36.	日本學校	◎
44.	科舉之害	37.	論科舉之 害	○

45.	不行科舉之無害	38.	論不行科舉之無害	○
46.	原兵	39.	原兵	◎
47.	中國兵制			◀
48.	中國兵制論			◀
49.	日本徵兵法	40.	日本徵兵略法	○
50.	賦稅名義	41.	賦稅	○
51.	中國賦稅			◀
52.	中國賦稅論			◀
53.	釋權利職分	42.	釋權利責任	◎
54.	原法	43.	原法	◎
55.	法律名義	44.	釋法	◎
56.	中國司法各官	45.	中國司法各官	◎
57.	日本裁判制度	46.	日本裁判制度	◎
58.	中國刑罰			◀
59.	日本刑罰	47.	日本刑罰	◎
60.	中國刑獄之懺			◀
61.	中國獄訟之害			◀
62.	變法必先立信	48.	變法律必先立信	○
63.	論交通法	49.	論交通法	◎
64.	中國交通各法			◀
65.	論地方政務			◀
66.	地方應行政務	50.	地方應行政務	◎
67.	論地方警察	51.	論地方警察	◎
68.	日本地方警察	52.	日本地方警察	◎
69.	編審	53.	編審	◎
70.	法國民跡據	54.	法國民跡據	◎
71.	戶律舉要一			◀
72.	戶律舉要二			◀
73.	戶律舉要三			◀
74.	宗教	55.	宗教	◎
75.	教案			◀
76.	產業	56.	產業	◎
77.	國法保護產業	57.	國法保護產業與產業所生之利	○
78.	專利	58.	專利	◎
79.	眾人分業主之利			◀
80.	人功生利	59.	人功生利	◎
81.	職業多寡有眼	60.	職業多寡有眼	◎
82.	中國宜振興寔業	61.	我國宜振興寔業	◉
83.	分功	62.	分功之法	○
84.	機器	63.	機器	◎
85.	機器何害於人功	64.	機器何害於人功	◎

86.	免分功及用機器之害	65.	免分功及用機器之害	◎
87.	大工藝之益	66.	大工藝之益	◎
88.	工債	67.	工債	◎
89.	貲本	68.	貲本	◎
90.	貲本消長之理	69.	貲本消長之理	◎
91.	勸積蓄			◀
92.	大貲本家有益於貧戶	70.	大貲本家有益於貧戶	◎
93.	貿易	71.	貿易	◎
94.	通商	72.	通商	◎
95.	貨幣	73.	貨幣	◎
96.	圜法	74.	圜法	◎
97.	賒借	75.	賒借	◎
98.	銀行	76.	銀行	◎
99.	欠票匯票及銀行折扣	77.	欠票匯票及銀行折扣	◎
100.	鈔票	78.	票	○
101.	公司	79.	公司	◎
統	101		79	

統計結果如下：

◎: 101/79/61　　　　○: 101/79/11　　　　△: 101/79/2

◉: 101/79/3　　　　◀: 101/79/24　　　　▶: 101/79/1

目錄對照有幾點說明，根據標目對照，略有不同如下表：

中國《國民讀本》		越南《新訂國民讀本》目錄及內容	對照結果
目錄	內容		
53.釋權利職分	課五十三釋權利責任[54]	42.釋權利責任	◎
55.法律名義	課五十五釋法[55]	44.釋法	◎

　　但根據正文對照來看，結果是一樣的，所以中國本的標目與內容有點不同。越南作者因為看到這點，所以編撰是已經把目錄和正文做出修訂。

　　中國本有 24 小目解釋更清楚，或解釋中國本身的問題。

---

[54]　朱樹人：《國民讀本》下卷（上海：文明書局發行所，1903），頁1a。

[55]　同前註，頁2b。

其他部分，越南的《新訂》基本上全部模仿中國本所討論的問題。唯一談到問題的有 3 個，依序為：9-9：立國之古，10-10：開化之早；82-61：宣振興實業，作品有區別的地方，在於是中國還是越南（我國）。

在越南本的 79 目中有至少 60 目屬於「◎」組，相當於77%是來自中國本。這個比例還尚未包含「○」組的 11 目和「△」的 2 目，當中大多數的內容都抄自中國本。目前尚未計算清楚徵引原文的比例，我們暫算不可以少於全部越南《新訂國民讀本》本的 90%。同時，在中國本的 101 目里，越南本有24 目完全沒有，即東京義塾的編撰者已經刪除 1/4 中國本內容（24%）。總之，越南《新訂國民讀本》已經刪除 1/4 中國《國民讀本》的內容，其餘 3/4 部分內容有 90%直接接受中國內容，其他 10%僅更改詞句和新的內容。越南《新訂》同時也保留中國本的內容順序。這就是越南《新訂》中國本的方法。

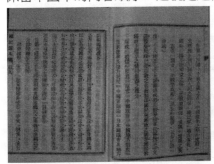

中國《國民讀本》目錄 　　　　越南《新訂國民讀本》目錄

除了以上內容對照之外，若根據越南、中國兩本的編輯大意，也看到很多共同點，以下為編輯大意開頭的對照：

中國《國民讀本》編輯大意	越南《新訂國民讀本》編輯大意

國民教育者，所以培養忠義果敢之國民也。<u>中土</u>教育<u>最重</u>道德，智能次之。國民教育則莫之及焉。難者曰：尊君、親上、守法、急公、奉租稅、<u>敬官長</u>之義，吾齊民之稍有知識者<u>類能</u>言之；而才俊之士頗能究心於古今中外政治之得失。子謂其無國民教育<u>者</u>，何也？曰：歷代文獻，本朝<u>掌</u>故。惟有志於公卿大夫者，則習之，非國民教育普及齊民之旨。<u>若夫</u>定上下之分，嚴禮法之防，此教人民之道也。<u>人民與國民之別，見本書國民解</u>。教國民者不然，必發明國與民相關之理，使知吾身於社會國家之中，其位置若何，職分若何，起愛國愛群之念，養自治自立之才，其道莫要於此。<u>教人民者曰：天子食租衣稅，吾民當踴躍輸將，逋賦者必誅。教國民者曰：國之有稅，所以治國事也，國民而逋賦，是欺國以自欺矣</u>。二者源同而流異，差毫釐而謬千裏者也。[56]	國民教育者，所以培養忠義果敢之國民也。<u>我國</u>教育<u>首重</u>道德，智能次之。國民教育則莫之及焉。難者曰：尊君、親上、守法、急公、奉租稅、<u>敬尊長</u>之義，吾齊民之稍有知識者<u>皆能</u>言之；而才俊之士頗能究心於古今中外政治之得失。子謂其無國民教育，何也？曰：歷代文獻，本朝<u>事</u>故。惟有志於公卿大夫者，則習之，非國民教育普及齊民之旨。<u>夫</u>定上下之分，嚴禮法之防，此教人民之道也。教國民<u>則</u>不然，必發明國與民相關之理，使知吾身於社會國家之中，其位置若何，職分若何，起愛國愛群之念，養自治自立之才，其道莫要於此。二者源同而流異，差毫釐而謬千裏者也。[57]

在此只有一些詞彙不一樣，如：「中土」（指中原）成「我國」（指越南），「最重」成「首重」，「敬官長」成「敬尊長」，「類能」成「皆能」等。其他地方，或因內容敘述而簡略，或完全刪除中國有關的部分。具體以編輯大意為例，越南本有 2 張（4 頁），中國本有 4 張（7 頁）。中國本有 2 張（4 頁）專門談到「國政之敗壞」[58]或「國民教育主使君民一德通國一心」，[59]或「中國多佳子弟，鮮良國民。凡國民

---

56 同註52，頁1a。

57 東京義塾：《新訂國民讀本》上編：編輯大意，（河內：東京義塾印行，1907），頁4ab。

58 朱樹人：《國民讀本》上編：編輯大意，同註52，頁2a。

59 同前註，頁2a。

不可少兩種性質：一獨立性質、一合群性質」[60]等問題。這些在越南本都被刪除。

中國本之編輯大意　　　越南本編輯大意

九、結語

越南著名學者阮南認為：

> 東亞前現代社會里，在著作權（authorship）、版權（copyright）、智慧財產權（intellectual property）的概念-意識尚未清楚形成和受法律的限制之前，「自由」引用知識是普遍現象。在一定的程度里，它好像是「天下為公」的精神，所以不會因「抄襲」

---

[60] 同前註，頁3a。

（plagiarism）或「違反版權」（copyright violation）
而煩惱。[61]

東亞的各種《國民讀本》在這樣的背景之下形成。The Citizen
Readers 是英國和其他西方國家常見的書籍。該書早已在文明開
闊、勸學、新知識、西方知識等方面肯定自己的價值。因此
The Citizen Reader 也是很早飄洋過海從歐洲傳到同文同種的東
亞。在 19 世紀末 20 世紀初，東亞維新熱潮中，從日本到中國
和越南，The Citizen Reader 在開化、教育方面不斷刻上自己的
烙印。雖然在日本的流傳線路還是存在一些模糊，但是我們可
以確定，在不同的地方，每一個國家的作者所編的《國民讀
本》都「區別」於原書。這些區別來自不同國家的歷史狀況、
政治活動、宣傳新的文化思想、新的教育方法等，同時也來自
編撰者的知識學問。無論如何改變，各國的版本都保留了新學
知識、西方知識的核心問題。日本、中國和越南的編撰者沒有
指出他們所引用資料的來源，但從文本內容可以看到後者對前
者接受了不少知識。依今天版權、著作權來看，這種做法是不
能允許。但在近世東亞背景下，這是正常現象，得到各個國家
的認同。

---

[61] Nguyễn Nam, "Thiên hạ vi công: Đọc lại Tân đính luân lý giáo khoa thư trên
bối cảnh Đông Á đầu thế kỷ 20," 頁 121. 越文原文："Trong xã hội Đông
Á tiền hiện đại, khi ý thức / khái niệm về tác quyền (authorship), bản quyền
(copyright) và sở hữu trí tuệ (intellectual property) còn chưa hình thành rõ
rệt và chưa được tăng cường bởi hệ thống pháp chế, việc sử dụng "tự do"
các thành tựu tri thức là khá phổ biến. Ở một chừng mực nào đấy, nó tựa hồ
như dựa trên tinh thần "thiên hạ là của chung", và hầu như không bị vướng
bận với những cáo buộc "đạo văn" (plagiarism) hay "vi phạm bản quyền"
(copyright violation)."

【附錄】：英、日、中、越《國民讀本》目錄對照表

The Citizen Reader（1886） H.O. Arnold-Forster	《国民讀本》（1910） （日本大隈重信）
CHAPTER I. WHAT IS MEANT BY BEING A GOOD CITIZEN	國民讀本目次（上編）
The Country we belong to—Why we are Proud of our Country—	第一篇 大日本の國基 第一章 天壤無窮の皇室
England is what we make it—How to become a Good Citizen—	第二章 國民の資性 第一節 至誠の道
Private Duties—The Common Rule—How Lancashire did its	第二節 忠君愛國 第三節 孝悌友愛
Duty—How we can Help the Country—Two Ways of Doing our Duty	第四節 廉恥の心 第五節 好潔の民 第六節 同化の力
CHAPTER II. PATRIOTISM	第二篇 大日本帝國の發達
What the word Means—The True Patriot—The Magazine at	第一章 豐葦原の中津國 第一節 建國創業
Delhi—The Story of Columbus, and its Lesson—False	第二節 皇權の伸張 第三節 藤原氏時代
Patriotism— Be Just and Fear Hot	第二章 封建時代 第一節 武門の政治
CHAPTER III. HOW THE COUNTRY IS GOVERNED	第二節 封建の社會 第三節 武士道
Who Governs—Parliament—The House of Commons—	第四節 文物の興隆 第五節 開國の由來
Voting— The Duty of Voters—The Ballot—Bribery	第三篇 今上の御親政 第一章 明治維新
CHAPTER IV. QUEEN, LORDS, AND COMMONS	第一節 大政奉還 第二節 維新の大詔
How Acts of Parliament are Made—The Queen—	第三節 廢藩置縣 第二章 立憲政體の創始
House of Lords—House of Commons—How Laws are Made—	第一節 專制政治の弊 第二節 立憲政體の要旨
An Act of Parlia-ment—The Royal Assent—The Law of the	國民讀本目次（下編） 第三節 立憲政體の由來
Land—The Law must be Obeyed	第四節 立憲政體の準備 第五節 大日本帝國憲法の制定
CHAPTER V. HOW THE LAWS ARE CARRIED OUT	第三章 立憲政體 第一節 統治の大權
Public Offices—The Home Office— The Admiralty and War	第二節 臣民の權利義務 第三節 帝國議會
Offices—Colonial Office—The Foreign Office—Ambassadors—	第四節 法律と命令 第五節 選擧權の尊重
Other Offices—Post Office—The Penny Post—The Blind	第四章 行政の機關

Postmaster—Public Examinations	第一節 中央政府
CHAPTER VI. OUR LITTLE	第二節 地方の行政
PARLIAMENTS	第三節 自治制度
County Councils—How they are	第五章 法律の擁護
Elected—What they Do — Old	第一節 裁判所
Friends with New Faces—A Good	第二節 訴願及び行政裁判
Old Way	第三節 警察の制度
CHAPTER VII. LAW AND	第四節 監獄の制度
JUSTICE	第六章 國家の兵備
The Old Plan and the New—The Bad	第一節 軍備の要
Old Way—Two Rules—	第二節 兵役の義務
The Judges—The Work of the	第三節 陸海軍の編制
Judges—The Jury—Use of the Jury	第七章 運輸及び通信
CHAPTER VIII.—Part I. THE	第一節 運輸機關
TRIAL	第二節 通信機關
Maxims—The Crime—The	第八章 國家の交際
Accusation—The Court—The	第一節 世界的關係
Lawyers—The Judge—The Story of	第二節 締盟國
Judge Gascoinge and Prince	第九章 國家の財政
Henry—The Jury—The Trial—The	第一節 歳出歳入
Witness—The Prisoners—	第二節 納税義務
The Counsel— The Summing-up —	第三節 公債
The Verdict—Criminal andCivil	第十章 國家の富源
Trials	第一節 殖産興業
CHAPTER VIII.— Part II. THE	第二節 勤儉貯蓄
AUTHORITY OP THE LAW	第三節 富の運用
The Power of the Judges—	第四節 通貨及び銀行
Punishments— Why we should	第十一章 國家の膨膜
Honour the Judge—The Policeman	第一節 臺灣及び樺太
CHAPTER IX. THE NAVY AND	第二節 韓國の保護
ARMY. —PART I	第三節 關東州の租借
The Defence of the Country—Who	第十二章 國民の教化
Ought to Fight for the	第一節 教育の道
Country? Volunteer Enlistment and	第二節 品性の修養
Conscription — The Frontier	第三節 國民の健康.
of England —Another Frontier—	第四篇 大國民の理想
Why the Navy comes first—	第一章 臣民と國家
Our Sailors— The Marines—What	第一節 個人の責任
the Navy does	第二節 家族の結合
CHAPTER X. THE NAVY AND	第三節 鄉黨の團結
ARMY.— PART II	第四節 國家の向上
The Army—The Four Branches of	第二章 國旗の光
the Service—Who Commands	第一節 日本の天職
the Army and Navy — Discipline —	第二節 平和と人道

第三節 國民の道德

TOWARDS FOREIGN
COUNTRIES— PART II
A Strange Country — An Account of
the Tribe—Their Diet —
Their Drink—Their Strange Birds
and Plants—Their Manners—
Their Clothes— Their Daily Habits—
What is the Name of the Country
CHAPTER XVII. OUR DUTY
TOWARDS FOREIGN
COUNTRIES—PART III
A Lesson, to be sure of your Facts—
The Story of the Two
Knights—The Moral—How Wars are
Begun—Enemies of their
Country—Some Good Rules to
Remember
CHAPTER XVIII. EDUCATION
What Education Means—Some
Schoolroom Lessons—Precept
and Practice— Schools and School
Boards—Scholars— School
Attend-ance a Credit to the School—
Reading, Writing, and
Something Else—Eyes and No
Eyes—How to Rise—
Compulsion—Three Reasons for
Going to School
CHAPTER XIX. THRIFT
Save against Old Age—Save to Help
Others— Save to Keep Out
of the Workhouse— One More
Reason for Saving—How to Save
— Savings Banks—The Post Office
Bank—Take Care of the
Pence —What Pennies can do—
Clubs and Friendly Societies—
When to Begin Saving
CHAPTER XX. FREEDOM
England is a Free Country—What
Freedom Is —What we are not
Free to do—Trade Societies —
Unpleasant Trades—Sale of
Dangerous Things—Liberty of the

Press—Abuse of Liberty—
The Power of Newspapers—The Rule
of Liberty
CHAPTER XXI. HOW OUR
FREEDOM WAS WON.
Our Freedom is New—Freedom of
Thought —Freedom of the
Press— Prynne — Cobbett — Other
Instances— What we Owe
to our Forefathers
CHAPTER XXII. WATCHWORDS.
English Liberty—Charters and
Statutes—Magna Charta—Old
Laws, Good and Bad—Another Gift
of the Charta —Promise and
Per-formance —Habeas Corpus—
The End of Slavery—The Use
of Watchword

《国民讀本（1890） （日本高賀詵三郎）	《國民讀本》（1903） （中國朱樹人）	《新訂國民讀本》 （1907） （越南東京義塾）
国民讀本目錄	國民讀本上卷	國民讀本上編
第一章 國/定義及起 　　　原	社會緣起	社會緣起
第二章 國/資格	愛群	愛群心
第三章 政治/体裁	戀家戀鄉非愛群	戀家戀鄉非愛群
第四章 政治/目的	爭先	爭先
第五章 法律	博愛	博愛
第六章 憲法	立信	立信
第七章 刑法	存恕	存恕
第八章 人權	原國	原國
第九章 租稅	中國立國之古	我國立我之古
第十章 兵役	中國開化之早	我國開化之早
第十一章 愛國／情	文明	文明
第十二章 國体／基 　　　　本	文明無止境	文明無止境說
第十三章 族制／種 　　　　類	國家與人民之關係 國民解 通商傳數 國恥	國與人民之關係 國民解 國不能獨立之懴 民強則國強
第十四章 君臣／情	國不能獨立之懴	愛國
第十五章 君主卜宗 　　　　教／關係	民強則國強 愛國	愛國之寔 忠義
第十六章 官制上	愛國之實	獨立
第十七章 官制下	忠義	勿觀望政府

	獨立	進取
	勿觀望政府	競爭
	進取	天命正誤
	競爭	勇武
	天命正誤	政體
	勇武	原君
	原政	原官
	政體	本國官爵及政府
	原君	日本官爵及政府
	原官	日本國議會及地方議會
	中國政府	國民宜知政理
	中國地方制度	論變揩習之難
	日本政府及地方制度	教育
	中國官制論	釋學
	日本國議會及地方議會	日本學校
	國民宜知政理	論科舉之害
	變政之難	國民讀本下編
	教育	論不行科舉之無害
	釋學	原兵
	中國學術論	日本徵兵略法
	中國學校	賦稅
	日本學校	釋權利責任
	科舉之害	原法
	國民讀本下卷	釋法
	不行科舉之無害	中國司法各官
	原兵	日本裁判制度
	中國兵制	日本刑罰
	中國兵制論	變法律必先立信
	日本徵兵法	論交通法
	賦稅名義	地方應行政務
	中國賦稅	論地方警察
	中國賦稅論	日本地方警察
	釋權利職分	編審
	原法	法國民跡據
	法律名義	宗教
	中國司法各官	產業
	日本裁判制度	國法保護產業與產業所生之利
	中國刑罰	專利
	日本刑罰	人功生利
	中國刑獄之懺	職業多寡有眼
	中國獄訟之害	我國宜振興寔業
	變法必先立信	分功之法
	論交通法	
	中國交通各法	

	論地方政務	機器
	地方應行政務	機器何害於人功
	論地方警察	免分功及用機器之害
	日本地方警察	大工藝之益
	編審	工債
	法國民跡據	貲本
	戶律舉要一	貲本消長之理
	戶律舉要二	大貲本家有益於貧戶
	戶律舉要三	貿易
	宗教	通商
	教案	貨幣
	產業	團法
	國法保護產業	睗借
	專利	銀行
	眾人分業主之利	欠票匯票及銀行折扣票
	人功生利	公司
	職業多寡有眼	
	中國宜振興寔業	
	分功	
	機器	
	機器何害於人功	
	免分功及用機器之害	
	大工藝之益	
	工債	
	貲本	
	貲本消長之理	
	勸積蓄	
	大貲本家有益於貧戶	
	貿易	
	通商	
	貨幣	
	團法	
	睗借	
	銀行	
	欠票匯票及銀行折扣	
	鈔票	
	公司	

❀本文由臺灣中正大學中文系侯汶尚博士候選人協助全文修潤，以及同校歷史所潘青皇博士協助編校引用書目。本文收入於《中正漢學研究》（THCI）總第30期（2017.12），頁177-205。

❀本文約於 2017 年初完成，4 月 27-28 日在臺灣中正大學《2017 近世意象與文化轉型》國際研討會首次發表，同年 10 月 25 日修訂版又發表於臺灣中央研究院演講。本文第一作者於同年 11 月 16 日赴越南胡志明市國家大學參加國際研討會時能榮幸讀到越南著名學者阮南（Nguyễn Nam）博士大作："Du hành tĩnh tại qua lăng kính tưởng tượng: Nguồn gốc sách Quốc dân độc bản của Đông Kinh Nghĩa Thục", *Kỉ yếu hội thảo khoa học quốc tế Việt Nam- giao lưu văn hoá tư tưởng phương Đông* (TP HCM: NXB Đại học Quốc gia TP HCM, 2017), 330-349（英文題目為："Travel in Place through the Prism of Imagination: The Origin of the Tonkin Free School's Textbook Citizen's Reader"）。該文用越文書寫，在研討會論文集發表，其論文集於 11 月出版（該文初稿和完稿可能更早完成）。雖然是全無關係的兩篇論文，但是本文與該文都引到同樣結論：越南《新訂國民讀本》直接受到朱樹人《國民讀本》的影響。兩文的區別在於，該文深入對照、探討那兩本書內容上的一些異同，並且分析在越南《新訂國民讀本》的文本接受過程中的讀者的角色；而本文卻溯源更早，指出越南和中國兩本的來源就是從英國和日本而來。

圖籍視野與東西觀照：
[法] *Henri Oger*《安南人的技術》之關涉

毛文芳 *

摘要

2009 年河內重新編印出版法國人 *Henri Oger*（1885-1942?）編製之《安南人的技術》。這是一套三冊非常特別的漢籍圖冊，第一冊為導論冊，第二、三冊為畫冊。原文為法語，同樣內容再依序譯成英、越兩種語文，全書悉依法、英、越三種語言次序呈現。除了 Oger 作為主導者所繫於一身的歐洲學術傳統及當代背景之外，《安南人的技術》的繪製、編纂、印刷與出版，尚可引進中國目錄學架構下之日用類書與物質圖冊，以及東西相互觀看之輿地探查與西學傳入等近世兩大書籍與知識脈絡以資對話與參照。這部誕生於二十世紀初安南的百科全書民族誌，可以輻射近世東亞於物質生活、視覺文化、民族認知、新知傳播、編撰意識、出版技術等多重面向的價值，為東亞漢籍研究拓展豐富的議題性意涵，並賦予重要的學術標誌。

關鍵詞《安南人的技術》百科全書 民族誌 圖籍視野 東西觀照

---

* ［臺］國立中正大學中國文學系教授兼東亞漢籍與儒學研究中心副主任。

一、緒論：一套重新編印之越南漢籍圖冊 [1]

2009 年越南河內重新編印出版 *Henri Oger*《安南人的技術》，這是一套非常特別的漢籍圖冊，有幸購得，遂引發近來關注近世圖像文化的筆者極大興趣。[2]以下先簡介這套圖籍。

《安南人的技術》河內重新編印封面 2009 年

封面左紅右灰配色，左側紅底白線的圖版選自畫冊中，右側灰色部份為出版訊息，由上往下共有七行橫書文字，第一行為作者姓名 Henri Oger，第二行為法文題名*"Technique du peuple Annamite"*（安南人的技術），第三行為英文題名*"Mechanics and Crafts of the Annamites"*（安南人的機械與工藝），第四行為越語題名*"Kỹ thuật của người An Nam"*（安南人的技術）。前四行為作者與書名。接下來第五行為法文小字*"Première édition 1909"*（1909 年初版），底部第六至七行為法/越

---

1 本文於 Henri Oger 畫冊若干喃文之標音譯解、《安南人的技術》「導論冊」部份文字之越語翻譯……等基礎考察工作，有賴越籍青年潘青皇大力協助，並承擔「目前研究概況」一節之初稿執筆，助成此研究成果，特此申謝並敬告讀者。*潘青皇為筆者指導之臺灣中正大學中文系碩士，已獲中正大學歷史系博士學位，現為中國復旦大學古籍研究所博士候選人。

2 2015 年，筆者透過越南漢喃院丁克順高級研究員賜知此書的學術價值，爾後囑託時任筆者研究助理的潘青皇碩士生返越於河內覓購此書，遂展開探索。筆者初涉越南漢學，相關素養薄弱，幸有青皇君一起共學，獲益良多，再致謝忱。

文 'Edition2009/Chủbiên（主編）：Olivier Tessier & Philippe Le Failler
（兩位主編姓名），文字的左右兩側共有四個合作機構的標誌。

　　本套書共有三冊，第一冊為導論冊，第二、三冊為畫冊。導論
冊扉頁依序出現同於封面第二～四行法、英、越三行書名。次頁上
下依序為作者姓名、三語書名、英越二語譯者姓名與出版機構。之
後，則同樣內容依序為法、英、越三種語言的導論（法語為原文，
英、越二語為譯文）。導論是幫助讀者全面理解這套圖籍的重要鎖
鑰，茲簡介譯自法文原稿之英譯導論部份，首頁行文樣式依序排列
（筆者中譯）如下：

《安南人的機械與工藝》研究的總體介紹

關於安南人的物質文化藝術和工業的評論

By

Henri Oger

Edition original on 1909

新版和介紹

Olivier Tessier & Philippe Le Failler

法國遠東學院　École française d'Extrême-Orient

Sheppard Ferguson 譯自法文

三冊

三種語言的文本卷和由 700 幅手繪、圖解與雕刻圖版組成的對開圖冊

HANOI 2009

　　導論冊編撰內容，包含的項目以*標示如下：

*「榮譽委員會的前言」（計 1 頁）

　　這套書冊由四個機構共同出版，首長們共組榮譽委員會。此章

開篇即標出四人姓名與職銜：

H. E. Mr. François BILTGEN 盧森堡大公國高教與研究文化部部長

H. E. Mr. Herre BOLOT 法國駐越南社會主義共和國大使

Mr. Jos SCHELLAARS 荷蘭駐胡志明市領事館領事

Mr. BÙI Xuân Đức 胡志明市國家圖書總館館長

*「謝誌」（計 1 頁）

*「敬告讀者」（計 2 頁）

*「本卷使用章節腳本的說明」by Nguyễn Văn Nguyện（計 3 頁）

*〈越南技術的先鋒：Henri Oger〉by Pierre Huard（計 2 頁）

　　這是 1970 年 Pierre Huard 發表於學報的一篇專文，作者引註感謝該文因得到國家檔案館海外分館館長 M. C. Laroche 提供 Oger 的官方檔案而寫成。

*「引論」by Olivier Tessier & Philippe le Failler（計 17 頁）

*1909 年 Henri Oger 舊作（計 23 頁）

　　此為 Henri Oger 針對《安南人的技術》所作研究的總體介紹，正文前包括：舊版書影、首頁致謝、畫冊的四大分類、緒言（包括方法、圖像、成品與出版等段落）。之後便是 Oger 針對安南國手工業以一種新的表列次序進行的總體介紹。

*「圖版索引」（計 27 頁）

　　題下有一行 Oger 按語：1908 年河內出版之 15 卷圖版（700 頁已出版，400 頁未出版，共有 4200 幅圖繪）（按：Oger 按語 1908 年出版疑 1909 年之誤）

*「15 卷圖版綜合目錄」（計 4 頁）

　　題下 Oger 註解：此綜合目錄共有 45 個文本群和技術性語彙依據被建構的四大類次序排列。

二、*Henri Oger* 及其《安南人的技術》[3]

(一)關於作者

　　1883 年中法戰爭。1884 年簽訂《中法會議簡明條約》，次年《中法新約》，中國放棄領屬權，越南成為法國保護國。法國佔領越南、柬埔寨、寮國後，1887 年（同慶 2 年）合併三地為「印度支那聯邦政府」，1899 年（成泰 11 年）在河內成立法國遠東學院，對印支古代文化，如高棉、占婆的研究都有所成就。越南雖然無法避免階層化、剝削、掠奪等殖民國命運，但也有不同於傳統的新變，如在文化政策方面，當時民眾仍廣受私塾教育，殖民政府於 1906 年（成泰 18 年）起在鄉村大力推行小學教育，以越南語授課，傳授新知。1910 年代，廢除科舉。殖民政府進行東方學研究，自 1887~1945 年，法屬將近 60 年，越南政治、經濟、社會、文化起了很大變化。

　　Henri-Joseph Oger（1885-1942?），1885 年生於法國 Monrevault，1905 年取得大學學位（主修拉丁、希臘、哲學）。之後，他個人請求前往越南河內進行兩年（1908-1909）完整的軍事服務，1909 年 25 位學生中以第四名成績畢業於他註冊就讀的殖民地學校（École Coloniale）。1910 年，他以學生身份被指派為法屬印度支那殖民地的行政官員，後升為第五班班長。Oger 赴越之際，時序剛進入 21 世紀，北圻淪為法國殖民地約有 20 年，幾乎相當於 Oger 的年齡。

---

[3] 筆者對於 Henri Oger 其人其書的認知，拜賜於 2009 年河內重新編印出版此書，拙文的論述來源悉得自該書導論冊相關研究篇章之英譯與越譯兩大部份之閱讀與尋繹。筆者在閱讀、理解及撰稿過程中，有賴潘青皇、盧詮、侯汶尚、林文儒等研究助理協助英譯、越譯、資料查詢與文獻繕打，於此一併銘謝。

1907 年的維新運動才剛起步瞬被消滅，1908 年新一波的運動正在蘊釀興起。大約 700 萬農民勉強務農糊口，生活艱辛，河內北圻首府，只有為數不多的城市居民從事手工業與買賣，許多工匠由農民轉業而來尋求營生之道。Oger 於 1912、1914 年兩度返法，據說他被視一位十分博學又得到安南語言與漢字認證並受過完整訓練的人才。後因戰爭之故，暫時脫離研究工作，開始飄盪生涯，1916 年被迫返回越南。及至 1919 年，因為生病住院及過重的工作負擔而返回法國，1922 年正式於公職上退休。他累積了兩年的軍事經驗，還有十年的服務。由此可知，他在越南共計兩年的軍旅生涯（1907-1909）以及十年的公職服務（1910-1920）。1932 年之後住在西班牙巴塞隆納，約於 1942 年左右逝世。

（二）關於此書的編撰動機與製印過程

如前所述，Oger 由法國志願赴越從軍。作為法蘭西學院的學生，他於 1907 年被殖民地政府派往河內的北圻履行義務，當時的任務為研究安南的家庭。1908-1909 年，他在河內進行文獻收集與深入考察，Oger 可以看到許多載錄越南多樣事物的字典或工具書，但事實上，顯現越南民族的實際調查零散，資訊亦相對稀少，他必需自行設計民族學的考察模式。

1908 年，Oger 雇用一批畫家，合作畫家究竟是誰？個別身分有待細考。Oger 為畫家們擬好提問大綱，這個大綱同時也提交給受訪安南人。他們在一年內走遍作坊、商鋪，對於各種機具提出包含尺寸、名稱、材質、用法等問題，受訪人給予考察人員各種機具名稱及用法示範。畫家在訪查現場進行即時速寫客觀紀錄，並準確描述各個細節，再給當地人檢視，以互動方式進行校正、解釋與補充，

之後是專業術語，之後是各圖的簡要解說。他們走訪河內 36 條街道以及周邊鄉村，以考察百姓日用，包括物質生活、生產方式和文化習俗。他們幾乎覆蓋性的記錄了河內的街道百態、公共生活、經濟交換與工業活動。這個由 Oger 率領的越南畫工調查隊，以一年時間共完成 4200 幅畫稿，他近距離接觸被繪入畫冊的安南人民，並與百工頻繁互動，充分體認越南工匠們在經濟發展過程中所承擔之不可忽視的角色。

怎麼呈現？超過四千幅的手繪圖稿，以及各圖包含器具、手工藝、民俗、習尚等語彙及解說文字，當時未得到官方資助出版，河內也沒有一間刻坊願意印行。他並未放棄，得到兩位善心人士捐助 200 元作為出版頭筆資金，他先後在 Hàng Gai、Vũ Thạch 的寺廟設了兩個工作坊，雇用包括畫工與雕匠（多為農民）在內的 30 人團隊，進行系列工作。最初，畫工在 Oger 的規劃與指揮下分批進行田野調查，將所見繪成畫稿，採訪者（包括 Oger）標記序號並題寫漢字/喃文，再逐圖寫成解說文字。之後，由匠人根據圖文原稿以木雕刻版。刻本完成時正值炎然夏季，印刷過程遇到困難，北圻夏日溼氣重，畫稿製成的大批雕刻木板因為受潮質地變軟，產生扭曲變形，無法放入鐵製的機器中進行壓製印刷，迫使 Oger 必需回頭使用安南人由中國習得的傳統木刻印刷法，以特別需求的大尺寸，取靠近河內的柚子村（Làng Bưởi）當地製造增加保存品質的 Gió 紙，提供 Oger 團隊使用，工匠再以手工方式將沾墨的雕版一一拓印在特製的 Gió 紙上，克服印刷的問題。初版印製使用傳統木刻技術，並以安南特製紙張進行印刷，由於未曾作過大尺寸的紙張，造紙工具較為粗糙，儘管速度緩慢，但版面清晰，效果樸拙，使該套書富

有濃厚的安南色彩。

(三)調查成果不受重視

　　Oger 於 1910 年開始於殖民地的公職生涯為融入政府習性十分艱辛，學者於越南國家資料儲存中心、艾克斯普羅旺斯海外資料儲存中心等處查詢其相關資料，發現頗有矛盾之處。透過評分表得知 Oger 在東洋表現出良好的工作能力，但 1911 年第二次到東洋，雖工作經常受到讚揚，但也出現他因專注研究疏略行政工作而遭受批評的紀錄，紀錄顯示他於 1914 年以怠忽職守之由被遣送回法，這種批評對他的研究成果帶來負面影響。另外，Oger 涉及某項宣傳引發殖民政府反感，1918 年被政府組成的調查委員會調查。返法後，他有一篇關於「大家的家庭」一文被刊登在《東洋雜誌》亦引發爭議，這些經歷似與其編繪《安南人的技術》之受輕忽不無關聯。

　　Oger 當時還年輕，這份研究計畫完成後，僅被視為工作報告，政府當局從未認真看待，因而未能獲得任何機構的青睞。Oger 並未失去信心，認知這份研究（圖像及註釋）是東洋物質辭典的架構，得到機會於河內的東洋雜誌《北圻將來》（"*Avenir Du Tonkin*"）刊登，1908 年第 77-82 期（3 月 15 日至 5 月 30 日），僅刊登 6 期便終止。原因似乎認為 Oger 漫不經心，只有作品載於公報的熱情，專業度似不足。雜誌總編輯表示：作者惜未得到科學機構如東方語言專門學校的幫助，認識安南這個國家。……云云。當時的東方語言專門學校是指於 1914 年在穩固的社會背景下成立的國家東方語言學校和法國遠東學院，成立之始對尋找知識的 Oger 或之後的 Malraux 等人皆不持有寬容心態。在此狀況下，這本書只能基於個人意願及挑戰力爭出版，Oger 捐募號召的自我讚揚，被反對者視為

欺瞞與作假，外界對 Oger 懷有蔑視的眼光，這是該書第一次出版數量很少的理由。

很遺憾地，該書出版時未標註確切日期，亦未留下任何出版資訊，沒有任何一個複本被國家機構正式收藏，法國國家圖書館也未見任何複本，現今東洋各圖書館亦幾乎沒有正式著錄。所幸越南政府有了兩個藏本，如今才得以拍照方式重新認識這項偉大的成果。

（四）同調師友與先驅

儘管如此，Oger 仍有同道師友與先驅。Oger 的老師 Jean Ajalbert 是一位記者律師，充滿才華與正義感，是《人權、社會問題年鑑》的作者，其自由意識接近無政府主義，遠離組織與權力，不為當局所喜，巴黎許多報社皆對 Ajalbert 敬謝不敏，幸有欣賞他的同道 Aristide Briand 設法讓 Ajalbert 在東洋取得新靈感專事寫作。Ajalbert 是《日報專刊》、《北圻將來》的編輯，因為對東洋充滿好奇，他花了好幾年成為小說家，並出版數本著作。1909 年，他曾為 Jules Boissiere《鴉片煙》寫書序，Jules Boissiere 又是一位對藝術著迷的人，在東洋亦被認為是筆鋒銳利的作者。Jules Boissiere 不斷攻擊殖民偏見，略帶狂傲卻善良、風趣但品行端正，富有幽默感，與 Jules Boissiere 同調。Jean Ajalbert 以及欽慕他的 Oger 都對這塊土地賦有使命感。Jean Ajalbert 對 Oger 影響很大，因為 Oger 正在尋找一個對安南文化理想模型的出版窗口，因此，這兩個人產生連結，他們喜歡跟安南人打交道，熱衷於學習語言，Jean Ajalbert 在其主編的《北圻將來》（*"Avenir Du Tonkin"*），騰出一個版面刊登 Oger 的圖畫和註解。

　　《北圻將來》這類東洋雜誌裡的作品，對科學技術性的研究很有限，大約在十年前，同樣關注越南民間文化主要有 Gustave Dumoutier 一系列被刊布在《北圻將來》的研究。Dumoutier 研究安南許多社會議題，包含家庭、醫學、飲食習慣、信仰等，他在〈玩具、風俗和職業〉專題中，用直觀性的圖畫系列呈現安南的社會體制。這些系列研究被命名為「北圻人民的小論」，出於一種熱情洋溢的手法盡力點綴，讓版面增加豐富感。Dumoutier 於 1904 年去世，這批刊登於雜誌具有鮮明色彩的圖畫對 Oger 產生一定的啟發。Dumoutier 雖然用熱情豐富的圖畫為越南的知識文化進行闡發，但 Oger 物象簡淨的畫法與構圖，同樣也能呈現出越南的文化特性。現代學者 Maurice Durand 和 Pierre Huard 指出這項風格，認為 Oger 繼承並吸納 Jean Baptiste Luro、Gustave Dumoutier、Jean Baptiste Friquegnon 和 Louis Cadirere 等前輩的優點，一起匯聚到他刊於《北圻將來》的圖文作品中。

（五）內容、分類架構與編排

　　這部畫冊為 4200 幅圖文稿本，Oger 別作兩部分，一是圖像，二是文字，排成 700 頁。整部作品由大量圖繪組成，Oger 採取漢字或通俗喃字 [4]作為內頁各圖的標題或釋名，這些都是由 Oger 與他的畫家團隊田野調查的筆記而來。以漢字或喃字指稱器具物品、職業術語或活動內容，後附對照性的「圖版索引」則再為各圖進行解說。這些圖像的標題與釋名，豐富了安南物質文化的語彙。

　　Oger 在畫冊最後製作兩種非常重要的附錄，第一種為「圖版索

---

[4] 喃字有時以漢字標出越語，有時取漢字之形組成新字，或結合上述二種，而成形聲組合之喃字。

引」(Index of Illustrations)，下方提及:"For the 15 Volumes of Plates Published in Hanoi 1908"(700 pages published; 400 unpublished; 4200 drawings in all)，1909 年（按：有按語謂 1908 年出版疑誤）河內初版的 15 卷圖版，共刊印 700 頁，全數共計 4200 幅手繪圖，另有 400 頁未刊印。對各頁圖版進行解說的「插圖索引」，是以各頁圖版由上而下分行（以阿拉伯數字 Rg.1、Rg.2、Rg.3……）、由右而左依序以英文大寫符號（A、B、C、D……）編碼，上下分行、左右編碼的方式讓讀者可以一一檢索參閱。

內頁圖版以漢字或喃字書寫的標題，與後附的「圖版索引」彼此之間有相關性，但未必具有相同邏輯的連結，有時彼此相應指稱，有時則二者相互參照及補充。再者，「圖版索引」這些具描述性或分析性的註解，似乎沒有特別的規範與體例，是十分自由的描述，當內頁圖版的視覺語言未能充分傳達訊息時，具有非常重要的指引功能，有時則呈現各說各話，未必緊密貼合的現象。

這部書涵蓋的範圍很廣，包括農業、商業、造紙、雕塑、烹飪、建築、算命、繪畫和民間醫藥等傳統職業；婚禮、葬禮、祭祀和陰曆新年等重大儀節；以及踢毽子、打撲克、唱民歌、放風箏和捉蝴蝶等民生娛樂。如上所述，Oger 在其 1909 年初版對該書的總體導論中，曾列出他為畫冊擬出的四大類項，又在全書最末，繼第一種「圖版索引」後再製作第二種附錄「15 卷圖版綜合目錄」，此份目錄共分成 45 個文本群和技術性語彙依循被建構的四大類項次序排列，以下一一呈現並舉例說明之。

第一類：從大自然擷取原生材料的工業。如：農業、漁業、狩獵、運輸業、採集業，共 5 項。畫冊中如：賣香蕉和蕉青葉（p.4）、

賣熟土豆（p.4）、網魚（p.10）、賣穀皮（p.12）、半檜（p.12，喃文「賣檜」）、搤豆樂（p.30，喃文「挖花生」）、播穀（p.30）……等，這些小販所賣者皆由大自然原生材料中取得，如香蕉、蕉青葉、土豆、魚、米、樹幹、花生、種子等直接擷取原生材料。

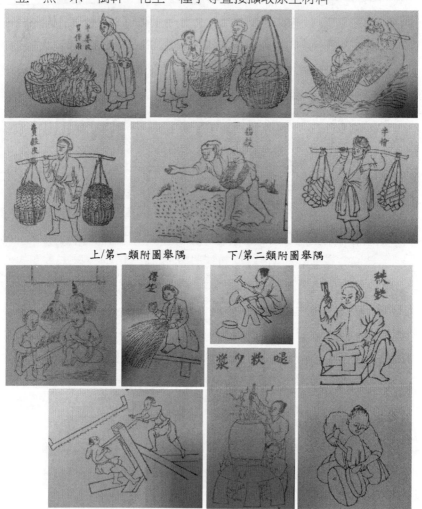

上/第一類附圖舉隅　　　下/第二類附圖舉隅

第二類：將收集的原生材料進行製作的工業。如：紙、珍貴金屬、陶藝、錫合金、木頭、武器、竹、藤、水果和蔬菜的製造、紡織、絲、羽毛、皮革、鐵、銅，共 15 項。畫冊中如：糕餅師父推平麵糰（p.2）、鐵匠製鍋（p.2）、婦人印紙（p.2）、長鋸木工（p.7）、製笠帽（p.11）、各色容器（p.24）、用糯米作漿（p.38）……等，由大自然中取得材料後進行製作處理。

第三類：由已製材料再加工處理的工業。如：商業、石藝、裝飾物設計、畫與漆、雕塑、儀式物品、烹飪術、服飾、建築、家具製造、工具、設備、機械、糕點製作，共 14 項。畫冊中如：賣調味料（p.4）、蓋屋（p.7）、巧作磚室（p.11）、賣茶（p.14）、春節文人揮毫寫春聯（p.14）、漆工製漆器（p.22）、佛像（p.25）、畫匠（p.36）、銀匠造圖（p.46）、中藥庫（p.47、p.90）……等再加工之處理。

第三類附圖舉隅

　　第四類：安南人民的私有與公共生活。如：公共生活、家庭生活、樂器、魔術與占卜、方藥運用、慶典儀式、遊戲與玩具、儀態、街頭生活、流動交易、流行圖像，共 11 項。畫冊中如：塗產（p.1）、門神畫（p.1）、鼓琴（p.3）、女人彈月琴（p.20）、春節裡清沐佛（p.23）、祭壇（p.25）、作飯比賽（p.35）、童子打桓子（p.35）、抓瓢蟲（p.38）、符咒（p.86、p.88）、年畫（p.90）、童子戲鼠（p.332）、小兒辰豆（p.333）……涉及安南人民私有與公共之多樣化生活面貌。

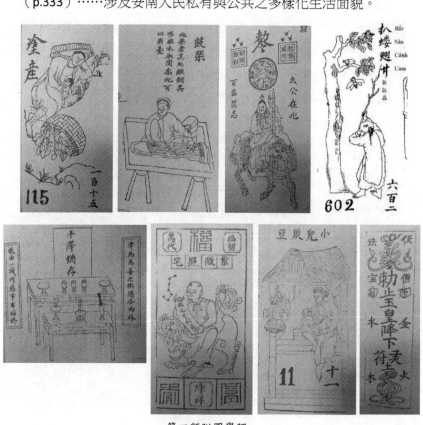

第四類附圖舉隅

　　第一種是生產的行業，使用的原料來自於大自然。第二種是工業，原料是資源。第三種是已經過加工的手工業。Oger 隱含的前三個分類意識與層次適為生產最重要的基礎要素：能源、工具、技術、勞動。Andre Leroi-Gourhan 於 1940 年將這些技術歸納為：收集、生產、加工、銷售。至於第四種則另屬一類，為安南的個人與公共生活，處理的是更複雜的社會議題。

　　Oger 的重點好像在確定一項手工業在不同階段如何進行？其工序又如何？這樣的分段，對於確定職業的過程是非常重要的，Oger 研究安南民族的物質文化與技術文明，他關心每個生產方式的工具、動作與環節，是十分進步的思維。

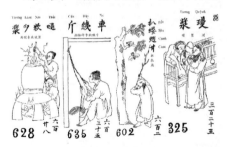

　　700 頁版面的構成，目前看不出有什麼特別的編排邏輯，以 p.38（左圖）為例，共有 4 幅圖，各有原始編號，然編號本身並不接續，4 圖彼此之間似無繫連的理由。4 幅圖皆以喃字立為標題。頁面中文字具有很重要的讀解之功，大抵而言，簡短標題多以喃文標出，較多解釋則用漢字，如「鼓琴」：「此琴者其絲維銅其形維木承閒樂此可以消憂」（p.3）。又如 p.9（右圖）鞋履五種釋名，「舄履」、「喪鞋」為漢文

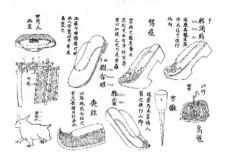

標題；「𠀧跔皮多」、「𠀧蠻」為喃文標題，「以麻繩削而結之，有大喪

者用行祭祀」是「喪鞋」的漢字釋文；「這履其冠皮其蒂木這個便行坑兩」是「驕踘骹」的漢字釋文。使用漢/喃字的原則，可能作士庶、雅俗之別，如 p.24 同樣兩款鞋並排──「裮巧：這裮巧乃土蠻山林製之行之以助荊棘」、「太后皇后行之號織鳳鞋」。前項製者或穿者為山林土蠻，後項為尊貴皇后所穿，故有意以喃、漢字區別之。

至於有更多的圖像並未附著文字，這時有賴畫冊後 Oger 編寫第一種「圖版索引」的解讀始能明白，譬如 p.21（右圖）下排的工具與作活，頁面毫無文字說明，「圖版索引」則依序（由右至左）解說：小打孔機；去穀殼；珍貴金屬拆卸器；浸水木筏；喪葬石碑；塔中燈座；製涼鞋；固柄之具；製中國秤的鑿子；打造金銀器的工具鍊

條；銀鈎。同樣的，p.2（左圖）幾幅圖，未附任何文字，參閱「圖版索引」，依序始知有製平底涼鞋、鐵匠鑄鍋、販賣銅器、婦人拓印、壓平豆腐作糕點、眼疾者戴眼罩、櫥櫃、傢俱、弓箭、樂器等。

雖然 Oger 的總體導論提出似乎由簡趨繁的四種類項，但進入每頁圖版中，則四個類項幾乎被擱置，4200 幅圖如何邏輯性地放入 700 頁版面中？Oger 有明確的分類系統？是根據先後繪製次序？

或隨機編次？目前仍是謎團，初次出版的導論中，Oger 雖有分類索引，但並未提及他每幅圖畫的排列理由，有待進一步探研。

（六）版本

在 1909 年惡劣的條件下，此書僅印刷了 6 份，原稿可能有 348 張疊紙（長 44 釐米，寬 62 釐米，厚 5.4 釐米）。[5]現存越南有兩個藏本，一在河內國家圖書館，只有 119 頁不完整的版本；一在胡志明市國家圖書館，是最完善的版本。2009 年河內重新編印出版即以胡志明市國家圖書館藏本為依據進行再製。河內國家圖書館藏本封面有 Oger 簽名，及贈予法屬印度支那總督 Albert Pierre Sarraut 阿爾貝・皮埃爾・薩羅的贈詞。封面文字及樣式（含筆者中譯）如下：

TECHNIQUE DU PEUPLE ANNAMITE
（安南人的技術）

ENCYCLOPEDIE DE LA CIVILIZATION MATERIELLE DU PAYS D'ANNAM
（安南國物質文明之百科全書）

Henri OGER

ADMINISTRATEUR DES SERVICES CIVILS
（行政官員）
EN INDOCHINA
（在印度支那）

《安南人的技術》2009 年河內重新編印 封面

胡志明市國家圖書館藏本，是目前保存最完善的本子，封面文字及樣式（含筆者中譯）如下：

---

5 （越通社-VNA）http://zh.vietnamplus.vn/法國越僑向順化宮廷文物博物館贈送安南人的技術木板畫/15357.vnp

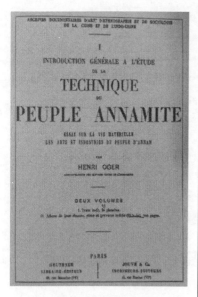

《安南人的技術》胡志明市
國家圖書館藏本　封面

ARCHIVES DOCUMENTAIRES D'ART, D'ETHNOGRAPHIE ET DE SOCIOLOGIE
DE LA CHINE ET DE L'INDO.CHINE
藝術、民族誌和社會學檔案紀錄
中國與印度支那

———————

I
INTRODUCTION GENERALE A L'ETUDE 總體研究介紹
DE LA
TECHNIQUE 技術
DU(of)
PEUPLE ANNAMITE 安南人
ESSAI SUR LA VIE MATERIELLE 物質生活的評論
LAS ARTS ET INDUSTRIES DU PEUPLE D'ANNAM
安南人的藝術與工業
PAR (by)
HENRI OGER
ADMINISTRATEUR DES SERVICES CIVILS DE INDOCHINA
行政官員

DEUX VOLUMES 兩冊
I Texte in-4#, 3 planches　1.文本: 4 三版
II Album de 4000 dessins, plans et gravures in-folio(65 x 40).700 pages
2.簿冊: 4000 繪稿、排版和雕刻於對開(65x40)700 頁

PARIS

GEUTHNER
LIBRAIRE.EDITEUR
68, rue Mazarine(VI)　　(兩處編輯)

JOUVE & COE
IMPRIMEURS. EDITEURS
15, rue Racine(VI)

胡志明市國圖藏本尺寸為 65x40cm，與法國越僑向順化宮廷文物博物館贈送「安南人的技術」木板畫報導消息所提供的尺寸（長 44cm，寬 62cm）相類。[6]卷首有謝誌，詳細研究，可據以重建 Henri Oger 當時的出版景況。卷首文字中譯如下：排名第一的致謝對象，就是主編《北圻將來》騰出一個版面供 Oger 首刊其研究成果的師友 Jean Ajalbert，與他在 Malmaison 酒店一同討論並分享憂愁的好朋友。

———————

6 同上註。

À

JEAN AJALBERT

En souvenir de nos longues causeries de la Malmaison
Au confident des heures de doute.

M. AYMONIER, Professeur de Cambodgien, d'Histoire et de Coutumes
Indo-Chinoises à l'Ecole Coloniale,

M. LORIN, Inspecteur des Services Civils de l'Indo-Chine, Professeur
d'Annamite et de Chinois à l'Ecole Coloniale,

M. LORGEOU, Professeur de Siamois à l'Ecole des Langues Orientales
Vivantes,

M. PRÊTRE, Administrateur des Services civils de l'Indo-Chine, Pro-
fesseur de Droit et d'Organisation Administrative de l'Indo-
Chine

M. NORÈS, Inspecteur des Colonies, Professeur de Droit Adminis-
tratif Colonial,

M. LE CAPITAINE ROUX, de l'Artillerie Coloniale,

leur ancien élève reconnaissant.

REMERCIEMENTS

La publication des 16 volumes de la *Technique du Peuple Annamite*
a été assurée grâce aux souscriptions de

M. EBERHARDT, Précepteur du Roi d'Annam, Docteur ès sciences
(Hué),

M! SCHNEIDER, Libraire à Hanoï,

MM. LE GALLEN, TISSOT, PERRET, BAZALGT, HUCKEL, MONGOUX, GIRAN,
MASPERO, Administrateurs des Services Civils de l'Indo-Chine,

M. BARBOTIN, Directeur de l'Ecole Professionnelle de Hanoï,

M. PERALLE, Directeur de l'Enseignement au Tonkin,

M. POULIN, Secrétaire de la Direction de l'Enseignement,

M. CHANE, Directeur de la Cotonnière,

M. HOANG-TRONG-PHU, Tông-Dôc de la Province de Ha-Dông,

M. MANDRON, Professeur,

M. RICQUEBOURG, Directeur des Douanes et Régies au Cambodge.

L'auteur ne doit ici de les remercier de la grande sympathie et de
la longue confiance qu'ils lui ont constamment témoignées.
Elles le consolent plus qu'amplement des vilenies et des bas-
sesses suscitées — infailliblement — dans ce pays par tout
travailleur probe et indépendant.

給

Jean Ajalbert

分享憂愁的好朋友

和 Malmaison 酒店一起討論日子的留念

給

Aymonier：殖民學校，東洋風俗歷史、占婆語教授

Lorin：殖民學校華語和南越教授、東洋民事務幹部

Lorgeou：東方外語學校—泰國語教授

Pretre：東洋行政組織和法律教授，東洋民事務幹事

Nores：行政組織法律教授，殖民監察

Roux 大尉：殖民炮兵

致謝

（一段引言……）

Eberhardt：順化科學研究博士，安南皇帝的太傅

Schneider：河內書店老闆

Lr Gallen：東洋民事務幹事

Barbotin：河內實行技術學校經理

Peralle：北圻 Seattle Public Schools 經理

Poulin：北圻 Seattle Public Schools 秘書

Chane：絲布公司的經理

Hoang-Trong-Phu：河東總督

Mandron：教授

Ricquebourg：柬埔寨的海關經理

（下略，可能係買書者……）

《安南人的技術》胡志明市國家圖書館藏本 卷首

　　2009 年河內今印本，根據出版者針對讀者的說明，該本係以胡志明市國圖藏本為底本，刪除不可證明的時間標記、皺褶跟毀損部分，以及輾轉於各個圖書館所蓋已經模糊的圖章、一些讀者鉛筆的印記……之外，儘量保留胡志明市國圖藏本的原貌。今印本被賦予的新價值在於每頁圖版下方增列一灰色色塊，其上一一標出越南語

的羅馬拼音為各圖翻譯，以便利現代越南讀者。其尺寸（31.5x24cm）已經縮幅，只有胡志明本原版（65x40cm）之四分之一。

據學者研究指出，除了上述越南兩個藏本之外，似乎還有其他藏本。河內國家圖書館另有一個 6 卷本，編號由 0 開始，到 700 結束。白色封面有 Oger 落款。英國圖書館也有一個版本，編號為 Or. T.C.4，有文字本和圖像本，共 700 頁，藍色封面。該本似由英國圖書館購進，然細節未詳；日本慶應義塾大學也有一本，為 1950 年由 Oger 的藏書中購買。日本本有 935 頁圖畫，比胡志明本多 235 頁，日本本有諸多疑問，有待釐清。[7]如此看來，《安南人的技術》一書，今日可能有 5 種版本，越南 3 種，英國 1 種、日本 1 種。

(七)越南兩個藏本的啟示：民族誌與百科全書

Oger 自己提出：「東洋和漢學的研究，必須要建設一個很大的資料庫，並進行數量的統計與分析。」他要畫出安南全幅的物質文明，這一點和幾位前輩先驅如 Gustave Dumoutier 僅作部分呈現不同。這種雄心讓他由安南的百姓日用、物質文化與技術工藝入手，並關聯安南百工職業的發展，出於全面性的民族誌研究方法，這種尖端見解，使他成為一位劃時代的領航員。

對 Henri Oger 而言，這套畫冊事實上就是官方委派調查工作的成果報告，是一份越南的民族誌（ethnography）。民族誌是一種寫作文本，其寫作風格的形式與歷史，均與旅行家書寫與殖民地官員

---

[7] Nguyễn Quảng Ninh, H.van Putten, Nguyễn Mộng Hưng, *Vài Điều Mới Biết Về Kỹ Thuật Của Người An Nam*, tạp chí nghiên cứu và phát triển, số 5, 2011.（阮廣寧、H.van Putten、阮夢興,〈《安南人的技術》的新問題〉,《研究與發展》, 2001 年第 5 期。）

報告有關，它運用實地考察提供人類社會的描述研究。民族誌學者
需以開放心靈面對研究的族群及文化，需以較長時間的實際體驗記
錄族群的日常生活，一份民族誌的訪問內容與檔案紀錄反映出研究
者對考察族群的理論前提、資料蒐集技巧、研究設計、分析工具以
及撰寫形式。[8]民族誌呈現一個整體論研究方法的成果，這套方法
立於一個概念上：一套體系的各種特質未必能被個別地準確理解。
民族誌往往指稱描述社群文化的文字或影像，作為人類學家或社會
學家的記錄資料，Oger 無疑在當時以殖民地官方身份進行的調查
研究就是社會人類學與文化人類學的方法，這套奠基於 4200 多幅
實地調查採錄的畫稿輯冊事實上就是河內北圻的民族誌，以機械與
手工藝為焦點，呈現安南 19 世紀初的全面性物質生活。

　　Oger 的研究取徑，其實在前述胡志明市國家圖書館藏本的封
面上半部，便可一眼望見：

ARCHIVES DOCUMENTAIRES D'ART, D'ETHNOGRAPHIE ET DE SOCIOLOGIE
DE LA CHINE ET DE L'INDO.CHINE
藝術、民族誌和社會學檔案紀錄
中國與印度支那
————
I
INTRODUCTION GENERALE A L'ETUDE 總體研究介紹
DE LA
TECHNIQUE 技術
DU(of)
PEUPLE　ANNAMITE 安南人
ESSAI SUR LA VIE MATERIELLE 物質生活的評論
LAS ARTS ET INDUSTRIES DU PEUPLE D'ANNAM
安南人的藝術與工業

Oger 在第一行即宣誓性地揭示他採用社會文化人類學的方法，製

8　資料來源 https://zh.wikipedia.org/wiki/%E……%97%8F%E8%AA%8C（2017.10.10）

作一份包含藝術、社會等廣大面向的民族誌。他確立的書寫重心為
越南人民的技術，因此物質機械與手工藝為其考察核心。首先，他
必需建立技術語彙與圖像紀錄，其次據此為所有器具、設備及使用
流程做出圖像性解釋，再者，以單一圖像描繪越南家庭百態，包括
銅、鐵、錫、皮革等工匠，還有紙張、漆器、糕餅、藥品等商號，
或是家傳型工坊、師徒型匠鋪、個別型兜售商販，以及街道往來各
色人物的衣著、圍繞住所的相關擺設、飲食習性、婚喪節慶俗尚、
祭祀起造的神像、趨吉避凶的符咒年畫……等。

　　《安南人的技術》河內國家圖書館藏本的封面，於書名下方有
一行醒目的字眼：”ENCYCLOPEDIE DE LA CIVILIZATION
MATERIELLE DU PAYS D'ANNAM”（安南國物質文明之百科全
書），當吾人看到河內國圖藏本封面的這行字眼，應更能理解 Oger
一百年前的雄圖。儘管當時並未獲得官方重視及出版意願，然越南
於法國殖民時期，關於物質文化研究的想法透過時代領航員 Oger
的努力被公開展現，等著這股意識逐漸成形與廣被接受。Oger 清晰
地揭示了他繪製編印這份民族誌賦予百科全書知識圖景的雄心。
Encyclopedie（百科全書）的奠基者是 18 世紀法國的 Denis Diderot
（德尼‧狄德羅，1713-1784），他是法國啟蒙思想家、唯物主義哲
學家、無神論者和作家，一生最大的成就是主編《百科全書》（1751-
1772）。《百科全書》有一大批學者參與撰稿，他們的哲學觀點與宗
教信仰不全然一致，其中有達蘭貝爾、愛爾維修、霍爾巴赫，以及
孟德斯鳩、F.魁奈、杜爾哥、伏爾泰、盧梭、比豐等聲譽卓著的改
革者，此書概括了 18 世紀啟蒙運動的精神，這些啟蒙思想家因編
纂《百科全書》理念相近而形成了「百科全書學派」。百科全書派
大抵以狄德羅為核心，他們的基本政治傾向是反對特權制度和天主

教會，嚮往合理社會，認為迷信、成見、愚昧無知是人類的大敵。主張一切制度和觀念要在理性的審判庭受到批判和衡量，同時，他們推崇機械工藝，重視體力勞動，孕育務實謀利的精神，因此這部書的全稱為《百科全書，或科學、藝術和工藝詳解詞典》。[9]

Oger 似乎相當認同並效慕兩個世紀前本國先驅學者 Denis Diderot 編纂科學、藝術與工藝詳解辭典的工具理念，故亟欲賦予《安南人的技術》一書偉大奧義為「安南國物質文明之百科全書」。Oger 於百年前遺留下來的兩個藏本封面，胡志明市藏本留下「民族誌」字眼，河內藏本留下「百科全書」字眼，這兩個重要詞彙，成為 Oger 特別標誌其知識傳承的符碼。

三、中國類書與圖像書籍的脈絡性視野

儘管促成 Oger 編纂《安南人的技術》之動機，很大一部份來自於西方 18 世紀以來 Denis Diderot 編纂「百科全書」締造全幅知識企圖的影響，雖產生於歐洲的背景不同，但 Oger 所在的安南國，擁有深厚的漢學傳統與知識體系，一如 Oger 所述當時其所接觸的書籍中，有大量越南出版的漢學辭典與工具書，就此而言，將《安南人的技術》衡諸中國目錄學範疇，類書與圖像書籍或可作為有意義的脈絡性參照。[10]

---

9 百科全書學派資料來源：https://zh.wikipedia.org......EE6%B4%BE（2017.09.30）

10 關於中國近世插圖書籍之大量例證，悉參引自鄭振鐸編著《中國古代木刻畫史略》，上海：上海書店出版社，2006。又參徐小蠻、王福康著《中國古代插圖史》，上海：上海古籍出版社，2007。不一一列舉，謹此說明。

（一）類書

　　類書是一種工具書，其編撰概念相類於西方的百科全書，發源於古代中國，後流傳至東亞各國。[11]類書可追溯到先秦時期呂不韋主編的《呂氏春秋》，後有三國《皇覽》，專供皇帝閱覽。其後歷代相沿仿效，依據皇家藏書纂修類書。宋代王應麟稱「皇覽」為類書的始祖。南北朝時期類書非常繁榮。有劉杳的《壽光書苑》、劉峻的《類苑》、徐勉的《華林遍略》、祖珽的《修文殿御覽》等。現存最早而較完整的類書之一，是隋唐虞世南所編的《北堂書鈔》，另有唐高祖令歐陽詢編《藝文類聚》、徐堅編《初學記》、《白氏六帖》。宋朝有李昉等奉勑編纂《太平廣記》和《太平御覽》，王欽若等編《冊府元龜》、王應麟編《玉海》等。明成祖命解縉、姚廣孝編《永樂大典》，最具規模，惜毀於戰火。清代陳夢雷、蔣廷錫編《古今圖書集成》1萬卷，成為今日中國最大之類書。明清後的類書種類繁多，專門彙集詩文詞藻者，有《佩文韻府》、《子史精華》、《駢字類編》；考證事物起源者有《格致鏡原》。[12]

　　日本受到唐朝文化的影響，從平安時代開始也出現了類書。第一本是源順於934年編寫的《和名類聚抄》。1446年出版《壒囊鈔》，匯集日本和中國的佛教與世俗事物知識。19世紀編成的類書《古今

11　西方學者普遍認為類書相當於今日的百科全書，中國學者則說法不一。清末民初的聞一多認為類書並不同於現代意義的百科全書，不過是類似《兔園冊子》之流的淺陋書籍。也有人認為類書可劃分為多個門類，並不是所有門類都可以算作是百科全書。學者杜澤遜認為，類書與百科全書的主要區別在於，百科全書對各種知識內容進行綜合歸納後撰寫而成，屬於著述；類書則將其他圖書中的詞句片段的原文，不加修改地分類匯集在一起。資料來源：https://zh.wikipedia.org/wiki/......9E%E6%9B%B8（22017.09.10）

12　資料來源：https://zh.wikipedia.org/wiki/%E......%9E%E6%9B%B8（22017.10.11）

要覽稿》已具有近代百科性質。韓國類書均出於朝鮮時代，其中多
與詩學關係密切，如李睟光《芝峰類說》、安鼎福《星湖僿說類選》、
權文海《大東韻府群玉》、李欲元《林下筆記》等。《芝峰類說》凡
二十卷，略分天文部、時令部、災異部、地理部、諸國部、君道部、
兵政部、官職部、儒道部、經書部、文字部、文章部、人物部、性
行部、身形部、言語部、人事部、雜事部、技藝部、外通部、宮室
部、服用部、食物部、卉木部、禽蟲部，共 26 部。[13]

越南亦有類書：《歷朝憲章類誌》，潘輝注於嘉隆 8 年（1809）
開始編纂，歷時十年完成。明命皇帝授予潘輝注國子監編修一職，
對研究越南地理、官職、法律史、兵制史、外交史等科目都有非常
重要參考價值。有輿地誌、人物誌、官職誌、禮儀誌、科目誌、刑
律誌、兵制誌、文籍誌、邦交誌等 10 部份。經查越南書目，被歸
為類書者多為拓展知識尤重詩學創作之用，如黎聖宗主編，杜潤、
阮直編撰《天南餘暇集》，參考各種典籍編成，包括條例、官職、
詩文評、列傳、雜識、史考、詩前集、詩集對聯、賦集、征西紀行、
征占婆書、明良錦繡、瓊苑九歌、典例、天下版圖等內容，多載錄
典故。另一部則是黎貴惇編撰《芸臺類語》，亦被歸為類書。分理
氣、形象、區宇、典彙、文藝、音字、書籍、士規、品物等九章。

若就全幅知識廣潤分類的概念而言，越南小學類的書亦以類書
架構編排如：《日用長談》，漢喃辭典，范廷琥（1768-1839）編撰，
此書分天文、地理、儒教、道教、身體、房屋、服裝、食品、草木、
昆蟲、禽獸等三十二目。《大南國語》，成泰己亥年（1899）印，針

---

[13] 韓國類書資料，參引自張伯偉著《東亞漢籍研究論集》，臺灣：臺灣大學
出版中心，2007，頁 317。

對漢語詞彙解釋和喃譯分成 50 部門，如天文門、地理門、人倫門、心臟門、公器門、俗語門、水部、土部、金部等。又如：《南方名物備考》，鄧春榜序於成泰辛丑年（1901），漢喃雙語辭典，按類分成：天文、地理、時節、人事、人倫、人品、官職、飲食、服用、居處、宮室、船車、物用、禮樂、兵、刑、戶、工、農桑、漁獵、美藝、五穀、菜果、草木、禽獸、昆蟲等。[14]

（二）日用類書與附圖

在類書系統中，以圖輔成者有明代小規模的《圖書編》及大部頭的《三才圖會》，後者因附有大量圖版而在類書系統中顯得極為特別，該書是由明朝人王圻及其子王思義於1607年共同完成編輯。「三才」，是指即「天」、「地」和「人」，共 106 卷，分 14 門，分別是天文、地理、人物、時令、宮室、器用、身體、衣服、人事、儀制、珍寶、文史、鳥獸和草木等，各門繪有圖像及文字說明，部份圖畫添加神話想像性色彩，還包括一些地圖源自傳教士帶來的外國輿圖。《三才圖會》被譽為中國繪圖類書的佼佼者。摘取天文地理、史事逸聞、典章制度、名言警句、藻辭儷語等分類排比而成，世間萬事萬物均可以圖示。

受到中國影響，百年後的日本亦有《和漢三才圖會》，是 1712 年（正德 2 年）在日本出版的類書。按字義來說，書名的意義就是：「日本、中國的天地人三界的圖冊集」。編纂者是大坂的醫生寺島良安。書中描述並圖解日常生活，例如工匠、釣魚、植物、動物及星座等。著作的構思來自中國的《三才圖會》。全書篇幅達到 105 卷

---

[14] 關於本文引證之越南書籍目錄資料，悉參自劉春銀、王小盾、陳義合編《越南漢喃文獻目錄提要》，中央研究院，2002。

81 冊之巨，在各項目裡羅列中國與日本的考證，並添上圖版。本書由古漢語寫成，和《三才圖會》相同，卷帙浩大，篇幅遠遠超過中國母本，該書同樣也錄入部份想像不可稽考的內容。天部類項較少，唯人、地二部，分門別類，項次繁複。據其後序言之：「物物圖形狀書……令童蒙易見。」可見得對圖繪曉喻大眾的功能極有體認。

與《三才圖會》展現全幅知識架構的編著理念相同，還有一種關心百姓日用知識的類書型態，早在南宋末年，就有福建崇安人陳元靚編《事林廣記》一書，是一部日用類書，收藏許多民間生活資料。元代建安刻坊，行銷廣遠，如繼承宋金的醫藥傳統《新編類要圖注本草》、《居家必用》、《翰墨大全》……等日用百科大全紛紛出籠。至元六年（1340）建陽鄭氏積誠堂刊刻《纂圖增類群書類要事林廣記》是劃時代作品，采用纂圖互注的形式，開拓類書附載插圖的體例，內容包括天象、節氣、農桑、人紀人事、家禮、儀禮、帝系紀年、歷代聖寶、幻學、文房、佛教、道教、養身、官制、醫學、文籍、辭章、算命、選擇器用、音樂、武藝、閨妝、茶匯、酒麴、飲饌、郡邑、風水……等共 53 門，繪錄了當時種種風俗禮儀遊戲。

為了滿足各類讀者需求，明代出版大量生活必備的日用類書，如《萬用正宗》、《萬寶全書》、《五車拔錦》……等，以收載內容最多樣化的《五車拔錦》為例，將四散分開的資料廣為搜羅，依照人們日常生活必需的知識架構，加以重新編排分類，共計有：天文、地輿、人紀、諸夷、官職、律例、文翰、啟箚、婚娶、葬祭、琴學、棋譜、書法、書譜、八譜、塋宅、剋擇、醫學、保嬰、卜筮、星命、相法、詩對、體式、算法、武備、養生、農桑、侑觴、風月、玄教、祛病、修身等 33 門。存仁堂刊梓的《萬寶全書》，封面上刻印有「徐

筆洞先生纂」，及「每部定價　銀壹兩正」等字眼，透過出版銷售的方式，為百姓的日常生活，提供知識檢索與查核的功能。還有為新興商賈階層所編的類書亦應運而生，如《一統路程圖》、《新刻士商必要》、《客商一覽醒迷》……等，以從事商業活動的商賈為主要閱讀對象，或作為商業經濟的知識傳授、或作為商賈商業活動的條規和準則、或作為職業道德的讀物、或作為初涉商場生徒的啟蒙教材，印刷發行量很大，傳播很廣。[15]

(三)物質技術的圖籍

　　《安南人的技術》對物質技術進行圖繪保存，放諸近世中國出版界，蠭出的圖像書籍亦如雨後春筍。不妨以目錄學角度回溯中國物質技術的書籍先河：《考工記》，該書是中國最早關於手工業技術的國家規範，成書於春秋末、戰國初。漢代把《考工記》補入《周禮》作為《冬官》篇。〈考工記序〉開宗明義就提到國家六種職業：

> 國有六職，百工與居一焉。或坐而論道，或作而行之，或審曲面執，以飭五材，以辨民器，或通四方之珍異以資之，或飭力以長地財，或治絲麻以成之。坐而論道，謂之王公；作而行之，謂之士大夫；審曲面執，以飭五材，以辨民器，謂之百工；通四方之珍異以資之，謂之商旅；飭力以長地財，謂之農夫；治絲麻以成之，謂之婦功。……百工之事，皆聖人之作也。

百工又分了各種項目，包括攻木之工：輪、輿、弓、廬、匠、車、

---

[15] 本段文字參引自拙著《物‧性別‧觀看：明末清初文化書寫新探》（台北：臺灣學生書局，2001），〈導論：明末清初文化書寫的面向與意涵〉，「（二）日用生活的類輯」一節。

梓；攻金之工：築、冶、鳧、栗、段、桃；攻皮之工：函、鮑、韗、韋、裘；設色之工：畫、繢、鍾、筐、荒；刮摩之工：玉、櫛、雕、矢、磬；搏埴之工：陶、瓬等。是早期全面呈現手工技術的文字載錄，涉及許多技術問題，如車輪的材料選擇、工藝規範、接鞣方式以及如皮革、染織、樂器、兵器等製作加工的問題。

由文體學而論，「記」具有史家之敘事、具載功能：「記者，所以敘事識物，以備不忘」，「記事物，具始末」。《考工記》今雖不見原圖，唯由後代文本可知原來必然附圖以輔助說明。中國與物質技術相關之圖籍，早有《考工記》，近世則有宋應星之《天工開物》。明人宋應星（1587-1663）任江西分宜教諭時編撰，初版於崇禎 10 年（1637）。《天工開物》是世界上第一部關於農業和手工業生產的綜合性著作，收錄農業、手工業、工業——諸如機械、磚瓦、陶瓷、硫磺、燭、紙、兵器、火藥、紡織、染色、制鹽、采煤、榨油等生產技術，尤其機械更有詳細的記述，它對中國古代的各項技術建構成一個完整的科學技術體系，外國學者稱它為「中國 17 世紀的工藝百科全書」。該書亦詳細敘述各種農作物和工業原料的種類、產地、生產技術和工藝裝備，以及生產組織經驗，既有大量確切的數據，又繪製 123 幅插圖。《天工開物》門類眾多，加以技術範圍較廣，包含中國古代農業、手工業的各主要部門。該書與明代李時珍《本草綱目》、徐光啟的《農政全書》都是中國物質技術的巨著。這些重要的物質圖書，皆可與《安南人的技術》進行參照。

目錄學亦有物質圖籍的收書類例，北宋徽宗命大臣編繪宣和殿所藏古器，就其外形與紋飾摹繪、刻印、編輯而成《宣和博古圖》30 卷，成了後世傚效的典型。北宋呂大臨編撰《考古圖》，是我國

最早成系統的青銅、玉器圖錄,每件器物都摹繪圖形和款識,記錄尺寸、重量和容量,並進行考證。除了博古系統之書外,宋代還出現李之彥《硯譜》、洪芻《香譜》、蔡襄《茶錄》、竇苹《酒譜》、韓彥直《橘錄》、范成大《梅譜》、趙時庚《金章蘭譜》、張功甫《梅品》、歐陽修《洛陽牡丹記》、王觀《揚州芍藥譜》、史正志《菊譜》、傅肱《蟹譜》、王安石《相鶴經》等著作新類型。《四庫全書》將品物直接相關之書歸入「譜錄」、「藝術」、「雜品」三大類例,近世將這些書籍配以圖像以備日用檢索者甚夥。宋元雕版印刷興起後,以木刻技術印製實用性圖籍以醫書最夥,如北宋翰林醫官王懷隱等人奉勑編撰《太平聖惠方》,人體插圖 12 幅;醫官王惟一重繪針灸穴位圖而成《銅人腧穴針灸圖經》、劉甲刊刻《經史證類急用本草》;元代醫官忽思慧撰《飲膳正要》等,尚有宋李誡撰《營造法式》,專論營造修建之事。

明清時期,民間刻坊以雕版印刷技術大量印製實用性圖籍,蔚成風氣,明初有《農書》、萬曆有《袁了凡勸農書》、《武經總要》等。《便民圖纂》是由李文、李禎、曾中、傅汝光等於萬曆 21 年刻於陝西,男耕女織,耕圖 15 幅,織圖 16 幅,以宋樓璹所撰《耕織圖》為藍本。嘉慶 13 年刻《授衣廣訓》,專述織事,表示需求更多,技術更繁瑣,由種棉、采棉、以至織布、成衣均有圖說。

明清的圖文書,或依序臚列眾圖,標舉名稱,或以圖解文,增強注釋,圖錄或圖鑑可用以增衍文字功能。人物而言,如:《歷代名人圖像》、《古先君臣圖鑑》、《有像列仙全傳》、《百美圖》、《百花圖》、清初《英雄譜》……等,為人物之圖錄或圖鑑。與承載歷史名器之博古圖相類,以物質為主的兵器圖、樂器圖,以及展現農、蠶、桑、工、營造等行業製造過程的生產圖如上述《農書》、《耕織

圖》之類者，為數甚多。武器方面，萬曆刻《神器譜》、《單刀法選》、《少林棍法闡宗》、天啟刊《武備志》……這類講兵法、談武術、列火器，甚至論機械、述工程的圖鑑、圖錄之書，皆與當時流行的小說戲曲及畫譜插圖一樣精良。

(四)圖文書之閱讀風氣

圖書並陳是古老的閱讀型式，只是圖像文物不如文字資料容易保存及再製，加上後世文人因重詞章或重義理，專力關注語言而冷落異趣的圖像，遂造成長期以來圖譜的失落與讀圖能力的退化。[16] 明中葉以後，除私家精刻之外，書坊擴大了文化參與的版面。木刻印刷術的發達帶動了印刷數量的攀升、閱讀人口的激增、生活日用的需求、書估掠販的手法等，書籍成為可販賣的商品。書籍出版因運讀者而生，斯與日漸世俗化的社會可謂同步進展。書籍由早期刻印佛經轉向迎合廣大讀者需求，各類書種：叢書、類書、通俗文學、實用圖籍、繪刻插圖等大量匯刻流通。無論是一般庶民日用的類書，或是特定職業的商書、醫書等類型，呈現讀者取向的出版動態。

印書刻坊出版活絡的一大因素，在於版畫插圖的刊刻，小說戲曲、醫書、工書、啟蒙讀物、小型類書、信箋畫譜等，多附有插圖。書坊刻書冠以「纂圖」、「繪像」、「繡像」、「全像」、「圖像」、「出像」，以及「全相」、「出相」、「補相」等題名，有很強的讀者吸引力，清代《欽定古今圖書集成》是部體系龐大插圖極豐富的類書，凡例曰：「古人左圖右史，如疆域山川，圖必不可缺也。即禽獸、草木、器

---

16 觀點引自陳平原《左圖右史與西學東漸：晚清畫報研究》，北京：三聯書店，2008。

用之形體，往籍所有亦可存以備覽觀，或一物而諸家之圖所傳互異亦并列之，以備參考。」可知插圖之重要。近代圖像由從屬於文字，一躍而為文字旁參補充，或與文字平起平坐，甚至成為主角的地位。

　　經籍不易理解，早在寫本時代，便有以圖解經的方法，如《漢書‧經籍志》有《周易新圖》、《毛詩圖》、《春秋左氏圖》之載錄。宋代開始出現以圖解經的作品，如聶崇義編成《新定三禮圖》，援經據典，考釋器象，附以圖說，全書共有插圖 500 多幅。南宋建安坊間刊刻《纂圖互注禮記》，收錄 27 幅圖文，使禮記的閱讀明晰化。《纂圖互注荀子》亦同樣以上圖下文互見方式，為荀子進行圖解。宋金年間，出現《經史證類備急本草》、《新編類要圖注本草》、《新刊補注銅人俞穴針灸圖經》等圖解草藥或標注穴位的醫藥用書。元代《新刊全相成齋孝經直解》，也是上圖下文的「纂圖互注」形式，圖解經典。《重修政和經史證類備急本草》，除了草本圖繪之外，書中「解鹽」一圖則繪出人物勞動的景況。

　　明清時期四書五經、童蒙讀物、詩文選本……無不插圖。童蒙訓注類讀物，如元代福建刻《歷代諸史君臣事實箋解》，以圖解敘寫史事。明熊大木校注《日記故事》，上圖下文，是建安版訓蒙書。清末《孝友圖說》，圖繪孝友故事；《蟾宮第一枝》，集孔子、倉頡和梓潼帝君寶誥及惜字報本等功律圖案，皆孝訓讀本。光緒 30 年（1904）《繪圖蒙學課本》已啟用石印術大量印製，這類附圖蒙學教科書不少，如《三字經圖注》、《繪圖小學千家詩》、《女二十四孝圖說》、《澄衷蒙學堂字課圖說》……等。

　　粗覽晚清書市的概況，夾雜著印刷術的精良，特別標榜圖像的書籍異軍突起，宛如「左圖右史」的傳統復活，許多城市的導覽圖如《申江勝景圖》、《海上繁華圖》等，蒐羅艷色的百美圖如《上海

品艷百花圖》、《海上群芳譜》等在書市中大佔版圖。與民眾生活息息相關的新聞，以圖為訴求的畫報如雨後春筍般蠭出，「視覺語言」大量植入了讀者的心眼。因應著個人意識高漲與能動性強的時代潮流，書市一隅新興的出版策略及所營造的閱讀品味，是「左圖右史」古老形式的翻新。明清時期畫像呈現圖文並置的盛況，不僅遙承古來「左圖右史」的傳統，尚以傳統書籍插圖與表徵時尚的跨文本彼此鏈接，相互激蕩，促成清中葉這類畫像圖籍的繁榮。為書籍配上圖像資料，讓圖文自由鏈接，相互對話，實現了跨文本的閱讀。

四、中（東）西雙方視野的相互觀照

《安南人的技術》這部鉅作，作者 Henri Oger 為 19 世紀後期一位擁有歐洲視野的法國人，圖畫展現了以機械與手工藝為重心安南國之日用生活與物質文化，上一章已置於中國視野下進行參照。放大視野而言，中西雙方皆可在異同的比對和辨識中，透過他者的圖譜、形象與歷史記憶，更清晰與深化自我的認知與重新定位。為了闡明 Oger《安南人的技術》一書相涉的文化幅度，筆者擬再將與安南息息相關的近世中國圖籍為核心，注入廣義的歐洲視域，以中西雙方的相互觀照作為脈絡性視野，探尋相涉的知識意涵。

（一）西方觀看東方中國

1、中國風（東方熱）

13 世紀往返蒙元與威尼斯的《馬可波羅遊記》，是奠定歐洲人早期認知中國最重要的一部遊記，然對中國印象仍零碎模糊。有趣的是，當中國人向四方探索異域邦國地理之際，歐洲人也絡繹不絕

地來到中國。15-17 世紀英國、西班牙等歐洲國家興起的大航海時代，促成了東西方交通，亦從此展開雙方進一步的相互理解，歐洲人不斷來到東方中國，與人交往，帶回物產和書籍，逐漸認識中國。

異質文化的交流中，視覺的圖像似乎處於先導的地位。西人眼中的中國圖像就是西方人在認知中國過程中形成的視覺化形象，集中表現在繪畫作品上。維多利亞時代，處於鼎盛時期的西方密線木刻版畫，以中國圖像為主題進行匯集，形成了難得而豐富的視覺化紀錄，具有劃時代的藝術特性。西人作品的中國圖像相當寫實，建立在他們進入中國進行實地繪製的基礎上。歐洲人崇尚、追求和模仿當時從中國輸入歐洲的絲綢、瓷器、漆器、家具、壁紙、燈籠、扇、傘以及園林設計，在工藝品形制中納入中國元素，形成一種「中國風」。此外，當時從廣州等通商口岸運往西方的中國外銷畫，也以更為廣泛的題材展示中國社會的各類景象，傳達大量中國的形象訊息，與上述西人畫作相呼應，促使中國的真實圖像在西方形成。

這股中國熱，放大而言，自然是東方熱，或許以此比附《安南人的技術》並不恰當，但 19 世紀植基於殖民統治交付 Oger 進行調查的《安南人的技術》一書，其背後仍然不脫大航海時代西方瞄準東方的這個大背景，以及伴隨而來的中國風與東方熱，安南畫冊繪製動機的最深層意涵，不能說與此毫無關聯。

2、歐洲的印刷出版

值此視野下的中國圖像，大體分為兩類：第一類是畫家原作，當時有不少歐洲畫家進入中國進行實地繪畫，最著稱者莫過於亞歷山大（William Alexander，1767-1816）。1792 年他隨馬戛爾尼使團到中國，回國後為歐洲人推出大量中國圖像，1797 年問世的斯當東

所著《英使謁見乾隆紀實》已經收入若干幅亞歷山大畫作。1805 年手工著色的銅版畫冊《中國服裝》，亦收入其中國圖像作品，廣泛流傳。第二類是根據原作印製的版畫，包括銅版畫和木板畫。中國圖像的版畫作品，或在報刊上刊登，或印製成畫冊，或作為著作的插畫，都有一定數量，使更多的人閱讀，造成更大的影響。[17]

　　西方畫家因旅遊而親自帶回歐洲寫實基礎的東方圖像，介紹性的書籍往往刊載中國圖像的版畫。19 世紀以後，西方不少遊記都有相當數量的插圖，如法國人德經（M. de Guignes）1784-1801 訪華，所撰《北京之旅》出版於 1808 年，附有 97 幅銅版插圖。如英國建築師丹尼爾（Thomas Daniell）在 1810 年出版的《經由中國去印度的獨特之旅》，附有 50 幅彩色插圖。於 1998 出版 Walter E. J. Tips. Trans：Louis Delaporte, Francis Garnier:《老湄公河圖畫之旅：柬埔寨，老撾和雲南（湄公河勘探委員會報告書）(1866-1868)》"*The Mekong Exploration Commission Report*"，為一份大量附圖的印度支那勘察報告。

　　16 世紀開始，西人書寫中國的出版品逐漸出爐，筆者於 2016 年暑假期間往訪歐洲，在英國倫敦大學亞非學院圖書館（SOAS Library）獲悉一種特色館藏:「西人書寫中國」數據庫（SOAS Library Data Base: Western books on China up to 1850），乃該館所藏明清三百年間西人書寫中國的電子書，據目錄所悉，16 世紀初年開始的外文著作，包括拉丁文、義大利文、德文、西班牙文、法文……等 600 餘部，數量甚多，內容包羅萬象。可略窺西人書寫東方帝國見聞所

---

[17] 關於本文探討歐洲出版中國圖像之相關材料，參見黃時鑒編著，《維多利亞時代的中國圖像》，上海：上海辭書出版社，2008。

觸及的探索意識與東方情懷。

　　就媒介而言，除書籍畫冊外，19 世紀下半葉，歐洲報刊早已蔚然成習。當時定期刊物，偶爾採用中國或東方國度的圖像，英國《倫敦畫報》開風氣之先。其後還有《泰晤士報》（1855 創刊）、《世界畫報》（1858）、《星期畫報》（1863）、《圖像》（1869）等。德國有《畫報》（1843），法國有《畫報》（1843）、《世界畫報》（1856）、《小不點兒雜誌》（1871）和《小不點兒巴黎人》（1888）等，比利時有《愛國者畫報》（1873）和《畫壇》（1882），義大利有《義大利畫報》（1873）和《畫壇》（1893）等等。[18]

（二）中國觀看西方

1、輿地探索

　　明初開始出現大量地方史志的編撰，乃是對於方域發現的知識性建構，對於地理的發現與認知，除方志編撰外，中國邦國架構的異域書寫，歷來正史編有外蕃傳、諸夷傳，而宋趙汝适《諸蕃志》、朱輔《溪蠻叢笑》、元汪大淵《島夷志略》、明董越《朝鮮賦》、不知名著《朝鮮志》等書，與此相類而獨出，顯示中土對邊域邦國的興趣。至若元周達觀《真臘風土記》，是使節的出使紀錄，體例沿承中原風俗民情，揭開外邦的地理面紗，開啟近世對於外國認知的視野。明成祖永樂年間（約 15 世紀），鄭和組織航海創舉的大型艦隊下西洋，展開中國對南亞、中亞、西洋等國度的地理大發現。明清陸續出現對外國的地理著作如張燮《東西洋考》、艾儒略《職方外紀》、傅恒《皇清職貢圖》、南懷仁《坤輿圖說》……等，其中兩

---

[18] 資料來源同上。

部是西洋人所撰，明末傳教士利馬竇獻書《萬國圖誌》，龐氏翻譯後，再由艾儒略增補。

筆者曾走訪俄羅斯聖彼得堡大學、英國倫敦大學、德國海德堡大學等東亞圖書館，亦探訪大英圖書館與法國國家圖書館總館與黎塞留分館，粗覽明清時期許多中土出版的書籍如方志、旅遊導覽、傳統類書、日用類書等，被攜回歐洲流傳超越數百年之久，這些書籍反映了傳教士、帝師、外交人員或商旅人士所經眼近世中國的書籍及其閱讀品味與欣趣，尤重輿地探索。

除了西人看見或書寫中國，中國人又是怎麼看西方？這可形成有趣的對照。晚清文人走向西方的旅遊紀錄：如康有為《歐洲十一國遊記二種》（1858-1927）、梁啟超《新大陸遊記》（1873-1929）、單士釐《癸卯旅行記／歸潛記》（1856-1943）……等，恰與上述形成兩種視野的交鋒。學者呂文翠標舉 1884 年（光緒 10 年）作為一個時代切片，觀察 19 世紀後葉上海出版界炫人眼目、繁花似錦的盛況。《海國圖志》、《瀛寰志略》、《大英國志》、《聯邦志略》之類介紹全球史地的著作蠭出，大量世界地理書的發行，反映著大航海時代發展迄於當時的普世效應，又與清末大量由類書翻新的中國地理書相互取資，接引西方自 18 世紀以來「百科全書學派」的知識渴求，如上所述，深深影響 Oger 編製《安南人的技術》一書之「百科全書學派」，亦在此際傳入中國，透露著知識份子處於巨變中，開啟觀覽世界視窗之渴慕，這種渴慕甚至可以輻射整個東亞地區漢文知識社群跨國共同建構的世界圖像。[19]

---

[19] 參見呂文翠著，《海上傾城：上海文學與文化的轉異 1849-1908》，台北：麥田出版社，2009。

2、西學傳入

康熙後期陳夢雷編撰《古今圖書集成》，為中國最大一部類書，文字以銅版活字，豐富的插圖採用木刻，其中廣納西學。例如該集「歷法典」儀象部所收〈靈台儀象志〉是比利時傳教士南懷仁撰寫的天文著作，介紹康熙皇帝命南氏督造的赤道經緯儀、黃道經緯儀等六種儀器的制作原理和使用方法，書中附刻 117 幅圖，乃外國傳教士繪、宮廷刻工鐫刻的產物。又如「乾象典天地總部」收錄葡萄牙傳教士陽瑪諾的天文著作《天問略》，以問答形式解說天象原理。

除了天文之外，尚有論述物理機械與水利之書，為實際需要，不能不以圖畫輔助文字說明之不足，如講究土木工程之《魯班經》，這類書有廣大的實用性，都有一種或一種以上的翻版。中國第一部講機械學以及介紹西方物理學的《遠西奇器圖說》，是明末來京之德國耶穌會傳教士鄧玉函口授、王徵編纂並繪圖。鄧氏是一位醫生、哲學家、植物學家，在義大利結識了科學家伽利略，該書將歐洲當時最先進的機械學知識傳授給中國人。康熙年間比利時傳教士南懷仁撰寫《坤輿圖說》，繪有〈坤輿全圖〉並介紹西方地球科學知識，師從義大利傳教士利瑪竇的徐光啟，則翻譯《幾何原理》、《測量法義》，又編譯《泰西水利》。

關於輿地知識，明末艾儒略根據西方文獻，加上個人搜集寫成《職方外紀》，專紀中國疆域與風土人情。清代魏源編撰《海國圖志》，進一步拓廣中國世界觀，康有為以為此書是西學的認知基礎，被視為中國世界地理開山之作，對中、日的維新變革有推動之功。

晚清時期，接受西學的簡便途徑是翻譯，北京、上海相繼成立同文館和江南製造局翻譯館等機構。光緒 12 年（1886），美國醫生

洪士提翻譯《萬國藥方》，以石印繪出「藥器畫圖」的封面。道光
26 年（1846）於廣州印行的《番漢通書》，是中外交化交流史一部
十分重要的實物例證，卷首附有許多西方物像如：火車圖、輪船圖，
插圖顯然是歐洲木刻仿製品，刀法與中國傳統技法不同，首次引進
中國，之後這類書漸增，以鉛字活版印刷，插圖也往往以照像製版。

　　至於報刊則是大宗西學東漸的傳播媒介，以《北洋學報》為例，
光緒 32 年（1906）創刊，天津出版，五日刊，由北洋官報總局編
印。內容包括：學界紀要、中西格致通論、化學粹言、世界女學進
化史、科學叢錄文編類（含經濟文編、武備文編、交涉文編、實業
文編等）、科學叢錄調查類（含法政調查、財政調查、實業調查、
人物調查、風土調查、路礦調查），皇朝經濟報、藝林合刊，後附
博物雜誌。

　　19 世紀銅版、石印術進入中國後，圖書報刊出版盛況空前。陳
平原教授關注晚清畫報在傳播時事和新知方面的啟蒙價值，並兼及
新聞史、繪畫史及文化史之意義。溯及中國「左圖右史」的傳統與
清中葉以降西學東漸的「圖像敘事」結盟，進而匯入以「啟蒙」為
標識的中國現代化進程，以圖像為主體所進行的敘事，與以文字為
媒介所進行的敘事之間相互溝通與補充，產生了無可取代的聯繫。
[20]空間移動與地理知識的輸出/輸入，致使中/西讀者視野無限延伸，
彼此碰撞與對話之於語文與圖像的流通傳達，將激發出近世讀者新
的旅遊意象與輿地情懷。

---

[20] 參見陳平原著《左圖右史與西學東漸：晚清畫報研究》，北京：三聯書
　　店，2008。

(三)越南的西方觀看 [21]

1、西學東漸

法國人 Oger 繪製《安南人的技術》一書，讓人不禁想到成書之前 20 年另一部由英人編撰的物質圖籍：《博物新編》，這是越南近代科學知識讀本，由英國醫士合信撰，有靈河陳仲恭所作兩篇序，分別序於嗣德 30 年（1877）和維新己酉年（1905），附有豐富插圖。第一冊介紹物理知識，包括熱、水、光、電、氣等；第二冊介紹天文地理知識，包括太陽、彗星、地球、經緯線、大洲大洋等；第三冊介紹地球上的各種動物。陳仲恭〈重鐫博物新編序〉：「盈天地間皆物，洋洋發育，職職不窮，自非胸中有張華之學，目下有溫嶠之見，豈易博乎？」中國晉朝張華著有一部奇書《博物志》，內容包羅萬象，前三卷記地理動植物；第四、五卷是方術家言；第六卷是雜考。第七至十卷是異聞、史補和雜說。集神話、古史、博物、雜說於一爐。宋李石著《續博物志》、明游潛《博物志補》、董斯張《廣博物志》等皆倣此而作。陳仲恭以張華之書名「博物」為題，又以溫嶠「犀照」比喻洞燭幽微，明察事理之意（按：點燃犀牛角，可目睹水中靈界異象），將此書的奧義連結中國傳統。

合信和 Oger 兩位歐洲人，一位將西學帶入越南，一位則瞄準越南，正是西人對東西方視野的不同觀看。英國醫士合信為啟發安南民智所編的《博物新編》，恰與中國近世西學東漸之風合成一氣。

越南如《博物新編》一類的西學圖書，作者多為西方醫師，如《醫僧問答》，也是醫士阮伯達撰，載錄醫師與僧人有關生活觀念

---

[21] 本節相關書目資訊引自劉春銀、王小盾、陳義合編《越南漢喃文獻目錄提要》，中研院，2002。

的問答。《航海金針》，則是英國人畢丁登‧黎特編撰，美國醫生馬高溫漢譯，是一部航海須知，包括風暴起源、徵兆、地球知識和羅盤用法。《西洋志略》，記世界地理之書；書中包括輪船圖形、載重及速度，新大陸的海灣、碼頭、島嶼、面積、風俗，另敘緬甸、暹羅、新加坡、俄國、美利堅等國地理，記其位置、人眾、風俗、武器、物產、氣候等。《開煤要法》，英國人士密德編輯，傅蘭雅口譯，中國人王德均漢文筆錄，為採煤法，有煤礦相關說明圖。

安南千年來因朝貢中國而產生的北方觀看，隨著 19 世紀西方勢力來到東方，加上法國殖民統治帶來的衝擊，近代安南產生了不同的視野交融。西學東漸的書籍之外，還有一些西行日記開啟了越南人的西方視野。如《西行見聞紀略》，為李文馥參觀時屬英國殖民地新加坡之海軍演習的見聞，撰於明命 11 年（1830）。《己丑西行日記》，成泰元年（1889）越南使節樖豪、武文豹、阮潋出使法國所撰，書中載錄使節途經各地如新加坡、麻槎、巴黎、黎蜎時的外交活動，各地人口、風俗、土產、火車、輪船製造廠及博覽會參觀記等，並附有車程距離。《西浮日記》，為越南使節潘清簡、范富庶等人出使法蘭西、西班牙的日記，內容涉及風景、風俗、接待、呈遞國書、參觀等。《如西日程》，張明記撰並序於成泰元年（1889），以喃文七七六八體形式撰寫的旅程日記，講述出使歐洲及回越南途中的美景、古蹟、居民、水程、陸程等。成泰 12 年（1900），於法國巴黎舉行萬國博覽會，越南使節團前往參觀，寫成的西行日記，至少有三部：越南使節武光玗、陳廷量、黃仲敷撰《使西日記》；徐淡編撰《覽西紀略》；黎文敬撰《附槎小說》等。

越南西學東漸的圖書還包含大批蒙學教科書。《啟童說約》為

金江人范復齋撰四言形式的童蒙教科書，嗣德34年（1881）首印，
此書講述社會與自然知識，有太陽、月亮、人體等插圖。《南國地
輿》，越南的地理教科書，舉人梁竹潭撰，1908刊印。內容包括地
形、位置、邊界、河流、堤壩、海港、道路、天氣、居民、政體、
軍事、財政、教育、課稅、物產、工藝、各省府縣總社村的數量和
各少數民族的風俗、生活情況等。教科書甚多，舊式教科書類型如
《初學問津》，四言體漢喃對照的童蒙歷史教科書，內容自盤古至
清道光的中國歷史，以及自涇陽王至阮嘉隆的越南歷史，每頁上欄
為漢文，下欄為喃文。殖民時期的新式教科書如《小學格致》，是
物理學、生物學的童蒙教科書，陳文慶撰於維新6年（1912），此
書論述物理形態、動物、植物、人體、衛生等西方知識。

2、輿地之書

　　法在越殖民統治時期開啟越南人民西方輿地視野之書，以《大
法東法行政一瞥》體系最完備，該書記世界地理，黃謝玉編撰於成
泰17年（1905），以法文寫成，有附圖。本書含數部作品，其一《法
政須知》，扼要敘述法國歷史及法人在印度支那的統治制度；其二
《大法東洋地輿全圖》，介紹印度支那地理；其三《北圻地輿全圖》，
介紹越南北方地理；其四《五洲各國統考》，略述世界五大洲各國
地理；其五《自河內至巴黎程途略志》，略記自河內至巴黎的路程；
其六《大南郡國志略》。另如《東洋地輿志集》，東印度支那地理歷
史的介紹，陳允東撰，內容敘印度支那位置、交通、地形；其中有
柬埔寨、老撾兩國地理。

　　輿地書之詳實具撰，出於殖民政府統治的需要，基礎在於官方
的細緻調查。前述中國在1906年創刊的《北洋學報》，是西學傳入

影響下的報刊，其中包括大量科學叢錄調查，含法政調查、財政調查、實業調查、人物調查、風土調查、路礦調查。Oger《安南人的技術》的編製即與法國殖民政府委派的調查任務有關，同一時期，越南亦有相類的調查報告，譬如《乂安省開冊》，可供參照。早在黎朝時期，已有乂安督視陳名琳（1705-1777）撰有《驩州風土記》，為乂安省人文地理書，內容涉及地形、風俗、山川、物產、行業、人物等。但《乂安省開冊》是一套乂安省志，其撰寫概念完全不同於《驩州風土記》，資料來自乂安副使法國人 Ogeier 的調查問卷，共約一百個問題，維新 5 年（1911）由乂安省各社村負責撰寫。本書涉及各種自然現象如氣候、動植物、風俗，民間傳說的調查。書名另標為《俗信雜錄》，又名"Recueil de Croyances"（《信仰綱要》），書名為越文及法文，正文為喃文。共有四種冊卷與《乂安省開冊》直接有關：其一、共列 76 個問題，包括對待女性的禮儀、照顧小兒的方法、婚禮、疾病、治喪等問題。其二、旨在了解當地的民眾的文化程度及風俗習慣，乂安各社村的里長、豪里和百姓於維新 5 年至 6 年（1911-1912）接受調查。其書內容涉及自然地理、氣候、國運、人生、禽獸、昆蟲、草木、魔怪、河水、海水等。其三、維新 5 年（1911）乂安副使調查下屬各社的結果，收有乂安省宜祿縣興原府、金原總、安陽總下屬各鄉社就 69 個問題所作出的答案，涉及村甲寨數目、農作物品種、城隍廟寺廟祠廟、殯葬、婚娶、祭禮、課稅、巡防、登第、犒饗等問題。其四、有關人事、草木和禽獸的 75 個故事。其書內容有：進餐時宜盤足不宜伸腿、屋內不宜戴帽，水仙花、芍藥花、石榴、松柏，猩猩。

　　《俗信雜錄》為乂安省全面的調查報告，奠基於具有官方身份

的法國副使 Ogeier 設計的百餘份調查問卷而來，於維新 5 年（1911）由乂安省各社村集體撰寫。那麼，兩年前 Oger 走遍河內大街小巷采風調查的《安南人的技術》，出於何種動機？什麼時代氛圍？被賦予如何的任務？《乂安省開冊》（《俗信雜錄》），非常值得參照。

五、研究概況與未來方向

（一）目前研究概況 [22]

目前對於《安南人的技術》一書的相關研究成果並不多見，集中於越南學界。首先關於版本方面，根據阮孟雄（Nguyễn Mạnh Hùng）研究指出，《安南人的技術》有兩個藏本，其一在河內國家圖書館，編號 HG18，其二在胡志明國家圖書館，編號 10511。[23]阮廣明等著〈《安南人的技術》新發現〉一文提及另本藏在英國圖書館，編號為 Or. T.C.4，此外在日本慶應義塾大學也藏有一本，有 935 頁圖畫，比胡志明市藏本多 235 頁，然日本藏本存在許多疑問。[24]其次，《安南人的技術》一書的探討，90 年代有阮孟雄（Nguyễn Mạnh Hùng）系列論文：Ký họa Việt Nam đầu thế kỷ 20 qua tác phẩm Kỹ Thuật Của Người Việt Nam *"Technique du peuple Annamite"* của

---

[22] 本節考察內容與初稿為中正大學歷史系博士候選人越籍青年潘青皇同學承擔，為本文提供了越南之研究現況，助成此文，於此申謝並敬告讀者。

[23] 阮孟雄博士論文：《通過《安南人的技術》一書來看 19 世紀末~20 世紀初的越南社會》，河內，人文與社會科學大學，1996。

[24] Nguyễn Quảng Ninh, H.van Putten, Nguyễn Mộng Hưng, *Vài Điều Mới Biết Về Kỹ Thuật Của Người An Nam*, tạp chí nghiên cứu và phát triển, số 5, 2011.（阮廣寧、H.van Putten、阮夢興,〈《安南人的技術》的新問題〉,《研究與發展》, 2001 年第 5 期。）

Henry Oger, nhà xuất bản trẻ, 1989.（〈通過《安南人的技術》一書看 20 世紀初越南繪畫〉，胡志明年輕出版社，1989）；*Tết cổ truyền Việt Nam qua "Technique du peuple Annamite" của Henry Oger*, Viện văn hóa nghệ thuật，1991.（〈通過《安南人的技術》一書看越南的春節〉，文化藝術學院，1991）；*From Vietnamese sketches in early twenty century: through "Technique du peuple Annamite" of Henry Oger*, Journal of Southeast Asian, Vol 4，1982）。集大成論著為 Nguyễn Mạnh Hùng, *Xã hội Việt Nam cuối thế kỷ 19 đầu thế kỷ 20 qua bộ tư liệu Kỹ Thuật Người An Nam của Henry Oger*, luận văn tiến sĩ, đại học khoa học xã hội và nhân văn, 1996.（阮孟雄博士論文：《通過《安南人的技術》一書看 19 世紀末~20 世紀初的越南社會》，河內，人文與社會科學大學，1996），該論文除了開頭和結論，主要內容有三章：第一章介紹《安南人的技術》這部書（頁 15-42），第二章由《安南人的技術》觀察越南社會（頁 49-114），第三章由《安南人的技術》討論越南社會、文化、藝術的轉變。

其餘論文如：Ngọc Hoa, *Nói thêm về bộ Kỹ Thuật Của Người An Nam*, tạp chí Xưa và Nay, 2009, số 345, trang 30-31.（玉華：〈《安南人的技術》再探討〉，舊與新雜誌，2009，第 345 期，頁 30-31）；Tam Hữu, *Về những người Việt tham gia thực hiện bộ Kỹ Thuật Của Người An Nam*, tạp chí Xưa và Nay, 2009, trng 16-19.（三有：〈《安南人的技術》的越南刻印者〉，舊與新雜誌，2009，第 34 期，頁 16-19）；Vũ Thị Việt Nga, *Văn hóa Việt Nam nhìn từ bộ tranh Kỹ Thuật Của Người An Nam*, tạp chí Văn Học Nghệ Thuậ, số 392, 2017.（武氏越娥：〈通過《安南人的技術》看越南文化〉，文化藝術雜誌，2017，

第 392 期）。武氏這篇文章主要根據 Hanri Oger 的分類探討越南文化，第一章論工業品，來源是自然的工業品，第二章論手工業，依 Oger 的分類歸納法重述安南的個人生活、共同生活和技術。另有〈二十世紀初的越南人〉[25]，該文是通過圖畫簡單介紹當時越南生活，分成兩個單元來描寫，第一單元簡介圖片提及的各個行業；第二單元介紹作者 Hanri Orger 是一個孤獨的研究者，總論《安南人的技術》一書刻劃著越南日常生活的勞動景象，每張圖共有兩部分，即圖形和喃字注釋，這些圖文成為當時研究越南社會的特殊資料。

(二)未來研究方向

除了以上有限的越南學者研究成果之外，《安南人的技術》700 頁/4200 幅圖繪給予越南於歷史、社會、文化、美學等眾多面向的龐大訊息及探索空間，期待有心學者接續開發議題，投入研究。筆者以為大致有以下幾個面向值得注意：

1、百業興替與社會承變

Oger 的這部民族誌調查，細節性地展示原料與製程，以造紙業為例，製程包括：砍伐、挖掘、沸煮、漂洗、切碎、排序、搗漿、勻平、堆疊、擠壓、乾燥……等，自 20 世紀初直到現在，造紙術的昔今比較，於工具及動力學製程均呈現著一種驚人的相似性，這種手工業工具與程序的持續性，Oger 給予現今讀者一個幾乎準確無誤的知識傳遞。除造紙業外，Oger 提及越南百工，包括：漆業、刺繡業、鑲嵌業、雕刻業、彩繪業、印刷業、理髮業、竹器修復業、運輸業、製衣業、染業、建築業……等，大量圖版的漢/喃文釋名、

---

[25] http://tiasang.com.vn/-tin-tuc/hinh-anh-nguoi-viet-dau-the-ky-20-2859

分析與解說，可據以進行細部拆解、組合、歸納、排列，利於昔日手工業之復原或建構，以資與今日作對照，明其興替。再者，屬於人們之禮儀習尚或消費模式，亦可從 Oger 保存之原初文獻中進行昔今比對分析，進一步探討社會的繼承與新變。

2、書籍出版史

筆者本文大致鋪展了近世東西雙方相互觀照之圖像書籍視野，由一位法國青年結合越南畫家雕匠團隊所共同編繪印製的《安南人的技術》一書，這些共同作者所涉之學術背景、時代氛圍、編繪動機，作品意涵、視覺訴求、出版技術……等複雜問題，宜由書籍出版史的角度進行更細緻的考察，祈盼本書的精細考察可作為 19~20 世紀東亞漢籍一個研究的典例。

3、審美意趣

該書反映出多彩多姿的越南文化及其樸素美，人物的動作與姿勢展現在畫面的場景中，每幅作品皆可視為獨一無二的藝術圖像。翻閱每一頁，宛如一個旅者漫步於 20 世紀初河內 36 條古街中，往日氣氛在畫幅空間裡迴蕩。這些圖繪照見越南人民連結文學與歷史的信仰、日常生活與審美心靈。Oger 探索越南家庭技術與手工業，描繪的對象，由小孩到老人，由男人到女人，他們各自站立於不同生產環節的位置，圖畫不僅呈現寫實性，也彰顯越南人民的奮鬥精神，透過畫家與編者敏銳的洞察力，安南物質文明的光輝成為這部畫冊的審美焦點。

4、視覺理路

4200 幅圖版組成的龐大資料庫，除了可以 Oger 技術層次的四

大分類進行分析外，所涉問題仍十分繁複。每幅圖像都具有獨立完整的指稱，或如工具、商品或藝術品等單一的物件；或如社會不同行業或位階的人物如：屠夫、乞丐、妓女、富婆、巫師、聲藝、鐵匠、鋸匠、漆工……等。這些清晰指涉者，如 p.13「粉盒」：「這盒以銀製之，婦女積其香粉，以塗唇面」，其呈現方式一如圖錄。大部份的圖像則是一幅具有結構意涵的繪畫，可能是進行中的買賣現場、某種名目的遊行隊伍、一個遊戲活動、一場祭祀儀式……等。4200 幅圖顯然出自不同畫工之手，亦不出於相同的構圖理念，不僅視點遠近不一，繪筆精粗有別，這些圖可能還有更多樣化的來源。譬如有一批圖像，Oger 索引標註為「folk print」（如 p.86、p.90、p.98、p.100~103），一幅「金雲翹再合」（p.103）是將田調蒐得的年畫或民間印刷成品直接取回再製，如此則保留了隨著時間消逝的許多越南珍貴遺產。

　　畫冊內容包羅萬象，經常出現漢文化影跡，如：清人結伴走過（p.4）、中國餐飲精品店（p.21）、文人揮毫寫對聯（p.14）……等街頭即景，或受漢文化長期浸淫的百姓日用，如：禮俗習尚（p.19）、儒家祭壇（p.25）、漢詩貼聯（p.25）、刻版墨印（p.37）、三國故事年畫（荊州赴會 p.98、諸葛求風 p.100）、史記故事年畫（南宮置酒 p.328）、子房故事年畫（悲歌散處 p.328）……等無處不在。亦有許多外國圖像，如人力車載著法國仕女（p.14）、外國步兵隊（p.36）、鬥馬場（p.101）……等。Oger 組織畫家團隊不僅真實重現安南國之器物、技術與民生，被描繪的對象莫不具有一種躍動的生命力，既是真實生活面相的再現，同時也意味著越南畫家的寫實畫風，讓人不禁想起晚清海上畫派廣納常民日用的新視點畫作，以及朝鮮王朝後期迥異於兩班貴族之委巷畫家捕捉庶民百業生動點滴的作品，

或可作為東亞近世視覺文化發現「日常生活」的共同趨向。

六、結論

　　一般人對細節沒有進行實質了解而輕忽安南的手工藝及商業交易的重要性，Oger 以一年時間深入安南各個生活層面，對先前的觀點提出強烈反思。因此，調查報告最終的「結論」，Oger 提出兩點前瞻性意見：第一、他預示安南工業的未來榮景。第二、為了這個榮景，他極力提倡越南應設立訓練有素的職業培育學校，逐漸走入工業化的資本社會。

　　法屬殖民統治下的越南，進入 20 世紀，民族學和社會學的田調及其背後的深刻意義尚未被普遍認知，使得當時傳承多種傳統脈絡精神的 Henri Oger 越南民族誌研究未獲官方、學術機構或商業作坊的支持。在不友善的政治環境中，他依然堅定理念，透過具像描繪與圖說捕捉逐漸消跡的安南歷史文化，其研究成果空前絕後地獨步於越南近代史。Oger 著眼於物質技術並結合實地調查的社會人類學民族誌寫作法，以及百科全書式知識全景的編纂企圖，時至今日，均顯得極為珍貴。基於以上觀點，Pierre Huard 為 Oger 提出幾點先知之見：1.建立技術性語彙。2.對所有已知器具、設備及使用程序進行圖像性解釋。3.專題圖像的研究：針對越南家庭業（如皮匠、雜貨商、紙販、翻譯等）的研究，包括：預算細節、住所、衣服、飲食喜好……等，乃根據勒・普雷和德・圖爾維勒的方法學（*"according to the methodology of Le Play and de Tourville"*）。4.這些發現的出版。

其中第 1、2、4 點已落實於《安南人的技術》這部畫冊的繪編與面世，第 3 點則將 Oger 的研究成果很好地連結了法國另一個重要的學術傳統。Frédéric Le Play（弗雷德里克‧勒‧普雷，1806-1882）是法國的著名礦務工程師，西方社會科學的奠基者之一，「是在社會學史上書寫出第一批系統的工人家庭研究專題的作者」。他創立的「勒‧普雷學派」（l'école de Le Play）是一個圍繞著《社會改革》（La Réforme Sociale）和《社會科學》（La Science Sociale）兩大主要雜誌而形成法國人類學和社會學的學術團體，在 19-20 世紀積極參與人類社會組織問題的思考和歐洲社會的改良，對人類文明的發展模式和東方文明的獨特性進行過討論，在人類學、社會學、經濟學、政治學和倫理學等領域發揮過非常重要的作用，其影響力一直持續到 20 世紀 30 年代，因其他學派的競爭而日漸衰微。Le Play 結合法國當時理念相近的四大組織，進行學術交流和嘗試社會改良，從而形成「勒‧普雷學派」，上文提及的巴黎聖-奧古斯丁教堂本堂神父 H.de Tourville（德‧圖爾維勒，1842-1903）則為該學派的核心人物之一。[26]

「勒‧普雷學派」是西方早期的人類學和社會學學派之一，該學派在 19 世紀下半葉運用地理學、西方漢學、人類學和社會學等學科知識，從理論上將中國塑造成一個恪守道德法則、服從父權的典型「族長制家族」社會。這一中國形象是 18 世紀歐洲「中國熱」現象的延續，更是新歷史背景下法國自由派知識份子試圖用以解決法國（乃至歐洲）社會問題以及面對全球的一種借鑑性思維。另一

---

[26] 引自（郭麗娜｜法國勒‧普雷學派的中國研究及其影響 2016-12-13 19:06 http://www.sohu.com/a/121472103_501394 2017.06.23）

方面，它作為近代歐洲東方視野的重要組成部分，折射出東西方文化關係的複雜性。[27]

　　奠基於非常準確的評估，Oger 認為欲提昇越南國家文化的地位，特別需要建立資料庫以及正確的研究走向，他的隱喻說法是：「大型劇目和清單的建立」。法國殖民統治 20 餘年以來，越南有了大量的辭典，卻極少真實的社會學和民族學研究，於今視之，這無疑是 Henri Oger 對越南技術文明與物質文化的先銳眼光與貢獻。Oger 深入瞭解，認為安南屬於半文明民族，進步速度雖較為緩慢，卻對安南手工業由衷佩服。1909 年，僅 25 歲的 Henri Oger 以尚未具足專業權威的身份進行「安南人的技術」調查研究，背後卻依傍著法國積累兩個世紀以來包括民族誌寫作（採用殖民政治興起實際體驗記錄族群日常生活的調查法）、「百科全書學派」（具有啟蒙精神推崇科學、藝術和工藝的文化社會人類學視角）、「勒‧普雷學派」（關注人類發展模式與東方獨特文明之觀點）等多種具有十足份量與影響力的法國（歐洲）傳統，學術根柢深厚，還要加上其尊重越南物質技術而向師執先驅借鏡取徑的自身人文性格。Oger 將這些不同時代脈絡的學術傳統、思維觀點與人格特質整合到他費時年餘聯合畫工團隊造訪河內大街小巷實地查訪而完成的成果報告中，這個一百多年前建立的視野，再次印證其包含考古學、哲學、社會學、銘刻學等西方古典東方學實地研究之成就與貢獻，這必然是東西方文化相遇於安南留給世人值得稱傲的文化遺產，對當今越南漢學、東亞漢學，乃至於整個世界漢學研究，均十分具有啟發性。

---

[27] 資料引自同上註。

除了 Oger 作為主導者所繫於一身的歐洲學術傳統及當代背景之外，《安南人的技術》這部書的繪製、編纂、印刷與出版，可引進中國目錄學架構下之日用類書與物質書圖冊，以及東西相互觀看之輿地探查與西學傳入等近世兩大書籍與知識脈絡以資對話與參照。Oger 這部誕生於 20 世紀初安南國的百科全書民族誌，可以輻射出近世東亞於物質生活、視覺文化、民族認知、新知傳播、編撰意識、出版技術等多重面向的價值，為東亞漢籍研究拓展豐富的議題性意涵，並賦予重要的學術標誌。

✿後記：南京大學域外漢籍研究所張伯偉特聘教授召集「第二屆『域外漢籍研究』國際學術研討會」（2017.07.1-2，中國：南京，南京大學域外漢籍研究所、中國文學與東亞文明協同創新中心主辦），筆者榮獲伯偉教授惠賜良機，得以發表〈［法］*Henri Oger*《安南人的技術》之編製及學術視野〉，拙稿初成於該盛會，並收入卞東波主編：《縞紵風雅：第二屆南京大學域外漢籍研究國際學術研討會論文集》（與潘青皇合著，本人為第一作者。北京：中華書局，2021），頁 506-526。初稿經局部修改，以〈一部奇書：*Henri Oger*《安南人的技術》之學術關涉〉為題，發表於『第二屆文獻與進路：越南漢學工作坊』（2017.10.19-20，臺灣：嘉義，中正大學中文系、越南漢喃研究院合辦。由時為系主任之本人與漢喃研究院阮俊強院長共同召集）。拙文復經擴大修訂，定題為〈圖籍視野與東西觀照：*Henri Oger*《安南人的技術》之關涉〉，通過審查，刊登於《域外漢籍研究集刊》（南京大學域外漢籍研究所主編，北京中華書局出版）第 18 輯（2018.12），頁 385-423。茲再經修訂並增多附圖收入本輯。特銘記拙文多番修訂與發表歷程，感謝師友惠助甚多，祈請四方專家不吝賜教。

【附編】作者簡介
(按姓氏筆畫由少至多排序)

❀ 丁克順（Đinh Khắc Thuân）

　　法國社會科學高級學院歷史博士，現任越南東方民立大學教授。曾任越南社會科學翰林院社會科學學院教授、副教授、漢喃研究院研究員、漢喃研究院《漢喃雜誌》副總編輯；中國廣西民族大學、中國廣西師範大學，中國鄭州大學、臺灣中正大學，臺灣成功大學，臺灣雲林科技大學等客座教授。研究領域：越南古代碑刻、中越外交史、越南民間信仰、越南民間文學等。著有 *"Chinese characters stelae of the Chinese in Thang Long Ha Noi"*（2021）、〈越南興安憲庸華人漢喃碑〉（2021）、〈越南李朝漢喃碑文的版本及其資料價〉（2019）、〈越南漢文賦概論〉（2019）、〈嗣德聖制字學解義歌：版本及文字等問題研究〉（2017）。

❀ 毛文芳（詳見本書卷前「主編簡介」）

❀ 阮俊強（Nguyễn Tuấn Cường）（詳見本書卷前「主編簡介」）

❀ 阮氏鶯（Nguyễn Thị Oanh）

　　越南河內師範大學文學博士，現任昇龍大學昇龍認識・教育研究院副院長、日本國際說話會會員、日本國際訓讀會會員。曾任越南科學社會翰林院所屬漢喃研究院歷史地理研究處處長。研究領域包含越南漢喃文獻學、東亞比較文學、東亞漢籍音韻學。代表著作有〈「越日外交関係を古書籍に探る」『日越交流における歴史、社会、文化の諸問題』〉（2015），《越南社會文化生活中的漢喃遺產》（2016）、〈ベトナムの前近代における釈迦の伝記について：『如来応現図』を中心に，『東アジアの仏伝文学』〉（2017），〈「ベトナムの漢字」『日本語学』明治書院〉（2018），《河内神蹟》（2019），《搜神記》（2022）。

◉ 阮黃申（Nguyễn Hoàng Thân）

　　越南社會科學學院漢喃學博士，現任峴港大學人文與社會科學研究中心主任。修業於越南社會科學翰林院（VASS）所屬漢喃研究院美國哈佛燕京學社基金（2005）。曾任越南峴港大學所屬師範大學講師、語文系副主任、中國湖南師範大學文學院越南政府 322 號博士基金高級進修生（2011-2012）、中國湖南大學越南中央黨組織部 165 號漢語進修團團長兼書記（2019-2020）。研究領域包含：越南漢喃、文化，廣南峴港（地方）學、會安華人。多次於越南、中國、臺灣、日本等國家參加國際研討會並發表越文、中文、日文等研究論文。有專著 10 本、論文 150 餘篇。列舉幾部代表：《越南阮朝范富庶及其蔗園全集研究》（文學出版社，2011）、《峴港文化研究集》（主編，峴港出版社，2013）、《廣南峴港研究》第一集（峴港出版社，2020）等。

◉ 范玉紅（Phạm Ngọc Hường）

　　越南河內國家大學所屬人文暨社會科學大學漢喃學博士，現任南部社會科學所所屬胡志明市社會科學雜誌編輯部主任。研究領域包含越南近代思想史、宗教文化史、史學理論和華僑華人文化交流史。以胡志明市碑銘文化為對象，探究華僑華人在東南亞和越南的文化交流，對於越南華僑的經濟、宗教、教育、文化史亦有所著墨。目前專注於越南近代思想史與華僑華人文化交流史的研究。代表著作有《胡志明市碑文研究：考究與介紹》（2020）、《皇越律例撮要演歌：考究、拼音、註解》（2021），其他論文散見於《中國研究期刊》、《漢喃研究期刊》、《胡志明市社會科學期刊》。

◉ 耿慧玲

　　歷史學博士，師事於陳槃、毛漢光先生。曾任朝陽科技大學通識教育中心教授兼主任、香港大學饒宗頤學術館名譽研究員、西安碑林博物館客座研究員、越南胡志明市人文與社會科學大學客座教授。主要研究領域：金石學、中國中古史、越南銘刻與越南研究、臺灣碑志與臺灣史、古琴文化。曾參與「唐代墓志銘彙編附考」（1982-1991）計

畫，並主持「越南漢喃銘文彙編」（1998-2002）、「隋代墓志銘彙編」
（2001-2005）、「越南漢文碑銘萃編」等跨域學術研究計畫，及「臺灣
碑志研讀計劃」（2004-2007）、「石刻專著研讀計劃」（2014-2015）、
「金石專著研讀計劃」（2016），以及「臺灣碑志與台閩互動關係研
究」（2006、2007）、「越南碑誌研讀會」（2020-2021）等研究課題，主
要專著：《越南史論：金石資料之歷史文化比較》（2004），〈越南史
論叢〉（出版中）；發表論文《神龍宮女及其在政變中的作用》等數十
篇；編輯與出版：《越南漢喃銘文彙編（北屬時期到陳朝）》三冊、《琴
學薈萃》一至六輯、《柏克萊加州大學東亞圖書館藏碑帖》。

● 張伯偉

　　中國南京大學文學博士，現任南京大學文學院教授、南京大學域
外漢籍研究所所長。曾任日本京都大學大學院文學研究科、韓國外國
語大學中文系、臺灣大學中國語言文學系、香港浸會大學中文系、香
港科技大學人文學院客座教授。主要從事域外漢籍、中國詩學研究。
著有《禪與詩學》（1992、1995、2008）、《鍾嶸詩品研究》（1993、
1999）、《全唐五代詩格彙考》（1996、2002、2005）、《臨濟錄》
（1997、2018）、《詩詞曲志》（1998）、《中國詩學研究》（2000）、
《中國古代文學批評方法研究》（2002）、《清代詩話東傳略論稿》
（2007）、《東亞漢籍研究論集》（2007、2011）、《作為方法的漢文化
圈》（2011）、《域外漢籍研究入門》（2012）、《東亞漢文學研究的方
法與實踐》（2017）、《日本世說學文獻序錄》（2021）等，編有《稀見
本宋人詩話四種》（2002）、《朝鮮時代書目叢刊》（2004）、《中華大
典·文學典·文學理論分典》（2008）、《朝鮮時代女性詩文集全編》
（2011）、《"燕行錄"研究論集》（2016）、《日本世說新語注釋集成》
（2019）、《程千帆古詩講錄》（2020）及英文著作（合編）"Rethinking
the Sinosphere: Poetics, Aesthetics, and Identity Formation"（2020）、
"Re-examining the Sinosphere Cultural : Transmissions and
Transformations in East Asia"（2020）等，並主編《中國詩學》（1991-
2019）、《域外漢籍研究集刊》（2005-2020）等刊物。

❀ 許怡齡

　　韓國國立首爾大學國語國文系古典文學博士，現任中國文化大學韓國語文學系副教授、同校東亞人文社會科學研究院執行長、同校韓國學研究中心主任、許燦煌文庫研究員、中華民國韓國研究學會理事。曾任台大人文社會高等研究院國內訪問學者（2016）、東北師範大學訪問學者（2016）、越南漢喃研究院訪問學者（2015）。研究領域是東亞思想史、東亞交流史，近來關注明清時代中國儒學書東傳朝鮮和南傳越南的比較。近年出版〈從東亞視野論《性理大全》的意義：以韓國與越南的流傳比較為中心〉（2018）、〈朝鮮的「漢語」、「漢文」意識及中華觀〉（2017）、〈從「儒學」到「儒教」的脈絡性轉換：「西學」與朝鮮思想史的轉換點〉（2016）等文章。

❀ 陳正宏

　　上海復旦大學古籍整理研究所博士，現任復旦大學古籍整理研究所教授、中國古典文獻學博士生導師、中國國家古籍保護工作專家委員會委員、上海市文物鑑定委員會委員。研究與教學領域涵蓋版本目錄學、比較文獻學、美術文獻與美術史。主要著作有：《沈周年譜》、《史記精讀》、《東亞漢籍版本學初探》。合編專書《古籍印本鑑定概說》、《越南漢文燕行文獻集成（越南所藏編）》、《琉球王國漢文文獻集成》、《英國劍橋李約瑟研究所東亞科學史圖書館藏漢籍善本圖目》等。

❀ 陳益源

　　臺灣中國文化大學中文系博士，現任臺灣成功大學中國文學系特聘教授、臺灣中文學會理事長，兼任國際亞細亞民俗學會副會長、中國《金瓶梅》學會副會長、漢學研究中心指導委員會委員等職。曾任臺灣成功大學中國文學系主任、人文社會科學中心副主任與代理中心主任、臺灣文學館館長、金門大學人文社會學院院長。學術專長為古典小說、民俗學、民間文學、越南漢文學。關於越南漢文學，先後執行近二十項科技部補助之越南專題研究計畫，發表越南研究論文六十

餘篇,在越南出版《剪燈新話與傳奇漫錄之比較研究》、《王翠翹故事研究》、《蔡廷蘭及其海南雜著》、《中越漢文小說研究》、《越南漢籍文獻述論》、《越南阮朝所藏中國漢籍與使華詩文》等六部越南研究專書,曾榮獲越南社會科學翰林院頒予「越南社會文化貢獻獎章」,近年並致力推動葉石濤《葫蘆巷春夢》、《臺灣文學史綱》、《甜蜜的負荷:吳晟詩文雙重奏》、《陳長慶短篇小說集》在越南的翻譯出版,與河內人文與社會科學大學文學系合辦「亞洲觀音與女神信仰國際學術研討會」,並參與胡志明市人文與社會科學大學文學系之「阮朝出使中國之使節作品:翻譯與研究」計畫。

❀陶芳枝(Đào Phương Chi)

　　漢喃研究院書籍學室室長。研究領域包含越南文學、比較文學、越南民間文學、越南民間信仰、越南鄉村俗例。2001 年與揚州大學文學研究院共同研究「越南文學史」;2005 年赴日本東洋大學參與「《粵甸幽靈集》與《日本靈異記》之比較研究」。代表著作包含《漢喃版本學研究的方法:從〈越甸幽靈集〉說起》(2011)、《初創與改編:越南 8 世紀布蓋大王馮興神迹記載與祭祀之考察》(2019)、《越南鄉村中的犒例:從斯文會條例看起》(2021)、〈漢字對越南社會的影響:以二十世紀初漢南字鄉俗文本的漢字使用為例〉(2017)、*"Continuance and Innovation: A Study of Chinese Character Variants in Late Modern Vietnam's Village Customs Texts"*(2020)。

❀劉玉珺

　　中國揚州大學中國文化研究所博士,現任西南交通大學人文學院教授、博士生導師、中國語言文學系主任;四川省普通本科高等學校教學指導委員會委員、國家社科基金重大招標項目「中越書籍交流研究(多卷本)」首席專家。主要研究方向為域外漢文學、漢唐文學與文獻。從 2003 年起,開始從事越南漢籍研究,出版有著作《越南漢喃古籍的文獻學研究》、《四庫唐人文集研究》、《越南漢籍與中越文學交流研究》等。榮獲四川省哲學社會科學優秀成果獎三次,此外曾

先後主持國家社科基金青年項目「16 至 20 世紀的越南漢籍與中越文學交流」、國家社科基金一般項目「中國古典詩歌對越南詩歌傳統形成的影響研究」，全國高等院校古籍整理研究工作委員會資助項目「越南所存的中國古籍目錄的整理與研究」，四川省社會科學「十三五」規劃項目「唐詩對越南古典詩歌傳統形成的影響」等。

❀ 潘青皇（Phan Thanh Hoàng）

臺灣國立中正大學歷史學博士，現任越南河內國家大學屬下陳仁宗學院研究員。主要研究方向：越南進士碑、越南科舉制度、社會變動。合著 3 本、翻譯 2 本、論文大小 10 篇左右。主要著作：《萊石社科榜人物》（2020）、《阮輝家族傳統文化》（2020）、《皇華使程圖》（翻譯，2020）、《燕軺日程》（翻譯，2020）、*"A Study on Decorative Art of Jinshi Bei"*（《止善》）。

❀ 黎氏秋香（Lê Thị Thu Hương）

越南漢喃研究院博士，現任漢喃研究院銘文學房副房長。研究領域包含越南中代教育、乂安省勸學、越南民間風俗、越南家訓。博士論文以 17 至 19 世紀的乂安省勸學為研究議題。有論著 6 部、論文 30 餘篇。2007 年參與上海復旦大學文史研究院所編《越南漢文燕行文獻集成》小組；2009 年為漢喃河內昇龍作家及研究員；2010 年編撰《越南科榜學者的故事》，以越南勸學活動為研究對象。

❀ 鍾彩鈞

英國倫敦大學亞非學院博士，現任中央研究院中國文哲研究所兼任研究員。曾任國立中山大學中國文學系副教授、中央研究院中國文哲研究所副研究員、研究員、兼代理主任、兼所長。研究領域為宋明理學，包括二程、朱子、陽明、劉蕺山等重要理學家，以及一些次要理學家。著有《王陽明思想之進展》、*"The Development of the Concepts of Heaven and of Man in the Philosophy of Chu Hsi"*、《明代程

朱理學的演變》、《明代心學的文獻與詮釋》及論文約五十篇。近年
又研究越南儒學,有越南抄本《周易》點校與黎貴惇相關論文數篇。

❀羅景文

　　臺灣國立成功大學中國文學研究所博士,現任高雄中山大學中文
系副教授兼代系主任。研究領域為古典小說、民間文學、越南漢文
學,近年來持續關注二十世紀初期越南知識人之思維狀況與知識樣
貌,以及他們身處東亞區域下的社會文化意義,同時擴及至現代的在
越華人、華人廟宇,甚至是極具現代意義的博覽會。曾獲中山大學研
究績優、教學績優、優良導師等獎項,著有《憂國之嘆與興國之想:
越南近代知識人潘佩珠及其漢文小說研究》、《高雄大社青雲宮神農
信仰文化誌》(榮獲 108 年度國史館臺灣文獻館獎勵出版文獻書刊地方志書類「佳
作」)、〈中華民國在越南:以胡志明市華人會館區聯碑記為討論對
象〉、〈對 2010 年後中文學界研究潘佩珠之成果的觀察:兼論與潘
佩珠相關之組織和人物在華活動情形〉、〈誰的富強之業:中、日、
越三國參觀者對於 1902 年河內博覽會的觀察與書寫〉、〈二十世紀
初越南知識人的『歐戰』論述:以中國浙江《兵事雜誌》與越南《南
風雜誌》(漢文版)為考察中心〉等二十餘種論著。

編輯後記 / 人生轉了一個美麗的彎，繼續前行

侯汶尚

生命的際遇總是充滿驚奇，越南於筆者曾是個杳眇的國度，卻在學術之途有了緊密的交集，讓人不住的為這邂逅發出一聲驚嘆。2018年 1 月初次訪越，一個陌生大於熟悉的城市－－河內，夜色輕籠，如同覆著面紗的佳人，既神秘又幽微。市中心絢爛的霓虹燈，宣示著這座屹立千餘年的古都，仍舊繼續見證著前現代社會以降的變遷流轉。作為旅人，筆者細細品味著這座古樸又摩登的城市氛圍，遙想百年前越南使臣通過鎮南關，踏上他們原來只能於文章典籍、訪者口述、腦海想像的中國樣貌，終能獲得印證。而我，則由此及彼，雙向瞻望，興奮中帶點微焦慮都是離家之人的共感。

走過三十六古街，一親還劍湖之芳澤與淒美傳說，造訪文廟感受曾經興盛的越南儒學，踏查北寧的歷史遺產東湖年畫，常駐漢喃研究院，翻閱橫跨時間軸線的文獻遺產。由衷感謝漢喃研究院阮俊強院長與高級研究員丁克順教授對毛文芳主任與隨行的我悉心的接待與關照。阮俊強院長精通越、中、英、日等多國語言，指導教授文芳主任藉著阮院長於 2017 年蒞臨本系國際會議的大好時機，敦聘院長擔任筆者碩士論文的口試委員召集人，倍感榮幸。阮院長專業且深具內涵的點評讓筆者對於越南漢學有更深刻的認識，拜賜於文芳主任大力推成文學院與漢喃院簽訂 MOU，同年（2017）十月份，由本系與漢喃院一起合辦第二屆「文獻與進路：越南漢學工作坊」，剛考上博班的筆者躬逢其時，感謝文芳主任信任，由甫任研究生學會會長的我負責聯繫與接待工作。當時，我不僅極榮幸獲得俊強院長俯允成為我的博士指導教授，工作坊圓滿結束後，文芳主任為院長安排全臺學術巡迴演講行程，筆者亦有幸擔任院長的隨行秘書，就近請益。在巡迴的各個

場次裡，院長作為越南漢學之指標性學者，台風穩健、底蘊深厚，對學術如數家珍，給人的距離不似巍峨如山巔之雲，而是和煦如暖春之風，無論於學術表現或待人接物，都令筆者敬佩萬分、心生欽慕。

而這一切歷練宛如美夢成真，有賴筆者的指導恩師毛文芳教授。碩一剛入學時，未來碩論的構想擬以「稼軒詞」為研究對象，多方打聽得知於系上開設詞選及習作的文芳教授古典詩文學養深厚，偶然間得知毛教授當時正在覓聘新的研究助理，在與文芳教授商談工作事宜的過程中，很幸運成為詞選課程的教學助理。因緣際會，與文芳教授有了交集，以為水到渠成的我，卻在碩一下迎來第一次「轉彎」，碩論主題由「稼軒詞」轉為「納蘭詞」，斷代由宋到清。2015 年寒假 2 月起，文芳教授開始擔任系主任，大力推動國際漢學，舉辦一系列講座、研討會與工作坊，邀請多位國內外知名的專家學者，系上活動非常多元。研究生學會也在當時成立，中區、南區、子衿論壇等研究生學術會議也如火如荼舉辦，系上學術氛圍相當濃厚。碩二時修習由文芳主任規劃邀聘耿慧玲教授開設的「東亞文化與越南漢學專題」課程，開啟筆者的域外漢學視野，尤其對於碑銘與燕行文獻的認識，印象極深，這是筆者學術歷程最大的「轉彎」。文芳老師多次晤談的鼓勵與支持，筆者將論文主題轉向越南漢文燕行錄。從中國轉往越南是一個巨大的挑戰，包含先備知識、文獻取得、修業年限等挑戰與疑慮，但這些難處都能在與老師暢談後獲得解決。

2018 年 1 月造訪越南河內，進行為期一個月的學術考察與語言學習之旅。此次行旅看到許多珍貴的資料，尤其「近世知識轉型」作為一個時代背景，如何影響越南甚至整個東亞，是個值得深究的議題。在翻查文獻的過程中，發現西學對於 19 世紀的越南有著深遠的影響，陸續以此為主題，撰寫數篇會議論文。其一、 *"Image Construction and Eastward Spread of Western Culture: The Eurasian Journey of 'Hang hai jin zhen'航海金針"*, 發表於"11th Annual Meeting of the Society for Cultural Interaction in East Asia SCIEA" （德國：紐倫堡大

學，2019.5）。其二、筆者曾以《航海金針》、《博物新編》、《測候叢談》三部氣象學的西學文獻為主題，組織一個博士候選人 panel，包兩位就讀哈佛東亞系的吳周炫、姜周希，一位就讀韓國高麗大學漢文學系的魯耀漢，我們四人以「人文學、科學和醫學：近世東亞的知識建構與傳播」為主題，入選「2019 中央研究院明清研究國際學術研討會」（臺北：中央研究院中國文哲研究所，2019.8），很榮幸邀請中研院近代史研究所張哲嘉研究員為本組主持與評論，本研究小組含金量極高，加以西學學養深厚的哲嘉研究員對本小組點評到位，造成不小迴響，收獲甚鉅。其三、撰寫論文〈跨域與越境：論合信《博物新編》〉，受邀參與「日照高山：東亞文化意象與華文文學青年學者論壇」（臺北：中央研究院中國文哲研究所，2020.12）。會議期間與討論人、講評人及其他發表人激盪學術火花，又是一場滿滿大豐收。

文芳教授總是充滿想法與力量，若無文芳教授的鼓勵與鞭策，筆者可能無法「轉彎」到繽紛多彩的越南漢學領地，不可能有機會踏足不斷深掘才智礦脈的自我人生步道與學術生涯，感謝老師一路的提點。自與文芳教授結識迄今，總能見到老師積極堅持、踏實穩健的為人風範，無論是會議構想、學者邀請、落地接待、議事安排、成果編纂……等，無不斟酌再三，著重於細節的講求，最感震撼與欽佩的是老師對品質盡善盡美的執著。多年來，很幸運能一直追隨著文芳教授治學與處世，她有著細緻、耐煩與同理心一以貫之的精神、美好的夢想藍圖加上堅實篤定的行動力，以及對品質一絲不苟的追求，最終總能收成最豐美的果實，老師是我人生非常重要的標竿，希望我能邯鄲學步，即使習得一招半式也好！

光陰荏苒，時序四年流轉，由衷感謝參與本輯所有作者師長們對筆者進度緩慢的無限包容，並深致歉意，期盼各位諒解教研行政忙碌不堪的兩位主編，以及非專業編輯的筆者。一路漫行，終能撥雲見日，這部論文專輯是兩位恩師主編給予筆者全付信任的產物，也是筆者擔綱執行編輯的處女作，是文芳教授手把手引領筆者的學術細活，

其中亦貫注著遠在河內案牘勞形的俊強院長不斷的關懷與叮囑，如今這項集眾多著名學者最新才智，並由筆者師生三人協力完成的成果即將呈獻給世人，作為執行編輯的筆者，榮幸有之，驕傲有之。

「長天一色鮮，絕頂漾清漣」是越南阮朝使臣李文馥到訪中國澳門時留下的詩句（詳見卷首主編的「出版書序」），時值西風東漸的十九世紀，是要堅守固有價值，還是開放接受？這不只是他的疑問，更是整個東亞漢學的當代課題，「轉型」已然成為一種趨勢與回應。在『越南漢學論叢』第一輯的執編過程中，既是筆者對過往經歷的回顧，也透過多篇論文的閱讀指向未來！筆者捫心自問：這段行程最大的收穫何在？「轉彎」，既意味著筆者的研究之路由清代詞學轉向越南漢學，絕非彷徨或潛逃，我更願視「轉彎」為一個美好的運動姿態！調整好路向的筆者，給自己一個遇見「新視野」的美好契機，筆者將繼續向東亞漢學的視域篤篤前行。

國家圖書館出版品預行編目資料

長天一色鮮・絕頂漾清漣：越南漢學新視野

毛文芳、阮俊強主編. – 初版. – 臺北市：臺灣學生，
2023.03
面；公分(越南漢學論叢；第一輯)

ISBN 978-957-15-1893-0 (平裝)

1. 漢學 2. 文集 3. 越南

033.8307   111013017

長天一色鮮・絕頂漾清漣：越南漢學新視野

主　編　者　毛文芳、阮俊強
執 行 編 輯　侯汶尚
出　版　者　臺灣學生書局有限公司
發　行　人　楊雲龍
發　行　所　臺灣學生書局有限公司
地　　　址　臺北市和平東路一段 75 巷 11 號
劃 撥 帳 號　00024668
電　　　話　(02)23928185
傳　　　眞　(02)23928105
E - m a i l　student.book@msa.hinet.net
網　　　址　www.studentbook.com.tw
登 記 證 字 號　行政院新聞局局版北市業字第玖捌壹號
定　　　價　新臺幣七○○元
出 版 日 期　二○二三年三月初版
I S B N　978-957-15-1893-0

03304　　　有著作權・侵害必究